rowohlt
POLARIS

JOJO MOYES

Ein Bild von dir

Aus dem Englischen von Karolina Fell

ROMAN Rowohlt Polaris

Die Originalausgabe erschien 2012 unter dem Titel
«The Girl You Left Behind» im Verlag Penguin Books, Ltd. /
Penguin Group, London.

Deutsche Erstausgabe

Veröffentlicht im Rowohlt Taschenbuch Verlag,
Reinbek bei Hamburg, Februar 2015

Redaktion Tobias Schumacher-Hernández
Umschlaggestaltung any.way, Barbara Hanke / Cordula Schmidt
Umschlagillustration Daniela Terrazzini / The Artworks
Satz aus der DTL Dorian, InDesign,
bei Pinkuin Satz und Datentechnik, Berlin
Druck und Bindung CPI books GmbH, Leck, Germany
ISBN 978 3 499 26972 1

Das für dieses Buch verwendete FSC®-zertifizierte Papier
Lux Cream liefert Stora Enso, Finnland.

EIN BILD □ VON DIR

Für Charles, wie immer

Teil eins

Kapitel 1

St. Péronne, Oktober 1916

Ich träumte von Essen. Knusprige Baguettes, innen jungfräulich weiß, noch dampfend vor Ofenhitze, und reifer Käse, der zum Tellerrand hin auseinanderfließt. Trauben und Pflaumen, hochaufgetürmt in Obstschalen, dunkel und aromatisch, deren Duft das Zimmer erfüllt. Ich wollte gerade meine Hand danach ausstrecken, als mich meine Schwester aufhielt. «Lass mich», murmelte ich. «Ich habe Hunger.»

«Sophie. Wach auf.»

Ich konnte den Käse schmecken. Ich würde einen Bissen Reblochon auf ein Stück warmes Brot schmieren, kauen und mir anschließend eine Traube in den Mund schieben. Ich konnte die intensive Süße schon schmecken, das volle Aroma riechen.

Aber da war sie, die Hand meiner Schwester auf meinem Handgelenk, und sie hielt mich auf. Die Teller verschwanden, die Gerüche verflogen. Ich streckte meine Hand nach ihnen aus, doch sie zerplatzten wie Seifenblasen.

«Sophie.»

«Was?»

«Sie haben Aurélien!»

Ich drehte mich blinzelnd auf die Seite. Meine Schwester trug genau wie ich eine Nachtmütze aus Baumwolle, um sich warm zu halten. Ihr Gesicht wirkte selbst in dem schwachen Licht der Kerze totenbleich, und sie hatte die Augen weit aufgerissen vor Entsetzen. «Sie haben Aurélien. Unten.»

Langsam wurde ich richtig wach. Von unten drangen laute Männerstimmen herauf, sie hallten durch den gepflasterten Hof, die Hühner gackerten in ihrem Stall. Etwas Unheilvolles lag in der Luft. Ich setzte mich im Bett auf, zog meinen Morgenmantel an und entzündete hastig die Kerze auf meinem Nachttisch.

Ich stolperte an Hélène vorbei zum Fenster und starrte auf die Soldaten im Hof hinunter, die von den Scheinwerfern ihres LKWs angestrahlt wurden, und auf meinen jüngeren Bruder, der schützend die Arme vor den Kopf hielt, um die Schläge der Gewehrkolben abzuwehren, die auf ihn niedergingen.

«Was ist los?»

«Sie wissen von dem Schwein.»

«Was?»

«Monsieur Suel muss uns denunziert haben. Ich habe sie von meinem Zimmer aus herumbrüllen hören. Sie haben gesagt, dass sie Aurélien mitnehmen, wenn er ihnen nicht verrät, wo es ist.» Wir zogen uns wieder vom Fenster zurück.

«Er wird nichts sagen.»

Wir zuckten zusammen, als wir unseren Bruder aufschreien hörten. Ich erkannte meine Schwester kaum wieder: Sie war vierundzwanzig, sah aber zwanzig Jahre älter aus. Ich wusste, dass sich ihre Angst in meiner Miene spiegelte. Das war genau das, was wir befürchtet hatten.

«Sie haben einen *Kommandant* dabei. Wenn sie es finden», flüsterte Hélène, und ihre Stimme überschlug sich vor Panik, «dann verhaften sie uns alle. Du weißt, was in Arras passiert ist. Sie werden ein Exempel an uns statuieren. Was soll aus den Kindern werden?»

In meinem Kopf wirbelte alles durcheinander. Die Angst, dass mein Bruder etwas sagen könnte, ließ mich keinen klaren Gedanken fassen. Ich legte mir ein Tuch um die Schultern, ging auf Zehenspitzen wieder zum Fenster und spähte in den Hof. Die Anwesenheit eines Kommandanten ließ vermuten, dass dies nicht nur betrunkene Soldaten waren, die sich mit ein paar Drohungen und Schlägen abreagieren wollten: Wir steckten in Schwierigkeiten.

«Sie werden es finden, Sophie. Dafür brauchen sie keine zehn Minuten. Und dann …» Hélènes Stimme hob sich vor Angst.

In meinem Kopf setzte Leere ein. Ich schloss die Augen. Und dann schlug ich sie wieder auf. «Geh runter», sagte ich. «Spiel die Unschuldige. Frag ihn, was Aurélien falsch gemacht hat. Rede mit ihm, lenk ihn ab. Verschaff mir ein bisschen Zeit, bevor sie ins Haus kommen.»

«Was hast du vor?»

Ich packte meine Schwester am Arm. «Geh. Aber erzähl ihnen nichts, hast du gehört? Du musst alles leugnen.»

Hélène zögerte, dann rannte sie so schnell auf den Korridor, dass sich ihr Nachthemd aufblähte. Ich weiß nicht, ob ich mich jemals so allein gefühlt hatte wie in diesen paar Sekunden, in denen mir die Angst die Kehle zuschnürte und das Schicksal meiner Familie in meinen Händen lag. Ich rannte in Vaters Arbeitszimmer und durchwühlte die Schubladen des großen Schreibtischs, warf ihren Inhalt – alte Füllfederhalter, einzelne Papiere, Teile kaputtgegangener Uhren und alte Rechnungen – auf den Boden und dankte Gott, als ich endlich fand, wonach ich suchte. Dann hastete ich nach unten, öffnete die Kellertür und eilte die kalte Steintreppe hinunter. Ich bewegte mich inzwischen so sicher im Dunkeln, dass ich das flackernde Kerzenlicht kaum brauchte. Ich hob den schweren Riegel der Tür zum hinteren Keller, der früher bis unter die Decke mit Bierfässern und gutem Wein gefüllt gewesen war, schob eines der leeren Fässer zur Seite und öffnete die Klappe des alten gusseisernen Brotofens.

Das Ferkel, immer noch sehr klein, blinzelte schläfrig. Es stellte sich auf die Beine, spähte mich aus seinem Bett aus Stroh an und grunzte. Ich habe Ihnen doch bestimmt von dem Schweinchen erzählt, oder? Wir haben es befreit, als der Bauernhof von Monsieur Girard beschlagnahmt wurde. Wie ein Geschenk des Himmels lief es durch das Chaos, entfernte sich von den anderen Ferkeln, die auf einen deutschen Lastwagen geladen wurden, und verschwand ungesehen unter den dicken Röcken von Großmutter Poilâne. Wir hatten es wochenlang mit Eicheln und Küchenabfällen gemästet, weil wir hofften, es so weit aufziehen zu können, dass wir alle ein bisschen Fleisch bekommen würden. Der Gedanke an diese knusprige Haut, dieses saftige Schweinefleisch, hatte die Bewohner des Le Coq Rouge über den letzten Monat gebracht.

Draußen hörte ich meinen Bruder erneut aufschreien, dann die Stimme meiner Schwester, sie sprach hastig und drängend, wurde harsch von einem deutschen Offizier unterbrochen.

Das Schweinchen sah mich mit klugen, verständnisvollen Augen an, als wüsste es schon über sein Schicksal Bescheid.

«Es tut mir so leid, *mon petit*», flüsterte ich, «aber das ist die einzige Möglichkeit.»

Kurz darauf war ich wieder draußen. Ich hatte Mimi geweckt, ihr nur gesagt, dass sie mitkommen, aber unbedingt still bleiben sollte – das Kind hatte in den vergangenen Monaten so viel erlebt, dass es ohne Widerworte gehorchte. Mimi sah ängstlich zu mir auf und schob ihre kleine Hand in meine.

Die schneidend kalte Luft kündigte den Winter an, und immer noch hing der Geruch des Holzrauchs von unserem kleinen Feuer früher am Abend im Haus. Ich sah den Kommandanten durch dic offene Hintertür und zögerte. Es war nicht Herr Becker, den wir kannten und hassten. Dies war ein schlankerer Mann, glatt rasiert, teilnahmslos, aber wachsam. Selbst im Dunkeln konnte ich in seinem Auftreten Intelligenz wahrnehmen, keine stumpfe Ignoranz, und das machte mir Angst.

Dieser neue Kommandant sah nachdenklich zu unseren Fenstern hinauf. Vielleicht überlegte er, ob dieses Gebäude möglicherweise ein passenderes Quartier wäre als der Hof der Fourriers, in dem die ranghöheren deutschen Offiziere schliefen. Vermutlich war ihm klar, dass die erhöhte Lage unseres Hauses einen günstigen Blick über die Stadt bot. Es gab ein Stallgebäude und zehn Schlafzimmer aus der Zeit, in der unser Haus das florierende Hotel der Stadt gewesen war.

Hélène kauerte auf dem gepflasterten Hof und schlang ihre Arme schützend um Aurélien.

Ein Soldat hatte sein Gewehr angelegt, doch der Kommandant hob die Hand. «Aufstehen», befahl er. Hélène schob sich auf dem Boden zurück, weg von ihm. Ich erhaschte einen Blick auf ihr Gesicht. Es war verzerrt vor Angst.

Ich spürte, wie sich Mimis Hand fester um meine schloss, als sie ihre Mutter sah, und ich drückte ihre Hand, obwohl mir angst und bange war. Und dann ging ich mit großen Schritten hinaus. «Was in Gottes Namen geht hier vor?» Meine Stimme tönte über den ganzen Hof.

Der Kommandant drehte sich überrascht nach mir um: einer Frau mit einem daumenlutschenden Mädchen am Rockzipfel und einem Wickelkind an der Brust. Meine Nachtmütze saß etwas schief, und mein weißes Baumwollnachthemd war mittlerweile so abgetragen, dass sich der Stoff kaum noch von meiner Haut abhob. Ich betete, dass er nicht bemerkte, wie mir das Herz bis zum Halse schlug.

Ich wandte mich direkt an ihn: «Und für welches angebliche Fehlverhalten wollen Ihre Männer uns dieses Mal bestrafen?»

Ich vermutete, dass seit seinem letzten Heimaturlaub keine Frau mehr so mit ihm gesprochen hatte. Auf dem Hof breitete sich erschrockene Stille aus. Mein Bruder und meine Schwester, die noch auf dem Boden kauerten, drehten sich in meine Richtung, und es war ihnen nur allzu klar, wohin uns diese Widerspenstigkeit bringen konnte.

«Und Sie sind?»

«Madame Lefèvre.»

Ich sah, dass seine Augen den Ehering an meiner Hand suchten. Die Mühe hätte er sich sparen können; wie die meisten Frauen in unserer Gegend hatte ich meinen Ehering schon längst gegen Lebensmittel eingetauscht.

«Madame. Wir wurden darüber informiert, dass Sie illegales Nutzvieh verstecken.» Sein Französisch war passabel, was auf frühere Posten im besetzten Gebiet hindeutete, und seine

Stimme war ruhig. Das war kein Mann, der sich von Überraschungen schrecken ließ.

«Nutzvieh?»

«Wir haben aus zuverlässiger Quelle erfahren, dass Sie ein Schwein auf dem Grundstück halten. Es wird Ihnen bewusst sein, dass Nutzvieh zu verstecken mit Haft bestraft wird.»

Ich hielt seinem Blick stand. «Und ich weiß genau, wer Sie mit solchen Informationen versorgt. Es ist Monsieur Suel, *non?*» Meine Wangen waren gerötet; meine Kopfhaut prickelte unter dem Haar, das zu einem langen Zopf geflochten über meine Schulter hing. Ein Schauder lief mir über den Nacken.

Der Kommandant drehte sich zu einem seiner Lakaien um. Die Art, auf die er den Blick abwandte, sagte mir, dass ich recht hatte.

«Monsieur Suel, Herr Kommandant, kommt wenigstens zwei Mal im Monat hierher und versucht, uns davon zu überzeugen, dass wir in der Abwesenheit unserer Männer seinen ganz besonderen Trost nötig haben. Weil wir uns dafür entschieden haben, seine vermeintlichen Freundlichkeiten nicht in Anspruch zu nehmen, zahlt er es uns mit Gerüchten heim und bringt uns so in Gefahr.»

«Die Behörden würden sich nicht einschalten, wenn die Quelle nicht glaubwürdig wäre.»

«Dagegen könnte ich einwenden, Herr Kommandant, dass dieser Besuch etwas anderes nahelegt.»

Der Blick, mit dem er mich ansah, war undurchdringlich. Er machte auf dem Absatz kehrt und ging Richtung Haustür. Ich folgte ihm und stolperte beim Versuch, mit ihm Schritt zu halten, beinahe über mein Nachthemd. Wie ich wusste, konnte schon die Tatsache, dass ich mich ihm gegenüber so herausfordernd geäußert hatte, als strafbare Handlung eingestuft werden. Und trotzdem hatte ich in diesem Moment keine Angst mehr.

«Schauen Sie uns doch an, Kommandant. Sehen wir vielleicht aus, als würden wir Gelage feiern mit Rindfleisch, Lammbraten und Schweinelende?» Er drehte sich um, und sein Blick zuckte zu meinen knochigen Handgelenken, die unter den Ärmelbündchen meines Nachthemds hervorsahen. Ich hatte allein im Vorjahr fünf Zentimeter an der Taille verloren. «Sind wir etwa abartig fett, weil unser Hotel so eine Goldgrube ist? Wir haben gerade noch drei Hühner von zwei Dutzend übrig. Drei Hühner, die wir halten und füttern dürfen, sodass Ihre Männer sich die Eier nehmen können. Wir leben derweil von dem, was die deutschen Behörden eine Ernährung nennen – immer kleiner werdenden Fleisch- und Mehlrationen und Brot aus Streusand und Kleie, das so schlecht ist, dass wir es nicht einmal dem Vieh geben würden.»

Er war im hinteren Korridor, seine Stiefelabsätze echoten auf den Bodenfliesen. Er zögerte, dann ging er weiter zur Bar und bellte einen Befehl. Wie aus dem Nichts tauchte ein Soldat auf und reichte ihm eine Taschenlampe.

«Wir haben keine Milch für unsere Babys, unsere Kinder weinen vor Hunger, die Mangelernährung macht uns krank. Und Sie kommen immer noch mitten in der Nacht hierher, um zwei Frauen in Angst und Schrecken zu versetzen, einen unschuldigen Jungen zu misshandeln, um uns zu schlagen und zu bedrohen, weil Ihnen ein liederlicher Kerl erzählt hat, wir würden hier schlemmen?»

Meine Hände zitterten. Sein Blick ruhte auf dem Baby, und ich bemerkte, dass ich es vor lauter Anspannung viel zu fest hielt. Ich trat einen Schritt zurück, zog das Tuch zurecht und summte beruhigend. Dann hob ich den Kopf. Ich konnte die

Verbitterung und die Wut in meiner Stimme nicht unterdrücken.

«Dann bitte, durchsuchen Sie unser Haus, Kommandant, stellen Sie alles auf den Kopf und zerstören Sie das bisschen, das noch nicht zerstört worden ist. Durchsuchen Sie auch alle Nebengebäude, die Ihre Männer noch nicht für ihre eigenen Bedürfnisse leergeräumt haben. Wenn Sie dieses fabelhafte Schwein finden, dann hoffe ich, dass es Ihren Männer wohl bekommt.»

Ich hielt seinem Blick einen Moment länger stand, als er es wohl erwartet hatte. Durch das Fenster konnte ich meine Schwester ausmachen, die Auréliens Platzwunden mit dem Saum ihres Nachthemds betupfte, um die Blutung zu stillen. Drei deutsche Soldaten bewachten die beiden.

Meine Augen waren inzwischen an die Dunkelheit gewöhnt, und ich sah, dass sich der Kommandant in dieser Situation unwohl fühlte. Seine Männer warteten unsicher auf seine Befehle. Er konnte sie anweisen, unser Haus bis unters Dach auszuräumen und uns zur Strafe für meinen Ausbruch allesamt zu verhaften. Aber ich wusste, dass er an Monsieur Suel dachte und daran, ob er vielleicht getäuscht worden war. Er schien kein Mann zu sein, der die Möglichkeit reizvoll fand, offenkundig im Unrecht zu sein.

Früher, wenn ich mit Édouard Poker spielte, hatte er gelacht und gesagt, ich wäre ein unmöglicher Gegner, weil mein Gesicht nie meine wahren Gefühle verriet. An diese Worte musste ich nun denken: Dies war die wichtigste Partie, die ich je spielen würde. Wir starrten uns an, der Kommandant und ich. Es kam mir einen Moment lang so vor, als würde die ganze Welt um uns herum stillstehen. Ich hörte das ferne Dröhnen der Kanonen an der Front, ich hörte meine Schwester husten und das Gescharre unserer armseligen, mageren Hühner, die in ihrem Stall aufgescheucht worden waren. All diese Geräusche verklangen, bis es nur noch ihn und mich gab und den Blick, mit dem wir uns ansahen, um die Wahrheit pokernd. Ich schwöre, dass ich mein eigenes Herz schlagen hörte.

«Was ist das?»

«Was?»

Er hielt die Taschenlampe hoch, und es wurde schwach von dem blassgelben Licht angestrahlt: das Porträt, das Édouard kurz nach unserer Hochzeit von mir gemalt hatte. Da war ich, im ersten Ehejahr, mein Haar fiel üppig und glänzend um meine Schultern, meine Haut war rein und strahlend, und ich blickte mit der unerschütterlichen Ruhe derjenigen aus dem Bild heraus, die wissen, dass sie angebetet werden. Ich hatte es einige Wochen zuvor aus seinem Versteck nach unten gebracht und meiner Schwester erklärt, ich wollte verflucht sein, wenn ich die Deutschen darüber bestimmen ließ, was ich mir in meinem eigenen Haus an die Wand hängte.

Er hielt die Taschenlampe noch ein bisschen höher, sodass er besser sehen konnte. *Häng es nicht dort auf, Sophie,* hatte Hélène mich gewarnt. *Damit provozierst du nur Ärger.*

Als er sich schließlich zu mir umdrehte, war es, als habe er seinen Blick nur mit Mühe von dem Bild losreißen können. Er sah mich an, dann wieder das Gemälde. «Mein Mann hat es gemalt.» Ich weiß nicht, warum ich es für nötig hielt, ihm das zu sagen.

Vielleicht war es die Bestimmtheit meiner rechtschaffenen Empörung. Vielleicht war es der offenkundige Unterschied zwischen der jungen Frau auf dem Bild und der Frau, die vor ihm stand. Vielleicht war es das schluchzende blonde Kind neben mir. Und möglicherweise war es sogar ein Kommandant nach zwei Jahren Dienst im Besatzungsgebiet leid, uns wegen lächerlicher Vergehen zu schikanieren.

Er betrachtete das Bild noch einen Moment lang, dann schaute er kurz auf seine Füße hinunter.

«Ich denke, wir haben uns verstanden, Madame. Wir unterhalten uns noch, aber ich werde Sie heute Nacht nicht weiter stören.»

Er bemerkte die Überraschung, die kurz in meiner Miene aufblitzte, und ich sah, dass er darüber irgendwie befriedigt war. Vielleicht genügte es ihm, dass ich geglaubt hatte, ich wäre geliefert. Er war klug, dieser Mann, und raffiniert. Ich würde mich vorsehen müssen.

«Männer.»

Seine Soldaten kehrten in ihrem üblichen, blinden Gehorsam um und gingen zurück zum Lkw. Die Silhouetten ihrer Uniformen zeichneten sich im Licht der Scheinwerfer ab. Ich folgte ihm nach draußen und blieb vor der Haustür stehen. Das Letzte, was ich von ihm hörte, war ein Befehl, den er seinem Fahrer erteilte.

Wir warteten, während das Militärfahrzeug die Straße hinunterfuhr und sich seine Scheinwerfer über die zerfurchte Oberfläche tasteten. Hélène zitterte. Aurélien stand verlegen neben mir, hielt Mimi an der Hand und schämte sich für seine Kindertränen. Ich wartete darauf, dass die Motorengeräusche vollständig verklangen. «Bist du verletzt, Aurélien?» Ich betastete seinen Kopf. Platzwunden. Und Prellungen. Was waren das nur für Männer, die einen unbewaffneten Jungen angriffen?

Er zuckte zusammen. «Es hat nicht weh getan», sagte er. «Sie haben mir keine Angst gemacht.»

«Ich dachte, sie würden dich verhaften», sagte meine

Schwester. «Ich dachte, sie würden uns alle verhaften.» Ich bekam Angst, wenn sie so aussah: als würde sie an einem ungeheuren Abgrund entlangbalancieren. Sie wischte sich über die Augen und zwang sich zu einem Lächeln, als sie in die Hocke ging, um ihre Tochter zu umarmen. «Die dummen Deutschen. Sie haben uns allen einen Schrecken eingejagt, was? Und die dumme *Maman* hat sich gefürchtet.»

Schweigend und ernst musterte das Kind seine Mutter. Manchmal fragte ich mich, ob ich Mimi jemals wieder lachen sehen würde.

«Es tut mir leid. Jetzt geht es mir wieder gut», fuhr meine Schwester fort. «Lasst uns ins Haus gehen. Mimi, wir haben ein bisschen Milch, die ich dir warm machen kann.» Sie strich sich über das blutbefleckte Nachthemd und streckte die Hände nach dem Baby aus. «Soll ich Jean nehmen?»

Ich hatte angefangen krampfhaft zu zittern, als wäre mir gerade erst klargeworden, welche große Angst ich normalerweise hätte haben müssen. Meine Beine wurden schwach, ihre Kraft schien in die Lücken zwischen den Pflastersteinen zu sickern. Ich hatte das dringende Bedürfnis, mich hinzusetzen. «Ja», sagte ich, «ich glaube, das wäre besser.»

Meine Schwester nahm das Bündel in die Arme, dann schrie sie leise auf. In die Decke geschmiegt und so fest eingepackt, dass sie kaum mit der Nachtluft in Berührung kam, war die rosafarbene, haarige Schnauze des Schweinchens.

«Jean schläft oben», sagte ich. Ich streckte die Hand aus, um mich an der Hauswand abzustützen.

Aurélien spähte über Hélènes Schulter. Alle starrten das Ferkel an.

«*Mon Dieu.*»

«Ist es tot?»

«Betäubt. Mir ist eingefallen, dass aus Papas Zeiten als Schmetterlingssammler noch eine Flasche Chloroform in seinem Arbeitszimmer war. Ich denke, es wacht wieder auf. Aber wir müssen uns ein anderes Versteck überlegen, falls sie wiederkommen. Und du weißt, dass sie wiederkommen.»

Ein Lächeln erschien auf Auréliens Gesicht. Ein seltenes, zögerndes, begeistertes Lächeln. Hélène beugte sich hinunter, um Mimi das komatöse Schweinchen zu zeigen, und sie grinsten. Kopfschüttelnd betastete Hélène immer wieder seine Schnauze, als könnte sie nicht glauben, was sie da in den Armen hielt.

«Du hast dich mit dem Schwein vor sie hingestellt? Sie kommen hierher, und du hältst es ihnen unter die Nase? Und dann beschimpfst du sie auch noch?» Sie klang vollkommen fassungslos.

«Unter ihre Schnauzen», sagte Aurélien, der plötzlich zu seiner üblichen Dreistigkeit zurückgefunden hatte. «Hah! Du hast es ihnen direkt unter die Schnauzen gehalten!»

Ich setzte mich aufs Pflaster und musste lachen. Ich lachte, bis ich zu frieren begann, und ich wusste nicht, ob ich lachte oder weinte. Mein Bruder, der vermutlich Angst hatte, dass ich einen hysterischen Anfall bekommen könnte, lehnte sich an mich und nahm meine Hand. Er war vierzehn und manchmal hochfahrend wie ein Mann, manchmal aber auch bedürftig wie ein Kind.

Hélène war immer noch in Gedanken versunken. «Wenn ich das gewusst hätte …», sagte sie. «Wie bist du nur so mutig geworden, Sophie? Meine kleine Schwester! Was ist passiert? In unserer Kindheit warst du ein Mäuschen. Ein ängstliches Mäuschen!»

Ich wusste die Antwort selbst nicht so genau.

Und dann, als wir schließlich ins Haus zurückgegangen waren, Hélène mit dem Milchtopf beschäftigt war und Aurélien sich das schlimm zugerichtete Gesicht wusch, ging ich zu dem Porträt.

Diese junge Frau, das Mädchen, das Édouard geheiratet hatte, erwiderte meinen Blick mit einem Ausdruck, den ich nicht mehr wiedererkannte. Er hatte es als Erster in mir gesehen: den wissenden Blick, dieses Lächeln, das empfangene und verschenkte Befriedigung ausdrückte. Und Stolz. Als seine Pariser Freunde seine Liebe zu mir – einer Verkäuferin – unverständlich fanden, hatte er bloß gelächelt, weil er all das schon in mir sehen konnte.

Ich wusste nie, ob er verstanden hatte, dass ich nur seinetwegen so geworden war.

Ich stand da und schaute sie eine Weile an, ich rief mir ins Gedächtnis, wie es gewesen war, diese junge Frau zu sein, die keinen Hunger kannte, keine Angst, und die einzig von leichten Gedanken an die Momente vertraulicher Zweisamkeit mit Édouard erfüllt war. Sie erinnerte mich daran, dass es auf dieser Welt auch Schönes gibt und dass mein Leben einmal von solchen Dingen wie Kunst, Freude und Liebe bestimmt war, und nicht von Angst und Brennnesselsuppe und Ausgangssperren. Ich sah Édouard in meinem Gesichtsausdruck auf dem Bild. Und dann verstand ich erst richtig, was ich gerade getan hatte. Er hatte mich an meine eigene Stärke erinnert, daran, wie viel Kraft zum Kämpfen ich in mir trug.

Wenn du zurückkommst, Édouard, das schwöre ich, werde ich wieder die junge Frau sein, die du gemalt hast.

Kapitel 2

Bis zum Mittag hatte sich die Geschichte mit dem Schweinchen praktisch in ganz St. Péronne herumgesprochen. In der Bar des Le Coq Rouge, die in den besseren Zeiten des Hotels auch als Restaurant genutzt worden war, gaben sich die Gäste die Klinke in die Hand, obwohl wir kaum etwas anderes anzubieten hatten als Zichorienkaffee; Bier wurde nur sehr sporadisch geliefert, und wir hatten nur noch ein paar unglaublich teure Flaschen Wein übrig. Es war erstaunlich, wie viele Leute einfach nur vorbeikamen, um guten Tag zu sagen.

«Und Sie haben ihm wirklich die Leviten gelesen? Ihm gesagt, dass er sich wegscheren soll?» Der alte, schnurrbärtige René hielt sich an einer Stuhllehne fest, während ihm die Lachtränen übers Gesicht liefen. Er hatte sich die Geschichte mittlerweile vier Mal erzählen lassen, und Aurélien schmückte sie jedes Mal ein bisschen mehr aus, bis er den Kommandanten schließlich mit einem Säbel abwehrte, während ich schrie: «Der Kaiser ist Scheiß!»

Ich tauschte ein kleines Lächeln mit Hélène, die den Boden wischte. Mich störte der Spaß nicht. Wir hatten in der letzten Zeit in unserer Stadt schließlich kaum etwas zu feiern gehabt.

«Wir müssen vorsichtig sein», sagte Hélène, als René zum Abschied den Hut lüftete. Wir sahen ihm nach, wie er von einem neuen Heiterkeitsanfall geschüttelt an der Post vorbeikam und stehen blieb, um sich über die Augen zu wischen. «Diese Geschichte macht zu schnell die Runde.»

«Keiner wird etwas sagen. Alle hassen die Boches.» Ich zuckte mit den Schultern. «Und sie wollen alle etwas von dem Schwein abbekommen. Da werden sie uns kaum denunzieren, bevor sie ihr Stück Fleisch haben.»

Das Schwein war in den frühen Morgenstunden diskret zu den Nachbarn gebracht worden. Einige Monate zuvor hatte Aurélien alte Bierfässer zu Feuerholz zerhackt und dabei entdeckt, dass unser labyrinthischer Weinkeller von dem unserer Nachbarn, den Fouberts, lediglich durch eine einfache Ziegelsteinmauer getrennt war. Unter Mithilfe der Fouberts hatten wir vorsichtig einige Steine aus der Wand geholt und so einen Durchgang geschaffen. Als die Fouberts dann einmal einen jungen Engländer versteckt hatten und die Deutschen in der Abenddämmerung unangemeldet vor ihrer Tür aufgetaucht waren, hatte Madame Foubert so getan, als verstünde sie die Anweisungen des Offiziers nicht, sodass der junge Mann gerade eben genug Zeit hatte, um sich in den Keller zu schleichen und auf unsere Seite herüberzusteigen. Die Deutschen hatten das ganze Haus der Fouberts auseinandergenommen, sich sogar im Keller umgesehen, aber bei der trüben Beleuchtung hatte kein einziger von ihnen bemerkt, dass der Mörtel in der Wand verdächtige Lücken aufwies.

Das war aus unserem Leben geworden: unbedeutende

Rebellionen, kleine Siege, flüchtige Gelegenheiten, unsere Unterdrücker lächerlich zu machen, winzige, schlingernde Hoffnungsschiffchen in einem Ozean aus Unsicherheit, Entbehrung und Angst.

«Also haben Sie den neuen Kommandanten kennengelernt, was?» Der Bürgermeister saß an einem der Fenstertische. Als ich ihm einen Kaffee brachte, bedeutete er mir, mich zu ihm zu setzen. Für ihn, dachte ich oft, war das Leben seit der Okkupation noch unerträglicher geworden als für alle anderen. Er hatte ständig mit den Deutschen verhandelt, damit sie der Stadt die notwendigsten Zuteilungen bewilligten, war aber regelmäßig von ihnen erpresst worden, widerspenstige Einwohner unter Druck zu setzen, damit sie ihren Anweisungen Folge leisteten.

«Ich wurde ihm nicht offiziell vorgestellt», sagte ich, als ich die Tasse vor ihn stellte.

Er neigte seinen Kopf näher zu mir und sagte mit gesenkter Stimme: «Herr Becker ist nach Deutschland zurückgeschickt worden, um eines ihrer Straflager zu leiten. Anscheinend gab es Unregelmäßigkeiten in seiner Buchführung.»

«Das überrascht mich nicht. Er ist der einzige Mann im besetzten Frankreich, der in den vergangenen zwei Jahren doppelt so dick geworden ist.» Ich scherzte, aber ich hatte gemischte Gefühle, was seine Abberufung anging. Einerseits war Becker unerbittlich gewesen, seine Strafen überzogen, ein Verhalten, das wohl aus Unsicherheit und der Angst resultierte, seine Männer könnten ihn für zu weich halten. Andererseits aber war er zu dumm gewesen – blind für viele Widerstandsakte der Bevölkerung –, um irgendwelche Beziehungen aufzubauen, die ihm hätten dienlich sein können.

«Und? Was halten Sie von ihm?»

«Von dem neuen Kommandanten? Ich weiß nicht. Er hätte auch anders reagieren können. Er hat nicht das ganze Haus durchsucht, wie es Becker vermutlich getan hätte, nur um seine Macht zu demonstrieren. Aber ...», ich verzog die Nase, «... er ist klug. Wir sollten jetzt wohl besonders vorsichtig sein.»

«Ihre Einschätzung, Madame Lefèvre, deckt sich wie immer mit meiner eigenen.» Er lächelte mich an, aber das Lächeln erreichte seine Augen nicht. Ich erinnerte mich noch an die Zeiten, in denen der Bürgermeister ein heiterer, lärmender Mann gewesen war, der für seine Leutseligkeit geschätzt wurde und dessen Stimme bei Versammlungen alles und jeden übertönte.

«Bekommen wir diese Woche irgendetwas herein?»

«Ich glaube, es gibt etwas Schinken. Und Kaffee. Sehr wenig Butter. Ich hoffe, dass man mir heute noch die genaue Rationierung mitteilt. Irgendwelche Neuigkeiten von Ihrem Mann?»

«Nicht seit August, da habe ich eine Postkarte von ihm bekommen. Er war in der Nähe von Amiens. Er hat nicht viel geschrieben.» *Ich denke Tag und Nacht an dich*, hatte in seiner wunderschönen Kritzelschrift auf der Postkarte gestanden. *Du bist mein Leitstern in dieser Welt des Irrsinns*. Ich hatte aus lauter Sorge zwei Nächte wach gelegen, nachdem ich die Postkarte bekommen hatte, bis mich Hélène darauf hinwies, dass «diese Welt des Irrsinns» ebenso gut auf eine Welt passte, in der man sich von derart hartem Schwarzbrot ernährte, dass es mit einem Beil zerhackt werden musste, und in der man Schweine im Brotofen hielt.

«Der letzte Brief meines Ältesten ist vor beinahe drei Monaten gekommen», sagte der Bürgermeister. «Sie sind nach Cambrai vorgerückt. Die Stimmung ist gut, meinte er.»

«Ich hoffe, das ist sie noch. Wie geht es Louisa?»

«Einigermaßen, danke.» Seine jüngste Tochter war mit einer Lähmung geboren worden; sie wuchs nicht richtig, vertrug nur bestimmte Nahrung und war, inzwischen elfjährig, häufig krank. Für ihr Wohlergehen zu sorgen, war eine der Hauptbeschäftigungen in unserer kleinen Stadt. Wenn es Milch oder Trockengemüse gab, fand ein Anteil gewöhnlich seinen Weg in das Haus des Bürgermeisters.

«Wenn es ihr wieder besser geht, erzählen Sie ihr, dass Mimi nach ihr gefragt hat. Hélène näht eine Puppe für sie, die aussieht wie ein Zwilling von Mimis Puppe.»

Der Bürgermeister tätschelte meine Hand. «Sie und Ihre Schwester sind wirklich zu freundlich. Ich danke Gott, dass Sie hierher zurückgekommen sind, wo Sie doch im sicheren Paris hätten bleiben können.»

«Unsinn. Es gibt keinerlei Garantie dafür, dass die Boches nicht demnächst die Champs-Élysées runtermarschieren. Und davon abgesehen konnte ich Hélène hier nicht allein lassen.»

«Hélène hätte das hier ohne Sie nicht überstanden. Sie haben sich zu so einer wundervollen jungen Frau entwickelt. Paris war gut für Sie.»

«Mein Mann ist gut für mich.»

«Dann schütze ihn Gott. Gott schütze uns alle.» Der Bürgermeister lächelte, setzte seinen Hut auf und erhob sich, um zu gehen.

St. Péronne, wo die Familie Bessette seit Generationen das Le Coq Rouge führte, war eine der ersten Städte gewesen, die im Sommer 1914 von den Deutschen besetzt wurden. Hélène und ich hatten, nachdem unsere Eltern schon lange gestorben und unsere Männer an der Front waren, beschlossen, das

Hotel allein weiter zu betreiben. Wir waren nicht die einzigen Frauen, die Männeraufgaben übernahmen. Die Läden, die Bauernhöfe in der Umgebung und die Schule wurden beinahe ausschließlich von Frauen geführt, die von alten Männern und halbwüchsigen Jungen unterstützt wurden. Im Jahr 1915 gab es kaum noch einen Mann mittleren Alters in St. Péronne.

In den ersten Monaten liefen die Geschäfte gut, weil französische Soldaten durch die Stadt kamen und dicht darauf die Engländer folgten. Es gab immer noch ausreichend zu essen, Musik und Jubel begleitete die marschierenden Truppen, und die meisten von uns glaubten, der Krieg sei in ein paar Monaten vorbei, höchstens. Es gab einige wenige Hinweise auf die Schrecken, die sich in hundert Kilometern Entfernung zutrugen; wir versorgten belgische Flüchtlinge mit Lebensmitteln, die, ihre Habseligkeiten hochaufgetürmt auf Fuhrwerken, durch die Stadt zogen. Einige von ihnen trugen noch immer Pantoffeln und die Kleidung, die sie bei ihrer Flucht hastig angelegt hatten. Und manchmal, wenn der Wind aus Osten kam, hörten wir das ferne Grollen der Kanonen. Doch obwohl wir wussten, dass der Krieg dicht an uns herangerückt war, glaubten nur wenige in St. Péronne, dass unsere stolze kleine Stadt irgendwann zu denjenigen gehören könnte, die unter deutsche Herrschaft fielen.

Wie sehr wir uns getäuscht hatten, erwies sich an einem stillen, kalten Spätsommermorgen, an dem unvermittelt Gewehrschüsse knallten. Madame Fougère und Madame Dérin, die sich wie immer um Viertel vor sieben zu ihrem täglichen Gang in die Boulangerie aufgemacht hatten, waren bei der Überquerung des Marktplatzes erschossen worden.

Ich hatte nach dem Lärm die Vorhänge zur Seite gezogen

und brauchte eine Weile, um zu begreifen, was ich da sah: Die Leichen der beiden Frauen, die längste Zeit ihres über siebzigjährigen Lebens Witwen und Freundinnen, lagen auf dem Kopfsteinpflaster, mit verrutschten Kopftüchern, ihre leeren Einkaufskörbe neben ihren Füßen. Eine zähflüssige, rote Lache breitete sich um sie in einem beinahe perfekten Kreis aus, als stamme er von einem einzigen Lebewesen.

Die deutschen Offiziere behaupteten danach, sie seien von Heckenschützen beschossen worden und hätten Vergeltung geübt. (Das sagten sie offenbar in jedem Dorf, das sie einnahmen.) Um Widerstand in unserer Stadt zu provozieren, hätten sie nichts Besseres tun können, als diese beiden alten Frauen zu ermorden. Doch die Gräueltaten waren damit noch nicht beendet. Die Deutschen setzten Scheunen in Brand und zertrümmerten die Statue von Bürgermeister Leclerc. Vierundzwanzig Stunden später marschierten sie über unsere Hauptstraße, und ihre Pickelhauben schimmerten in der Sonne, während wir entsetzt schweigend vor unseren Häusern und Läden standen und zusahen. Dann befahlen sie die wenigen Männer, die noch in der Stadt waren, nach draußen, um sie durchzuzählen.

Die Besitzer von Läden und Marktständen schlossen einfach ihre Geschäfte und Stände und weigerten sich, die Deutschen zu bedienen. Die meisten von uns hatten Essensvorräte angelegt; wir wussten, dass wir überleben konnten. Ich glaube, irgendwie dachten wir, sie würden angesichts dieser Halsstarrigkeit einfach aufgeben und in einen anderen Ort weitermarschieren. Doch dann ordnete Kommandant Becker an, jeden Ladenbesitzer, der sein Geschäft während der üblichen Arbeitszeiten nicht öffnete, zu erschießen. Einer nach dem anderen, die Boulangerie, die Boucherie, die Marktstände und sogar das Le Coq Rouge machten wieder auf. Zögernd kehrte wieder Leben in unser mürrisches, rebellisches Städtchen ein.

Nach achtzehn Monaten gab es kaum noch etwas zu kaufen. St. Péronne war von seinen Nachbarorten abgeschnitten, genauso wie von Neuigkeiten, und es war abhängig von unregelmäßigen Zuteilungen, die von teuren Schwarzmarktlieferungen ergänzt wurden, wenn es überhaupt welche gab. Manchmal konnte man kaum glauben, dass das freie Frankreich wusste, was wir durchmachten. Die Deutschen waren die Einzigen, die genügend zu essen hatten; ihre Pferde (unsere Pferde) waren gut gepflegt und wohlgenährt und fraßen den Weizenschrot, der eigentlich für unser Brot gedacht war. Die Deutschen plünderten unsere Weinkeller und beschlagnahmten die Erträge unserer Bauernhöfe.

Und es ging nicht nur um Lebensmittel. Jede Woche hörte jemand das gefürchtete Klopfen an seiner Haustür und erhielt eine weitere Liste mit Gegenständen, die requiriert werden sollten: Teelöffel, Vorhänge, Teller, Kochtöpfe, Bettwäsche. Gelegentlich kam ein Offizier vorher zur Inspektion vorbei, notierte, welche begehrenswerten Gegenstände vorhanden waren, und kehrte mit einer Liste zurück, auf der genau diese Gegenstände aufgeführt waren. Sie schrieben Schuldscheine dafür aus, die angeblich gegen Geld gewechselt werden konnten. Aber kein einziger Bewohner St. Péronnes kannte jemanden, der wirklich bezahlt worden war.

«Was machst du da?»

«Ich hänge es um.» Ich nahm das Porträt ab und trug es in eine Ecke, wo es weniger den Blicken der Öffentlichkeit ausgesetzt war.

«Wer ist das?», fragte Aurélien, als ich es wieder aufhängte und gerade rückte.

«Das bin ich!» Ich drehte mich zu ihm um. «Siehst du das nicht?»

«Oh.» Er kniff leicht die Augen zusammen, um genauer hinzuschauen. Er wollte mich nicht beleidigen. Die junge Frau auf dem Bild unterschied sich sehr von der mageren, strengen Erscheinung mit dem grau wirkenden Teint und dem wachsamen, erschöpften Blick, die mir jeden Tag aus dem Spiegel entgegenstarrte. Ich versuchte, diese Erscheinung möglichst selten anzusehen.

«Hat das Édouard gemalt?»

«Ja. Nach unserer Hochzeit.»

«Es ist wunderschön», sagte Hélène und trat einen Schritt zurück, um einen besseren Blick auf das Bild zu haben. «Aber ...»

«Aber was?»

«Es überhaupt aufzuhängen, bedeutet ein Risiko. Als die Deutschen durch Lille gezogen sind, haben sie Kunstwerke verbrannt, die sie für subversiv gehalten haben. Édouards Malerei ist ... sehr besonders. Woher willst du wissen, dass sie das Bild nicht zerstören werden?»

Hélène machte sich Sorgen. Sie machte sich Sorgen um Édouards Gemälde und das Temperament unseres Bruders; sie machte sich Sorgen über meine Briefe und über die Tagebuchnotizen, die ich auf Zettel schrieb und hinter den Deckenbalken versteckte. «Ich will das Bild hier unten haben, wo ich es sehen kann. Mach dir keine Sorgen – die anderen sind in Paris sicher untergebracht.»

Sie wirkte nicht überzeugt.

«Ich will Farbe, Hélène. Ich will Leben. Ich will mir nicht

Napoleon ansehen müssen oder Papas dumme Bilder mit den trübsinnigen Hunden. Und ich werde nicht zulassen, dass sie ...», ich nickte Richtung Marktplatz, auf dem zwei deutsche Soldaten am Brunnen eine Zigarette rauchten, «... entscheiden, was ich mir in meinem eigenen Haus anschauen darf.»

Hélène schüttelte den Kopf, als wäre ich eine Irre, mit der sie Nachsicht haben müsse. Und dann ging sie Madame Louvier und Madame Durant bedienen, die – obwohl sie schon häufig angemerkt hatten, mein Zichorienkaffee würde schmecken, als stamme er aus der Kloake – zu uns gekommen waren, um sich die Geschichte von dem Schweinchen erzählen zu lassen.

Hélène und ich teilten uns in dieser Nacht ein Bett. Zwischen uns lagen Mimi und Jean. Manchmal war es so kalt, obwohl wir noch Oktober hatten, dass wir fürchteten, wir könnten die Kinder eines Morgens steif gefroren in ihren Nachthemden vorfinden, also drängten wir uns alle dicht aneinander. Es war spät, aber ich wusste, dass meine Schwester noch wach war. Das Mondlicht fiel durch die Lücke zwischen den Vorhängen herein, und ich konnte gerade so ihre Augen erkennen, die in eine unbestimmte Ferne blickten. Ich vermutete, dass sie darüber nachdachte, wo ihr Mann jetzt wohl sein mochte, ob er es warm hatte und in einem Haus wie unserem einquartiert worden war oder ob er in einem Schützengraben fror und zu demselben Mond aufschaute wie sie.

Weit weg kündete dumpfes Grollen von einer fernen Schlacht.

«Sophie?»

«Ja?» Wir sprachen leise flüsternd.

«Stellst du dir manchmal vor, wie es wäre ... wenn sie nicht zurückkommen?»

Ich starrte in die Dunkelheit.

«Nein», log ich. «Weil ich weiß, dass sie zurückkommen. Und ich will nicht, dass es die Deutschen schaffen, mir noch mehr Angst zu machen.»

«Ich schon», sagte sie. «Manchmal vergesse ich, wie er aussieht. Ich betrachte sein Foto, und ich kann mich an überhaupt nichts erinnern.»

«Das liegt daran, dass du es so oft anschaust. Manchmal denke ich, wir verschleißen unsere Fotos, indem wir sie ansehen.»

«Aber ich kann mich an überhaupt nichts mehr erinnern ... seinen Geruch, den Klang seiner Stimme. Ich weiß nicht mehr, wie er sich anfühlt. Es ist, als hätte er nie existiert. Und dann denke ich: Was ist, wenn es das war? Wenn er nie mehr zurückkommt? Was ist, wenn wir unser gesamtes restliches Leben so verbringen müssen, wenn uns selbst die kleinste Entscheidung von Männern vorgeschrieben wird, die uns hassen? Und ich bin nicht sicher ... ich bin nicht sicher, ob ich das kann ...»

Ich stützte mich auf einen Ellbogen und griff über Mimi und Jean hinweg nach der Hand meiner Schwester. «Doch, du kannst es», sagte ich. «Natürlich kannst du es. Jean-Michel kommt wieder nach Hause, und dein Leben wird schön sein. Frankreich wird frei sein, und das Leben wird wieder, wie es war. Besser, als es war.»

Schweigend lag sie da. Ich zitterte, weil ich nicht mehr ganz zugedeckt war, aber ich wagte nicht, mich zu rühren. Meine Schwester jagte mir Angst ein, wenn sie so redete. Es war, als hätte sie eine ganze Welt der Schrecken in ihrem Kopf, gegen die sie sich doppelt so heftig wehren musste wie wir Übrigen.

Ihre Stimme war schwach, bebte, als würde sie Tränen zurückhalten. «Weißt du, nachdem ich Jean-Michel geheiratet hatte, war ich so glücklich. Ich war zum ersten Mal in meinem Leben frei.»

Ich wusste, was sie meinte. Unserem Vater war schnell die Hand ausgerutscht, wenn er nicht gleich den Gürtel benutzt hatte. In der Stadt galt er als überaus menschenfreundlicher Gastwirt, eine Stütze der Gesellschaft, der gute, alte François Bessette, immer für einen Scherz und ein Glas zu haben. Wir aber kannten seine gewalttätige Veranlagung. Unser größtes Bedauern war, dass unsere Mutter vor ihm starb, denn sonst hätte sie noch ein paar Jahre genießen können, in denen sie nicht in seinem Schatten stand.

«Es kommt mir vor … es kommt mir vor, als hätten wir einen Tyrann gegen den anderen getauscht. Manchmal denke ich, dass mir mein ganzes Leben lang jemand seinen Willen aufzwingen wird. Aber dich, Sophie, dich sehe ich lachen. Ich sehe deine Entschlossenheit, du bist so tapfer, hängst Bilder auf, streitest dich mit den Deutschen, und ich verstehe nicht, woher du das hast. Ich kann mich nicht einmal mehr daran erinnern, wie es war, keine Angst zu haben.»

Schweigend lagen wir da. Ich konnte beinahe meinen Herzschlag hören. Sie glaubte, ich hätte keine Angst. Aber nichts ängstigte mich mehr als die Angst meiner Schwester. Sie hatte in den letzten Monaten eine neue Zerbrechlichkeit an sich, einen anderen Ausdruck in den Augen. Ich drückte ihre Hand. Sie erwiderte den Druck nicht.

Zwischen uns rührte sich Mimi und warf einen Arm über ihren Kopf. Hélène ließ meine Hand los, und ich sah im schwachen Licht, wie sie sich bewegte und den Arm ihrer Tochter wieder unter die Decke schob. Seltsam beruhigt von dieser Geste, legte ich mich wieder richtig hin und zog die Decke bis zum Kinn hinauf, um mein Zittern abzustellen.

«Schweinebraten», sagte ich in die Stille.

«Wie bitte?»

«Stell es dir einfach nur vor. Schweinebraten, die Haut mit Salz und Öl eingerieben, gebraten, bis sie knusprig zwischen den Zähnen knackt. Stell dir die weichen Falten aus warmem, weißem Fett vor, das rosafarbene Fleisch, das man zwischen den Fingern zerdrücken kann, dazu vielleicht Apfelkompott. Das werden wir in ein paar Wochen essen, Hélène. Stell dir bloß vor, wie gut das schmecken wird.»

«Schweinebraten?»

«Ja. Schweinebraten. Wenn ich spüre, dass ich schwach werde, denke ich an dieses Schwein und seinen fetten Bauch. Ich denke an seine knusprigen Öhrchen und an seine saftigen Keulen.» Ich konnte beinahe hören, wie sie lächelte.

«Sophie, du bist verrückt.»

«Aber stell es dir doch mal vor, Hélène. Und wie wunderbar es wäre. Stell dir Mimis Gesicht vor, während Schweinefett von ihrem Kinn tropft. Wie wird es sich wohl in ihrem kleinen Bauch anfühlen? Und kannst du dir vorstellen, wie sie sich amüsiert, wenn sie versucht, Stückchen von der Bratenkruste zwischen den Zähnen herauszubekommen?»

Jetzt musste sie doch lachen. «Ich weiß nicht mal, ob sie sich noch an den Geschmack von Schweinefleisch erinnert.»

«Die Erinnerung wäre schnell wieder da», sagte ich. «Genau wie deine Erinnerungen an Jean-Michel. Irgendwann kommt er ins Haus spaziert, und du wirst dich in seine Arme werfen, und sein Geruch, das Gefühl, wie er dich umfasst, wird dir so vertraut sein wie dein eigener Körper.»

Es war fast zu spüren, wie ihre Gedanken wieder Auftrieb bekamen. Ich hatte sie zurückgeholt. Kleine Siege.

«Sophie», sagte sie nach einer Weile. «Fehlt dir der Sex?»

«Jeden Tag», sagte ich. «Ich denke doppelt so oft daran wie an dieses Schwein.» Kurz herrschte Stille, dann kicherten wir leise. Und dann, ich weiß auch nicht, warum, mussten wir auf einmal so sehr lachen, dass wir uns den Mund zuhalten mussten, um die Kinder nicht aufzuwecken.

Ich wusste, dass der Kommandant zurückkommen würde. Und es dauerte vier Tage, bis es so weit war. Gerade hatte starker Regen eingesetzt, eine echte Sintflut, sodass unsere Gäste über leeren Tassen auf die beschlagenen Fensterscheiben sahen, ohne draußen etwas erkennen zu können. Im Nebenraum spielten der alte René und Monsieur Pellier Domino. Monsieur Pelliers Hund – er musste den Deutschen Gebühren für das Privileg zahlen, ihn halten zu dürfen – lag zwischen ihren Füßen. Viele unserer Gäste kamen täglich, um nicht mit ihren Ängsten allein sein zu müssen.

Ich bewunderte gerade Madame Arnaults Frisur, frisch hochgesteckt von meiner Schwester, als sich die Glastüren öffneten und er von zwei Offizieren flankiert in die Bar kam. In dem Raum, in dem gerade noch das harmonische Gemurmel geselliger Plauderei lag, wurde es mit einem Schlag ruhig. Ich trat hinter der Theke hervor und wischte mir die Hände an der Schürze ab.

Deutsche kamen nicht in unsere Bar, es sei denn, sie wollten etwas beschlagnahmen. Sie frequentierten die Bar Blanc, weiter oben in der Stadt, die größer war und in der man ihnen möglicherweise freundlicher begegnete. Wir hatten immer sehr deutlich zum Ausdruck gebracht, dass wir kein gastlicher Ort für die Besatzungsmacht waren. Ich fragte mich, was sie uns dieses Mal wegnehmen würden. Noch ein paar Tassen und

Teller weniger, und wir würden die Gäste bitten müssen, sich das Geschirr zu teilen.

«Madame Lefèvre.»

Ich nickte ihm zu. Ich spürte die Blicke meiner Gäste auf mir.

«Es wurde entschieden, dass Sie einige unserer Offiziere mit Mahlzeiten versorgen werden. In der Bar Blanc ist nicht genügend Platz für unsere neu ankommenden Männer, um in Ruhe zu essen.»

Ich konnte ihn jetzt zum ersten Mal deutlich in Augenschein nehmen. Er war älter, als ich gedacht hatte, Ende vierzig vielleicht, auch wenn das bei Männern aus den kämpfenden Einheiten immer schwer zu beurteilen war. Sie sahen allesamt älter aus, als sie waren.

«Ich fürchte, das ist unmöglich, Herr Kommandant», sagte ich. «Wir haben hier im Hotel seit über achtzehn Monaten keine Mahlzeiten mehr serviert. Wir haben kaum genügend Lebensmittel, um unsere eigene kleine Familie zu ernähren. Wir können unmöglich Mahlzeiten bereitstellen, die Ihren Ansprüchen genügen.»

«Das ist mir sehr wohl bewusst. Ab der nächsten Woche wird es ausreichende Vorratslieferungen geben. Ich erwarte von Ihnen, dass Sie daraus Mahlzeiten kochen, die der Versorgung von Offizieren angemessen sind. Wie ich höre, war dieses Hotel einmal ein angesehenes Haus. Ich bin sicher, dass Sie über die notwendigen Fähigkeiten verfügen.»

Hinter mir hörte ich meine Schwester Luft holen, und ich wusste, dass sie dasselbe dachte wie ich. Die schreckliche Vorstellung, Deutsche in unserem Hotel zu haben, wurde von dem Gedanken gemäßigt, der seit Monaten über allen anderen stand: Essen. Es würde Reste geben, Knochen, aus denen man

Brühe kochen konnte. Es würde Essensdüfte geben, gestohlene Bissen, Extrarationen, Fleischstücke und Käsescheiben, die man heimlich beiseitegeschafft hatte.

Trotzdem. «Ich denke nicht, dass unsere Bar für Sie geeignet ist, Herr Kommandant. Wir verfügen hier über keinerlei Bequemlichkeiten mehr.»

«Ich beurteile selbst, wo es meine Männer bequem haben. Ich möchte auch Ihre Zimmer sehen. Möglicherweise werde ich ein paar von meinen Männern hier einquartieren.»

Ich hörte den alten René «*Sacrebleu!*» murmeln.

«Sie können sich die Zimmer sehr gern ansehen, Herr Kommandant. Aber Sie werden feststellen, dass uns Ihre Vorgänger wenig übrig gelassen haben. Die Betten, die Steppdecken, die Vorhänge und sogar die Kupferrohre, mit denen die Waschbecken versorgt wurden, befinden sich schon in deutschem Besitz.»

Ich wusste, dass ich mir möglicherweise seinen Ärger zuzog: Ich hatte in der vollbesetzten Bar reichlich deutlich gemacht, dass der Kommandant nichts von dem Vorgehen seiner eigenen Leute wusste, dass seine Informationen, jedenfalls soweit es unsere Stadt anging, mangelhaft waren. Doch es war unerlässlich, dass mich die Leute dickköpfig und stur erlebten. Deutsche in unserer Bar zu haben, würde Hélène und mich zur Zielscheibe von Klatsch und bösartigen Gerüchten machen. Es war wichtig, uns dabei sehen zu lassen, wie wir alles taten, um die Deutschen von unserem Hotel fernzuhalten.

«Noch einmal, Madame, ich beurteile selbst, ob Ihre Zimmer angemessen sind. Und jetzt möchte ich sie sehen, bitte.» Er bedeutete seinen Männern, in der Bar zu bleiben. Dort würde es vollkommen still bleiben, bis sie wieder abgezogen waren.

Ich straffte mich, ging langsam hinaus in den Eingangsflur

und griff mir im Gehen die Schlüssel. Ich spürte sämtliche Blicke auf mir, als ich mit rauschenden Röcken aus dem Raum ging, die schweren Schritte des Deutschen hinter mir. Ich schloss die Tür zum Hauptkorridor auf. (Ich hielt alles abgeschlossen. Es war schon vorgekommen, dass Franzosen das gestohlen hatten, was nicht schon von den Deutschen beschlagnahmt worden war.)

In diesem Teil des Gebäudes roch es modrig und feucht; es war Monate her, dass ich zuletzt hier gewesen war. Schweigend gingen wir die Treppe hinauf. Ich war dankbar, dass er sich mehrere Schritte hinter mir hielt. Oben blieb ich stehen und wartete, dass er in den Korridor trat, dann schloss ich das erste Zimmer auf.

Es hatte Zeiten gegeben, in denen mich schon der bloße Anblick unseres Hotels in diesem Zustand zum Weinen gebracht hatte. Das Rote Zimmer war einmal der Stolz des Le Coq Rouge gewesen; das Zimmer, in dem meine Schwester und ich unsere Hochzeitsnächte verbracht hatten, das Zimmer, in dem der Bürgermeister die Würdenträger unterbrachte, die in die Stadt kamen. Hier hatte ein enormes Himmelbett gestanden, mit blutroten Tapisserien, und das große Fenster ging auf unseren Barockgarten hinaus. Der Teppich stammte aus Italien, die Möblierung aus einem Château in der Gascogne, die Tagesdecke war aus dunkelroter chinesischer Seide. Es hatte einen vergoldeten Kronleuchter gegeben und einen gewaltigen Marmorkamin, in dem jeden Morgen ein Zimmermädchen das Feuer anzündete und dafür sorgte, dass es bis zum Abend brannte.

Ich öffnete die Tür und trat einen Schritt zurück, damit der Deutsche eintreten konnte. Das Zimmer war leer, abgesehen von einem dreibeinigen Stuhl, der in einer Ecke stand.

Die Dielen, auf denen kein Teppich mehr lag, waren grau und staubig. Das Bett war längst verschwunden, zusammen mit den Vorhängen hatte es zu den ersten Sachen gehört, die uns die Deutschen stahlen, nachdem sie die Stadt besetzt hatten. Der Marmorkamin war aus der Wand gerissen worden. Zu welchem Zweck, wusste ich nicht; man konnte ihn anderswo ja wohl kaum brauchen. Ich glaube, Becker hatte uns einfach demoralisieren wollen, indem er uns alles Schöne wegnahm.

Er ging einen Schritt in das Zimmer hinein.

«Passen Sie auf, wohin Sie treten», sagte ich. Er senkte seinen Blick, dann sah er es: die Ecke des Zimmers, in der sie im letzten Frühjahr versucht hatten, die Dielen für Feuerholz herauszureißen. Doch das Haus war zu solide gebaut, die Bretter zu sorgfältig angenagelt, und nach drei Stunden, in denen sie lediglich drei lange Planken hatten lösen können, hatten sie aufgegeben. Das Loch, das aussah wie ein O des Protests, ließ die Balken darunter sehen.

Der Kommandant starrte eine Zeitlang auf den Boden. Dann hob er den Kopf und ließ seinen Blick durch das Zimmer schweifen. Ich war noch nie allein mit einem Deutschen in einem Raum gewesen, und mein Herzschlag beschleunigte sich. Ich roch einen Hauch von Tabak, sah die Regenspritzer auf seiner Uniform. Ich hielt meinen Blick auf seinen Nacken gerichtet und schob meine Schlüssel zwischen die Finger, bereit, ihm mit meiner so gewappneten Faust einen Hieb zu versetzen, falls er mich plötzlich angriff. Ich wäre nicht die erste Frau, die ihre Ehre verteidigen musste.

Doch er drehte sich nur zu mir um. «Sind alle Zimmer in einem so schlechten Zustand?», fragte er.

«Nein», gab ich zurück. «Bei den anderen ist es noch schlimmer.»

Er sah mich so lange an, dass ich beinahe rot wurde. Aber ich wehrte mich dagegen, mich von diesem Mann einschüchtern zu lassen. Ich starrte ihn ebenfalls an, sein kurz geschnittenes, ergrauendes Haar, seine fast durchsichtig wirkenden blauen Augen, die mich unter seiner Schirmmütze heraus anschauten. Ich hielt mein Kinn erhoben, meine Miene war ausdruckslos.

Schließlich wandte er sich ab und ging an mir vorbei, die Treppe hinunter.

«Ich werde Sie darüber informieren lassen, wann die erste Lebensmittellieferung kommt», sagte er. Dann ging er mit schnellem Schritt den Korridor entlang und zurück in die Bar.

Kapitel 3

Sie hätten nein sagen sollen.» Madame Durant bohrte mir von hinten ihren knochigen Zeigefinger in die Schulter. Ich machte vor Schreck einen Satz. Sie trug eine weiße Rüschenhaube, und ein ausgeblichenes blaues Häkelcape lag um ihre Schultern. Diejenigen, die sich über unseren Mangel an Neuigkeiten beschwerten, nachdem wir keine Zeitung mehr haben durften, waren offensichtlich niemals meiner Nachbarin über den Weg gelaufen.

«Wie bitte?»

«Die Deutschen verköstigen. Sie hätten nein sagen sollen.»

Es war ein eiskalter Morgen, und ich hatte mir meinen Schal ums Gesicht gewickelt. Ich zog ihn herunter, um ihr zu antworten. «Ich hätte nein sagen sollen? Und werden Sie selbst nein sagen, wenn die Deutschen beschließen, Ihr Haus zu besetzen, werden Sie das dann tun, Madame?»

«Sie und Ihre Schwester sind jünger als ich. Sie haben die Kraft, um gegen sie zu kämpfen.»

«Nur leider fehlen mir die Bataillonsgeschütze. Was schlagen Sie also vor? Sollen wir uns im Hotel verbarrikadieren? Die Deutschen mit Tassen und Töpfen bewerfen?»

Sie schalt mich weiter aus, während ich die Tür für sie aufhielt. In der Bäckerei roch es nicht mehr wie in einer Bäckerei. Es war hier immer noch warm, aber der Geruch nach Baguettes und Croissants war längst verflogen. Dieses Detail machte mich jedes Mal traurig, wenn ich über die Türschwelle trat.

«Wirklich, ich weiß nicht, wohin es mit diesem Land noch kommen soll. Wenn Ihr Vater Deutsche in seinem Hotel gesehen hätte …» Madame Louvier war offenkundig ebenfalls bestens informiert. Sie schüttelte missbilligend den Kopf, als ich auf die Theke zuging.

«Er hätte genau das Gleiche getan.»

Monsieur Armand, der Bäcker, brachte sie zum Schweigen. «Sie dürfen Madame Lefèvre nicht kritisieren! Wir müssen jetzt alle nach ihrer Pfeife tanzen. Madame Durant, kritisieren Sie mich denn dafür, das Brot für sie zu backen?»

«Ich finde es einfach unpatriotisch, ihren Willen zu befolgen.»

«Leicht gesagt, wenn einem keine Waffe an den Kopf gehalten wird.»

«Also kommen noch mehr von ihnen her! Noch mehr, die in unsere Vorratskammern drängen, unsere Lebensmittel essen und unser Vieh stehlen! Wahrhaftig, ich weiß nicht, wie wir diesen Winter überleben sollen.»

«Wie wir es immer getan haben, Madame Durant. Mit Gleichmut und guter Laune, und Gebeten dafür, dass der liebe Gott, falls es nicht unsere tapferen Männer tun, den Boches einen ordentlichen Tritt in den Hintern verpasst.» Monsieur Armand zwinkerte mir zu. «Nun, die Damen, was darf es sein?

Wir haben eine Woche altes Schwarzbrot, fünf Tage altes Schwarzbrot und etwas Schwarzbrot unbestimmbaren Alters, aber garantiert ohne Rüsselkäfer.»

«Es gibt Tage, an denen ich einen Rüsselkäfer sogar sehr gern als Hors d'œuvre essen würde», sagte Madame Louvier trübsinnig.

«Dann werde ich Ihnen ein Einmachglas voll aufheben, ma chère Madame. Glauben Sie mir, wir erhalten oft eine ordentliche Portion davon in unserem Mehl. Rüsselkäferkuchen, Rüsselkäferpastete, Rüsselkäferprofiteroles. Dank der großzügigen deutschen Unterstützung können wir mit allem dienen.» Wir lachten. Es war unmöglich, ernst zu bleiben. Monsieur Armand gelang es selbst an den düstersten Tagen, uns ein Lächeln zu entlocken.

Madame Louvier nahm ihr Brot und legte es mit angewiderter Miene in ihren Korb. Monsieur Armand nahm es ihr nicht übel; er sah diesen Gesichtsausdruck hundert Mal am Tag. Das Brot war schwarz, vierkantig und klebrig. Es sonderte einen modrigen Geruch ab, als würde es schimmeln, seit es aus dem Ofen gekommen war. Es war so hart, dass sich ältere Frauen häufig von jüngeren beim Schneiden helfen lassen mussten.

Wir hatten gar nicht gemerkt, dass sich die Tür geöffnet hatte. Doch dann kehrte in dem Laden schlagartig Stille ein. Ich drehte mich um und sah Liliane Béthune hereinkommen, den Kopf hoch erhoben, doch niemanden direkt ansehend. Ihr Gesicht war runder als das der meisten anderen, sie trug Puder und Rouge. Sie murmelte ein Bonjour und griff in ihre Tasche. «Zwei Laib Brot, bitte.»

Sie roch nach einem teuren Parfüm, und ihr Haar war zu Locken gedreht. In einer Stadt, in der die meisten Frauen zu erschöpft waren oder zu wenige Pflegemittel besaßen, um mehr als das Minimum an Körperpflege zu betreiben, fiel sie auf wie ein glitzerndes Juwel. Aber es war ihr Mantel, der meinen Blick anzog. Ich konnte nicht aufhören, ihn anzustarren. Er war schwarz wie Onyx, aus edelstem Persianerfell und so dick wie ein Kaminvorleger. Er besaß den sanften Schimmer neuer und kostspieliger Dinge, und der Kragen reichte bis zu ihrem Gesicht, sodass es aussah, als würde ihr langer Hals aus schwarzer Melasse herauswachsen. Ich sah, wie die beiden älteren Frauen den Mantel registrierten und wie sich ihre Mienen verhärteten, während sie ihren Blick daran heruntergleiten ließen.

«Eins für Sie und eins für Ihren Deutschen?», murmelte Madame Durant.

«Eins für mich. Und eins für meine *Tochter*.»

Ausnahmsweise lächelte Monsieur Armand nicht. Er griff unter die Ladentheke, ohne sie aus den Augen zu lassen, und knallte mit seinen beiden kräftigen Händen zwei Brotlaibe auf die Oberfläche. Er wickelte sie nicht ein.

Liliane hielt ihm einen Geldschein hin, aber er nahm ihn nicht an. Er wartete die paar Sekunden, die sie brauchte, um den Schein auf die Ladentheke zu legen, und nahm ihn dann mit spitzen Fingern, als könnte er eine Krankheit übertragen. Dann griff er in seine Kasse und warf zwei Münzen als Wechselgeld auf die Theke, obwohl sie die Hand ausgestreckt hielt.

Sie sah ihn an und dann auf die Theke mit den Münzen. «Behalten Sie's», sagte sie. Und mit einem wütenden Blick in unsere Richtung schnappte sie sich die Brote und rauschte hinaus.

«Wie kann sie es nur wagen ...» Madame Durant fühlte sich immer am wohlsten, wenn sie sich über das Verhalten anderer empören konnte.

«Ich vermute, sie muss essen, wie jeder andere auch», sagte ich.

«Jeden Abend geht sie zum Hof der Fourriers. Jeden Abend. Dann sieht man sie durch die Stadt huschen wie einen Dieb.»

«Sie hat zwei neue Mäntel», sagte Madame Louvier. «Der andere ist grün. Ein nagelneuer grüner Wollmantel. Aus Paris.»

«Und Schuhe. Aus Ziegenleder. Natürlich wagt sie es nicht, die tagsüber zu tragen. Sie weiß, dass wir sie am nächsten Baum aufknüpfen würden.»

«Nein, die doch nicht. Nicht, solange die Deutschen auf sie aufpassen.»

«Ja, aber wenn die erst mal weg sind, sieht es gleich ganz anders aus, eh?»

«Ich möchte nicht in ihrer Haut stecken, Ziegenlederschuhe oder nicht.»

«Ich hasse es, wie sie herumstolziert und jedem ihren Wohlstand unter die Nase reibt. Für wen hält sie sich eigentlich?»

Monsieur Armand sah der jungen Frau nach, die gerade den Marktplatz überquerte. Plötzlich lächelte er. «Ich würde mir keine Sorgen machen, meine Damen. Auch bei ihr läuft nicht alles so, wie sie es will.»

Wir sahen ihn an.

«Können Sie ein Geheimnis bewahren?»

Ich wusste nicht, warum er sich die Mühe machte nachzufragen. Diese beiden alten Frauen konnten ihre Plappermäuler kaum zehn Sekunden am Stück halten.

«Was ist es?»

«Sagen wir einfach, jemand von uns sorgt dafür, dass die noble Mademoiselle eine Kur erhält, mit der sie nicht rechnet.»

«Das verstehe ich nicht.»

«Ihre Brote liegen immer etwas abseits unter der Ladentheke. Sie enthalten nämlich spezielle Zutaten. Zutaten, die, wie ich Ihnen versichere, in kein anderes meiner Brote kommen.»

Die alten Damen rissen die Augen auf. Ich wagte nicht nachzufragen, was der Bäcker meinte, aber das Glitzern in seinen Augen ließ auf mehrere Möglichkeiten schließen, von denen ich keine einzige ausführlicher besprechen wollte.

«*Non!*»

«Monsieur Armand!» Sie waren entsetzt, aber sie begannen trotzdem zu gackern.

Mir wurde etwas übel. Ich mochte Liliane Béthune und das, was sie tat, nicht, aber diese Sache stieß mich ab. «Ich ... ich muss gehen. Hélène braucht ...» Ich griff nach meinem Brot. Ihr Lachen hallte in meinen Ohren nach, als ich in die relative Sicherheit des Hotels hastete.

Die Lebensmittel kamen am darauffolgenden Freitag. Zuerst die Eier, zwei Dutzend, geliefert von einem jungen deutschen Unteroffizier, der sie mit einem weißen Tuch bedeckt hatte, als würde er Schmuggelware transportieren. Dann drei Körbe mit weißem, frischem Brot. Ich mochte Brot seit jener Offenbarung in der Boulangerie nicht mehr so recht, aber die frischen, knusprigen, warmen Laibe machten mich beinahe schwindelig vor Verlangen. Ich musste Aurélien nach oben schicken, so sehr fürchtete ich, dass er der Versuchung nicht widerstehen konnte und sich einen Bissen abbrechen würde.

Als Nächstes kamen sechs Hühner, noch ungerupft, und eine Kiste mit Kohl, Zwiebeln, Karotten und wildem Knoblauch. Und dann Einmachgläser mit Tomaten, Reis und Äpfeln. Milch, Kaffee, drei ordentliche Portionen Butter, Mehl, Zucker. Flaschenweise Wein aus dem Süden. Schweigend empfingen Hélène und ich jede Lieferung. Die Deutschen gaben uns Formulare, auf denen die zugestellte Menge genau aufgelistet war. Sich etwas davon abzuzweigen würde nicht leicht sein. Wir erhielten einen Vordruck, auf dem wir die genauen Mengen für jedes Rezept aufschreiben sollten. Außerdem verlangten sie, dass wir alle Abfälle in einem Eimer sammelten, damit sie an die Tiere verfüttert werden konnten. Als ich das sah, hätte ich am liebsten losgefaucht.

«Sollen wir für heute Abend kochen?», fragte ich den letzten Unteroffizier.

Er zuckte mit den Schultern. Ich deutete auf die Uhr. «Heute?» Ich wies auf die Lebensmittel. *«Kochen?»*

«Ja», antwortete er mir auf Deutsch mit einem begeisterten Nicken. *«Sie kommen um sieben Uhr.»*

«Sieben Uhr», sagte Hélène hinter mir. «Sie wollen um sieben Uhr essen.»

Unser eigenes Abendessen hatte aus einer Scheibe Schwarzbrot mit einer hauchdünnen Schicht Marmelade und etwas gekochter Roter Bete bestanden. Dass wir nun Hühnchen braten sollten, unsere Küche mit den Düften von Knoblauch, Tomaten und Apfeltarte erfüllen sollten, war die reinste Folter. Ich fürchtete an diesem ersten Abend, dass ich mir sogar die Finger ablecken könnte, denn schon ihr Anblick, wenn sie vor Tomatensaft trieften oder klebrig waren von den Äpfeln, war eine grausame Versuchung. Mehrere Male, als ich Teig ausrollte oder Äpfel schälte, wurde mir vor Verlangen beinahe schwarz vor Augen. Wir mussten Mimi, Aurélien und den kleinen Jean nach oben scheuchen, von wo wir gelegentlich ihr Protestgebrüll hörten.

Ich wollte den Deutschen kein gutes Essen kochen. Aber

ich fürchtete mich auch davor, es nicht zu tun. Irgendwann, als ich die Hühner aus dem Ofen zog, um sie mit zischendem Bratensaft zu begießen, sagte ich mir, dass ich den Anblick dieses Essens vielleicht auch genießen könnte. Vielleicht könnte ich in der Gelegenheit schwelgen, all das wiederzusehen, wieder zu riechen. Aber an diesem Abend gelang es mir nicht. Als die Türglocke schließlich die Ankunft der Offiziere verkündete, hatte sich mein Magen verkrampft, und ich schwitzte vor Hunger. Mein Hass auf die Deutschen war so heftig wie nie zuvor und niemals wieder.

«Madame.» Der Kommandant kam als Erster herein. Er zog seine regennasse Mütze vom Kopf und bedeutete seinen Offizieren, es ihm nachzutun.

Ich stand da, wischte mir die Hände an der Schürze ab und wusste nicht recht, wie ich reagieren sollte. «Herr Kommandant.» Ich bemühte mich um eine ausdruckslose Miene.

Es war warm im Raum. Die Deutschen hatten drei Körbe mit Holzscheiten gebracht, sodass wir Feuer machen konnten. Die Männer entledigten sich ihrer Mützen und Schals, schnupperten in die Luft und grinsten vor lauter Vorfreude. Der Geruch der Hühnchen, in Knoblauch und Tomatensoße geschmort, erfüllte den Raum. «Wir werden sofort essen», sagte er mit einem Blick Richtung Küche.

«Wie Sie wünschen», sagte ich. «Ich hole den Wein.»

Aurélien hatte in der Küche mehrere Flaschen geöffnet. Nun trug er mit finsterer Miene zwei davon herein. Die Folter, die uns an diesem Abend auferlegt worden war, hatte ihn ganz besonders aufgebracht. Ich fürchtete angesichts der Abreibung, die er kürzlich von ihnen bekommen hatte, seiner Jugend und seines impulsiven Charakters, dass er sich in Schwierigkeiten bringen würde, und nahm ihm die Flaschen aus der Hand. «Geh und sag Hélène, sie soll das Essen auftragen.»

«Aber …»

«Geh!», keifte ich. Dann ging ich herum und schenkte Wein aus. Ich sah keinen von ihnen an, als ich die Gläser auf die Tische stellte, obwohl ich ihre Blicke auf mir spürte. Ja, seht mich nur an, sagte ich in Gedanken zu ihnen. Noch eine abgemagerte Französin, die ihr durch Hunger zum Gehorsam gezwungen habt. Ich hoffe, meine Erscheinung verdirbt euch den Appetit.

Meine Schwester brachte unter anerkennendem Gemurmel die ersten Teller herein. Sofort griffen die Männer zu, klapperten mit ihrem Besteck auf den Porzellantellern und unterhielten sich laut in ihrer Sprache. Ich ging mit vollen Tellern hin und her, versuchte, die köstlichen Gerüche nicht einzuatmen, versuchte, nicht auf das geröstete Fleisch zu schauen, das saftig neben dem frischen Gemüse glänzte.

Schließlich hatten wir alle bedient. Hélène und ich standen zusammen hinter dem Tresen, als der Kommandant einen längeren Trinkspruch auf Deutsch ausbrachte. Ich kann nicht beschreiben, wie es sich anfühlte, diese Stimmen in unserem Zuhause zu hören, zu sehen, wie sie aßen, was wir so achtsam gekocht hatten, wie sie sich beim Essen und Trinken entspannten. Und ich sorge noch für die Stärkung dieser Männer, dachte ich bitter, während mein geliebter Édouard vielleicht schwach ist vor Hunger. Und dieser Gedanke, verstärkt von meinem eigenen Hunger, ließ eine Welle der Verzweiflung in mir hochschwappen. Ein leises Schluchzen entschlüpfte meiner Kehle. Hélène griff nach meiner Hand und drückte sie. «Geh in die Küche», murmelte sie.

«Ich …»

«Geh in die Küche. Ich komme nach, wenn ich ihre Gläser aufgefüllt habe.»

Ausnahmsweise tat ich einmal, was meine Schwester sagte.

Sie brauchten eine Stunde zum Essen. Hélène und ich saßen schweigend in der Küche, verloren in unserer Erschöpfung und wirren Gedanken. Jedes Mal, wenn wir Gelächter hörten oder einen lauten Ausruf, sahen wir auf. Es war unmöglich, irgendetwas davon zu verstehen.

«Mesdames.» Der Kommandant tauchte in der Küchentür auf. Wir standen hastig auf. «Die Mahlzeit war ausgezeichnet. Ich hoffe, Sie können dieses Niveau halten.»

Ich schaute auf den Boden.

«Madame Lefèvre.»

Zögernd hob ich den Blick.

«Sie sind blass. Sind Sie krank?»

«Es geht uns sehr gut.» Ich schluckte. Neben mir verschränkte Hélène die Finger, die von dem ungewohnten warmen Wasser gerötet waren.

«Madame, haben Sie und Ihre Schwester etwas gegessen?»

Ich dachte, er wollte mich auf die Probe stellen. Ich dachte, er wollte überprüfen, ob wir die höllischen Vorschriften erfüllt hatten. Ich dachte, er würde womöglich die Reste abwiegen, um sicher zu sein, dass wir uns auch ja kein Stückchen Apfelschale in den Mund gesteckt hatten.

«Wir haben nicht einmal ein Reiskorn gestohlen, Herr Kommandant.» Ich hätte ihn beinahe angespuckt. Hunger bringt einen zu solchen Reaktionen.

Er blinzelte. «Das sollten Sie aber. Sie können nicht gut kochen, wenn Sie nichts essen. Was ist übrig?»

Ich konnte mich nicht vom Fleck rühren. Hélène deutete auf das Blech, das auf dem Herd stand. Darauf lagen vier Hühnchenteile, die wir für den Fall warm hielten, dass einer der Männer einen Nachschlag wollte.

«Dann setzen Sie sich. Essen Sie hier.»

Das konnte nur eine Falle sein.

«Das ist ein Befehl.» So etwas wie ein Lächeln spielte um seinen Mund, aber ich glaubte nicht, dass er scherzte. «Wirklich. Essen Sie.»

«Wäre ... wäre es möglich, dass wir etwas davon den Kindern geben? Es ist sehr lange her, dass sie Fleisch gehabt haben.»

Er runzelte die Stirn, als würde er nicht verstehen. Ich hasste ihn. Und ich hasste den Klang meiner Stimme, weil ich einen Deutschen um Essensreste anbettelte. Oh, Édouard, dachte ich. Wenn du mich jetzt hören könntest.

«Geben Sie Ihren Kindern zu essen und essen Sie selbst auch etwas», sagte er knapp. Dann drehte er sich um und verließ die Küche.

Wir schwiegen, seine Worte hallten in unseren Ohren nach. Dann raffte Hélène ihre Röcke und rannte, zwei Stufen auf einmal nehmend, die Treppe hinauf. Ich hatte seit Monaten nicht erlebt, dass sie sich so schnell bewegte.

Sekunden später tauchte sie mit Jean im Nachthemd auf dem Arm wieder auf, Aurélien und Mimi hatte sie vor sich.

«Stimmt es?», sagte Aurélien. Er starrte mit offenem Mund auf die Hühnchenteile.

Ich konnte nur nicken.

Wir stürzten uns auf den unglücklichen Vogel. Ich wünschte, ich könnte sagen, dass meine Schwester und ich uns damenhaft verhielten, dass wir geziert kleine Häppchen zu uns nahmen, wie man es in Paris tut, dass wir Pausen einlegten, um uns ein wenig zu unterhalten, und uns zwischen den Bissen den Mund mit der Serviette abwischten. Aber wir benahmen uns wie Wilde. Wir rissen an dem Fleisch, stopften uns den Reis hinein, kauten mit offenem Mund, sodass Bröckchen auf den Tisch fielen. Es kümmerte mich nicht mehr, ob uns der Kommandant auf die Probe stellen wollte. Ich habe nie etwas so Gutes gegessen wie dieses Hühnchen. Der Knoblauch und die Tomaten erfüllten meinen Mund mit lange vergessenem Genuss, meine Nase mit Gerüchen, die ich für immer hätte einatmen können. Wir stießen beim Essen kleine Wohlgeräusche aus, ursprünglich und ungehemmt, jedes ein Ausdruck tiefster, innerster Befriedigung. Jean lachte und schmierte sich Bratensaft ins Gesicht. Mimi kaute knusprige Hühnerhaut und leckte sich mit lautstarkem Genuss das Fett von den Fingern. Hélène und ich aßen, ohne ein Wort zu sprechen, und sorgten dafür, dass die Kleinen auch wirklich genug bekamen.

Als nichts mehr übrig war, als jeder Knochen abgenagt und das letzte Reiskorn von den Platten verschwunden war, saßen wir da und starrten uns an. Aus der Bar hörten wir die lauter werdenden Gespräche der Deutschen, die ihren Wein tranken, und eine gelegentliche Lachsalve. Ich wischte mir mit dem Handrücken den Mund ab.

«Das dürfen wir niemandem erzählen», sagte ich, als ich mir die Hände wusch. Ich fühlte mich wie ein Betrunkener, der plötzlich nüchtern geworden ist. «Wir müssen uns benehmen, als wäre es nie passiert. Wenn irgendjemand herausfindet, dass wir das Essen der Deutschen gegessen haben, wird man uns für Verräter halten.»

Wir sahen Mimi und Aurélien an, versuchten ihnen zu vermitteln, wie ernst es uns damit war. Aurélien nickte. Mimi auch. Ich glaube, in diesem Moment hätten sie sich auch dazu bereit erklärt, für alle Zukunft nur noch Deutsch zu sprechen. Hélène befeuchtete ein Geschirrtuch und machte sich daran, den zwei Jüngsten die Spuren der Mahlzeit vom Gesicht zu wischen. «Aurélien», sagte sie, «bring sie ins Bett. Wir räumen auf.»

Er hatte sich nicht von meinen Befürchtungen anstecken lassen. Er lächelte. Seine mageren Jungensschultern hatten sich seit Monaten zum ersten Mal wieder gesenkt, und als er Jean hochnahm, hätte ich schwören können, dass er angefangen hätte zu pfeifen, wenn es möglich gewesen wäre. «Keinen Ton», ermahnte ich ihn.

«Ich weiß», sagte er mit der Stimme eines Vierzehnjährigen, der alles weiß. Der kleine Jean lehnte schon mit schweren Lidern an seiner Schulter, die erste richtige Mahlzeit seit Monaten hatte ihn erschöpft. Sie verschwanden in den ersten Stock. Das Geräusch ihres Lachens, als sie oben angekommen waren, machte mir das Herz schwer.

Wir hatten seit beinahe einem Jahr Ausgangssperre; wenn es dunkel wurde und es keine Kerzen oder Karbid für die Lampe gab, hatten Hélène und ich uns angewöhnt, zu Bett zu gehen. Die Bar schloss seit der Okkupation um sechs Uhr, und wir waren seit Monaten nicht so lange wach gewesen. Wir waren völlig erschöpft. Unsere Mägen gurgelten von dem üppigen Essen nach so langer Zeit des Hungerns. Ich sah, wie meine Schwester etwas zusammensank, als sie die Bratpfannen scheuerte. Ich war nicht ganz so müde, und in meinem Kopf flackerte immer wieder die Erinnerung an das Hühnchen auf. Es war, als wären lange abgestorbene Nerven wieder zum Leben erwacht. Ich konnte es immer noch schmecken und riechen. Es brannte sich in meinen Verstand ein wie ein winziger, funkelnder Schatz.

Noch bevor wir mit der Küche fertig waren, schickte ich Hélène nach oben. Sie schob sich das Haar aus dem Gesicht. Sie war so schön gewesen, meine Schwester. Wenn ich nun sah, wie der Krieg sie hatte altern lassen, dachte ich an mein eigenes Gesicht und fragte mich, wie mein Mann mich wohl finden würde.

«Ich möchte dich nicht mit ihnen allein lassen», sagte sie.

Ich schüttelte den Kopf. Ich hatte keine Angst; die Stimmung war friedlich. Es ist schwer, Männer zu reizen, die gerade gut gegessen haben. Und sie hatten getrunken, doch die Flaschen hatten nur für etwa drei Glas pro Mann gereicht; nicht genug, um sie zu schlechtem Benehmen aufzustacheln. Unser Vater hatte uns weiß Gott nicht viel beigebracht, aber er hatte uns gelehrt, wann wir Angst haben mussten. Ich konnte einen völlig Fremden beobachten und aus einer Verhärtung seiner Kiefermuskeln oder der Art, wie er die Augen leicht zusammenkniff, auf genau den Moment schließen, in dem sich seine innere Spannung in einem Gewaltausbruch entlud. Davon abgesehen ging ich davon aus, dass der Kommandant so etwas nicht dulden würde.

Ich blieb in der Küche und räumte weiter auf, bis ich hörte, dass Stühle zurückgeschoben wurden und ich wusste, dass sie im Aufbruch waren. Es war mittlerweile nach elf. Ich ging in die Bar.

«Sie dürfen jetzt schließen», sagte der Kommandant. Ich versuchte meine Gereiztheit zu unterdrücken. «Meine Männer möchten Ihnen für das exzellente Mahl danken.»

Ich sah sie an. Ich nickte knapp. Ich wollte mich nicht dankbar für Komplimente von Deutschen zeigen.

Er schien keine Reaktion zu erwarten. Er setzte seine Mütze auf, und ich zog die Verbrauchsaufstellung der Lebensmittel aus der Tasche und reichte sie ihm. Er warf einen Blick darauf und gab sie mir leicht verärgert zurück. «Dafür bin ich nicht zuständig. Geben Sie das den Männern, die die Lebensmittel liefern.»

«*Désolée*», sagte ich, aber ich hatte es genau gewusst. Irgendeine boshafte Ader in mir hatte ihn, wenn auch nur für einen Moment, auf den Rang eines Proviantmeisters herabsetzen wollen.

Ich stand da, als sie ihre Mäntel und Mützen einsammelten. Ein paar schoben mit einem Rest von Chevalerie die Stühle unter den Tisch, andere gingen achtlos, als sei es ihr Recht, sich überall wie zu Hause zu benehmen. Jetzt haben wir es, dachte ich. Wir müssen für die Deutschen kochen, bis der Krieg vorbei ist.

Ich fragte mich kurz, ob wir ihnen ein schlechtes Essen hätten auftischen sollen, uns weniger Mühe hätten geben sollen. Aber *Maman* hatte immer darauf bestanden, dass schlecht zu kochen schon an sich eine Sünde war. Und ganz gleich, wie unmoralisch wir uns verhalten hatten, wie verräterisch, ich wusste, dass wir uns alle für immer an diesen Abend mit dem Brathühnchen erinnern würden. Der Gedanke daran, dass es noch weitere solche Abende geben könnte, ließ es mir leicht schwindlig werden.

In diesem Moment wurde mir bewusst, dass der Kommandant vor dem Gemälde stand.

Mit einem Mal bekam ich Angst, musste an die Worte meiner Schwester denken. Das Bild wirkte subversiv, seine Farben zu leuchtend in der angegrauten Bar, die junge Frau zu strahlend in ihrem Selbstbewusstsein. Sie sah beinahe aus, das erkannte ich jetzt, als würde sie sich über die Deutschen lustig machen.

Er betrachtete weiter das Bild. Hinter ihm gingen seine Männer hinaus, unterhielten sich mit lauten, schroffen Stimmen, die über den leeren Marktplatz hallten. Ich zitterte jedes Mal ein bisschen, wenn die Tür aufgemacht wurde.

«Es wird Ihnen unglaublich gerecht.»

Ich war schockiert, dass er das erkennen konnte. Ich wollte ihm nicht recht geben. Es unterstellte eine Art Vertrautheit, dass er mich in dieser jungen Frau sehen konnte. Ich schluckte. Meine Fingerknöchel traten weiß hervor, so fest hatte ich die Hände ineinandergeschlungen.

«Ja. Nun, das ist lange her.»

«Es erinnert mich ein bisschen an … Matisse.»

Ich war so überrascht, dass ich redete, ohne nachzudenken. «Édouard hat bei ihm studiert. An der Académie Matisse in Paris.»

«Die ist mir ein Begriff. Sagt Ihnen der Künstler Hans Purrmann etwas?» Ich muss zusammengezuckt sein – er warf mir einen Seitenblick zu. «Ich bin ein großer Bewunderer seiner Arbeit.»

Hans Purrmann. Matisse. Diese Worte aus dem Mund eines deutschen Kommandanten zu hören, brachte mich aus dem Gleichgewicht.

Ich wollte, dass er ging. Ich wollte diese Namen nicht von ihm hören. Diese Erinnerungen gehörten mir, kleine Geschenke, mit denen ich mich an den Tagen trösten konnte, an denen mich das, was aus meinem Leben geworden war, zu überwältigen drohte. Ich wollte meine glücklichsten Zeiten nicht von den achtlosen Bemerkungen eines Deutschen beschmutzen lassen.

«Herr Kommandant. Ich muss aufräumen. Wenn Sie mich entschuldigen würden.» Ich begann, Teller aufeinanderzustapeln und die Gläser einzusammeln. Aber er rührte sich nicht. Ich spürte seinen Blick auf dem Bild, als würde er mich selbst anschauen.

«Es ist lange her, seit ich mit irgendjemandem über Kunst gesprochen habe.» Er redete, als würde er sich mit dem Bild unterhalten. Schließlich legte er die Hände auf den Rücken und drehte sich zu mir um. «Wir sehen uns morgen.»

Ich konnte ihn nicht anschauen, als er vorbeiging. «Herr Kommandant», sagte ich, einen Tellerstapel in der Hand.

«Guten Abend, Madame.»

Als ich schließlich nach oben kam, schlief Hélène bäuchlings auf unserer Steppdecke, noch immer in der Kleidung, die sie beim Kochen getragen hatte. Ich schnürte ihr Korsett auf, zog ihr die Schuhe aus und deckte sie zu. Dann legte ich mich selbst hin, und meine wirbelnden Gedanken kreisten der Morgendämmerung entgegen.

Kapitel 4

Paris, 1912

Mademoiselle!»

Ich hob den Blick von den Handschuhen in der Auslage und schloss den Glasdeckel; das Geräusch wurde von dem riesigen Lichthof geschluckt, der den Mittelpunkt des Kaufhauses *La Femme Marché* bildete.

«Mademoiselle! Hier! Können Sie mir behilflich sein?»

Auch wenn er nicht gerufen hätte, wäre er mir aufgefallen. Er war groß und kräftig, mit welligem Haar, das ihm um die Ohren fiel, ganz anders als die Kurzhaarfrisuren der meisten Männer, die zu uns hereinkamen. Seine Gesichtszüge waren ausgeprägt und offen, von der Art, die mein Vater als bäuerlich herabgesetzt hätte. Der Mann sah aus, dachte ich, wie eine Mischung aus einem römischen Imperator und einem russischen Bären.

Als ich zu ihm hinüberging, deutete er auf die Halstücher, doch sein Blick ruhte weiter auf mir. Tatsächlich sah er mich so lange an, dass ich mich umdrehte, weil ich befürchtete,

Madame Bourdain, meine Vorgesetzte, hätte es bemerkt. «Ich brauche Sie, um ein Halstuch auszusuchen», sagte er.

«Was für eine Art Halstuch, Monsieur?»

«Für eine Frau.»

«Dürfte ich nach ihrer Haarfarbe fragen? Oder ob sie einen bestimmten Stoff bevorzugt?»

Er starrte mich immer noch an. Madame Bourdain war mit einer Kundin beschäftigt, die einen Pfauenfederhut trug. Wenn sie von ihrem Platz bei den Gesichtscremes aufgesehen hätte, wäre ihr aufgefallen, dass ich rote Ohren bekommen hatte. «Was immer Ihnen gefällt», sagte er und fügte hinzu: «Sie hat Ihre Farben.»

Ich sah behutsam die seidenen Halstücher durch, während meine Wangen immer heißer wurden, und zog eines meiner Lieblingstücher heraus: es war aus zartem, federleichtem Stoff in einem dunklen, schimmernden Blau. «Diese Farbe steht beinahe jeder Frau», sagte ich.

«Ja … ja. Halten Sie es hoch», sagte er. «Gegen Ihre Haut. Hier.» Er deutete auf sein Schlüsselbein. Ich warf einen kurzen Blick zu Madame Bourdain hinüber. Es herrschten strenge Richtlinien in Bezug auf die Vertraulichkeit der Verkaufsgespräche, und ich war nicht sicher, ob darunter auch fiel, ein Halstuch an meinen nackten Hals zu halten. Aber der Mann wartete. Ich zögerte, dann legte ich das Halstuch an meine Wange. Er musterte mich so lange, dass das gesamte Erdgeschoss um mich herum zu versinken schien.

«Das ist es. Wunderschön», rief er aus. «Sie haben mir den Einkauf leicht gemacht.»

Er grinste, und ich lächelte ihn unwillkürlich an. Vielleicht lag es nur an der Erleichterung darüber, dass er aufgehört hatte, mich anzustarren.

«Ich weiß nicht recht, ob …» Ich schlug das Halstuch in Seidenpapier ein, dann senkte ich den Kopf, als meine Vorgesetzte herüberkam.

«Ihre Verkäuferin hat brillante Arbeit geleistet, Madame», tönte er. Ich sah sie an, beobachtete, wie sie die eher schludrige Erscheinung dieses Mannes mit seiner Wortgewandtheit in Einklang zu bringen versuchte. «Sie sollten sie befördern. Sie hat ein sicheres Auge!»

«Wir bemühen uns stets darum, dass unsere Verkäuferinnen die Kundenwünsche fachgerecht erfüllen, Monsieur», sagte sie gewandt. «Doch wir hoffen auch, dass wir mit der Qualität unserer Waren bei jedem Einkauf für Zufriedenheit sorgen. Das wären dann zwei Francs vierzig.»

Ich reichte ihm sein Päckchen und sah ihm nach, als er langsam das üppig mit Waren bestückte Erdgeschoss des größten Kaufhauses von Paris durchquerte. Er schnupperte an Parfümflakons, musterte die strahlend bunten Hüte, kommentierte das Angebot gegenüber Verkäuferinnen oder anderen Kunden. Wie wäre es wohl, mit so einem Mann verheiratet zu sein, dachte ich abwesend, mit jemandem, dem jeder Augenblick ein sinnliches Vergnügen zu bieten schien. Aber auch – rief ich mir ins Gedächtnis – einem Mann, der sich die Freiheit nahm, Verkäuferinnen anzustarren, bis sie erröteten. Als er die großen Glastüren erreicht hatte, drehte er sich um und sah mich direkt an. Er lüftete seinen Hut für volle drei Sekunden, dann verschwand er im vormittäglichen Paris.

Ich war im Sommer 1910 nach Paris gekommen, drei Monate nach dem Tod meiner Mutter und einen Monat, nachdem meine Schwester Jean-Michel Montpellier geheiratet hatte, einen Buchhalter aus dem Nachbardorf. Ich hatte eine Stellung bei

La Femme Marché angenommen, mich von einer Lagergehilfin bis zur Verkaufsgehilfin emporgearbeitet, und ich wohnte in der großen Pension, die zu dem Warenhaus gehörte.

Nachdem ich mich von meiner anfänglichen Einsamkeit erholt hatte, war ich in Paris zufrieden, und ich verdiente genügend Geld, um andere Schuhe zu tragen als die Holzpantinen, an denen man mich als Provinzlerin erkannt hatte. Ich mochte es, um acht Uhr fünfundvierzig im Geschäft zu sein, wenn geöffnet wurde und die eleganten Pariser Damen hereinschlenderten. Ich liebte das Gefühl, dem Jähzorn meines Vaters entkommen zu sein, der wie eine dunkle Wolke über meiner gesamten Kindheit geschwebt hatte. Die Betrunkenen und Gestrauchelten des neunten Arrondissements konnten mich nicht schrecken. Und ich liebte das Kaufhaus; ein enormes, wimmelndes Füllhorn voller schöner Dinge. Seine Düfte und alles, was man zu sehen bekam, waren berauschend, sein ständig wechselndes Angebot brachte immer neue Waren aus allen Ecken der Welt: italienische Schuhe, englischen Tweed, Kaschmir aus Schottland, chinesische Seide, die Mode aus Amerika und London. Im neu eingerichteten Untergeschoss wurden Schweizer Schokolade, schimmernder Räucherfisch und kräftiger, cremiger Käse angeboten. Jeder Tag innerhalb der emsigen Mauern des La Femme Marché bedeutete, zu den Eingeweihten zu gehören, die einen Blick auf eine größere, exotischere Welt werfen durften.

Ich hatte nicht vor zu heiraten (ich wollte nicht wie meine Mutter enden), und die Vorstellung, dort zu bleiben, wo ich war, wie Madame Arteuil, die Näherin, oder meine Vorgesetzte, Madame Bourdain, behagte mir sehr.

Zwei Tage später hörte ich seine Stimme erneut. «Verkäuferin! Mademoiselle!»

Ich bediente gerade eine junge Frau, die ein Paar weiche Ziegenlederhandschuhe erstand. Ich nickte ihm zu und machte mit dem Einpacken ihres Einkaufs weiter.

Aber er wartete nicht. «Ich brauche dringend noch ein Halstuch», verkündete er. Die Frau nahm ihre Handschuhe mit einem hörbaren *Tsts* entgegen. Wenn er es mitbekommen hatte, ließ er es sich nicht anmerken. «Ich dachte an etwas Rotes. Etwas Lebhaftes, Feuriges. Was können Sie mir da anbieten?»

Ich war etwas verärgert. Madame Bourdain hatte mir eingeschärft, dass dieses Geschäft ein kleines Paradies war: Die Kunden mussten immer mit dem Gefühl gehen, dass sie eine Oase der Erholung von der Hektik auf den Straßen gefunden hatten (wenn auch eine, in der man ihnen das Geld aus der Tasche zog). Ich befürchtete, dass sich meine Kundin beschweren könnte. Doch sie wandte sich nur mit erhobenem Kinn ab.

«Nein, nein, nein, die nicht», sagte er, als ich begann, meine Auslage durchzusehen. «Die dort.» Er deutete auf den unteren Teil des Glasschranks, wo die teuren Halstücher lagen. «Das da.»

Ich nahm das Halstuch heraus. Das tiefe Rubinrot frischen Blutes hob sich gegen meine blassen Hände ab wie eine Wunde.

Er lächelte bei dem Anblick. «Ihr Hals, Mademoiselle. Heben Sie Ihren Kopf ein wenig. Ja. Genau so.»

Dieses Mal war ich befangen, als ich das Halstuch emporhielt. Ich wusste, dass mich meine Vorgesetzte beobachtete. «Sie haben wunderbare Farben», murmelte er und griff in die Tasche, um sein Geld herauszuholen, während ich eilig das Halstuch senkte und begann, es in Seidenpapier zu wickeln.

«Ich bin sicher, Ihre Frau wird über die Geschenke entzückt

sein», sagte ich. Meine Haut brannte, wo sein Blick sie gestreift hatte.

Da sah er mich an, um seine Augen bildeten sich Fältchen. «Woher kommt Ihre Familie, bei dieser Haut? Aus dem Norden? Lille? Belgien?»

Ich tat so, als hätte ich ihn nicht gehört. Es war uns nicht gestattet, mit den Kunden über Privates zu sprechen, und ganz besonders nicht mit männlichen Kunden.

«Wissen Sie, was mein Lieblingsgericht ist? Moules marinières mit Sahne aus der Normandie. Ein paar Zwiebeln. Ein kleiner Pastis. Mmm.» Er presste die Lippen auf die Finger, dann hielt er das Päckchen hoch, das ich ihm überreichte. «A *bientôt*, Mademoiselle!»

Dieses Mal wagte ich es nicht, ihm auf seinem Weg durch das Geschäft nachzusehen. Doch als mein Nacken zu brennen begann, wusste ich, dass er wieder stehen geblieben war, um mich anzusehen. Ich wurde kurz wütend. In St. Péronne wäre ein solches Benehmen unvorstellbar gewesen. In Paris fühlte ich mich an manchen Tagen angesichts der schamlosen Blicke, die sich die Männer erlaubten, als würde ich in Unterwäsche durch die Straßen laufen.

«Du hast einen Bewunderer», stellte Paulette (Parfümabteilung) fest, als er ein paar Tage später wieder auftauchte.

«Monsieur Lefèvre? Sieh dich bloß vor», schnaubte Loulou (Taschen und Portemonnaies). «Marcel aus der Postabteilung hat ihn an der Place Pigalle gesehen, wie er mit den Straßenmädchen geplaudert hat. Oh.» Sie ging zurück zu ihrer Verkaufstheke.

«Mademoiselle.»

Ich zuckte zusammen und wirbelte herum.

«Es tut mir leid.» Er hatte sich über die Verkaufstheke gebeugt, die großen Hände auf die Glasoberfläche gestützt. «Ich wollte Sie nicht erschrecken.»

«Ich bin keineswegs erschrocken, Monsieur.»

Seine braunen Augen musterten mein Gesicht mit solcher Intensität …

«Möchten Sie sich weitere Halstücher ansehen?»

«Heute nicht. Ich wollte … Sie etwas fragen.»

Meine Hand wanderte an meinen Kragen.

«Ich würde Sie gern malen.»

«Wie bitte?»

«Mein Name ist Édouard Lefèvre. Ich bin Künstler. Ich würde Sie sehr gerne malen, wenn Sie eine oder zwei Stunden für mich erübrigen könnten.»

Ich dachte, er würde mich auf den Arm nehmen. Ich warf einen Blick auf Loulou und Paulette, die gerade Kunden hatten, und überlegte, ob sie lauschten. «Warum … warum möchten Sie gerade mich malen?»

Zum ersten Mal sah ich einen leicht verdutzten Blick an ihm. «Möchten Sie wirklich, dass ich diese Frage beantworte?»

Ich hatte geklungen, das wurde mir nun bewusst, als wäre ich auf ein Kompliment aus.

«Mademoiselle, es ist nichts Ungehöriges an meiner Bitte. Sie können eine Anstandsdame mitbringen, wenn Sie möchten. Ich will nur einfach … Ihr Gesicht fasziniert mich. Ich habe es noch lange vor mir, nachdem ich das La Femme Marché verlassen habe. Ich möchte es zu Papier bringen.»

Ich widerstand dem Impuls, mir ans Kinn zu fassen. Mein Gesicht? Faszinierend? «Wird … wird Ihre Frau dort sein?»

«Ich habe keine Frau.» Er griff in eine Tasche und kritzelte etwas auf einen Zettel. «Aber ich habe eine Menge Halstücher.» Er hielt mir den Zettel hin, und ich warf unwillkürlich einen Blick über die Schulter, bevor ich ihn annahm.

Ich erzählte niemandem etwas davon. Ich war nicht einmal sicher, was ich überhaupt gesagt hätte. Ich zog mein bestes Kleid an und wieder aus. Zwei Mal. Ich verbrachte außergewöhnlich viel Zeit damit, mir das Haar hochzustecken. Ich saß zwanzig Minuten neben meiner Schlafzimmertür und zählte mir all die Gründe auf, aus denen ich nicht hingehen sollte.

Die Zimmerwirtin hob eine Augenbraue, als ich schließlich das Haus verließ. Ich hatte meine guten Schuhe ausgezogen und war in die Holzpantinen geschlüpft, um ihren Argwohn zu beschwichtigen. Beim Gehen debattierte ich mit mir selbst.

Wenn deine Vorgesetzten hören, dass du einem Künstler Modell gesessen hast, werden sie dir eine zweifelhafte Moral unterstellen. Du könntest deine Anstellung verlieren!

Er will mich malen! Mich, Sophie aus St. Péronne. Den reizlosen Abklatsch von Hélènes Schönheit.

Vielleicht habe ich etwas Billiges an mir, das ihn davon überzeugt hat, dass ich nicht ablehnen werde. Er pflegt Umgang mit den Straßenmädchen vom Pigalle …

Aber mein Leben besteht doch nur aus Arbeiten und Schlafen. Ist es wirklich so schlimm, wenn ich mir dieses eine Erlebnis gestatte?

Die Adresse, die er mir genannt hatte, befand sich zwei Straßen vom Panthéon entfernt. Ich ging durch ein langes, kopfsteingepflastertes Sträßchen, überprüfte die Hausnummer, hielt kurz inne und klopfte. Niemand meldete sich. Von oben hörte ich Musik. Die Tür stand einen Spaltbreit offen, also drückte ich sie ganz auf und trat ein. Leise ging ich die enge Treppe hinauf, bis ich eine Tür erreichte. Dahinter spielte ein Grammophon, eine Frau sang von Liebe und Verzweiflung, ein

Mann sang das Lied mit, und der volle, raue Bass gehörte unverkennbar ihm. Ich stand einen Moment lang nur da, lauschte und musste unwillkürlich lächeln. Ich drückte die Tür auf.

Ein riesiger, lichterfüllter Raum. Eine Wand bestand aus nacktem Backstein, eine andere beinahe vollständig aus Glas, einer Fensterreihe, die über die gesamte Länge der Wand reichte. Das Erste, was mir auffiel, war das unglaubliche Durcheinander. An jeder Wand lehnten mit Leinwand bespannte Keilrahmen; auf allen Oberflächen standen Gläser mit Pinseln, an denen Farbe geronnen war, dazwischen drängten sich Schachteln mit Zeichenkohle, und überall standen Staffeleien mit dicken, eingetrockneten Spritzern in leuchtenden Farben. Da waren Malerleinwand, Stifte, eine Leiter und Teller mit halb aufgegessenen Mahlzeiten. Und über allem hing durchdringender Terpentingeruch, vermischt mit dem von Ölfarben, einem Hauch Tabakduft und dem säuerlichen Aroma von altem Wein. Dunkelgrüne Flaschen standen in jeder Ecke, in ein paar davon steckten Kerzen, andere waren offenkundig die Überbleibsel von irgendeiner Feier. Auf einem Holzstuhl lag ein großer Haufen Geld, Münzen und Geldscheine in einem wirren Durcheinander. Und dort, in der Mitte all dessen, und mit einem Glas voller Pinsel in der Hand gedankenverloren auf und ab gehend, war Monsieur Lefèvre, angetan mit einem Malerkittel und Bauernhosen, als wäre er Hunderte Kilometer von Paris entfernt.

«Monsieur?»

Er blinzelte mich zweimal an, als versuche er sich daran zu erinnern, wer ich war, dann stellte er das Glas mit den Pinseln langsam auf den Tisch neben sich. «Sie sind es!»

«Nun. Ja.»

«Wundervoll!» Er schüttelte den Kopf, als könne er es immer noch nicht fassen, dass ich da war. «Wundervoll. Kommen Sie herein. Kommen Sie herein. Ich suche Ihnen ein Plätzchen, wo Sie sich setzen können.»

Er wirkte größer, und die Umrisse seines Oberkörpers traten durch den fließenden Stoff des Kittels deutlich hervor. Unbehaglich klammerte ich mich an meine Tasche, während er begann, Zeitungsstapel von einer alten Chaiselongue zu räumen.

«Bitte, setzen Sie sich. Möchten Sie etwas trinken?»

«Nur ein Glas Wasser, danke.»

Ich hatte mich auf dem Weg nicht unwohl gefühlt, trotz der heiklen Situation. Das schäbige Viertel hatte mich nicht gestört oder dass ich das Atelier nicht kannte. Jetzt aber fühlte ich mich zurückgesetzt und ein bisschen dumm, und das ließ mich steif und linkisch werden. «Sie haben mich nicht erwartet, Monsieur.»

«Vergeben Sie mir. Ich habe einfach nicht geglaubt, dass Sie kommen würden. Aber ich bin sehr glücklich darüber, dass Sie es getan haben. Sehr glücklich.» Er trat einen Schritt zurück und betrachtete mich.

Ich fühlte seinen Blick über meine Wangenknochen gleiten, meinen Hals, mein Haar. Ich saß so steif vor ihm wie ein gestärkter Kragen. Er strömte einen leicht ungewaschenen Geruch aus. Es war nicht unangenehm, aber unter diesen Umständen wirkte es beinahe übermächtig.

«Möchten Sie wirklich kein Glas Wein? Um sich ein bisschen zu entspannen?»

«Nein, danke sehr. Ich möchte einfach anfangen. Ich … ich kann nur eine Stunde erübrigen.» Woher war das gekommen? Ich glaube, halb wollte ich schon wieder gehen.

Er versuchte, die richtige Pose für mich zu finden, bat mich, meine Tasche wegzulegen, mich ein wenig an die Armstütze der Chaiselongue zu lehnen. Aber ich konnte es nicht. Ich fühlte mich gedemütigt, ohne zu wissen, warum. Und als Monsieur Lefèvre arbeitete, immer wieder von seiner Staffelei aufblickte, kaum ein Wort sprach, dämmerte es mir langsam, dass ich mich nicht so bewundert und wichtig fühlte, wie ich vermutlich heimlich gehofft hatte, sondern dass er einfach durch mich hindurchsah. Ich war anscheinend ein Ding geworden, ein Gegenstand, der nicht mehr Bedeutung hatte als die grüne Flasche oder die Äpfel auf dem Stillleben neben der Tür.

Es war offensichtlich, dass ihm die Situation ebenfalls nicht behagte. Er wirkte zusehends ungehaltener und gab kleine, unzufriedene Geräusche von sich. Ich saß steif wie eine Statue da, fürchtete, etwas falsch zu machen, doch schließlich sagte er: «Mademoiselle, lassen Sie uns Schluss machen. Ich glaube, die Götter der Zeichenkohle sind heute nicht mit mir.»

Ich streckte mich erleichtert. «Darf ich es sehen?»

Die junge Frau auf dem Bild war ich, das stimmte, aber ich zuckte trotzdem zusammen. Sie wirkte leblos. Und sie hatte die grimmige Tapferkeit und das steife Gehabe einer alten Jungfer an sich. Ich versuchte zu verbergen, wie enttäuscht ich war. «Ich fürchte, ich bin nicht das Modell, das Sie sich erhofft haben.»

«Nein. Es liegt nicht an Ihnen, Mademoiselle.» Er zuckte mit den Schultern. «Ich bin … ich bin von mir selbst enttäuscht.»

«Ich könnte am Sonntag wiederkommen, wenn Sie möchten.» Ich weiß nicht, warum ich das sagte. Schließlich hatte ich die Sitzung nicht gerade genossen.

Da lächelte er mich an. Er hatte unglaublich freundliche Augen. «Das wäre … sehr großmütig. Ich bin sicher, dass ich Ihnen bei einer anderen Gelegenheit gerecht werden kann.»

Doch am Sonntag war es nicht besser. Ich versuchte es, ich versuchte es wirklich. Ich lag mit aufgestütztem Arm und verdrehtem Körper über die Chaiselongue hingestreckt wie die Aphrodite, die er mir in einem Buch gezeigt hatte, mein Rock in Falten über meine Beine drapiert. Ich versuchte mich zu entspannen und eine weichere Miene aufzusetzen, doch in dieser Haltung schnitt das Korsett in meine Taille ein, und eine Haarsträhne rutschte immer wieder aus der Klammer heraus, sodass die Versuchung, sie zurückzustreichen, beinahe unerträglich war. Es waren lange und mühselige Stunden. Noch bevor ich das Bild sah, konnte ich Monsieur Lefèvre am Gesicht ablesen, dass er wieder enttäuscht war.

Das bin ich?, dachte ich und starrte die grimmige junge Frau an, die weniger an eine Venus erinnerte als an eine sauertöpfische Hausmamsell, die ihre empfindlichen Möbel nach Staubkörnern absuchte.

Dieses Mal hatte ich das Gefühl, dass ich ihm sogar leidtat. Vermutlich war ich das gewöhnlichste Modell, das er je gehabt hatte. «Es liegt nicht an Ihnen, Mademoiselle», versicherte er mir jedoch erneut. «Manchmal … dauert es eine Weile, um das tatsächliche Wesen eines Menschen zu treffen.»

Doch genau das beunruhigte mich am meisten. Ich fürchtete, dass er es schon entdeckt haben könnte.

Am 14. Juli, dem Nationalfeiertag, sah ich ihn wieder. Ich ging durch die überfüllten Straßen des Quartier Latin, mich umwehten die großen, blau-weiß-roten Fahnen und die Wohlgerüche der Blumenkränze, die von den Fenstern herabhingen, ich schlängelte mich durch die Menschenmassen, die gekommen waren, um sich die Parade anzusehen, die von den Soldaten mit geschultertem Gewehr absolviert wurde.

Ganz Paris feierte. Ich bin normalerweise sehr gern allein, aber an diesem Tag fühlte ich mich seltsam rastlos und einsam. Als ich beim Panthéon ankam, blieb ich stehen. In der vor mir liegenden Rue Soufflot wirbelte eine Menschenmenge. Auf dem normalerweise recht einsamen grauen Pflaster drängten sich tanzende Paare, die Frauen in ihren langen Röcken und ausladenden Hüten, und die Kapelle hatte sich vor dem Café Léon aufgestellt. Die Tanzenden bewegten sich in anmutigen Kreisen, andere Feiernde standen auf dem Trottoir, um ihnen zuzusehen und zu plaudern, als wäre die ganze Straße ein Ballsaal.

Und dann sah ich ihn, mitten in dem Trubel, ein leuchtend buntes Tuch um den Hals geschlungen. Die große Sängerin Mistinguett legte ihm besitzergreifend eine Hand auf die Schulter und sagte etwas zu ihm, über das er vor Lachen brüllte. Sie stach heraus, mit ihrem überwältigenden Lächeln und ihrem rosenbekränzten Hut, als wäre sie auf irgendeine Art schärfer konturiert als alle um sie herum. Ihre Jünger und Verehrer umschwärmten sie.

Erstaunt sah ich sie an. Und dann, vielleicht gezwungen von der Intensität meines Blickes, drehte er sich um und entdeckte mich. Ich wich eilig in einen Hauseingang zurück und machte mich mit brennenden Wangen in die entgegengesetzte Richtung davon. Ich tauchte in die Menge der Tanzenden ein und entschlüpfte ihr wieder, meine Holzpantinen klapperten auf den Pflastersteinen. Doch innerhalb von Sekunden ertönte lauthals seine Stimme hinter mir.

«Mademoiselle!»

Ich konnte ihn nicht ignorieren. Ich drehte mich um. Einen Moment lang wirkte er, als wollte er mich umarmen, aber irgendetwas an meiner Haltung musste ihn gebremst haben.

Stattdessen berührte er nur leicht meinen Arm und deutete auf das Gedränge. «Wie wunderbar, Ihnen über den Weg zu laufen», sagte er. Ich begann mich zu entschuldigen, verhaspelte mich, aber da hob er seine große Hand. «Kommen Sie, Mademoiselle, heute ist ein Feiertag. Selbst die Fleißigsten müssen sich ab und zu vergnügen.»

Um uns flatterten die Fahnen in der Brise des späten Nachmittags. Ich hörte, wie der Stoff im Wind schlug, es klang wie mein unregelmäßig klopfendes Herz. Ich suchte angestrengt nach einer höflichen Entschuldigung, mit der ich mich verabschieden konnte, doch er unterbrach meine Gedanken.

«Ich muss zu meiner Schande feststellen, Mademoiselle, dass ich trotz unserer Bekanntschaft nicht weiß, wie Sie heißen.»

«Bessette», sagte ich. «Sophie Bessette.»

«Dann gestatten Sie mir, Ihnen etwas zu trinken zu besorgen, Mademoiselle.»

Ich schüttelte den Kopf. Ich fühlte mich nicht wohl, als hätte ich schon mit der Entscheidung hierherzukommen zu viel von mir preisgegeben. Ich sah an ihm vorbei dorthin, wo die Mistinguett immer noch im Kreis ihrer Freunde stand.

«Sollen wir?» Er hielt mir den Arm hin.

Und in diesem Moment sah mich die große Mistinguett direkt an.

Es lag, wenn ich ehrlich sein soll, an ihrem Gesichtsausdruck, an diesem kurzen Aufblitzen von Verdruss, als er mir den Arm bot. Dieser Mann, dieser Édouard Lefèvre, besaß die Macht, eine der schillerndsten Berühmtheiten von Paris dazu zu bringen, sich fade und unscheinbar zu fühlen. Und er hatte mich ihr vorgezogen.

Ich sah zu ihm auf. «Nur ein Glas Wasser, danke.»

Wir gingen zurück zu dem Tisch, an dem er gesessen hatte. «Misti, meine Liebe, das ist Sophie Bessette.» Sie lächelte weiter, aber es lag etwas Eisiges in ihrem Blick, mit dem sie mich von oben bis unten musterte. «Holzpantinen», sagte einer ihrer Bewunderer hinter ihrer Schulter. «Wie ausgesprochen ... pittoresk.»

Ein leises Lachen lief durch die Runde, und meine Wangen begannen zu brennen. Ich atmete tief ein.

«Zur nächsten Frühlingssaison werden die Kaufhäuser voll davon sein», gab ich ruhig zurück. «Sie sind der allerletzte Schrei. Es nennt sich *la mode paysanne.*»

Ich spürte Édouards Fingerspitzen an meinem Rücken.

«Mit den schönsten Fesseln von ganz Paris kann Mademoiselle Bessette jedes Schuhwerk tragen, denke ich.»

Kurze Stille senkte sich über die Gruppe, als die Bedeutung seiner Worte zu allen durchdrang. Die Mistinguett wandte ihren Blick von mir ab. «*Enchantée*», sagte sie mit ihrem strahlenden Lächeln. «Édouard, Liebling, ich muss gehen. Ich habe ja so unglaublich viel zu tun. Und du besuchst mich ganz bald, ja?» Sie streckte ihm ihre behandschuhte Hand hin, und er hauchte einen Kuss darauf. Ich musste mich zwingen, von seinen Lippen wegzuschauen. Dann war sie fort, und eine Welle lief durch die Menge, als würde die Mistinguett das Meer teilen.

Wir setzten uns. Édouard Lefèvre streckte sich auf seinem Stuhl aus, als würde er träge über einen Strand blicken, während ich vor lauter Verlegenheit immer noch steif aufgerichtet saß. Ohne ein Wort reichte er mir etwas zu trinken, und es lag dabei so etwas wie die Andeutung einer Entschuldigung in seinem Blick – konnte das wirklich sein? –, vermischt mit einem Anflug unterdrückten Lachens. Als wäre es ... als wären diese

Leute allesamt so lächerlich, dass ich mich nicht herabgesetzt fühlen konnte.

Umgeben von den fröhlich tanzenden Paaren, dem Gelächter und dem strahlend blauen Himmel, begann ich mich zu entspannen. Édouard behandelte mich mit ausgesuchter Höflichkeit, erkundigte sich nach meinem Leben vor Paris, den Verhältnissen im Kaufhaus, und gelegentlich unterbrach er sich, um an seiner Zigarette zu ziehen oder der Kapelle «Bravo!» zuzurufen und dabei in seine großen Hände zu klatschen. Er kannte beinahe jeden. Ich zählte schon nicht mehr mit bei all den Bekanntschaften, die stehen blieben, um ihn zu begrüßen oder auf ein Glas einzuladen. Künstler, Ladenbesitzer, fragwürdige Damen. Es war, als säße man neben einem Mitglied des Königshauses. Nur dass ich ihre kurzen Seitenblicke auf mich bemerkte, während sie sich fragten, was ein Mann, der die Mistinguett haben konnte, mit einem Mädchen wie mir wollte.

«Die Verkäuferinnen im Laden haben gesagt, Sie würden mit den *putains* vom Pigalle sprechen.» Ich konnte nicht anders. Ich war neugierig.

«Das tue ich. Und einige von ihnen sind wunderbare Begleiterinnen.»

«Malen Sie diese Frauen?»

«Wenn ich mir ihren Stundenlohn leisten kann.» Er nickte einem Mann zu, der sich grüßend an die Hutkrempe getippt hatte. «Sie sind großartige Modelle. Sie gehen normalerweise völlig unbefangen mit ihrem Körper um.»

«Anders als ich.»

Er sah, dass ich rot wurde. Nach kurzem Zögern legte er seine Hand auf meine, als wolle er sich entschuldigen. Ich errötete nur noch mehr. «Mademoiselle», sagte er leise. «Diese

Bilder waren mein Versagen, nicht Ihres. Ich habe ...» Er schlug einen anderen Kurs ein. «Sie haben andere Qualitäten. Sie faszinieren mich. Sie mögen das anders sehen, aber ich weiß, es gibt nicht vieles, vor dem Sie Angst haben.»

Ich überlegte einen Moment. «Nein», stimmte ich ihm zu. «Das glaube ich auch.»

Wir aßen Brot, Käse und Oliven, und es waren die besten Oliven, die ich je gegessen hatte. Er trank Pastis, leerte jedes Glas mit geräuschvollem Genuss. Der Nachmittag schritt voran. Das Gelächter wurde lauter, die Getränke kamen schneller hintereinander. Ich trank zwei kleine Gläser Wein und begann mich zu amüsieren. Hier, auf der Straße, an diesem sonnigen Tag, war ich nicht die Außenseiterin vom Land, die Verkäuferin, die beinahe auf der untersten Sprosse der Leiter stand. Ich war einfach eine von den vielen, die hier feierten, die den Tag der Bastille genossen.

Und dann schob Édouard den Tisch weg und nahm vor mir Aufstellung. «Tanzen wir?»

Ich nahm seine Hand, und wir scherten aus in das Meer der Tanzenden. Ich hatte nicht mehr getanzt, seit ich aus St. Péronne weggegangen war. Jetzt fühlte ich den Wind um meine Ohren streichen, seine Hand auf meinem Rücken, und die Holzpantinen waren merkwürdig leicht an meinen Füßen. Er verströmte einen Geruch nach Tabak, Anis und etwas Männlichem, das mich ein wenig außer Atem brachte.

Ich weiß nicht, was es war. Ich hatte nur wenig getrunken, also konnte ich es nicht auf den Wein schieben. Er war nicht besonders gutaussehend und ich nicht auf der Suche nach einem Mann.

«Malen Sie mich noch einmal», sagte ich.

Er blieb stehen und sah mich erstaunt an. Das konnte ich

ihm nicht verübeln; ich war schließlich selbst ganz durcheinander.

«Malen Sie mich noch einmal. Heute. Jetzt.»

Er sagte nichts, ging zurück zu unserem Tisch, nahm seinen Tabaksbeutel, und wir schoben uns durch die Menge und die vor Menschen wimmelnden Straßen zu seinem Atelier.

Wir gingen die enge Treppe hinauf, er schloss die Tür zu dem lichtdurchfluteten Atelier auf, und ich wartete, während er sein Jackett ablegte, eine Schallplatte aufs Grammophon legte und begann, auf seiner Palette die Farben zu mischen. Und dann, als er vor sich hin summte, begann ich meine Bluse aufzuknöpfen. Ich streifte Schuhe und Strümpfe ab. Ich schälte mich aus meinen Röcken, bis ich nur noch mein Hemd und meinen weißen Baumwollunterrock trug. Dann saß ich da, bis auf das Korsett ausgezogen, und zog mir die Haarnadeln aus der Frisur, damit mir die Locken frei um die Schultern fielen. Als er sich wieder umdrehte, hörte ich, wie er scharf die Luft einzog.

«So?», sagte ich.

Ein ängstlicher Ausdruck huschte über sein Gesicht. Er fürchtete vielleicht, dass mich sein Pinsel erneut verraten würde. Ich sah ihn ruhig an, mit hocherhobenem Kopf. Ich sah ihn an, als würde ich ihn herausfordern. Und dann stieg eine Art künstlerischer Impuls in ihm auf, und schon verlor er sich in der Betrachtung meiner milchweißen Haut, meines gelösten, rotbraunen Haares, und jeder Anflug von Sorge um seine Achtbarkeit war vergessen. «Ja. Ja. Drehen Sie Ihren Kopf bitte etwas nach links», sagte er. «Und Ihre Hand. So. Öffnen Sie die Handfläche ein wenig. Perfekt.»

Als er zu malen begann, beobachtete ich ihn. Er musterte jeden Zoll meines Körpers mit höchster Konzentration. Ich beobachtete, wie sich Befriedigung auf seiner Miene abzeichnete, und spürte, dass sie meinen eigenen Gesichtsausdruck spiegelte. Ich war die Mistinguett, oder ein Straßenmädchen vom Pigalle, furchtlos und unbefangen. Ich wollte, dass er meine Haut in Augenschein nahm, die Kuhlen an meinem Halsansatz, das verborgene Pulsieren unter meinem Haar. Ich wollte, dass er alles von mir sah.

Als er malte, nahm ich seine Gesichtszüge in mich auf, die Art, wie er vor sich hinmurmelte, wenn er die Farben auf seiner Palette mischte. Ich beobachtete ihn, wie er umherschlurfte, als wäre er viel älter, als er war. Das war reine Maskerade – er war jünger und stärker als die meisten anderen Männer, die ins Kaufhaus kamen. Ich rief mir ins Gedächtnis, wie er aß: mit sichtbarem, gierigem Vergnügen. Er sang zu der Musik des Grammophons, malte, wenn es ihm gefiel, unterhielt sich, mit wem er wollte, und sagte, was er dachte. Ich wollte so leben wie Édouard, genauso beschwingt, und jeden Moment bis aufs Mark aussaugen und singen, weil es so gut schmeckte.

Und dann war es dunkel. Er hörte auf, begann, die Pinsel zu reinigen, und sah sich um, als hätte er eben erst festgestellt, wie spät es geworden war. Er entzündete Kerzen und Gaslampen und ordnete sie um mich herum an, musste dann aber seufzend akzeptieren, dass ihn die Dämmerung geschlagen hatte.

«Ist Ihnen kalt?», fragte er.

Ich schüttelte den Kopf, aber er ging trotzdem zu einer Kommode und nahm ein leuchtend rotes Wolltuch heraus, das er mir sorgsam um die Schultern legte. «Für heute haben wir kein Licht mehr. Möchten Sie es sehen?»

Ich zog das Tuch um mich und ging mit bloßen Füßen über die Holzdielen zu der Staffelei hinüber. Ich kam mir vor wie im Traum, als hätte sich in den Stunden, die ich hier gesessen hatte, das echte Leben aufgelöst. Ich fürchtete, diesen Zauber durch meinen Blick auf das Bild zu brechen.

«Kommen Sie.» Er winkte mich heran.

Auf der Leinwand sah ich eine Frau, die ich nicht erkannte. Sie erwiderte meinen Blick herausfordernd, ihr Haar schimmerte kupfern im Zwielicht, ihre Haut war alabasterweiß; eine Frau mit dem gebieterischen Selbstvertrauen einer Aristokratin.

Sie war seltsam und stolz und schön. Es war, als würde ich in einen Zauberspiegel schauen.

«Ich wusste es», sagte er mit sanfter Stimme. «Ich wusste, dass Sie da drin waren.»

Sein Blick war nun müde und angestrengt, aber er war zufrieden. Ich sah sie noch einen Moment länger an. Dann, ohne zu wissen, warum, trat ich auf ihn zu, hob die Arme und nahm sein Gesicht zwischen meine Hände, sodass er mich ansehen musste. Ich hielt sein Gesicht ganz dicht vor meines, zwang ihn, mich immer weiter anzuschauen, als könnte ich irgendwie das in mich aufnehmen, was er in mir sah.

Ich hatte nie mit einem Mann intim werden wollen. Die animalischen Geräusche und Aufschreie, die aus dem Schlafzimmer meiner Eltern gedrungen waren – üblicherweise, wenn mein Vater betrunken war –, hatten mich erschreckt, und am nächsten Tag hatte ich meine Mutter wegen der blauen Flecken in ihrem Gesicht und ihrem vorsichtigen Gang bedauert. Aber meine Gefühle für Édouard überwältigten mich. Ich konnte meinen Blick nicht von seinem Mund abwenden.

«Sophie ...»

Ich hörte ihn kaum. Ich zog sein Gesicht noch dichter an meines. Um uns löste sich die Welt auf. Ich spürte seine rauen

Bartstoppeln unter meinen Händen, die Wärme seines Atems auf meiner Haut. Seine Augen musterten meine, sein Blick war ernst. Ich könnte schwören, dass es sogar in diesem Moment noch so war, als hätte er mich gerade zum ersten Mal gesehen.

Ich beugte mich vor, nur ein ganz klein wenig, ich hielt den Atem an und drückte meine Lippen auf seine. Seine Hände glitten zu meiner Taille und blieben dort liegen, sein Griff verstärkte sich unwillkürlich. Sein Mund traf meinen, und ich nahm seinen Atem in mich auf, mit dem Hauch von Tabak und Wein, seinen warmen, feuchten Geschmack. Oh Gott, ich wollte, dass er mich verschlang. Meine Augen schlossen sich, mein Körper zitterte und sprühte Funken. Seine Hände wühlten sich in mein Haar, sein Mund senkte sich auf meinen Hals.

Die Feiernden auf der Straße brachen in lautes Gelächter aus, und während die Fahnen im Abendwind flatterten, veränderte sich etwas in meinem Inneren für immer. «Oh Sophie. Ich könnte dich an jedem Tag meines Lebens malen», murmelte er mit dem Mund dicht an meiner Haut. Jedenfalls glaube ich, dass er «malen» sagte. Aber in diesem Stadium war es wirklich zu spät, um sich darüber Gedanken zu machen.

Kapitel 5

Die Kaminuhr von René Greniers Großvater hatte zu schlagen begonnen. Das, da waren sich alle einig, war eine Katastrophe. Um zu verhindern, dass sie den Deutschen in die Hände fiel, war die Uhr seit Monaten unter dem Gemüsebeet neben seinem Haus vergraben, zusammen mit seiner silbernen Teekanne, vier Goldmünzen und der Taschenuhr seines Großvaters.

Der Plan hatte gut funktioniert – tatsächlich knirschte es beinahe, wenn man in St. Péronne umherging, so viele Dinge waren hastig in Gärten und unter Wegen vergraben worden –, bis Madame Poilâne an einem kühlen Novembervormittag in die Bar eilte und das tägliche Dominospiel mit der Nachricht unterbrach, dass alle Viertelstunde ein gedämpfter Glockenschlag unter den letzten Karotten zu vernehmen war.

«Sogar ich kann es hören, mit meinen tauben Ohren», flüsterte sie. «Und wenn ich es hören kann, dann können sie es erst recht.»

«Sind Sie sicher, dass es das ist, was Sie gehört haben? Es ist sehr lange her, seit sie zum letzten Mal aufgezogen worden ist.»

«Vielleicht ist es das Geräusch von Madame Grenier, die sich im Grab umdreht», sagte Monsieur Lafarge.

«Ich hätte meine Frau nie im Gemüsebeet vergraben», brummte René. «Da wäre das Gemüse noch bitterer und holziger geworden, als es ohnehin schon ist.»

Ich beugte mich vor, um den Aschenbecher zu leeren, und sagte mit gesenkter Stimme: «Sie müssen die Uhr ausgraben, wenn es dunkel ist, René, und sie mit Sackleinen abdämmen. Heute Abend müsste es sicher sein, sie haben eine Extralieferung Lebensmittel herbringen lassen. Die meisten von ihnen essen hier, also können in dieser Zeit nicht viele zum Wachdienst eingeteilt sein.»

Seit einem Monat aßen die Deutschen nun im Le Coq Rouge, und es herrschte ein unbehaglicher Burgfrieden. Von zehn Uhr vormittags bis halb sechs war die Bar französisch und wurde von der üblichen Mischung aus Älteren und Einsamen besucht. Hélène und ich räumten auf, dann kochten wir für die Deutschen, die kurz vor sieben Uhr eintrafen und erwarteten, dass ihr Essen praktisch schon auf dem Tisch stand, wenn sie hereinkamen. Wir konnten daraus unseren Vorteil ziehen: Wenn es Reste gab, was mehrmals in der Woche vorkam, teilten wir sie uns (allerdings waren es jetzt eher winzige Fleischreste oder Gemüse und kein Brathühnchen-Festmahl). Als es kälter wurde, bekamen die Deutschen mehr Hunger, und Hélène und ich waren nicht mutig genug, etwas für uns abzuzweigen. Aber auch die paar übrig gebliebenen Bissen machten einen Unterschied. Jean war seltener krank, unsere Haut wurde reiner, und ein paar Mal konnten wir ein kleines

Glas Brühe aus ausgekochten Knochen für die kränkelnde Louisa ins Haus des Bürgermeisters schmuggeln.

Es gab weitere Vorteile. In dem Moment, in dem die Deutschen abends das Haus verließen, hasteten Hélène und ich zum Kamin, löschten die brennenden Scheite und trugen sie zum Auskühlen in den Keller. Wenn wir ein paar Tage gesammelt hatten, reichten die halbverbrannten Reste, um tagsüber ein kleines Feuer zu machen, wenn es besonders kalt war. An diesen Tagen war die Bar häufig brechend voll, auch wenn nur wenige unserer Gäste etwas zu trinken bestellten.

Aber natürlich gab es auch eine Schattenseite. Die Mesdames Durant und Louvier waren zu dem Schluss gekommen, dass ich – obwohl ich nicht mit den Offizieren sprach und mit meinem Verhalten zeigte, dass sie in meinem Haus nichts weiter waren als eine unerträgliche Zumutung – großzügige Zuwendungen von den Deutschen erhielt. Ich spürte ihre Blicke auf mir, wenn ich die regelmäßigen Lieferungen an Lebensmitteln, Wein und Brennstoffen entgegennahm. Ich wusste, dass wir auf dem Marktplatz Gegenstand hitziger Diskussionen waren. Mein einziger Trost war, dass sie durch die abendliche Ausgangssperre das herrliche Essen nicht sehen konnten, das wir für die Männer kochten, und auch nicht, wie sich das Hotel in diesen dunklen Abendstunden in einen anregenden Ort voll lebhafter Gespräche verwandelte.

Hélène und ich hatten gelernt, mit den Klängen der fremden Sprache in unserem Haus zu leben. Einige der Männer erkannten wir bald wieder. Da war der große dünne mit den riesigen Ohren, der immer versuchte, uns in unserer Sprache zu danken. Da war der mürrische mit dem angegrauten Schnurrbart, der meistens irgendetwas auszusetzen hatte und Salz, Pfeffer oder eine Extraportion Fleisch verlangte. Da war der kleine Holger, der zu viel trank und aus dem Fenster starrte, als wäre er in Gedanken nur halb bei dem, was um ihn herum geschah. Hélène und ich nickten gesittet zu ihren Bemerkungen, achteten darauf, höflich, aber nicht freundlich zu sein. An manchen Abenden war es, um ehrlich zu sein, beinahe ein Vergnügen, sie im Haus zu haben. Nicht, weil sie Deutsche waren, sondern weil sie Menschen waren. Weil wir Gesellschaft und Essensdüfte im Haus hatten. Wir waren schon so lange vom Umgang mit Männern, vom Leben, abgeschnitten. Aber es gab auch Tage, an denen offenbar etwas für sie schiefgelaufen war, dann waren sie nicht gesprächig, saßen mit angespannten, ernsten Mienen da und unterhielten sich allenfalls flüsternd und in abgehacktem Ton. An solchen Abenden warfen sie uns Seitenblicke zu, als würden sie sich daran erinnern, dass wir der Feind waren. Als könnten wir praktisch alles verstehen, was sie sagten.

Aurélien brachte einiges in Erfahrung. Er hatte sich angewöhnt, sich in Zimmer drei auf den Boden zu legen, das Gesicht an der Lücke zwischen den Dielen, weil er hoffte, eines Tages einen Blick auf eine Landkarte zu erhaschen oder einen Befehl zu hören, der unserer Seite einen militärischen Vorteil verschaffen könnte. Er war inzwischen erstaunlich bewandert in ihrer Sprache: Wenn sie gegangen waren, imitierte er ihre Aussprache oder brachte uns mit irgendwelchen Sprüchen zum Lachen. Gelegentlich verstand er sogar etwas von ihren Gesprächen. Welcher Offizier im *Krankenhaus* war, wie viele Männer *tot* waren. Ich machte mir Sorgen um ihn, aber ich war auch stolz. Es vermittelte mir das Gefühl, es könnte vielleicht doch irgendeinen verborgenen Sinn haben, dass wir für die Deutschen kochten.

Der Kommandant blieb unterdessen immer höflich. Er

grüßte mich, wenn auch nicht herzlich, so doch mit einer Art zunehmender Vertrautheit. Er lobte das Essen, ohne mir schmeicheln zu wollen, und führte seine Männer mit strenger Hand, erlaubte ihnen nicht, übermäßig zu trinken oder sich dreist zu verhalten.

Einige Male fing er eine Unterhaltung über Kunst mit mir an. Ich fühlte mich in persönlichen Gesprächen mit ihm nicht wohl, aber es war schön, auf diese Weise an meinen Mann erinnert zu werden. Der Kommandant erzählte von seiner Bewunderung für Purrmann, von der deutschen Herkunft des Künstlers, von den Gemälden von Matisse, die er gesehen hatte und die in ihm den Wunsch geweckt hatten, nach Moskau und Marokko zu reisen.

Zuerst wollte ich mich nicht mit ihm unterhalten, und dann konnte ich kaum noch aufhören. Es war, als würde ein anderes Leben wieder wachgerufen, eine andere Welt. Er war fasziniert von der Atmosphäre in der Académie Matisse, wo sowohl Rivalität zwischen den Künstlern herrschte als auch tiefe Zuneigung.

Seine Eltern waren, wie er mir anvertraute, nicht «kultiviert», hatten ihm aber die Freude am Lernen vermittelt. Er hoffte, so sagte er, nach dem Krieg seine Studien fortsetzen, lesen und reisen zu können. Seine Frau hieß Liesl. Er hatte auch ein Kind, wie er eines Abends preisgab. Einen zweijährigen Jungen, den er noch nie gesehen hatte. (Als ich Hélène das erzählte, hatte ich mit Mitgefühl gerechnet, aber sie bemerkte nur knapp, dass er eben weniger Zeit damit zubringen sollte, in anderer Leute Länder einzumarschieren.)

Er erzählte mir all das ganz nebenbei, ohne den Versuch, mir im Gegenzug ebenfalls persönliche Informationen zu entlocken. Das zeugte nicht von Egoismus, sondern eher von

Verständnis dafür, dass er schon weit genug in mein Leben eingedrungen war, indem er in mein Haus kam; noch mehr zu wollen, wäre ihm wohl als zu große Zumutung erschienen. Er war, wie mir bewusst wurde, so etwas wie ein Kavalier.

In diesem ersten Monat fiel es mir immer schwerer, den Kommandanten als Unmenschen, als Boche anzuprangern, so wie ich es mit den anderen konnte. Ich vermute, ich war zu der Überzeugung gekommen, alle Deutschen wären Barbaren, also war es schwer, sie sich mit Frauen, Müttern und Babys vorzustellen. Dann kam er, aß vor meinen Augen, Abend für Abend, und debattierte über Farben und Formen und die Begabungen von Künstlern, wie es auch mein Mann hätte tun können. Gelegentlich lächelte er, und seine strahlend blauen Augen waren plötzlich von tiefen Krähenfüßen umrahmt, als wäre Fröhlichkeit ein viel vertrauteres Gefühl für ihn, als seine Miene verriet.

Weder verteidigte ich den Kommandanten vor den anderen aus der Stadt, noch redete ich über ihn. Wenn mich jemand in ein Gespräch darüber verwickeln wollte, dass die Deutschen wie eine Plage in mein Haus eingefallen waren, gab ich einfach zurück, dass mit Gottes Hilfe bald der Tag da wäre, an dem unsere Männer zurückkamen und all das nur noch eine ferne Erinnerung war.

Und ich betete, dass niemandem auffiel, dass wir keine einzige Beschlagnahmung in unserem Haus gehabt hatten, seit die Deutschen zum Essen kamen.

Kurz vor Mittag verließ ich die stickige Bar und trat unter dem Vorwand aus dem Haus, einen Teppich ausklopfen zu müssen. Noch immer war der Boden an schattigen Stellen von kristallischem, glitzerndem Reif bedeckt. Ich zitterte, als ich die paar Schritte die Straße hinunter zu Renés Garten ging, und da hörte ich es: einen gedämpften Glockenschlag, Viertel vor zwölf.

Als ich zurückkehrte, kam eine Gruppe älterer Bürger aus der Bar. «Wir werden singen», verkündete Madame Poilâne.

«Wie bitte?»

«Wir werden singen. Das wird die Uhrschläge bis heute Abend übertönen. Wir erzählen ihnen, das wäre eine französische Sitte. Lieder aus der Auvergne. Alles, was uns einfällt. Die haben doch keine Ahnung.»

«Ihr wollt den ganzen Tag singen?»

«Nein, nein. Nur jede Stunde. Für den Fall, dass Deutsche in der Nähe sind.»

Ich sah sie ungläubig an.

«Wenn sie Renés Uhr ausgraben, Sophie, werden sie die gesamte Stadt umgraben. Ich werde nicht zulassen, dass die Perlenkette meiner Mutter bei irgendeiner deutschen *Hausfrau* landet.» Ihr Mund verzog sich zu einer angewiderten Schnute.

«Nun, dann machen Sie sich besser auf den Weg. Wenn die Uhr zwölf schlägt, hört es halb St. Péronne.»

Es war beinahe zum Lachen. Ich drückte mich auf der Eingangstreppe herum, während sich die Alten am Anfang der Gasse aufstellten, vor sich auf dem Marktplatz ein paar Deutsche, und anfingen zu singen. Sie sangen mit ihren dünnen, rauen Stimmen die Abzählreime meiner Kindheit, aber auch «La Pastourelle», «Bailero» und «Lorsque j'étais petit». Sie sangen mit hocherhobenen Köpfen, Schulter an Schulter, und warfen sich ab und zu einen Seitenblick zu. René wirkte abwechselnd griesgrämig und ängstlich. Madame Poilâne faltete ihre Hände wie eine fromme Sonntagsschullehrerin.

Als ich so dort stand, ein Geschirrtuch in der Hand, und

versuchte, mein Lächeln zu unterdrücken, überquerte der Kommandant die Straße. «Was tun diese Leute dort?»

«Guten Tag, Herr Kommandant.»

«Sie wissen, dass Versammlungen auf der Straße verboten sind.»

«Das ist doch keine Versammlung. Es ist eine Art Sängerfest, Herr Kommandant. Eine französische Tradition. Die Alten von St. Péronne singen im November stündlich, um die Ankunft des Winters abzuwehren», sagte ich mit vollster Überzeugung. Der Kommandant runzelte die Stirn, dann spähte er an mir vorbei auf die älteren Leute. Ihre Stimmen hoben sich im Chor, und ich vermutete, dass hinter ihnen das Läutwerk eingesetzt hatte.

«Aber sie singen schrecklich», sagte er leise. «Das ist der schlechteste Gesang, den ich jemals gehört habe.»

«Bitte … beenden Sie es nicht. Das sind unschuldige Volkslieder, wie Sie ja selbst hören. Es verschafft den alten Leuten ein wenig Freude, die Lieder ihrer Heimat zu singen, und es ist ja nur heute. Dafür haben Sie doch bestimmt Verständnis.»

«Sie werden den ganzen Tag so weitersingen?»

Es war nicht die Versammlung, die ihm zusetzte. Er war wie mein Mann: Er litt körperliche Schmerzen, wenn eine Kunst nicht in Schönheit ausgeübt wurde. «Möglicherweise.»

Der Kommandant stand vollkommen unbeweglich da, seine Sinne auf das Geräusch konzentriert. Plötzlich bekam ich Angst. Wenn sein musikalisches Gehör so gut war wie sein Auge für Bilder, würde er womöglich das Läutwerk in dem Gesang hören.

«Ich habe mich gefragt, was Sie heute Abend essen möchten», sagte ich unvermittelt.

«Wie bitte?»

«Ob Sie Lieblingsgerichte haben. Ich meine, unsere Zutaten sind begrenzt, aber es gibt einiges, was ich für Sie kochen könnte.» Ich sah, dass Madame Poilâne die anderen dazu anfeuerte, lauter zu singen, indem sie wiederholt die Hände hob.

Ein erstaunter Blick ging über das Gesicht des Kommandanten. Ich lächelte, und für einen Moment bekam seine Miene einen sanfteren Ausdruck.

«Das ist sehr …» Er unterbrach sich.

Thierry Arteuil rannte die Straße herauf, sein Wollschal flatterte, als er hinter sich zeigte. «Kriegsgefangene!»

Der Kommandant wirbelte zu seinen Männern herum, die schon auf dem Platz Aufstellung nahmen, und ich war vergessen. Ich wartete, bis er weggegangen war, und eilte dann zu den Alten hinüber. Hélène und die anderen Gäste im Le Coq Rouge hatten die Aufregung mitbekommen und sahen durch die Fenster nach draußen, einige schoben sich auch auf die Straße.

Für einen Moment senkte sich Stille über die Szene. Dann tauchten sie oben an der Hauptstraße auf, etwa hundert Mann, zu einer kleinen Kolonne formiert. Neben mir sangen die Alten wieder, obwohl ihnen die Stimmen zu versagen drohten, als ihnen bewusst wurde, was sie da bezeugten, dann aber machten sie umso lauter und entschlossener weiter.

Es gab wohl keinen einzigen Mann und keine Frau, die nicht ängstlich unter den dahinstolpernden Soldaten nach einem bekannten Gesicht suchte. Aber es brachte auch keine Erleichterung, als kein Bekannter darunter war. Sollten das wirklich Franzosen sein? Sie wirkten so zusammengesunken, so grau, so geschlagen, die Kleidung hing lose an ihren unterernährten Körpern, ihre Verbände waren alt und schmuddelig. Sie gingen nur wenige Schritt von uns entfernt vorbei, mit gesenkten Köpfen, Deutsche zur Bewachung an der Spitze und am Ende der Kolonne, und wir konnten nichts weiter tun als zusehen.

Ich hörte, wie sich die Stimmen der Alten mit neuer Entschlossenheit hoben, plötzlich kräftiger und harmonischer. «Ich steh in Wind und Regen und singe Baïlèro lèrô ...»

Mir wurde die Kehle eng bei dem Gedanken daran, dass irgendwo, weit weg, Édouard so aussehen könnte. Ich spürte, wie Hélène meine Hand nahm, und wusste, dass sie das Gleiche dachte.

Das Gras auf dieser Seite ist grüner,
Sing Baïlèro lèrô ...
Ich komme und hole dich herüber ...

Mit erstarrten Mienen musterten wir ihre Gesichter. Neben uns tauchte Madame Louvier auf. Schnell wie ein Mäuschen schlüpfte sie zu unserer kleinen Gruppe durch und drückte einem der bis aufs Skelett abgemagerten Männer das Schwarzbrot in die Hand, das sie gerade aus der Boulangerie geholt hatte. Ihr Wollschal flatterte in dem kalten Wind um ihr Gesicht. Er sah auf, unsicher, was da in seinen Händen lag. Und dann, brüllend, stand ein deutscher Soldat vor ihnen und schlug dem Mann mit dem Gewehrkolben das aus den Händen, was der Mann noch kaum als Brot erkannt hatte. Der Laib holperte wie ein Backstein an den Straßenrand. Der Gesang erstarb.

Madame Louvier starrte auf das Brot, dann hob sie den Kopf und schrie mit schriller Stimme: «Ihr seid Tiere! Ihr Deutsche! Ihr würdet diese Männer wie Hunde verhungern lassen! Was stimmt bloß nicht mit euch? Ihr seid allesamt Salauds! Hurensöhne!» Ich hatte sie noch nie so unflätig reden hören. Es war, als wäre ein zarter Faden gerissen, hätte sie entfesselt, sie enthemmt. «Willst du jemanden schlagen? Schlag mich! Los, du Salaud, du Scheusal. Schlag mich!» Ihre Stimme schnitt durch die kalte Luft.

Ich fühlte, wie mich Hélène am Arm packte. Ich wünschte mit aller Kraft, die alte Frau würde aufhören, aber sie kreischte weiter, stieß mit ihrem mageren Finger gegen die Brust des jungen Soldaten. Der Deutsche sah sie mit kaum unterdrückter Wut an. Die Knöchel seiner Finger, die sich um den Gewehrschaft geschlossen hatten, wurden weiß, und ich fürchtete, dass er ihr einen Hieb versetzen würde. Sie war so zart. Ihre alten Knochen würden brechen, wenn er es tat.

Doch während wir den Atem anhielten, bückte er sich, hob den Brotlaib auf und hielt ihn ihr hin.

Sie sah ihn an, als hätte sie einen schmerzhaften Stich erhalten. «Glaubst du etwa, ich würde das essen, nachdem du es meinem verhungernden Bruder aus der Hand geschlagen hast? Du glaubst, das wäre nicht mein Bruder? Sie sind alle meine Brüder! Sie sind alle meine Söhne! *Vive la France!*», schrie sie heraus, und ihre alten Augen funkelten. «*Vive la France!*» Als könnten sie nicht anders, kam das Echo von den alten Leuten hinter mir, die das Singen vergessen hatten. «*Vive la France!*»

Der junge Soldat sah sich um, vielleicht auf der Suche nach seinem Vorgesetzten, wurde aber von einem Aufschrei weiter vorn in der Kolonne abgelenkt. Ein Gefangener hatte sich den Aufruhr zunutze gemacht, um einen Fluchtversuch zu unternehmen. Der junge Mann, der den Arm in einer behelfsmäßigen Schlinge trug, war aus der Marschkolonne geschlüpft und flüchtete über den Marktplatz.

Der Kommandant, der mit zwei Offizieren neben der zerstörten Statue von Bürgermeister Leclerc stand, bemerkte ihn als Erster. «Halt!», rief er. Der junge Mann rannte schneller, verlor dabei einen seiner viel zu großen Schuhe. «HALT!»

Der Gefangene ließ seinen Tornister fallen und schien einen Moment lang schneller zu werden. Er stolperte, als er auch noch den zweiten Schuh verlor, richtete sich aber wieder auf. Er war kurz davor, um die Ecke zu verschwinden. Der Kommandant riss eine Pistole aus seinem Gürtel. Bevor ich begriff, was er tat, hob er den Arm, zielte und feuerte. Ein lauter Knall, und der Junge stürzte zu Boden.

Die Welt blieb stehen. Die Vögel verstummten. Wir starrten den bewegungslosen Körper auf dem Kopfsteinpflaster an, und Hélène stöhnte leise. Sie straffte sich, um zu ihm zu gehen, aber der Kommandant befahl uns allen zurückzubleiben. Dann rief er etwas auf Deutsch, und seine Männer hoben ihre Gewehre und zielten auf die übrigen Gefangenen.

Niemand rührte sich. Die Gefangenen starrten auf den Boden. Sie schienen nicht überrascht. Hélène hatte die Hände vor den Mund geschlagen, und sie zitterte, murmelte irgendetwas, das ich nicht verstehen konnte. Ich legte meinen Arm um ihre Taille. Ich hörte meinen eigenen, jagenden Atem.

Der Kommandant ging mit forschem Schritt zu dem Gefangenen. Als er ihn erreicht hatte, kauerte er sich neben ihn und legte dem jungen Mann die Finger unters Kinn. Ein dunkelroter Fleck breitete sich immer weiter auf seinem fadenscheinigen Uniformrock aus, und ich sah seine Augen, die blicklos über den Platz starrten. Der Kommandant kauerte etwa eine Minute dort, dann richtete er sich wieder auf. Zwei deutsche Offiziere wollten zu ihm gehen, doch er winkte sie in die Aufstellung zurück. Er kam über den Platz, steckte dabei seine Pistole weg. Als er am Bürgermeister vorbeikam, blieb er kurz stehen.

«Sie werden das Notwendige veranlassen», sagte er.

Der Bürgermeister nickte. Ich sah einen Muskel an seinem Kiefer zucken.

Auf einen Ruf hin bewegte sich die Kolonne weiter die Straße entlang, die Gefangenen hielten die Köpfe gesenkt, und die Frauen von St. Péronne schluchzten hemmungslos in ihre Taschentücher. Die Leiche lag zu einem kleinen Hügel zusammengekrümmt kurz vor der Rue des Bastides.

Weniger als eine Minute nachdem die Deutschen wegmarschiert waren, schlug René Greniers Uhr mitten in der Stille ein Mal klagend an. Es war Viertel nach zwölf.

An diesem Abend war die Stimmung im Le Coq Rouge ernst. Der Kommandant machte keinen Versuch, ein Gespräch mit mir anzufangen; und auch ich erweckte nicht im Geringsten den Anschein, als würde ich mich unterhalten wollen. Hélène und ich trugen das Essen auf, spülten die Töpfe und blieben so viel wie möglich in der Küche. Ich hatte keinen Hunger. Ich wurde das Bild dieses armen jungen Mannes nicht los, dessen zerlumpte Kleidung hinter ihm herflatterte und der seine zu großen Schuhe verlor, als er in den Tod geflüchtet war.

Vor allem aber konnte ich es nicht fassen, dass der Offizier, der seine Pistole gezogen und den jungen Mann so gnadenlos erschossen hatte, derselbe Mann war, der an meinem Tisch gesessen hatte, dessen Blick sehnsüchtig geworden war, als er von seinem Kind sprach, und der sich für die Kunst begeisterte. Ich fühlte mich dumm, als hätte der Kommandant jetzt sein wahres Ich enthüllt. Das war es, wofür die Deutschen gekommen waren, nicht, um über Kunst oder gutes Essen zu diskutieren. Sie waren hier, um unsere Söhne und Ehemänner zu erschießen. Sie waren hier, um uns zu vernichten.

In diesem Moment fehlte mir mein Mann so sehr, dass ich den Schmerz körperlich spürte. Es war nun beinahe drei Monate her, seit ich zuletzt von ihm gehört hatte. Ich wusste nicht im Geringsten, was er durchmachen musste. Während wir in dieser seltsamen, von allen Informationen abgeschnittenen Blase existierten, konnte ich mir einreden, dass es ihm gutging und er gesund war, dass er da draußen in der echten Welt lebte, eine Flasche Cognac mit seinen Kameraden teilte oder vielleicht in Mußestunden Skizzen auf irgendeinen Fetzen Papier warf. Wenn ich die Augen schloss, sah ich den Édouard, den ich in Paris kennengelernt hatte. Doch zu sehen, wie diese bedauernswerten Franzosen durch die Straßen geführt wurden, machte es mir schwerer, an meinen Phantasien festzuhalten. Édouard konnte gefangen genommen worden sein, verletzt, vielleicht hungerte er. Er konnte genauso leiden, wie diese Männer litten. Er konnte tot sein.

Ich lehnte mich an die Spüle und schloss die Augen.

In diesem Moment hörte ich einen Knall. Aus meinen Gedanken gerissen, rannte ich aus der Küche. Hélène stand mit dem Rücken zu mir, die Hände erhoben, ein Tablett mit zersplitterten Gläsern vor den Füßen. Der Kommandant hatte einem jungen Soldaten die Hand um die Kehle gelegt und drückte ihn an die Wand. Er schrie ihn auf Deutsch an, mit verzerrter Miene, dicht vor seinem Gesicht. Sein Opfer hatte in einer Geste der Unterwerfung die Hände gehoben.

«Hélène?»

Sie war aschfahl. «Er hat mich angefasst, als ich an ihm vorbeigegangen bin. Aber … aber Herr Kommandant ist verrückt geworden.»

Nun scharten sich weitere Männer um die beiden, Stühle fielen um, die Soldaten redeten auf den Kommandanten ein, wollten ihn wegziehen. Einen kurzen Moment war alles in Aufruhr. Dann schien der Kommandant sie endlich zu hören, und er löste seinen Griff von der Kehle des jüngeren Mannes. Ich dachte, sein Blick hätte mich kurz gestreift, doch dann, noch während er zurücktrat, schoss seine Faust nach vorn und traf den Mann so heftig an der Schläfe, dass sein Gesicht an die Wand prallte. *«Die Frauen werden nicht angerührt!»*, brüllte er.

«In die Küche.» Ich schob meine Schwester Richtung Tür, bückte mich nicht einmal, um die Scherben aufzusammeln. Ich hörte die Stimmen, das Knallen einer Tür, und hastete hinter ihr her durch den Flur.

«Madame Lefèvre.»

Ich spülte gerade die letzten Gläser. Hélène war zu Bett gegangen; die Ereignisse dieses Tages hatten sie noch mehr mitgenommen als mich.

«Madame?»

«Herr Kommandant.» Ich drehte mich zu ihm um und trocknete mir dabei die Hände an einem Geschirrtuch ab. Wir hatten nur noch eine Kerze in der Küche übrig, einen Docht, der in etwas Fett in einer Sardinenbüchse steckte. Ich konnte sein Gesicht kaum erkennen.

Er stand vor mir, die Mütze in der Hand. «Es tut mir leid wegen Ihrer Gläser. Ich werde dafür sorgen, dass sie ersetzt werden.»

«Machen Sie sich keine Mühe. Wir haben genügend, um über die Runden zu kommen.» Ich wusste, dass neue Gläser einfach bei meinen Nachbarn beschlagnahmt würden.

«Es tut mir leid wegen … was der junge Offizier getan hat. Bitte versichern Sie Ihrer Schwester, dass so etwas nicht noch einmal vorkommen wird.»

Daran hatte ich keinen Zweifel. Durch das hintere Fenster hatte ich gesehen, wie der Mann, der sich ein feuchtes Tuch an den Kopf presste, von einem seiner Freunde zu seinem Quartier zurückgeführt worden war.

Ich dachte, der Kommandant würde nun gehen, aber er stand einfach da. Ich fühlte, wie er mich anstarrte. Sein Blick war unruhig, beinahe beklommen.

«Das Essen heute Abend war … exzellent. Wie heißt dieses Gericht?»

«Chou farci.»

Er wartete, und als die Pause unbehaglich lang wurde, fügte ich hinzu: «Das ist Wurstfleisch, Gemüse, Kräuter, die in Kohlblätter gewickelt und in einer Brühe gedünstet werden.»

Er sah auf seine Füße hinunter. Er ging ein paar Schritte durch die Küche, blieb wieder stehen und fingerte an einem Krug mit Kochlöffeln herum. Ich überlegte abwesend, ob er vorhatte, sie mitzunehmen.

«Es war sehr gut. Das haben alle gesagt. Sie haben mich heute gefragt, was ich essen möchte. Nun … wir hätten gern dieses Gericht bald noch einmal, wenn es nicht zu viel Mühe macht.»

«Wie Sie wünschen.»

Er war verändert an diesem Abend, eine innere Unruhe ging wie in Wellen von ihm aus. Ich fragte mich, wie es sich anfühlte, wenn man einen Menschen getötet hat, und ob es für einen deutschen Kommandanten nichts Ungewöhnlicheres war, als eine zweite Tasse Kaffee zu trinken.

Er warf mir einen Blick zu, als wollte er noch etwas anderes sagen, aber ich wandte mich wieder meinen Töpfen zu.

«Sie sind sicher müde», sagte er. «Ich werde Sie jetzt in Ruhe lassen.»

Ich nahm ein Tablett mit Gläsern und folgte ihm in Richtung Bar. Im Türrahmen drehte er sich um und setzte seine Mütze auf, sodass ich stehen bleiben musste. «Was ich noch fragen wollte: Wie geht es dem Baby?»

«Jean? Es geht ihm gut, danke, obwohl er ein bisschen ...»

«Nein. Das andere Baby.»

Beinahe hätte ich das Tablett fallen lassen. Ich zögerte einen Moment, um mich zu fassen, aber ich spürte, wie mir die Röte über den Hals kroch. Und ich wusste, dass er es sah.

Als ich antwortete, klang meine Stimme gepresst. Ich hielt den Blick auf die Gläser vor mir gerichtet. «Ich denke, es geht uns allen ... so gut wie unter diesen Umständen zu erwarten.»

Darüber dachte er kurz nach. «Sorgen Sie für seine sichere Unterbringung», sagte er leise. «Es sollte nicht zu oft der Nachtluft ausgesetzt sein.» Er sah mich noch einen Moment lang an, dann drehte er sich um und war weg.

Kapitel 6

Trotz meiner Erschöpfung lag ich die ganze Nacht wach. Ich sah Hélène unruhig schlafen, vor sich hin murmeln, unbewusst die Hand ausstrecken, um sicher zu sein, dass ihre Kinder neben ihr lagen. Um fünf Uhr, es war noch dunkel, stand ich auf, wickelte mich in eine Decke und schlich die Treppe hinunter, um Kaffeewasser aufzusetzen. In der Bar hingen immer noch die Gerüche des Vorabends: Holzrauch aus dem Kamin und ein schwacher Hauch von Wurstfleisch, der mir den Magen knurren ließ. Ich setzte mich mit einer Tasse Kaffee hinter den Tresen und schaute zu, wie draußen vor dem Fenster über dem leeren Marktplatz die Sonne aufging. Als das bläuliche Licht von orangefarbenen Streifen durchsetzt wurde, konnte man auf dem Pflaster an der rechten hinteren Ecke des Platzes eine schwache Verfärbung ausmachen, wo der Gefangene auf den Boden gestürzt war. Hatte dieser junge Mann eine Frau gehabt, ein Kind? Waren sie in diesem Moment dabei, ihm einen Brief zu schreiben oder um seine wohlbehaltene Rückkehr zu beten? Ich nippte an meiner Tasse und zwang mich, woanders hinzuschauen.

Ich wollte gerade in mein Zimmer zurückgehen, um mich anzuziehen, als es an der Tür klopfte. Ich zuckte zusammen, sah einen Schatten hinter der Gardine. Ich zog meine Decke enger um mich, starrte auf die Silhouette, überlegte, wer um diese Zeit zu uns kommen könnte, ob es der Kommandant war, um mich zu schikanieren und auszufragen. Leise ging ich auf die Tür zu. Ich zog die Gardine ein Stück beiseite. Es war Liliane Béthune. Ihre Locken waren hochgesteckt, sie trug den schwarzen Persianermantel und Lidschatten. Sie warf einen Blick über die Schulter, als ich die Riegel oben und unten zurückzog und die Tür öffnete.

«Liliane? Bist du … brauchst du etwas?»

Sie griff in ihre Manteltasche, zog einen Umschlag heraus und streckte ihn mir entgegen. «Für dich», sagte sie.

Ich sah den Umschlag an. «Aber … wie hast du …»

Sie hob eine blasse Hand und schüttelte den Kopf.

Es war Monate her, seit jemand von uns einen Brief bekommen hatte. Ich hielt den Brief in der Hand, konnte es kaum glauben, dann fielen mir meine Manieren wieder ein. «Möchtest du hereinkommen? Einen Kaffee trinken? Ich habe ein bisschen echten Kaffee aufgespart.»

Sie lächelte kaum merklich. «Nein. Danke. Ich muss nach Hause zu meiner Tochter.» Noch bevor ich ihr danken konnte, eilte sie auf ihren hohen Absätzen die Straße hinunter, die Schultern gegen die Kälte hochgezogen.

Ich zog den Vorhang zu und verriegelte die Tür wieder. Dann setzte ich mich in die Küche und öffnete den Umschlag. Seine Stimme, die ich so lange nicht gehört hatte, klang in meinen Ohren.

Liebste Sophie,
so lange habe ich nichts von dir gehört. Ich bete, dass du in Sicherheit bist. In meinen düsteren Momenten rede ich mir ein, dass es irgendein Teil von mir spüren würde, wie die Vibrationen einer fernen Glocke, wenn es nicht so wäre.

Ich habe so wenig mitzuteilen. Ausnahmsweise einmal steht mir nicht der Sinn danach, die Welt um mich herum in Farben zu übersetzen. Und Worte scheinen zu ihrer Beschreibung vollkommen unzureichend. Aber du sollst wissen, mein teures Weib, dass ich geistig und körperlich gesund bin und dass ich stets an dich denke.

Die Männer hier halten sich an den Fotografien ihrer Liebsten fest wie an einem Talisman, als Schutz gegen die Finsternis – zerknickte, beschmutzte Bilder, die wie ein Schatz gehütet werden. Ich brauche keine Fotografie, um dein Bild vor mir heraufzubeschwören, Sophie. Ich muss nur die Augen schließen, um mir dein Gesicht, deine Stimme, deinen Geruch ins Gedächtnis zu rufen, und du kannst dir nicht vorstellen, welch ein Trost du für mich bist.

Und weißt du, mein Liebling, ich mache den Strich für jeden Tag nicht wie meine Kameraden als Zeichen der Dankbarkeit fürs Überleben, sondern ich danke Gott, weil jeder Strich bedeutet, dass ich vierundzwanzig Stunden näher an meiner Rückkehr zu dir bin.

Dein Édouard

Der Brief war zwei Monate alt.

Ich weiß nicht, ob es Erschöpfung war oder vielleicht noch der Schock nach den Ereignissen des Vortages – ich bin kein Mensch, der schnell weint, wenn überhaupt –, aber ich schob den Brief in den Umschlag zurück, stützte den Kopf in die Hände und begann in der kalten, leeren Küche zu schluchzen.

Ich konnte den anderen Einwohnern St. Péronnes nicht sagen, warum es an der Zeit war, das Schwein zu essen, doch Weihnachten stand vor der Tür, und so hatte ich eine passende Ausrede. Am Weihnachtsabend würden die Offiziere im Le Coq Rouge essen, und es würden mehr von ihnen kommen als üblich. Also beschlossen wir, dass Madame Poilâne, die zwei Straßen hinter dem Marktplatz wohnte, zur selben Zeit einen heimlichen *Réveillon*, eine Weihnachtsfeier, bei sich zu Hause abhalten würde. Solange ich die deutschen Offiziere beschäftigt hielt, konnte der kleine Trupp Stadtbewohner das Schwein ungestört in dem Brotofen braten, den Madame Poilâne im Keller hatte. Hélène würde mir helfen, das Essen für die Deutschen aufzutragen, anschließend durch das Loch in der Kellerwand steigen, sich ins Freie schleichen und durch die Gasse zu Madame Poilâne gehen, wo die Kinder schon auf sie warteten. Die Einwohner St. Péronnes, die zu weit von Madame Poilâne entfernt wohnten, um unbemerkt durch die Stadt zu kommen, würden nach der Ausgangssperre bei ihr bleiben und sich verstecken, falls eine Kontrolle der Deutschen kam.

«Aber das ist ungerecht», bemerkte Hélène, als ich den Plan zwei Tage später dem Bürgermeister erläuterte. «Wenn du hierbleibst, bist du die Einzige, die nicht dabei sein wird. Das ist nicht richtig, wenn man überlegt, was du alles getan hast, um uns das Schwein zu erhalten.»

«Eine von uns muss hierbleiben», sagte ich. «Du weißt, dass es viel sicherer ist, wenn wir genau wissen, dass die Offiziere alle an einem Ort sind.»

«Aber dann ist es nicht dasselbe.»

«Nun, das ist es nie», sagte ich kurz angebunden. «Und du weißt außerdem genauso gut wie ich, dass es der Kommandant merkt, wenn ich nicht da bin.»

Sie wechselte einen Blick mit dem Bürgermeister.

«Hélène, stell dich nicht so an. Ich bin die *Patronne*. Er erwartet, mich jeden Abend hier zu sehen. Er wird etwas ahnen, wenn ich nicht da bin.»

Ich klang, sogar in meinen eigenen Ohren, als würde ich zu heftig widersprechen. «Pass auf», fuhr ich fort und zwang mich zu einem versöhnlichen Ton, «heb mir ein bisschen Fleisch auf. Wickle es in eine Serviette und bring es mit zurück. Außerdem kann ich dir versprechen, dass ich mir etwas abzweigen werde, wenn die Deutschen ihren Festschmaus haben. Ich werde nicht hungern, versprochen.»

Sie wirkten beruhigt, aber ich konnte ihnen nicht die Wahrheit sagen. Seit dem Moment, in dem ich erkannt hatte, dass der Kommandant über das Schwein Bescheid wusste, wollte ich nichts mehr davon essen. Dass er sein Wissen nicht öffentlich gemacht hatte, ganz zu schweigen davon, dass er uns nicht bestraft hatte, ließ in mir keine Erleichterung aufkommen, sondern tiefes Unbehagen.

Wenn ich ihn jetzt mein Porträt anschauen sah, erfüllte es mich nicht mehr mit Befriedigung, dass sogar ein Deutscher das Talent meines Mannes erkannte. Wenn er in die Küche kam, um sich zwanglos zu unterhalten, reagierte ich steif und angespannt, weil ich fürchtete, er würde von dem Schwein anfangen.

«Und wieder einmal», sagte der Bürgermeister, «stehen wir in Ihrer Schuld.» Er wirkte mitgenommen. Seine Tochter war eine Woche krank gewesen, und seine Frau hatte mir einmal erzählt, dass er jedes Mal, wenn Louisa krank wurde, kaum schlief vor Sorge.

«Seien Sie nicht albern», sagte ich knapp. «Im Vergleich zu dem, was unsere Männer tun, ist das einfach nur alltäglich.»

Aber meine Schwester kannte mich zu gut. Sie fragte nicht direkt, das war nicht Hélènes Stil. Aber ich bekam mit, dass sie mich beobachtete, hörte den scharfen Beiklang in ihrer Stimme, wenn das Gespräch auf den *Réveillon* kam. Eine Woche vor Weihnachten vertraute ich mich ihr schließlich an. Sie saß auf der Bettkante und kämmte sich die Haare. Die Bürste erstarrte in ihrer Hand. «Warum, glaubst du, hat er es niemandem erzählt?», fragte ich, als ich fertig war.

Sie starrte auf die Tagesdecke. Als sie mich wieder anschaute, lag so etwas wie Grauen in ihrem Blick. «Ich glaube, er mag dich», sagte sie.

In der Woche vor Weihnachten war viel zu tun, auch wenn wir kaum etwas hatten, um das Fest vorzubereiten. Hélène und ein paar von den älteren Frauen hatten für die Kinder Lumpenpuppen genäht. Sie waren primitiv, die Röckchen aus Sackleinen, die Gesichter bestickte Socken. Aber es war wichtig, dass die Kinder, die noch in St. Péronne waren, an diesem traurigen Weihnachtsfest ein wenig Freude hatten.

Ich wurde ein bisschen dreister in meinen eigenen Anstrengungen. Zwei Mal hatte ich von den Rationen der Deutschen Kartoffeln gestohlen, aus den übrigen Kartoffelbrei gemacht, sodass es nicht auffiel, und die gestohlenen Kartoffeln in meinen Rocktaschen denjenigen gegeben, die besonders schwach wirkten. Außerdem stahl ich die kleineren Karotten und schob sie in meinen Rocksaum, sodass sie nichts finden würden, falls sie mich anhielten und durchsuchten. Für den Bürgermeister nahm ich zwei Gläser Hühnerfond, damit seine Frau für Louisa eine Brühe kochen konnte. Das Kind war blass und fiebrig. Die Frau des Bürgermeisters erzählte mir, dass Louisa kaum etwas im Magen behielt und sich in sich selbst zurückzuziehen schien. Als ich sie sah, wie sie von dem wuchtigen alten Bett mit der abgewetzten Bettwäsche beinahe verschluckt wurde, apathisch und immer wieder hustend, ging mir durch den Kopf, dass man ihr daraus kaum einen Vorwurf machen konnte. Was für ein Leben war das für Kinder?

Wir versuchten, ihnen das Schlimmste zu ersparen, aber sie wuchsen in einer Zeit auf, in der Männer auf offener Straße erschossen wurden und Fremde ihre Mütter wegen lächerlicher Vergehen an den Haaren aus dem Bett zerrten, wenn sie zum Beispiel durch ein verbotenes Waldgebiet gegangen waren oder vor einem deutschen Offizier nicht genügend Respekt gezeigt hatten. Mimi blickte schweigend und misstrauisch auf unsere Welt, was Hélène beinahe das Herz brach. Aurélien wurde wütend. Ich sah, wie sich diese Wut in ihm aufstaute, wie eine vulkanische Gewalt, und ich betete jeden Tag darum, dass er, wenn irgendwann der Ausbruch kam, nicht selbst einen hohen Preis zahlen musste.

Doch die wichtigste Neuigkeit dieser Woche war die Zeitung, die bei mir eintraf. Es war ein schlecht gedrucktes Blatt namens *Journal des Occupés*. Die einzige Zeitung, die in St. Péronne offiziell geduldet wurde, war das von Deutschen kontrollierte *Bulletin de Lille*, und es war so offenkundig ein deutsches Propagandablatt, dass kaum einer von uns mehr damit tat, als es zum Feuermachen zu verwenden. Doch im *Journal* standen militärische Informationen, es wurden die Städte und Dörfer genannt, die unter deutscher Besatzung standen. Es fanden sich Kommentare über offizielle Verlautbarungen, und es enthielt humorvolle Artikel über die Okkupation, Spottgedichte über das Schwarzbrot und Karikaturen der diensthabenden Offiziere. Die Leserschaft wurde aufgefordert, keine Nachforschungen darüber anzustellen, woher das *Journal* gekommen war, und es nach der Lektüre zu vernichten.

Es enthielt auch eine Liste unter dem Titel *Von Heinrichs zehn Geboten*, die sich über die vielen kleinkarierten Vorschriften lustig machte, die uns auferlegt wurden.

Ich kann gar nicht ausdrücken, welchen Auftrieb dieses vierseitige Pamphlet unserem Städtchen verlieh. In den paar Tagen vor dem *Réveillon* kam ein stetiger Strom von Leuten in die Bar, und sie blätterten die Zeitung entweder in der Toilette durch (tagsüber bewahrten wir sie ganz unten in einem Papierkorb auf) oder ließen sich die Nachrichten und besseren Witze von jemandem erzählen. Wir verbrachten so viel Zeit in der Toilette, dass die Deutschen fragten, ob eine Krankheit umginge.

Aus der Zeitung erfuhren wir, dass weitere Städte unser Schicksal teilten. Wir hörten von den gefürchteten Straflagern, in denen Männer hungerten und sich halb zu Tode schuften mussten. Wir stellten fest, dass man in Paris kaum etwas von unserer Zwangslage wusste und dass vierhundert Bürger von Roubaix ins Arbeitslager deportiert worden waren. Es war keineswegs so, dass sich diese vereinzelten Informationen für uns zu irgendetwas Nützlichem zusammenfügten, aber sie erinnerten uns daran, dass wir immer noch ein Teil Frankreichs waren und dass unser Städtchen nicht das einzige war, das sich plagen musste. Und noch wichtiger: Die Zeitung selbst rief einen gewissen Stolz hervor – die Franzosen waren immer noch dazu imstande, den Willen der Deutschen zu unterlaufen.

Es wurde fieberhaft darüber diskutiert, wie das Blatt zu uns gekommen sein könnte. Dass es an den Le Coq Rouge geliefert worden war, milderte ein wenig den zunehmenden Missmut darüber, dass wir für die Deutschen kochten. Ich aber beobachtete, wie draußen Liliane Béthune in ihrem Persianermantel vorbeihastete, um ihr Brot zu holen, und machte mir meine eigenen Gedanken.

Der Kommandant hatte darauf bestanden, dass wir aßen. Das sei am Weihnachtsabend das Privileg der Köche, sagte er.

Wir schufteten stundenlang in der Küche, doch die Anstrengung wurde von unserer stillen Freude über das aufgewogen, was nur zwei Straßen von uns entfernt stattfinden würde, von der Aussicht auf eine heimliche Feier und ein ordentliches Essen für unsere Kinder. Und nun noch zwei vollständige Mahlzeiten dazuzubekommen, erschien uns beinahe zu viel.

Und auch wieder nicht zu viel. Ich hätte niemals eine Mahlzeit ablehnen können. Das Essen war köstlich: gebratene Ente mit Orangenschnitzen und eingelegtem Ingwer, Kartoffeln dauphinoise mit grünen Bohnen, und danach folgte eine Käseplatte. Hélène aß ihre Portion und konnte kaum glauben, dass sie zwei Mal zu Abend essen würde. «Ich kann meine Portion Schweinefleisch jemand anderem geben», sagte sie und nagte einen Knochen ab. «Vielleicht behalte ich nur ein bisschen von der Kruste für mich. Was meinst du?»

Es war so schön, sie fröhlich zu sehen. An diesem Abend schien unsere Küche ein glücklicher Ort zu sein. Wir hatten Extrakerzen und damit besseres Licht. Die vertrauten weihnachtlichen Gerüche hingen in der Luft – Hélène hatte eine der Orangen mit Gewürznelken gespickt und sie über den

Herd gehängt, sodass der Duft den ganzen Raum erfüllte. Wenn man nicht weiter darüber nachdachte, konnte man dem Gläserklirren, dem Gelächter und den Gesprächen lauschen und vergessen, dass der Raum nebenan von Deutschen besetzt war.

Um halb zehn mummelte ich meine Schwester ein und half ihr die Treppe hinunter, sodass sie in den Keller unserer Nachbarn durchsteigen und dann aus ihrer Kohleluke kriechen konnte. Sie würde durch die unbeleuchteten Gassen zu Madame Poilânes Haus laufen, wo sie Aurélien und die Kinder erwarteten, die wir schon früher am Nachmittag zu Madame Poilâne gebracht hatten. Das Schwein hatten wir am Tag davor zu ihr umquartiert. Es war inzwischen recht groß geworden, und Aurélien hatte es festhalten müssen, während ich einen Apfel an das Tier verfütterte, damit es nicht quiekte, und dann hatte Monsieur Baudin, der Schlachter, das Schwein mit einem schnellen, sauber gesetzten Messerstich getötet.

Ich setzte hinter Hélène die Backsteine wieder in die Mauer ein und lauschte die ganze Zeit auf die Männer in der Bar über mir. Mit einer gewissen Genugtuung fiel mir auf, dass ich zum ersten Mal seit Monaten nicht fror. Hungrig zu sein bedeutet auch, nahezu ständig zu frieren; das war eine Lektion, die ich sicher niemals vergessen würde.

«Édouard, ich hoffe, du hast es warm», flüsterte ich in den leeren Keller hinein, als die Schritte meiner Schwester auf der anderen Seite der Mauer verklangen. «Ich hoffe, du isst genauso gut wie wir heute Abend.»

Als ich wieder nach oben kam, hätte ich vor Schreck beinahe einen Satz gemacht. Der Kommandant betrachtete mein Porträt.

«Ich habe Sie nicht gefunden», sagte er. «Ich dachte, Sie wären in der Küche.»

«Ich habe nur … ein bisschen Luft geschnappt», stammelte ich.

«Jedes Mal, wenn ich dieses Bild anschaue, entdecke ich etwas anderes. Sie hat etwas Rätselhaftes an sich. Ich meine Sie», er lächelte kurz über seinen eigenen Fehler, «Sie haben etwas Rätselhaftes an sich.»

Ich sagte nichts.

«Hoffentlich bringe ich Sie nicht in Verlegenheit, aber ich muss es Ihnen sagen. Ich denke schon eine ganze Weile, dass es das schönste Gemälde ist, das ich je gesehen habe.»

«Es ist ein wundervolles Kunstwerk, das stimmt.»

«Den Gegenstand der Darstellung nehmen Sie aus?»

Ich antwortete nicht.

Er ließ den Wein in seinem Glas kreisen. Als er weitersprach, hielt er den Blick auf die rubinrote Flüssigkeit gerichtet. «Halten Sie sich wirklich für unansehnlich, Madame?»

«Ich glaube, die Schönheit liegt im Auge des Betrachters. Wenn mir mein Mann sagt, ich sei schön, dann glaube ich ihm, weil ich weiß, dass ich es in seinen Augen bin.»

Er sah auf. Sein Blick traf meinen. Er fixierte mich so lange, dass ich spürte, wie sich mein Atem beschleunigte. Ich ging in die Küche, und er folgte mir.

Édouards Augen waren die Fenster zu seiner Seele, man konnte seine innersten Gefühle daran ablesen. Der Blick des Kommandanten war durchdringend, klug und doch seltsam verhangen, als würde er seine wahren Gefühle verbergen. Ich fürchtete, dass er meine bröckelnde Selbstbeherrschung wahrnehmen könnte, dass er meine Lügen durchschauen könnte, wenn ich es zuließ. Ich wandte den Blick als Erste ab.

Er griff über den Küchentisch nach der Kiste, die früher am Tag geliefert worden war, und zog eine Flasche Cognac heraus. «Trinken Sie etwas mit mir, Madame.»

«Nein danke, Herr Kommandant.» Ich warf einen Blick auf die Tür zur Bar. Die Offiziere mussten langsam mit ihrem Nachtisch fertig sein.

«Nur ein Glas. Es ist Weihnachten.»

Ich erkannte einen Befehl, wenn ich ihn hörte. Ich dachte an die anderen, die ein paar Häuser entfernt beim Schweinebraten saßen. Ich dachte an Mimi und wie ihr das Schweinefett übers Kinn lief, an Aurélien, wie er grinsend stolz darauf war, die Deutschen getäuscht zu haben. Er brauchte etwas, über das er sich freuen konnte. Zwei Mal war er in dieser Woche von der Schule nach Hause geschickt worden, weil er sich geprügelt hatte, doch er hatte sich geweigert, mir zu sagen, was der Grund dafür gewesen war. Sie alle hatten ein ordentliches Essen dringend nötig. «Dann … also gut.» Ich ließ mir ein Glas geben und nippte daran. Der Cognac lief wie Feuer durch meine Kehle, wirkte belebend.

Er kippte sein Glas hinunter, sah mir zu, als ich meines leer trank, und schob mir die Flasche zu, damit ich mir nachschenkte.

Schweigend saßen wir da. Ich überlegte, wie viele Leute wohl gekommen waren, um das Schwein aufzuessen. Hélène hatte gemeint, es würden wohl vierzehn werden. Zwei ältere Leute hatten sich davor gefürchtet, die Ausgangssperre zu missachten. Der Pfarrer hatte versprochen, denjenigen, die nach dem Weihnachtsgottesdienst zu Hause festsaßen, die Reste zu bringen.

Während wir den Cognac tranken, musterte ich ihn. Sein Kiefer war angespannt, ließ auf einen unbeugsamen Charakter schließen, doch ohne seine Uniformmütze verlieh ihm das raspelkurz geschnittene Haar etwas Verletzliches. Ich versuchte ihn mir in Zivilkleidung vorzustellen, als ganz normalen Menschen, der seinem Alltag nachging, seine Zeitung kaufte, in die Ferien fuhr. Doch es gelang mir nicht. Meine Vorstellungskraft prallte an seiner Uniform ab.

«Der Krieg ist ein einsames Geschäft, nicht wahr?»

Ich trank einen Schluck Cognac. «Sie haben Ihre Männer. Ich habe meine Familie. Genau genommen ist keiner von uns allein.»

«Das ist nicht dasselbe, oder?»

«Wir versuchen alle, so gut wie möglich zurechtzukommen.»

«Tun wir das? Ich weiß nicht, ob man in diesem Zusammenhang das Wort ‹gut› überhaupt in den Mund nehmen kann.»

Der Cognac ließ mich deutlicher als sonst werden. «Sie sind derjenige, der in meiner Küche sitzt, Herr Kommandant. Ich darf wohl mit allem Respekt daran erinnern, dass in dieser Hinsicht nur einer von uns eine Wahl hat.»

Eine Wolke zog über sein Gesicht. Er war keinen Widerspruch gewohnt. Eine zarte Röte stieg in seine Wangen, und ich sah ihn vor mir, wie er den Arm mit der Waffe hob und auf den flüchtenden Gefangenen zielte.

«Glauben Sie wirklich, dass irgendeiner von uns eine Wahl hat?», sagte er ruhig. «Glauben Sie wirklich, dass sich irgendeiner von uns dieses Leben aussuchen würde? Umgeben von nichts als Zerstörung? Und ihr Verursacher zu sein? Wenn Sie sehen könnten, was wir an der Front erleben, würden Sie …» Er beendete den Satz nicht und schüttelte den Kopf. «Es tut mir leid, Madame. Es liegt an Weihnachten. Da wird man rührselig. Und jeder weiß, dass es nichts Schlimmeres gibt als einen rührseligen Soldaten.»

Er lächelte entschuldigend, und ich entspannte mich etwas. So saßen wir uns am Küchentisch gegenüber, nippten an unseren Gläsern, zwischen uns die Reste der Mahlzeit. Nebenan hatten die Offiziere angefangen zu singen. Ich hörte, wie sich ihre Stimmen in einer vertrauten Melodie hoben, auch wenn ich die Worte nicht verstand. Der Kommandant hörte mit geneigtem Kopf zu. Dann stellte er sein Glas ab. «Sie hassen uns dafür, dass wir hier sind, oder?»

Ich blinzelte. «Ich habe mich immer bemüht …»

«Sie glauben, Ihr Gesichtsausdruck würde nichts verraten. Aber ich habe Sie beobachtet. Ein paar Jahre in diesem Geschäft lehren einen viel über die Menschen und ihre Geheimnisse. Nun. Können wir einen Waffenstillstand ausrufen, Madame? Nur für diese paar Stunden?»

«Einen Waffenstillstand?»

«Sie vergessen, dass ich einer feindlichen Armee angehöre, ich vergesse, dass Sie eine Frau sind, die sehr viel darüber nachdenkt, wie man diese Armee demoralisieren könnte, und wir sind einfach … zwei Menschen?»

Seine Miene war für einen Moment weicher geworden. Er hob sein Glas. Zögernd tat ich es ihm gleich.

«Reden wir nicht über Weihnachten, einsam oder nicht. Am liebsten wäre es mir, wenn Sie mir von den anderen Künstlern an der Académie erzählten. Erzählen Sie mir, wie Sie sie kennengelernt haben.»

Ich weiß nicht mehr, wie lange wir dort zusammensaßen. Um ehrlich zu sein, verflogen die Stunden geradezu bei unserem Gespräch und dem wärmenden Alkohol. Der Kommandant wollte alles über das Künstlerleben in Paris wissen. Was für ein Mann war Matisse? War sein Leben genauso skandalträchtig wie seine Kunst?

«Oh nein. Einen strengeren Verstandesmenschen kann man sich kaum vorstellen. Er ist ziemlich ernst. Und sehr konservativ, sowohl was seine Arbeit als auch was seinen Charakter betrifft. Aber irgendwie ...» Ich dachte einen Moment an den Brille tragenden Professor, daran, wie er mit einem Blick überprüfte, ob seine Schüler alles begriffen hatten, bevor er ihnen das nächste Stück zeigte. «... heiter. Ich glaube, er zieht sehr viel Freude aus seiner Arbeit.»

Darüber dachte der Kommandant einen Moment nach, und es machte den Eindruck, als hätte ihm meine Antwort gefallen. «Ich habe einmal Maler werden wollen. Ich war natürlich nicht gut. Damit musste ich mich schon früh abfinden.» Er ließ den Finger am Stiel seines Glases entlanggleiten. «Ich denke oft, dass es eines der größten Geschenke im Leben ist, wenn man sein Geld mit dem verdienen kann, was man am liebsten tut.»

Ich dachte an Édouard, seine versunkene, konzentrierte Miene, wenn er hinter der Staffelei hervorschaute. Wenn ich die Augen schloss, spürte ich wieder die Wärme des Kaminfeuers an meinem rechten Bein und die Kühle am linken, wo die Haut entblößt war. Ich sah Édouard die Augenbraue heben und erkannte den Moment ganz genau, in dem sich seine Gedanken von seinem Gemälde entfernten. «Das glaube ich auch.»

«Als ich dich das erste Mal gesehen habe», hatte Édouard an unserem ersten gemeinsamen Weihnachtsfest erzählt, «habe ich beobachtet, wie du mitten in diesem Kaufhausgewimmel gestanden hast, und gedacht, du bist die eigenständigste Frau, die ich je gesehen habe. Du hast ausgesehen, als könnte um dich herum die ganze Welt explodieren, und du würdest immer noch dastehen, das Kinn erhoben und unter diesem wundervollen Haar heraus gebieterisch auf das Chaos blicken.» Er hob meine Hand an seinen Mund und küsste sie sanft.

«Und ich dachte, du wärst ein russischer Bär», erklärte ich ihm.

Er hatte eine Augenbraue gehoben. Wir waren in einer überfüllten Brasserie in der Nähe der Rue de Turbigo. «GRRRRR», knurrte er, bis ich nicht mehr konnte vor Lachen. Dann hatte er mich an sich gezogen, dort, mitten auf der Sitzbank, und meinen Hals mit Küssen bedeckt, ohne sich um die anderen Leute zu scheren. «GRRRRR.»

Die Männer nebenan hörten auf zu singen. Mit einem Mal war ich verlegen und stand auf, als müsste ich den Tisch abräumen.

«Bitte», sagte der Kommandant und bat mich mit einer Geste, mich wieder hinzusetzen. «Bleiben Sie noch einen Moment sitzen. Es ist immerhin Weihnachten.»

«Ihre Männer erwarten sicher, dass Sie sich zu ihnen gesellen.»

«Im Gegenteil, sie amüsieren sich viel besser, wenn ihr Kommandant nicht dabei ist. Es wäre nicht in Ordnung, mich ihnen den ganzen Abend lang aufzudrängen.»

Aber bei mir ist das in Ordnung?, dachte ich. Dann fragte er: «Wo ist Ihre Schwester?»

«Ich habe ihr gesagt, sie soll sich ins Bett legen», sagte ich. «Sie ist etwas angeschlagen, und sie war heute Abend nach dem Kochen sehr müde. Ich wollte, dass sie sich bis morgen erholt.»

«Und was werden Sie machen? Wie feiern Sie?»

«Haben wir denn viel zu feiern?»

«Waffenstillstand, Madame.»

Ich zuckte mit den Schultern. «Wir werden in die Messe gehen. Vielleicht ein paar von unseren älteren Nachbarn besuchen. Es ist hart für sie, an so einem Tag allein zu sein.»

«Sie kümmern sich um alle, oder?»

«Es ist kein Verbrechen, eine gute Nachbarin zu sein.»

«Der Korb mit den Holzscheiten, den ich Ihnen zu Ihrem eigenen Gebrauch habe liefern lassen – ich weiß, dass Sie ihn zum Haus des Bürgermeisters gebracht haben.»

«Seine Tochter ist krank. Sie braucht die zusätzliche Wärme dringender als wir.»

«Sie sollten wissen, Madame, dass mir in diesem Städtchen nichts entgeht. Gar nichts.»

Ich konnte ihn nicht ansehen. Ich fürchtete, dass mich mein Gesichtsausdruck, mein jagender Herzschlag, dieses Mal verraten würde. Ich wünschte, jedes Wissen über das Fest, das ein paar hundert Schritt von meinem Haus entfernt stattfand, aus meinem Kopf tilgen zu können. Ich wünschte, den Eindruck loswerden zu können, dass der Kommandant Katz und Maus mit mir spielte.

Ich nippte an meinem Cognac. Die Männer sangen wieder. Ich kannte dieses Weihnachtslied. Ich konnte beinahe den Text hören.

Stille Nacht, heilige Nacht.
Alles schläft, einsam wacht

Warum sah er mich immerzu an? Ich hatte Angst, etwas zu sagen, Angst aufzustehen, weil er dann vielleicht wieder unangenehme Fragen stellen würde. Doch einfach so dazusitzen und ihn mich anschauen zu lassen, schien mich an irgendetwas mitschuldig zu machen. Schließlich atmete ich tief ein und sah auf. Er musterte mich immer noch. «Madame, würden Sie mit mir tanzen? Nur einen Tanz? Weil Weihnachten ist?»

«Tanzen?»

«Nur einen Tanz. Ich würde gern … ich würde mich gern wenigstens ein einziges Mal in diesem Jahr an die positiven Seiten des Menschseins erinnern.»

«Ich … ich glaube nicht …» Ich dachte an Hélène und die anderen ein paar Straßen weiter, die für einen Abend ihre Freiheit genossen. Ich dachte an Liliane Béthune. Ich musterte den Kommandanten. Seine Bitte wirkte aufrichtig. *Wir sind einfach … zwei Menschen.*

Und dann dachte ich an meinen Mann. Würde ich ihm ein paar teilnahmsvolle Arme wünschen, in denen er sich zum Tanz wiegen konnte? Nur für einen Abend? Hoffte ich nicht, dass ihn irgendwo, viele Kilometer entfernt, eine gutherzige Frau in einer kleinen Bar daran erinnerte, dass die Welt ein schöner Ort sein konnte?

«Ich werde mit Ihnen tanzen, Herr Kommandant», sagte ich. «Aber nur in der Küche.»

Er stand auf, streckte die Hand aus und nach kurzem Zögern ergriff ich sie. Seine Handfläche war überraschend rau. Ich trat etwas näher und sah ihn nicht an, als er seine andere Hand auf meine Hüfte legte. Als die Männer im Raum nebenan wieder sangen, bewegten wir uns langsam um den Tisch, wobei mir seine Nähe und der Druck seiner Hand auf mein Korsett überaus bewusst waren. Ich spürte den groben Serge seiner Uniform an meinem bloßen Arm und die leichte Vibration seines Summens in meinem Brustkorb. Ich fühlte mich, als würde ich brennen vor lauter Spannung, alle Sinne kontrollierten meine Finger, meine Arme, wollten sicherstellen, dass ich ihm nicht zu nah kam, fürchteten, dass er mich irgendwann an sich ziehen könnte.

Und die ganze Zeit wiederholte eine Stimme in meinem Kopf: *Ich tanze mit einem Deutschen.*

Stille Nacht, heilige Nacht,
Gottes Sohn, o wie lacht …

Doch er unternahm keinerlei Annäherungsversuche. Er summte, hielt mich locker in den Armen und bewegte sich in stetigen Kreisen um den Küchentisch. Und da schloss ich für ein paar Minuten die Augen und war wieder eine junge Frau, lebendig, nicht hungernd, nicht frierend, die am Weihnachtsabend tanzte, beschwipst von gutem Cognac, die Gerüche von Gewürzen und köstlichem Essen in der Nase.

Ich lebte, wie Édouard lebte, jede kleine Freude genießend, erlaubte mir, die Schönheit in allem zu sehen. Es war zwei Jahre her, dass mich ein Mann in den Armen gehalten hatte. Ich entspannte mich, gab mich dem Gefühl hin, gestattete meinem Tanzpartner, mich herumzudrehen, noch immer sein Summen im Ohr.

Christ, in deiner Geburt.
Christ, in deiner Geburt.

Der Gesang endete, und nach einem Moment ließ er mich beinahe zögernd los und trat zurück. «Danke, Madame. Vielen Dank.»

Als ich es schließlich wagte, den Blick zu heben, hatte er Tränen in den Augen.

Am nächsten Morgen lag ein Kistchen vor unserer Tür. Es enthielt drei Eier, ein Stubenküken, eine Zwiebel und eine Karotte. Auf der Seite stand in sorgfältig gemalten Buchstaben auf Deutsch *Fröhliche Weihnachten*. Aurélien übersetzte es für mich. Aus irgendeinem Grund wollte er mich dabei nicht ansehen.

Kapitel 7

Als es kälter wurde, verschärften die Deutschen ihre Kontrollen. In der Stadt breitete sich Unbehagen aus, täglich zogen größere Truppenverbände durch; der Gesprächston der Offiziere in der Bar wurde dringlicher, sodass Hélène und ich die meiste Zeit in der Küche verbrachten. Der Kommandant sprach kaum mit mir, er umgab sich häufig mit einem kleinen Kreis Vertrauter. Er wirkte erschöpft, und wenn ich seine Stimme aus der Bar hörte, war sie oft laut vor Zorn.

Mehrere Male wurden in diesem Januar französische Kriegsgefangene durch die Hauptstraße und am Hotel vorbeigeführt, doch wir durften uns nicht mehr an die Straße stellen und den Zug anschauen. Die Lebensmittel wurden noch knapper, unsere Rationen wurden gekürzt, und von mir wurde erwartet, Festmahle aus immer weniger Fleisch und Gemüse zu zaubern. Der Krieg rückte näher.

Das *Journal des Occupés*, wenn es denn kam, berichtete von Dörfern in der Nähe. Abends kam es des Öfteren vor, dass ferner Kanonendonner zarte Kreise in den Wassergläsern auf unserem Tisch entstehen ließ. Es dauerte ein paar Tage, bis mir klarwurde, dass ich das Vogelgezwitscher vermisste. Wir hatten gehört, dass alle Mädchen ab sechzehn und alle Jungen ab fünfzehn Jahren jetzt für die Deutschen bei der Zuckerrübenernte oder in weiter entfernten Fabriken arbeiten mussten. Auréliens fünfzehnter Geburtstag stand in wenigen Monaten bevor, und so wurden Hélène und ich immer besorgter. Gerüchte kursierten über das, was den Jugendlichen widerfuhr. So sollten Mädchen bei kriminellen Männern einquartiert oder, noch schlimmer, darin unterwiesen worden sein, deutsche Soldaten zu «unterhalten». Die Jungen hungerten oder wurden geschlagen und ständig an neue Orte gebracht, sodass sie orientierungslos und gehorsam blieben. Hélène und ich waren von dieser Maßnahme ausgenommen, weil wir im Hotel als «unverzichtbar für das deutsche Wohlbefinden» betrachtet wurden. Allein diese Tatsache hätte genügt, um das Misstrauen unserer Nachbarn zu schüren.

Doch da war mehr. Die Veränderung geschah kaum merklich, aber sie war mir sehr wohl bewusst. Es kamen tagsüber weniger Leute in den Le Coq Rouge. Von üblicherweise etwas über zwanzig Gästen waren noch ungefähr acht übrig geblieben. Zuerst dachte ich, die Kälte würde die Leute in ihren Häusern halten. Dann fing ich an, mir Sorgen zu machen, und ging beim alten René vorbei, um zu schauen, ob er krank war. Doch er erklärte mir schroff an der Tür, er würde lieber zu Hause bleiben. Dabei sah er mich nicht an. Das Gleiche geschah bei Madame Foubert und der Frau des Bürgermeisters. Ihre Reaktionen brachten mich aus dem Gleichgewicht. Ich sagte mir, ich würde mir das alles nur einbilden, doch als ich einmal um die Mittagszeit auf dem Weg zur Apotheke an der Bar Blanc vorbeikam, sah ich René und Madame Foubert drinnen Dame spielen. Im ersten Moment war ich überzeugt, dass mich mein Blick getrogen hatte. Als mir klarwurde, dass dies nicht der Fall war, zog ich den Kopf ein und hastete weiter.

Nur Liliane Béthune hatte ein freundliches Lächeln für mich übrig. Ich fing sie eines Morgens kurz vor Sonnenaufgang ab, als sie einen Umschlag unter unserer Haustür hindurchschob. Sie sprang auf, als ich die Riegel zurückzog. «*Oh, mon Dieu …*» Ihre Hand fuhr vor ihren Mund. «Gott sei Dank bist du es.»

«Ist es das, was ich denke, dass es ist?», sagte ich und schaute auf den übergroßen Umschlag ohne Adresse.

«Wer weiß?», sagte sie und drehte sich schon wieder zum Marktplatz um. «Ich sehe da gar nichts.»

Aber Liliane Béthune bildete eine Ein-Personen-Minderheit. Die Tage vergingen, und mir fiel noch mehr auf: Wenn ich von der Küche in unsere Bar kam, wurde leiser geredet, als sollte vermieden werden, dass ich etwas mitbekam. Wenn ich in einem Gespräch meine Meinung äußerte, war es, als hätte ich nichts gesagt. Zwei Mal brachte ich der Frau des Bürgermeisters ein kleines Glas Fond oder Brühe, nur um zu hören, dass sie reichlich hätten, danke. Sie hatte eine eigentümliche Art entwickelt, mit mir zu sprechen, nicht direkt unfreundlich, aber als wäre es eine Erleichterung, wenn ich nicht versuchte, das Gespräch fortzusetzen. Ich hätte es niemals zugegeben, aber es war beinahe tröstlich, wenn es Abend wurde und sich die Bar wieder mit Stimmen füllte, selbst wenn es deutsche Stimmen waren.

Es war Aurélien, der mich aufklärte.

«Sophie?»

«Ja?» Ich machte den Teig für eine Pastete. Meine Hände und die Schürze waren voller Mehl, und ich überlegte, ob ich aus den Teigresten noch kleine Kekse für die Kinder backen konnte.

«Kann ich dich etwas fragen?»

«Natürlich.» Mein kleiner Bruder sah mich mit einem seltsamen Ausdruck an, als müsste er sich die Worte zurechtlegen.

«Du … magst du die Deutschen?»

«Ob ich sie *mag*?»

«Ja.»

«Was für eine lächerliche Frage. Natürlich nicht. Ich wünschte, sie wären allesamt weg und wir könnten wieder leben wie früher.»

«Aber den Kommandanten magst du.»

Ich erstarrte mit den Händen auf dem Nudelholz und wirbelte zu ihm herum. «Du weißt, dass es gefährlich ist, so zu reden. Damit kannst du uns alle in schreckliche Schwierigkeiten bringen.»

Die Unterhaltung der paar Leute in der Bar klang zu uns herüber. Ich ging zur Küchentür und machte sie zu. Als ich wieder etwas sagte, achtete ich darauf, leise und geduldig zu sprechen. «Sag, was du sagen willst, Aurélien.»

«Es heißt, du bist nicht besser als Liliane Béthune.»

«Wie bitte?»

«Monsieur Suel hat dich am Weihnachtsabend mit dem Kommandanten tanzen sehen. Eng, du hattest die Augen geschlossen und dich an ihn gedrückt, als wärst du in ihn verliebt.»

Ich wurde beinahe ohnmächtig vor Schreck. *«Wie bitte?»*

«Sie sagen, das wäre der wahre Grund, aus dem du nicht zu dem *Réveillon* kommen wolltest, damit du mit ihm allein sein kannst. Sie sagen, deshalb bekommen wir Extrarationen. Weil du der Liebling der Deutschen bist.»

«Hast du dich deswegen in der Schule geprügelt?» Ich dachte an das blaue Auge, das er gehabt hatte, seine mürrische Weigerung, mir eine Erklärung zu geben, als ich ihn fragte, was passiert war.

«Stimmt das?»

«Nein, es stimmt nicht.» Mit einer heftigen Bewegung legte ich das Nudelholz zur Seite. «Er hat … er hat mich um einen Tanz gebeten, nur einen, weil Weihnachten war, und ich dachte, besser, er ist mit seinen Gedanken hier und beim Tanzen, als zu riskieren, dass er darüber nachdenkt, was bei Madame Poilâne vorgeht. Mehr war es nicht – deine Schwester hat versucht, euch an diesem Abend zu schützen. Dieser Tanz hat euch einen Schweinebraten verschafft, Aurélien.»

«Aber ich habe ihn gesehen. Er bewundert dich.»

«Er bewundert mein Porträt. Das ist ein Unterschied.»

«Ich habe gehört, wie er mit dir spricht.»

Ich blickte ihn stirnrunzelnd an, und er sah zur Decke hinauf. Natürlich. Die Stunden, die er oben verbrachte, um durch die Lücken zwischen den Dielenbrettern zu spähen. Aurélien musste alles gehört und gesehen haben.

«Du kannst nicht leugnen, dass er dich mag. Manchmal sagt er ‹tu› und nicht ‹vouz›, wenn er mit dir spricht, und du lässt es zu.»

«Er ist ein deutscher Kommandant, Aurélien. Ich bin nicht in der Position, ihm vorzuschreiben, wie er mich anredet.»

«Alle reden über dich, Sophie. Ich sitze oben und höre, als was sie dich bezeichnen, und ich weiß nicht mehr, was ich glauben soll.» Seine Augen funkelten vor Wut und Verwirrung.

Ich ging zu ihm und legte ihm die Hände auf die Schultern. «Dann glaube mir. Ich habe nichts, *nicht das Geringste* getan, für das ich oder mein Mann sich schämen müssten. Jeden Tag suche ich nach neuen Wegen, um für unsere Familie zu sorgen und dafür, dass unsere Nachbarn etwas zu essen haben und sich ein bisschen Trost und Hoffnung bewahren können. Ich empfinde überhaupt nichts für den Kommandanten. Allerdings versuche ich, nicht zu vergessen, dass er ein menschliches Wesen ist, genau wie wir. Aber wenn du glaubst, Aurélien, dass ich jemals meinen Mann betrügen würde, bist du ein Narr. Ich liebe Édouard mit jeder Faser meines Herzens. An jedem Tag, an dem er nicht da ist, spüre ich seine Abwesenheit wie einen körperlichen Schmerz. Abends liege ich wach und mache mir Sorgen über das, was ihm zustoßen könnte. Und jetzt will ich dich nie mehr so reden hören. Hast du verstanden?»

Er schüttelte meine Hände ab.

«Hast du mich verstanden?»

Er nickte missmutig.

«Oh», fügte ich hinzu, und vielleicht hätte ich es nicht sagen sollen, aber ich war zu aufgebracht, «und du solltest Liliane Béthune nicht vorschnell verurteilen. Es könnte nämlich sein, dass du ihr mehr verdankst, als dir klar ist.»

Mein Bruder warf mir einen wütenden Blick zu, stampfte aus der Küche und schlug die Tür hinter sich zu. Ich starrte eine ganze Weile auf den Teig, bevor mir wieder einfiel, dass ich eine Pastete machen musste.

Später an diesem Vormittag ging ich über den Marktplatz. Normalerweise holte Hélène das Brot – das *Kriegsbrot* –, aber ich musste einen klaren Kopf bekommen, und die Atmosphäre in der Bar war beklemmend geworden. Die Luft war in diesem Januar so kalt, dass sie mir in der Lunge schmerzte und die kahlen Äste der Bäume mit einer eisigen Hülle überzog. Ich zog mir die Haube tief ins Gesicht und das Tuch über den Mund. Es waren nur wenige Leute auf der Straße, doch auch so war die alte Madame Bonnard die Einzige, die mir zunickte. Ich erklärte es mir damit, dass sie vermutlich nicht erkannt hatten, wer unter all den Schichten Tuch steckte.

Ich ging zur Rue des Bastides, die in Schieler Platz umbenannt worden war (wir weigerten uns, den neuen Namen zu benutzen). Die Tür der Boulangerie war geschlossen, und ich drückte sie auf. Drinnen unterhielten sich Madame Louvier und Madame Durant angeregt mit Monsieur Armand. Sie unterbrachen ihr Gespräch in dem Moment, in dem ich eintrat.

«Guten Morgen», sagte ich und zupfte an dem Korb unter meinem Arm.

Die beiden Frauen, eingehüllt in mehrere Schichten Wolle, nickten vage in meine Richtung. Monsieur Armand stand einfach nur da und stützte sich auf seine Ladentheke.

Ich wartete, dann drehte ich mich zu den beiden alten Frauen um. «Geht es Ihnen gut, Madame Louvier? Wir haben Sie schon seit Wochen nicht mehr im Le Coq Rouge gesehen. Ich habe schon befürchtet, Sie wären krank.» Meine Stimme klang in dem kleinen Geschäft unnatürlich laut und hoch.

«Nein», sagte sie, «ich bleibe jetzt einfach lieber zu Hause.» Sie vermied Blickkontakt.

«Haben Sie die Kartoffeln bekommen, die ich Ihnen letzte Woche übrig gelassen habe?»

«Ja, das habe ich.» Sie warf einen Seitenblick auf Monsieur Armand. «Ich habe sie Madame Grenouille gegeben. Sie ist … weniger wählerisch, was die Herkunft ihres Essens angeht.»

Ich stand wie erstarrt. So dachten sie also. Es war so ungerecht, dass ich einen bitteren Geschmack im Mund bekam.

«Dann hoffe ich, dass sie ihr geschmeckt haben. Monsieur Armand, ich hätte gern zwei Laibe Brot, bitte. Einen für Hélène und einen für mich, wenn Sie so freundlich wären.» Oh, wie ich mich in diesem Moment nach seinen Scherzen sehnte. Einer schlüpfrigen Bemerkung oder einem Kalauer, über den man nur die Augen verdrehen konnte. Doch der Bäcker sah mich einfach nur an, beharrlich und unfreundlich. Er ging nicht nach hinten, wie ich erwartet hatte. Tatsächlich rührte er sich überhaupt nicht vom Fleck. Gerade als ich meine Bitte wiederholen wollte, griff er unter die Theke und holte zwei Laibe Schwarzbrot hervor.

Ich starrte sie an.

Es war, als würde es in der kleinen Boulangerie plötzlich eiskalt werden, und doch schienen die Blicke der drei anderen wie Feuer auf mir zu brennen. Die Brotlaibe lagen auf der Ladentheke, plump und düster.

Ich hob den Blick und schluckte. «Nun, ich habe mich geirrt. Wir brauchen heute kein Brot», sagte ich leise und legte mein Portemonnaie zurück in meinen Korb.

«Vermutlich fehlt Ihnen im Moment ohnehin kaum etwas», murmelte Madame Durant.

Ich drehte mich zu ihr um, und wir starrten uns an, die alte Frau und ich. Dann verließ ich mit hocherhobenem Kopf den Laden. Diese Schande! Diese Ungerechtigkeit! Ich sah die höhnischen Blicke der beiden alten Damen, und mir wurde klar, wie dumm ich gewesen war. Warum hatte ich so lange gebraucht, um zu erkennen, was direkt vor meiner Nase geschah? Mit geröteten Wangen ging ich eilig Richtung Hotel. In meinem Kopf rasten die Gedanken, und das Klingeln in meinen Ohren war so laut, dass ich die Stimme zunächst gar nicht hörte.

«Halt!»

Ich blieb stehen und sah mich um.

«Halt!»

Ein deutscher Offizier marschierte mit erhobener Hand auf mich zu. Ich wartete bei der zerstörten Statue von Leclerc. Meine Wangen brannten immer noch. «Du hast meine Anweisung missachtet!»

«Ich entschuldige mich, Herr Offizier. Ich habe Sie nicht gehört.»

«Es ist eine Straftat, die Anweisungen eines deutschen Offiziers zu missachten.»

«Wie gesagt, ich habe Sie nicht gehört. Es tut mir leid.»

Ich zog das Tuch vor meinem Gesicht ein wenig herunter. Und dann erkannte ich ihn: Es war der junge Offizier, der betrunken versucht hatte, Hélène zu befingern, und dem zur Strafe dafür der Kopf an die Wand gerammt worden war. Ich sah die kleine Narbe an seiner Schläfe, und ich sah auch, dass er mich erkannt hatte.

«Deinen Ausweis.»

Ich hatte ihn nicht dabei. Ich war so mit dem beschäftigt gewesen, was Aurélien gesagt hatte, dass ich ihn auf dem Tisch im Hotelfoyer hatte liegen lassen.

«Ich habe ihn vergessen.»

«Es ist eine Straftat, das Haus ohne Ausweis zu verlassen.»

«Er ist direkt dort drüben.» Ich deutete auf das Hotel. «Wenn Sie mit mir hinübergehen, kann ich …»

«Ich gehe nirgendwo hin. Was hast du hier zu tun?»

«Ich war nur gerade … in der Boulangerie.»

Er spähte in meinen leeren Korb. «Um unsichtbares Brot zu kaufen?»

«Ich habe es mir anders überlegt.»

«Dann musst du ja dieser Tage im Hotel sehr gut essen. Alle anderen sind eifrig hinter ihren Rationen her.»

«Ich esse nicht besser als irgendwer sonst.»

«Taschen leer machen.»

«Wie bitte?»

Er stieß mich mit seinem Gewehr an. «Taschen leer machen. Und zieh ein paar von den Kleiderschichten aus, damit ich sehen kann, was du bei dir hast.»

Es herrschten Minustemperaturen. Der eisige Wind betäubte jeden Zoll unbedeckte Haut. Ich stellte meinen Korb ab und wickelte langsam das erste meiner Tücher ab. «Fallen lassen. Auf den Boden», sagte er. «Das nächste.»

Ich sah mich verstohlen um. Auf der anderen Seite des Marktplatzes mussten die Gäste im Le Coq Rouge hinter den Fenstern stehen und zusehen. Langsam ließ ich mein zweites Tuch fallen, dann meinen schweren Mantel. Die blanken Fenster um den Marktplatz schienen mich zu beobachten.

«Taschen leer machen.» Er stocherte mit seinem Bajonett auf meinem Mantel herum, sodass er über das Eis und den Dreck scheuerte. «Taschen umdrehen.»

Ich bückte mich und schob meine Hände in die Manteltaschen. Ich zitterte inzwischen, und meine blau angelaufenen Finger wollten mir nicht gehorchen. Nach mehreren Versuchen zog ich meine Lebensmittelkarte heraus, zwei Fünf-Francs-Scheine und einen Zettel.

Er riss ihn mir aus der Hand. «Was ist das?»

«Nichts Wichtiges, Herr Offizier. Nur ... nur ein Geschenk von meinem Mann. Bitte lassen Sie es mich behalten.»

Ich hörte die Panik in meiner Stimme, und noch während ich sprach, wusste ich, dass ich einen Fehler gemacht hatte. Er entfaltete Édouards kleine Skizze von uns. Édouard als Bär in seiner Uniform, ich mit ernstem Gesicht in einem gestärkten blauen Kleid. «Das ist konfisziert», sagte er.

«Wie bitte?»

«Es ist untersagt, Abbildungen der französischen Militäruniform bei sich zu führen. Ich werde das entsorgen.»

«Aber …» Ich konnte es nicht fassen. «Das ist nur eine dumme kleine Skizze von einem Bären.»

«Ein Bär in einer französischen Uniform. Es könnte eine verschlüsselte Botschaft sein.»

«Aber … aber es ist nur ein Scherz … ein Jux zwischen mir und meinem Mann. Bitte machen Sie es nicht kaputt.» Ich streckte die Hand aus, doch er schlug sie weg. «Bitte … ich habe so wenig, um mich an ihn zu erinnern …» Und als ich so vor ihm stand, am ganzen Körper zitternd, sah er mich direkt an und riss das Bild mittendurch. Und dann riss er die beiden Stücke in kleine Fetzen und beobachtete mich, als sie wie Konfetti auf den feuchten Boden fielen.

«Nächstes Mal denkst du an deinen Ausweis, du Hure», sagte er und ging weg, um sich seinen Kameraden anzuschließen.

Hélène eilte mir entgegen, als ich durch die Tür ging, meine eiskalten, durchnässten Tücher an mich drückend. Ich spürte die Blicke der Gäste, als ich ins Haus kam, aber ich hatte ihnen nichts zu sagen. Ich durchquerte die Bar und ging in den hinteren Flur, wo ich mit klammen Fingern meine Tücher an die hölzernen Garderobenhaken hängte.

«Was ist passiert?» Meine Schwester war hinter mir.

Ich war so mitgenommen, dass ich kaum sprechen konnte. «Der Offizier, der dich angefasst hat. Er hat Édouards Skizze vernichtet. Er hat sie in Fetzen gerissen, um sich an uns zu rächen, weil ihn der Kommandant geschlagen hat. Und ich habe kein Brot, weil Monsieur Armand anscheinend auch denkt, ich wäre eine Hure.» Mein Gesicht war taub vor Kälte, und ich konnte mich kaum verständlich machen, aber ich war wütend, und meine Stimme trug weit.

«Schsch!»

«Warum? Warum soll ich still sein? Was habe *ich* Falsches getan? In diesem Haus wimmelt es von Leuten, die zischeln und flüstern, und *keiner* sagt die Wahrheit.» Ich bebte vor Zorn und Verzweiflung.

Hélène machte die Tür zur Bar zu und zog mich die Treppe hinauf in eines der leeren Zimmer, einem der wenigen Orte, an dem wir nicht gehört werden konnten.

«Beruhige dich. Was ist passiert?»

Ich erzählte es ihr. Ich erzählte ihr, was Aurélien gesagt hatte und wie die Damen in der Boulangerie mit mir gesprochen hatten, und ich erzählte von Monsieur Armand und seinem Brot, das wir jetzt besser nicht mehr aßen. Hélène hörte sich alles an, schloss mich in die Arme, lehnte ihren Kopf an meinen und gab kleine, verständnisvolle Laute von sich, während ich redete. Bis sie sagte: «Du hast mit ihm getanzt?»

Ich wischte mir über die Augen.

«Also … ja.»

«Du hast mit dem Kommandanten *getanzt*?»

«Schau mich nicht so an. Du weißt, was ich an diesem Abend getan habe. Du weißt, dass ich alles getan hätte, um die Deutschen von dem *Réveillon* fernzuhalten. Ihn hier zu halten hieß, dass ihr alle ein richtiges Festmahl genießen konntet. Du hast mir gesagt, das wäre der beste Tag gewesen, seit Jean-Michel weg ist.»

Sie sah mich an.

«Und? Hast du das etwa nicht gesagt? Waren das nicht genau deine Worte?»

Sie sagte immer noch nichts.

«Was ist? Willst du mich auch eine Hure nennen?»

Hélène sah auf ihre Füße hinunter. Schließlich sagte sie: «Ich hätte nicht mit einem Deutschen getanzt, Sophie.»

Ich ließ die Bedeutung ihrer Worte in mich einsinken. Dann ging ich ohne ein Wort aus dem Zimmer und die Treppe hinunter. Ich hörte sie nach mir rufen und vermerkte irgendwo an einer finsteren Stelle tief in meinem Inneren, dass ihr Ruf ein ganz kleines bisschen zu spät gekommen war.

Im Gegensatz zu uns wirkten die deutschen Soldaten an diesem Abend eigenartig gut gelaunt. Niemand beschwerte sich über die gekürzten Rationen, es schien ihnen nichts auszumachen, dass es weniger Wein gab. Nur der Kommandant saß ernst und in Gedanken versunken allein an einem Tisch, während die anderen Offiziere auf irgendetwas anstießen und jubelten. Ich fragte mich, ob Aurélien oben auf seinem Lauschposten war und ob er verstand, über was sie redeten.

«Lass uns nicht streiten», sagte Hélène später, als wir zu Bett gingen. «Das ist mir zu anstrengend.» Sie streckte die Hand aus, und ich nahm sie. Aber wir wussten beide, dass sich etwas verändert hatte.

Es war Hélène, die am nächsten Morgen zum Markt ging. Dieser Tage kamen nur wenige Händler, die ein paar Fleischkonserven oder unglaublich teure Eier verkauften. Ein älterer Mann aus der Vendée bot Unterkleidung an, die er aus alten Stoffen genäht hatte. Ich blieb in der Hotelbar, bediente die paar Gäste, die uns noch geblieben waren.

Gegen halb elf bekamen wir mit, dass draußen irgendetwas

los war. Ich überlegte, ob wieder Gefangene durchkamen, aber dann hastete Hélène herein, mit aufgelöster Frisur und weit aufgerissenen Augen.

«Das glaubst du nie», sagte sie. «Es ist Liliane.»

Mein Herzschlag beschleunigte sich. Ich ließ den Aschenbecher fallen, den ich gerade reinigte, und rannte zur Tür, auch die anderen Gäste waren aufgesprungen und stellten sich zu mir. Liliane Béthune kam die Straße herauf. Sie trug ihren Persianermantel, aber sie sah nicht mehr aus wie eine Schönheit aus Paris. Sonst trug sie nichts. Ihre Beine waren von der Kälte und von Prellungen blau gefleckt. Ihre bloßen Füße waren blutig, ihr linkes Auge halb zugeschwollen. Das Haar hing ihr wirr ums Gesicht, und sie hinkte, als wäre jeder Schritt eine Sisyphusaufgabe. Flankiert wurde sie von je zwei deutschen Offizieren, und dicht hinter ihr folgte ein weiterer Trupp Soldaten. Ausnahmsweise einmal schien es die Deutschen nicht zu stören, dass wir herauskamen, um zu sehen, was los war.

Der wundervolle Persianermantel war grau vor Dreck. Auf dem Rücken waren nicht nur klebrige Blutflecke, sondern auch die unverkennbaren Schmierspuren von Spucke.

Ich starrte sie an. Dann war ein Schluchzen zu hören. «*Maman! Maman!*» Hinter ihr, von den anderen Soldaten zurückgehalten, sah ich jetzt Édith, Lilianes siebenjährige Tochter. Sie weinte und wand sich, versuchte mit verzerrtem Gesicht an den Soldaten vorbei nach ihrer Mutter zu greifen. Einer packte sie am Arm, ließ sie nicht näher zu ihr. Ein anderer grinste, als würde er sich gut amüsieren. Liliane ging weiter wie betäubt, eingeschlossen in ihren Schmerz, den Kopf gesenkt. Als sie am Hotel vorbeikam, brandete leiser Jubel auf.

«Seht euch die stolze Hure jetzt mal an!»

«Glaubst du, die Deutschen wollen dich immer noch, Liliane?»

«Sie haben sie satt. Auf Nimmerwiedersehen!»

Ich konnte nicht glauben, dass dies meine eigenen Landsleute waren. Ich sah mich um, sah die hasserfüllten Gesichter, das höhnische Lächeln, und als ich es nicht mehr ertragen konnte, schob ich mich zwischen ihnen hindurch und rannte auf Édith zu. «Geben Sie mir das Kind», forderte ich. Als ich mich umsah, erkannte ich, dass offenbar die ganze Stadt gekommen war, um sich dieses Spektakel anzusehen. Liliane wurde quer über den Marktplatz und von den Fenstern im ersten Stock herab ausgebuht.

Édith weinte und sagte mit flehender Stimme immer wieder: «*Maman!*»

«Geben Sie mir das Mädchen!», schrie ich. «Oder schikanieren die Deutschen jetzt schon kleine Kinder?»

Der Offizier, der Édith festhielt, warf einen Blick über die Schulter, und ich sah den Kommandanten beim Postgebäude stehen. Er sagte etwas zu dem Offizier neben ihm, und nach einem Moment wurde mir das Kind übergeben. Ich schloss es in meine Arme. «Es ist gut, Édith. Du kommst mit mir.» Sie vergrub ihr Gesicht an meiner Schulter, untröstlich weinend, einen Arm immer noch vergeblich nach ihrer Mutter ausgestreckt. Ich glaubte zu sehen, dass mir Liliane leicht das Gesicht zuwandte, aber aus dieser Entfernung war es unmöglich genau zu sagen.

Ich trug Édith eilig in die Bar, weg von den Blicken all der Leute, weg von den wieder aufbrandenden Buhrufen und in den hinteren Teil des Hotels, wo sie nichts hören würde. Das Kind war hysterisch, und das war kein Wunder. Ich brachte Édith in unser Schlafzimmer, ließ sie ein bisschen Wasser trinken, dann hielt ich sie in den Armen und wiegte sie. Ich sagte ihr wieder und wieder, dass alles gut werden würde, dass wir alles wiedergutmachen würden, obwohl ich wusste, dass wir überhaupt nichts ändern konnten. Sie weinte bis zur Erschöpfung. Ihr Gesicht war so verquollen, dass ich dachte, sie müsse schon die ganze Nacht geweint haben. Gott allein wusste, was sie mitangesehen hatte. Schließlich wurde sie schlaff in meinen Armen, und ich legte sie sachte in mein Bett und deckte sie zu. Dann ging ich hinunter.

Als ich in die Bar kam, trat Stille ein. Es waren so viele Gäste im Le Coq Rouge wie seit Wochen nicht mehr. Hélène eilte mit einem vollen Tablett zwischen den Tischen herum. Ich sah den Bürgermeister an der Tür, dann starrte ich in die Gesichter vor mir und erkannte, dass sie für mich allesamt wie Fremde aussahen.

«Seid ihr zufrieden?», sagte ich mit überkippender Stimme. «Ein Kind liegt oben, das euch dabei gesehen hat, wie ihr seine misshandelte Mutter bespuckt und verhöhnt habt. Menschen, die sie für ihre Freunde gehalten hat. Seid ihr stolz auf euch?»

Die Hand meiner Schwester legte sich auf meine Schulter. «Sophie ...»

Ich schüttelte sie ab. «Hör mir auf mit *Sophie*. Ihr habt keine Ahnung, was ihr angerichtet habt. Ihr glaubt, ihr wisst alles über Liliane Béthune. Aber ihr wisst nichts. ÜBERHAUPT NICHTS!» Ich weinte inzwischen vor Zorn. «Ihr seid alle schnell bei der Hand, wenn es darum geht, sie zu verurteilen, aber genauso schnell zu nehmen, was sie anzubieten hat, wenn es euch in den Kram passt.»

Der Bürgermeister kam auf mich zu. «Sophie, wir müssen reden.»

«Oh. *Jetzt* wollen Sie mit mir reden! Seit Wochen sehen Sie mich an wie ein Stück Dreck, weil Monsieur Suel anscheinend glaubt, ich wäre eine Verräterin und eine Hure. Ich! Die alles riskiert hat, um Ihrer Tochter etwas zu essen zu bringen. Ihr glaubt allesamt lieber ihm als mir! Nun, vielleicht möchte ich nicht mit Ihnen reden, Monsieur. Bei dem, was ich weiß, würde ich vielleicht lieber mit Liliane Béthune reden!»

Ich war rasend vor Wut. Ich war außer mir, eine funkensprühende Verrückte. Ich blickte in ihre dummen Gesichter, auf ihre offenen Münder, und schüttelte erneut die Hand meiner Schwester ab, die mich beruhigen wollte.

«Woher, glaubt ihr wohl, kommt das *Journal des Occupés*? Glaubt ihr, das lassen die Vögel vom Himmel fallen? Glaubt ihr, es kommt auf dem fliegenden Teppich?»

Hélène versuchte, mich aus der Bar zu ziehen. «Mir ist alles egal! Was glauben sie denn, wer ihnen geholfen hat? Liliane hat euch geholfen! Euch allen! Sogar als ihr in ihr Brot geschissen habt, hat sie euch noch geholfen!»

Ich war im Flur. Hélène war kalkweiß, der Bürgermeister schob mich weiter, weg von den Leuten.

«Was ist?», protestierte ich. «Ist Ihnen die Wahrheit zu unangenehm? Habe ich jetzt Redeverbot?»

«Setzen Sie sich, Sophie. In Gottes Namen, setzen Sie sich und beruhigen Sie sich. Es tut mir sehr leid für Madame Béthune», sagte der Bürgermeister ruhig. «Aber ich bin nicht gekommen, um über sie zu sprechen. Ich bin gekommen, um mit Ihnen zu sprechen.»

«Ich habe Ihnen nichts zu sagen.» Ich fuhr mir mit den Handflächen übers Gesicht.

Der Bürgermeister atmete tief ein. «Sophie. Ich habe Neuigkeiten über Ihren Mann.»

Ich brauchte einen Moment, um zu begreifen, was er gesagt hatte.

Er setzte sich schwer auf die Treppe neben mir. Hélène hielt immer noch meine Hand.

«Es ist keine gute Nachricht, fürchte ich. Als heute Morgen die Gefangenen durchgekommen sind, hat einer von ihnen auf der Höhe der Post einen Zettel mit einer Botschaft fallen lassen. Mein Sekretär hat ihn aufgehoben. Die Botschaft lautet, dass Édouard Lefèvre zu einer Gruppe von fünf Männern gehört hat, die letzten Monat in das Straflager in den Ardennen geschickt wurden. Es tut mir sehr leid, Sophie.»

Kapitel 8

Édouard Lefèvre war inhaftiert worden, weil er einem Mitgefangenen ein faustgroßes Stück Brot zugesteckt hatte. Als man ihn dafür schlug, hatte er heftig zurückgeschlagen. Das war typisch Édouard. Das Straflager, in das man ihn geschickt hatte, war eines der schlimmsten. In den Baracken schliefen bis zu zweihundert Männer auf dem nackten Fußboden; sie lebten von wässriger Suppe mit ein paar Gerstenspelzen und gelegentlich einer toten Maus. Sie wurden zum Arbeiten in einen Steinbruch oder zum Gleisbau geschickt, wo sie gezwungen wurden, schwere Eisenschienen kilometerweit auf den Schultern zu tragen. Wer aus Erschöpfung zusammenbrach, wurde mit Schlägen oder Essensentzug bestraft. Im Lager grassierten Krankheiten, und die Häftlinge konnten wegen geringster Vergehen erschossen werden.

Ich nahm all das in mich auf, und jedes dieser Bilder verfolgte mich bis in den Schlaf. «Er wird es überstehen, oder?», sagte ich zu dem Bürgermeister.

Er tätschelte meine Hand. «Wir werden alle für ihn beten», sagte er. Er seufzte tief, als er aufstand, um zu gehen, und sein Seufzen klang wie ein Todesurteil.

Der Bürgermeister kam beinahe täglich vorbei, nachdem Liliane Béthune durch die Stadt getrieben worden war. Als sich die Wahrheit über sie verbreitete, veränderte sich langsam das Bild, das die Leute von ihr hatten. Die Lippen wurden nicht mehr abschätzig zusammengepresst, wenn die Rede auf sie kam. Jemand schrieb im Schutz der Dunkelheit mit Kreide das Wort *Héroïne* auf den Marktplatz, und obwohl es eilig entfernt wurde, wussten wir alle, wer damit gemeint war. Ein paar wertvolle Gegenstände, die gleich nach ihrer Verhaftung aus ihrem Haus gestohlen worden waren, kehrten auf geheimnisvollen Wegen zurück.

Es gab natürlich auch solche wie die Mesdames Louvier und Durant, die selbst dann nichts Gutes von ihr gedacht hätten, wenn sie vor aller Augen mit bloßen Händen ein paar Deutsche erwürgt hätte. Aber in unserer Bar zeigte sich vages Bedauern, im Le Coq Rouge trafen kleine Aufmerksamkeiten für Édith ein, ein Kleidungsstück oder ab und zu etwas zu essen. Liliane war anscheinend in ein Häftlingslager etwas weiter südlich geschickt worden. Sie konnte von Glück reden, vertraute mir der Bürgermeister an, dass sie nicht standrechtlich erschossen worden war. Er vermutete, dass sie nur die inständige Bitte eines deutschen Offiziers vor einer schnellen Exekution bewahrt hatte. «Aber es hat keinen Zweck, sich einzuschalten, Sophie», sagte er. «Sie ist beim Spionieren für die Franzosen erwischt worden, und ich glaube nicht, dass sie noch lange lebt.»

Was mich anging, galt ich nicht mehr als Persona non grata. Nicht, dass es mir viel bedeutet hätte. Mir selbst fiel es schwer, meinen Nachbarn zu verzeihen. Édith wich nicht von meiner Seite, als wäre sie ein kleiner, bleicher Schatten. Sie aß wenig und fragte ständig nach ihrer Mutter. Ich erklärte ihr wahrheitsgemäß, dass ich nicht wusste, was mit Liliane passieren würde, dass aber sie, Édith, bei uns sicher war. Ich hatte mir angewöhnt, mit ihr in meinem alten Zimmer zu schlafen, damit sie die Jüngeren nicht weckte, wenn sie schreiend aus ihren Albträumen hochfuhr. Abends schlich sie sich bis auf die vierte Treppenstufe herunter, von wo aus sie in die Küche sehen konnte, und dort fanden wir sie spätabends, wenn wir die Küche aufgeräumt hatten, tief schlafend, die mageren Arme um die Knie geschlungen.

Meine Ängste um ihre Mutter mischten sich mit meinen Ängsten um meinen Mann. Ganze Tage lang wurde ich in einen wortlosen Strudel aus Sorge und Erschöpfung hineingezogen. In der Stadt kamen kaum Neuigkeiten an, und hinaus gelangten überhaupt keine. Er konnte irgendwo da draußen hungern, krank sein oder geschlagen werden. Der Bürgermeister erhielt offiziell Mitteilung von drei Todesfällen, zwei an der Front und einer in einem Lager in der Nähe von Mons, und erfuhr, dass bei Lille Typhus ausgebrochen war. Mir ging jeder dieser Informationsfetzen zu Herzen.

Paradoxerweise schien Hélène in dieser Atmosphäre düsterer Vorahnungen aufzublühen. Ich glaube, mich so zusammenbrechen zu sehen, hatte sie zu der Überzeugung gebracht, dass das Schlimmste eingetreten sein musste. Wenn Édouard mit all seiner Stärke und Lebensfreude den Tod vor Augen hatte, dann konnte es für ihren Jean-Michel, einen sanften Bücherwurm, keine Hoffnung mehr geben. Er konnte nicht überlebt haben, glaubte sie, und nun musste sie versuchen, allein zurechtzukommen. Sie schien stärker zu werden, drängte mich dazu aufzustehen, wenn sie mich weinend in irgendeiner Ecke im Bierkeller aufstöberte, zwang mich, etwas zu essen oder Édith, Mimi und Jean mit gespielter Unbeschwertheit Schlaflieder vorzusingen. Ich war dankbar für ihre Stärke. Nachts lag ich mit dem Kind einer anderen Frau in den Armen wach und wünschte mir, ich müsste mir nie wieder Sorgen machen.

Ende Januar starb Louisa. Wir hatten alle gewusst, dass es eines Tages so kommen würde, aber das machte es kein bisschen leichter. Der Bürgermeister und seine Frau schienen über Nacht zehn Jahre gealtert zu sein. «Ich sage mir, es ist ein Segen, dass sie nicht erlebt, wie die Welt geworden ist», sagte er zu mir, und ich nickte. Keiner von uns glaubte es.

Die Beerdigung sollte fünf Tage später stattfinden. Ich fand es nicht richtig, die Kinder mitzunehmen, und so erklärte ich Hélène, dass sie uns vertreten sollte. Ich selbst würde in den Wald hinter dem alten Spritzenhaus gehen. Angesichts der extremen Kälte hatten uns die Deutschen erlaubt, zwei Stunden täglich in den Wäldern der Umgebung Holz zu sammeln. Ich glaubte nicht, dass wir viel finden würden. Im Schutz der Dunkelheit waren schon längst sämtliche brauchbaren Äste von den Bäumen gesägt worden. Aber ich musste aus der Stadt hinaus, weg von Trauer und Angst und den ständigen prüfenden Blicken, mit denen mich entweder die Deutschen oder meine Nachbarn bedachten.

Es war ein frischer, stiller Nachmittag. Die Sonne schien schwach durch die skeletthaften Silhouetten der kahlen Bäume und stand knapp über dem Horizont, als wäre sie zu kraftlos, um höher zu steigen. Es war leicht an diesem Nachmittag, die Landschaft zu betrachten, wie ich es tat, und zu glauben, das Ende der Welt stünde kurz bevor. Beim Gehen führte ich in Gedanken eine Unterhaltung mit meinem Mann, wie ich es in diesen Tagen häufig tat. *Sei stark, Édouard. Halt durch. Bleib einfach nur am Leben, und wir werden uns wiedersehen.* Édith und Mimi gingen zuerst schweigend rechts und links von mir, unter ihren Schritten knirschte das vereiste Laub, doch dann, als wir den Wald erreichten, überkam sie ein kindlicher Impuls, und ich blieb kurz stehen, um zuzuschauen, wie sie zu einem verrotteten Baumstamm liefen, sich an den Händen fassten und lachend auf den Stamm und wieder hinunter sprangen. Ihre Schuhe würden Schrammen abbekommen und ihre Röcke schmutzig werden, aber ich wollte ihnen diese kleine Freude nicht nehmen.

Ich bückte mich, legte eine Handvoll Zweige in meinen Korb und hoffte, die Stimmen der Mädchen würden das andauernde Wispern der Angst in meinem Kopf übertönen. Und dann, als ich mich wieder aufrichtete, sah ich ihn. Auf der Lichtung, ein Gewehr über der Schulter, redete er mit einem seiner Männer. Er hörte die Mädchen und drehte sich um. Édith schrie, suchte mich mit wilden Blicken, rannte zu mir und klammerte sich an mich, die Augen vor Entsetzen weit aufgerissen. Mimi stolperte verwirrt hinterdrein, weil sie nicht wusste, weshalb sich ihre Freundin so vor einem Mann fürchtete, der jeden Abend in die Bar kam.

«Weine nicht, Édith, er wird uns nichts tun. Bitte, weine nicht.» Ich sah, dass er uns beobachtete, löste Édiths Umklammerung von meinen Beinen und ging vor ihr in die Hocke. «Das ist der Herr Kommandant. Ich gehe jetzt zu ihm und rede mit ihm über sein Abendessen. Du bleibst hier und spielst mit Mimi. Mir wird nichts passieren. In Ordnung?»

Sie zitterte, als ich sie zu Mimi schob. «Geht und spielt ein bisschen dort drüben. Ich rede mit dem Kommandanten. Hier, nimm meinen Korb und such noch ein paar Zweige. Ich verspreche, dass nichts Schlimmes passieren wird.»

Als Édith schließlich meinen Rockzipfel losgelassen hatte, ging ich zu ihm hinüber. Der Offizier an seiner Seite sagte leise etwas zu ihm, und ich zog meine Tücher enger um mich, verschränkte die Arme vor der Brust und wartete, während der Kommandant ihn wegschickte.

«Wir dachten, wir könnten ein bisschen jagen», sagte er und sah in den leeren Himmel hinauf. «Vögel», fügte er hinzu.

«Hier gibt es keine Vögel mehr», sagte ich. «Die sind alle längst weg.»

«Eine ziemliche weise Entscheidung.» In der Ferne hörten wir schwach das Dröhnen der Geschütze. Die Luft schien sich jedes Mal kurz zusammenzuziehen.

«Ist das dort das Kind der Hure?» Er hängte sich das Gewehr über die Schulter und zündete sich eine Zigarette an. Ich warf einen Blick über die Schulter zu den beiden Mädchen, die bei dem verrottenden Baumstamm waren.

«Lilianes Kind? Ja. Sie wird bei uns bleiben.»

Er musterte Édith, und ich konnte nicht sagen, was in seinem Kopf vorging. «Sie ist noch klein», sagte ich. «Sie hat überhaupt nicht verstanden, was passiert ist.»

Er zog an seiner Zigarette. «Eine Unschuldige.»

«Ja. Die gibt es.»

Er sah mich scharf an, und ich musste mich zwingen, den Blick nicht zu senken.

«Herr Kommandant. Ich muss Sie um einen Gefallen bitten.»

«Einen Gefallen?»

«Mein Mann ist in ein Straflager in den Ardennen gebracht worden.»

«Und ich werde nicht fragen, wie Sie an diese Information gekommen sind.»

Es war vollkommen unmöglich zu erahnen, was er dachte.

Ich atmete tief ein. «Ich habe gedacht … ich bitte Sie, ihm zu helfen. Er ist ein guter Mann. Er ist Künstler, wie Sie wissen, kein Soldat.»

«Und Sie wollen, dass ich ihm eine Nachricht zukommen lasse.»

«Ich will, dass Sie ihn dort herausholen.»

Er hob eine Augenbraue.

«Herr Kommandant. Sie benehmen sich, als wären wir Freunde. Also bitte ich Sie. Bitte, helfen Sie meinem Mann. Ich weiß, wie es an solchen Orten zugeht, dass er kaum eine Chance hat, dort zu überleben.»

Er sagte nichts, also nutzte ich die Gelegenheit und sprach weiter. Ich hatte diese Worte in den Stunden zuvor tausend Mal in meinem Kopf wiederholt. «Sie wissen, dass er sein ganzes Leben der Kunst, der Schönheit gewidmet hat. Er ist ein friedliebender Mann, ein sanftmütiger Mann. Sein Leben besteht aus Malerei, tanzen, essen und trinken. Sie wissen, dass es für die deutsche Sache keinerlei Unterschied macht, ob er tot oder lebendig ist.»

Er ließ seinen Blick durch den kahlen Wald schweifen, als wolle er überprüfen, wohin der andere Offizier gegangen war, dann zog er wieder an seiner Zigarette. «Sie gehen ein erhebliches Risiko ein, indem Sie mich um so etwas bitten. Sie haben doch erlebt, wie Ihre Mitbürger eine Frau behandeln, die sie für eine Kollaborateurin halten.»

«Die halten mich ohnehin schon für eine Kollaborateurin.

Die Tatsache, dass Sie in unser Hotel kommen, hat offenkundig schon für den Schuldspruch ausgereicht.»

«Das, und dass Sie mit dem Feind getanzt haben.»

Nun war es an mir, überrascht zu sein.

«Ich habe es Ihnen ja schon einmal gesagt, Madame. Ich erfahre alles, was in dieser Stadt vorgeht.»

Wir standen einen Moment schweigend da und blickten zum Horizont. Ein Donnern in der Ferne ließ den Boden unter unseren Füßen vibrieren. Die Mädchen spürten es auch. Sie schauten auf ihre Schuhe hinunter. Er zog ein letztes Mal an seiner Zigarette und trat sie dann mit seinem Stiefel aus.

«Es ist so. Sie sind eine intelligente Frau. Ich denke, Sie können Menschen gut einschätzen. Und doch verhalten Sie sich auf eine Art, die mich als gegnerischen Soldaten berechtigen würde, Sie sogar ohne Gerichtsverfahren zu erschießen. Und trotzdem kommen Sie zu mir und erwarten, dass ich nicht nur über diese Tatsache hinwegsehe, sondern Ihnen auch noch helfe. Meinem Feind.»

Ich schluckte. «Das ... das liegt daran, dass ich Sie nicht einfach bloß als ... Gegner sehe.»

Er wartete ab.

«Sie waren derjenige, der gesagt hat ... dass wir manchmal einfach nur ... zwei Menschen sind.»

Sein Schweigen machte mich kühner. Ich senkte die Stimme. «Ich weiß, dass Sie ein mächtiger Mann sind. Ich weiß, dass Sie Einfluss haben. Wenn Sie sagen, er soll entlassen werden, dann wird er entlassen. Bitte.»

«Sie wissen ja nicht, was Sie da verlangen.»

«Ich weiß, dass er sterben wird, wenn er dort bleiben muss.»

Ein ganz leichtes Zucken in seinen Augen.

«Ich weiß, dass Sie ein Ehrenmann sind. Ein gebildeter

Mann. Ich weiß, dass Ihnen die Kunst etwas bedeutet. Einen Künstler zu retten, den Sie bewundern, wäre doch bestimmt …» Meine Stimme versagte. Ich trat einen Schritt vor. Ich streckte die Hand aus und legte sie auf seinen Arm. «Herr Kommandant. Bitte. Sie wissen, dass ich Sie niemals um irgendetwas anderes bitten würde, aber darum bitte ich Sie. Bitte, bitte, helfen Sie mir.»

Er wirkte unglaublich ernst. Und dann tat er etwas vollkommen Unerwartetes. Er hob eine Hand und strich mir zart eine Haarsträhne aus dem Gesicht. Es war eine sanfte, nachdenkliche Bewegung, als habe er schon eine ganze Weile darüber nachgedacht. Ich verbarg meinen Schreck und hielt vollkommen still.

«Sophie …»

«Ich gebe Ihnen das Gemälde», sagte ich. «Das Ihnen so gefällt.»

Er ließ die Hand sinken. Dann drehte er sich seufzend weg.

«Es ist mein wertvollster Besitz.»

«Gehen Sie nach Hause, Madame Lefèvre.»

Meine Brust zog sich vor Angst zusammen.

«Was muss ich tun?»

«Gehen Sie nach Hause. Nehmen Sie die Kinder und gehen Sie nach Hause.»

«Ich tue alles dafür. Wenn Sie meinen Mann befreien können, werde ich alles tun.» Meine Stimme hallte durch den Wald. Ich spürte, wie mir Édouards einzige Chance entglitt. Er ging weiter. «Haben Sie gehört, was ich gesagt habe, Herr Kommandant?»

Da wirbelte er wieder zu mir herum, plötzlich wütend geworden, kam mit langen Schritten auf mich zu und blieb erst stehen, als sein Gesicht nur noch Zentimeter von meinem entfernt war. Ich spürte seinen Atem auf meinen Wangen. Aus dem Augenwinkel sah ich die Mädchen, die vor Angst erstarrt waren. Ich würde keine Furcht zeigen.

Er sah mich an, dann sagte er leise: «Sophie …» Er warf einen Blick über seine Schulter. «Sophie, ich … ich habe meine Frau seit beinahe drei Jahren nicht gesehen.»

«Und ich habe meinen Mann seit zwei Jahren nicht gesehen.»

«Sie müssen wissen … Sie müssen wissen, dass das, was Sie da von mir verlangen …» Er wandte sich von mir ab, als wolle er mir nicht länger ins Gesicht sehen.

Ich schluckte. «Ich biete Ihnen ein Gemälde an, Herr Kommandant.»

Ein Muskel zuckte in seinem Kiefer. Er starrte auf einen Punkt irgendwo hinter meiner rechten Schulter, und dann wandte er sich wieder zum Gehen. «Madame. Sie sind entweder sehr dumm oder sehr …»

«Kann es meinem Mann die Freiheit erkaufen? Kann … kann *ich* meinem Mann die Freiheit erkaufen?»

Er drehte sich mit gequälter Miene zu mir um, als würde ich ihn zu etwas zwingen, das er nicht tun wollte. Er senkte den Blick auf seine Stiefel. Schließlich ging er wieder zwei Schritte auf mich zu, gerade nahe genug, damit seine Worte von niemandem außer mir gehört werden konnten.

«Morgen Abend. Kommen Sie in mein Quartier. Nachdem Sie im Hotel fertig sind.»

Ich ging mit den Kindern Hand in Hand durch die Gassen, um den Marktplatz nicht überqueren zu müssen, und als wir den Le Coq Rouge erreichten, waren unsere Röcke schlammverschmiert. Die Mädchen waren schweigsam, obwohl ich versuchte, sie damit zu beruhigen, dass der Deutsche nur verärgert gewesen war, weil er keine Tauben entdeckt hatte, die er schießen konnte. Ich machte ihnen etwas Warmes zu trinken, dann ging ich in mein Zimmer und zog die Tür hinter mir zu.

Ich streckte mich auf meinem Bett aus und legte gegen die Helligkeit die Hand über die Augen. So blieb ich eine halbe Stunde liegen. Dann stand ich auf, nahm mein blaues Wollkleid aus dem Schrank und legte es aufs Bett. Édouard hatte immer gesagt, in diesem Kleid würde ich wie eine Lehrerin aussehen. Er hatte dabei geklungen, als wäre eine Lehrerin etwas ganz Wundervolles. Ich zog mein schmutziges, graues Kleid aus und ließ es auf den Boden fallen. Ich legte meinen dicken Unterrock ab, dessen Saum ebenfalls mit Schlamm bespritzt war und unter dem ich den Petticoat und das Hemd trug. Ich zog mein Korsett aus, dann meine Unterwäsche. Es war kalt im Zimmer, aber das nahm ich nicht wahr.

Ich stellte mich vor den Spiegel.

Ich hatte meinen Körper seit Monaten nicht angeschaut; es hatte keinen Grund dafür gegeben. Die Gestalt, die nun in dem fleckigen Spiegel vor mir stand, schien einer Fremden zu gehören. Es sah aus, als hätte ich die Hälfte meines Gewichts verloren; meine Brüste hatten sich gesenkt und waren kleiner geworden, keine üppigen, blassen Halbmonde mehr. Mein Po genauso. Und ich war mager, unter der Haut zeichneten sich die Knochen ab. Schlüsselbein, Schulter und Rippen traten hervor. Selbst mein Haar, das früher so geglänzt hatte, wirkte matt.

Ich trat näher an den Spiegel und musterte mein Gesicht: die Schatten unter meinen Augen, die leichte Falte zwischen meinen Augenbrauen. Ich zitterte, aber nicht vor Kälte. Ich dachte an die junge Frau, die Édouard vor zwei Jahren zurückgelassen hatte. Ich dachte daran, wie sich seine Hände auf meiner Hüfte angefühlt hatten, seine weichen Lippen auf meinem Hals. Und ich schloss die Augen.

Er hatte seit Tagen schlechte Laune gehabt. Er arbeitete an einem Bild von drei Frauen, die um einen Tisch saßen. Ich hatte ihm für jede der Frauen Modell gesessen und ihn schweigend beobachtet, wie er sich ärgerte und missmutig das Gesicht verzog, sogar einmal die Palette auf den Boden schleuderte und sich selbst verfluchte.

«Lass uns ein bisschen an die frische Luft gehen», sagte ich und richtete mich auf. Das lange, unbewegliche Sitzen ließ meine Muskeln schmerzen, aber das wollte ich ihm nicht sagen.

«Ich will nicht an die frische Luft.»

«Édouard, in dieser Laune gelingt dir gar nichts. Geh eine Viertelstunde mit mir raus. Komm.» Ich griff nach meinem Mantel, wickelte mir einen Schal um den Hals und stellte mich an die Tür.

«Ich lasse mich nicht gern unterbrechen», murrte er.

Seine schlechte Laune machte mir nichts aus. Ich war inzwischen daran gewöhnt. Wenn Édouards Arbeit gut lief, war er der reizendste Mann, den man sich vorstellen konnte, suchte in allen Dingen nur das Schöne. Wenn es aber schlecht lief, war es, als hinge eine dunkle Wolke über unserem kleinen Zuhause. In den ersten Monaten unserer Ehe hatte ich befürchtet, es wäre meine Schuld, und geglaubt, dass ich imstande sein müsste, ihn aufzuheitern. Doch als ich die anderen Künstler im La Ruche oder den Bars im Quartier Latin reden hörte, wurde mir bewusst, dass sie alle in diesem Rhythmus lebten:

mit den Höhen, wenn sie eine Arbeit erfolgreich zu Ende gebracht oder verkauft hatten, und den Tiefen, wenn sie nicht weiterkamen, ein Werk überarbeiteten oder eine verletzende Kritik geäußert wurde. Diese Stimmungen waren einfach Wetterfronten, an die man sich anpassen musste.

Ich war allerdings nicht immer so verständnisvoll.

Édouard murrte auf dem ganzen Weg durch die Rue Soufflot. Er war gereizt. Er sah nicht ein, warum er spazieren gehen sollte. Er sah nicht ein, warum er nicht in Ruhe gelassen werden konnte. Ich verstand ihn nicht. Ich wusste nicht, unter welchem Druck er stand.

«In Ordnung», sagte ich und entzog ihm meinen Arm. «Ich bin eine unwissende Verkäuferin. Wie könnte man von mir Verständnis für die künstlerischen Zwänge erwarten, unter denen du stehst? Nun, Édouard, ich lasse dich jetzt allein. Vielleicht bist du ja zufrieden, wenn ich nicht da bin.»

Wutschnaubend stapfte ich am Seineufer entlang. Nach kurzer Zeit holte er mich ein. «Es tut mir leid.»

Ich ging mit starrer Miene weiter.

«Sei nicht böse, Sophie. Ich habe einfach schlechte Laune.»

Ich funkelte ihn an, dann nahm ich seinen Arm, und wir gingen eine Weile schweigend weiter. Er legte seine Hand auf meine und stellte fest, dass sie kalt war. «Deine Handschuhe!»

«Die habe ich vergessen.»

«Und wo ist dein Hut?», sagte er. «Dir ist doch eiskalt.»

«Du weißt sehr gut, dass ich keinen Winterhut habe. Mein Ausgehhut aus Samt hat die Motten, und ich hatte noch keine Zeit, ihn zu flicken.»

Er blieb stehen. «Du kannst nicht mit einem geflickten Hut auf die Straße gehen.»

«An dem Hut gibt es nichts auszusetzen. Ich hatte bloß noch

keine Zeit, mich darum zu kümmern.» Der Grund dafür war, dass ich ständig am Rive Gauche herumlief, um seine Utensilien zu besorgen und bei seinen Schuldnern das Geld einzutreiben, um sie auch bezahlen zu können. Aber das behielt ich für mich.

Wir waren gerade vor einem der größten Hutsalons von Paris. «Komm», sagte er und zog mich am Arm Richtung Ladentür.

«Sei nicht lächerlich.»

«Gehorch mir lieber. Du weißt, wie leicht ich in außerordentlich schlechte Laune verfallen kann.» Er nahm wieder meinen Arm, und bevor ich noch weiter protestieren konnte, betraten wir das Geschäft. Die Glocke schlug an, die Tür schloss sich hinter uns, und ich sah mich ehrfürchtig um. Überall an den Wänden, auf Regalen oder Ständern, vor riesigen, goldgerahmten Spiegeln, waren die schönsten Hüte ausgestellt, die ich je gesehen hatte; enorme, diffizile Kreationen in Jettschwarz und auffälligem Scharlachrot, mit weit ausladenden Krempen und Pelz- oder Spitzenbesatz. Marabufedern zitterten im Luftzug. Es roch nach getrockneten Rosen. Die Frau, die aus dem Hintergrund auftauchte, trug einen Satin-Fesselrock; das war in Paris der letzte Schrei.

«Kann ich Ihnen behilflich sein?» Ihr Blick wanderte über meinen drei Jahre alten Mantel und mein windzerzaustes Haar.

«Meine Frau braucht einen Hut.»

Ich wollte ihn aufhalten. Ich wollte ihm sagen, dass wir, wenn er mir unbedingt einen Hut kaufen wollte, ins La Femme Marché gehen konnten, wo ich vielleicht sogar einen Rabatt bekommen würde. Er hatte keine Ahnung, dass er im Salon eines Couturiers stand, dessen Kreationen für Frauen wie mich weit außerhalb des Möglichen lagen.

«Édouard, ich …»

«Einen ganz besonderen Hut.»

«Gewiss, Monsieur. Haben Sie eine bestimmte Vorstellung?»

«Etwas in dieser Art.» Er deutete auf einen riesigen, dunkelroten, breitkrempigen Hut im Directoire-Stil, der mit schwarzen Marabufedern garniert war. Dazu wölbten sich schwarz gefärbte Pfauenfedern wie ein Fächer über seinen Rand.

«Édouard, das kann doch nicht dein Ernst sein», murmelte ich. Aber sie hatte den Hut schon ehrfürchtig von seinem Ständer genommen, und während ich ihn noch fassungslos anstarrte, setzte sie ihn mir vorsichtig auf und schob mein Haar unter meinen Kragen.

«Ich denke, es würde besser aussehen, wenn Madame ihr Tuch abnehmen würden.» Sie schob mich vor einen Spiegel und nahm mir das Tuch mit solcher Sorgfalt ab, als wäre es aus Gold gesponnen. Der Hut veränderte mein Gesicht vollkommen. Zum ersten Mal in meinem Leben sah ich aus wie die Frauen, die ich früher bedient hatte.

«Ihr Gemahl hat ein gutes Auge», sagte die Frau.

«Das ist genau der richtige», sagte Édouard fröhlich.

«Édouard.» Ich zog ihn beiseite, redete leise und erschrocken auf ihn ein. «Wirf mal einen Blick auf das Etikett. Er kostet so viel wie drei von deinen Gemälden.»

«Das ist mir gleich. Ich will, dass du diesen Hut hast.»

«Aber später wirst du dich darüber ärgern. Du wirst dich über mich ärgern. Du solltest das Geld für Farbe und Leinwand ausgeben. Das hier … das bin nicht ich.»

Er schnitt mir das Wort ab. Er winkte die Frau heran. «Ich nehme ihn.»

Als sie ihre Verkaufshilfe losschickte, um eine Hutschachtel zu holen, drehte er sich wieder zu meinem Spiegelbild um. Er ließ seine Hand sanft an meinem Hals hinabgleiten, bog meinen Kopf sacht zur Seite und hielt meinen Blick im Spiegelbild fest. Und dann, mit dem Hut in gefährlicher Schräglage, senkte er den Kopf und küsste mich auf den Halsansatz. Seine Lippen blieben lange genug auf meiner Haut liegen, um mich erröten zu lassen, und die beiden Frauen wandten schockiert die Augen ab und gaben eifrige Beschäftigung vor. Als ich mit noch leicht verhangenem Blick meinen Kopf wieder aufrichtete, beobachtete er mich immer noch in dem Spiegel.

«Doch, das bist du, Sophie», sagte er leise. «Immer nur du …»

Dieser Hut war immer noch in unserer Wohnung in Paris. Eine Million Kilometer außer Reichweite.

Ich hob das Kinn, ging vom Spiegel weg und zog das blaue Wollkleid an.

Ich erzählte es Hélène am Abend, nachdem der letzte deutsche Offizier gegangen war. Wir fegten die Bar, wischten die Krümel von den Tischen. Nicht, dass es viele gegeben hätte. Selbst die Deutschen neigten dieser Tage dazu, nicht das winzigste bisschen übrig zu lassen. Ich blieb stehen, mit dem Besen in der Hand, und bat sie leise, einen Moment mit der Arbeit aufzuhören. Dann erzählte ich ihr von meinem Spaziergang im Wald, von meiner Bitte an den Kommandanten und davon, was er dafür haben wollte.

Sie wurde blass. «Du hast doch nicht zugestimmt, oder?»

«Ich habe gar nichts gesagt.»

«Oh, Gott sei Dank.» Sie schüttelte den Kopf, die Hand an die Wange gelegt. «Gott sei Dank kann er dich auf nichts festlegen.»

«Aber ... das bedeutet nicht, dass ich nicht hingehe.»

Meine Schwester setzte sich abrupt an einen der Tische, und nach einem Augenblick ließ ich mich auf dem Stuhl gegenüber nieder. Sie dachte kurz nach, dann nahm sie meine Hände. «Sophie, ich weiß, welche Angst du hast, aber überleg doch mal, was du da sagst. Denk daran, was sie mit Liliane gemacht haben. Würdest du dich wirklich für einen Deutschen hergeben?»

«Ich ... das habe ich ihm nicht versprochen.»

Sie starrte mich an.

«Ich glaube ... der Kommandant ist auf seine Art ein ehrenhafter Mann. Und davon abgesehen, will er mich ja vielleicht auch gar nicht. ... Er hat es jedenfalls nicht gesagt.»

«Oh, so naiv kann doch kein Mensch sein!» Sie hob die Hände zum Himmel. «Der Kommandant hat einen wehrlosen Mann erschossen! Du hast gesehen, wie er einem seiner Männer für ein geringfügiges Vergehen den Kopf an die Wand gerammt hat! Und du willst allein zu ihm in sein Quartier gehen? Das kannst du nicht tun! Denk doch mal nach!»

«Ich denke über nichts anderes nach. Der Kommandant mag mich. Ich glaube, er respektiert mich sogar auf eine Art. Und wenn ich es nicht tue, stirbt Édouard ganz bestimmt. Du weißt, wie es in diesen Lagern zugeht. Der Bürgermeister hält ihn schon für so gut wie tot.»

Sie beugte sich über den Tisch und sagte drängend: «Sophie – der Kommandant ist ein Deutscher! Warum um alles in der Welt solltest du ihm auch nur ein Wort glauben? Du könntest mit ihm schlafen, und es wäre umsonst!»

Ich hatte meine Schwester noch nie so wütend gesehen. «Ich muss hingehen und mit ihm sprechen. Es gibt keine andere Möglichkeit.»

«Wenn das herauskommt, wird dich Édouard nicht mehr wollen.»

Wir starrten uns an.

«Glaubst du denn, du könntest es vor ihm verheimlichen? Das kannst du nicht. Du bist zu ehrlich. Und selbst wenn du es versuchen würdest, denkst du wirklich, dass die Leute es ihm nicht erzählen würden?»

Sie hatte recht.

Sie sah auf ihre Hände hinunter. Dann stand sie auf und schenkte sich ein Glas Wasser ein. Sie trank es langsam, ließ dabei ihren Blick auf mir ruhen, und als sich das Schweigen ausdehnte, spürte ich ihr Missfallen, die verschleierte Frage, die darin lag, und ich wurde wütend. «Glaubst du etwa, ich würde das leichthin tun?»

«Ich weiß nicht», sagte sie. «Ich erkenne dich zurzeit überhaupt nicht wieder.»

Es war wie eine Ohrfeige. Meine Schwester und ich sahen uns böse an, und mir kam es so vor, als balancierte ich am Rande einer Katastrophe. Niemand streitet so erbittert mit einem wie die eigene Schwester. Niemand sonst kennt deine größten Schwächen und wird erbarmungslos mit dem Finger darauf zeigen. Das Schreckgespenst meines Tanzes mit dem Kommandanten umschwebte uns, und auf einmal hatte ich das Gefühl, dass wir keinerlei Rücksichten mehr nahmen.

«Also gut», sagte ich. «Dann beantworte mir diese Frage, Hélène: Wenn es deine einzige Möglichkeit wäre, Jean-Michel zu retten, was würdest du dann tun?»

Nun sah ich sie doch noch schwanken.

«Leben oder Tod. Was würdest du tun, um ihn zu retten? Ich weiß, dass du ihn grenzenlos liebst.»

Sie biss sich auf die Unterlippe und drehte sich zum Fenster um. «Es könnte vollkommen schieflaufen.»

«Das wird es nicht.»

«Das glaubst du vielleicht. Aber du hast dich schon immer von deinen Gefühlen leiten lassen. Und es steht nicht nur deine Zukunft auf dem Spiel.»

Ich stand auf. Ich wollte um den Tisch zu meiner Schwester gehen. Ich wollte sie in meine Arme nehmen und mir sagen lassen, dass alles gut gehen würde, dass wir alle sicher wären. Doch ihr Gesichtsausdruck machte mir klar, dass es nichts mehr zu sagen gab, also strich ich mir den Rock glatt und ging mit dem Besen in der Hand zur Tür.

Ich schlief unruhig in dieser Nacht. Ich träumte von Édouard, von seinem vor Abscheu verzerrten Gesicht. Ich träumte, dass wir stritten, davon, wie ich ihn wieder und wieder davon überzeugen wollte, dass ich das Richtige getan hatte, während er sich von mir abwandte. In einem Traum schob er seinen Stuhl vom Tisch zurück, an dem wir stritten, und als ich ihn anschaute, hatte er keinen Unterkörper; seine Beine und sein halber Rumpf fehlten. *Da hast du's*, sagte er. *Bist du nun zufrieden?*

Ich wachte schluchzend auf und stellte fest, dass Édith auf mich hinabschaute, mit dunklem, unergründlichem Blick. Sie streckte die Hand aus und berührte meine feuchten Wangen, wie aus Mitleid. Ich schloss sie in die Arme, und wir lagen schweigend da, fest umschlungen, als die Morgendämmerung kam.

Ich bewegte mich durch den Tag wie in einem Traum. Die Deutschen kamen ohne den Kommandanten, und wir verköstigten sie. Die Stimmung war gedämpft, und ich hoffte, wie immer bei solchen Gelegenheiten, dass dies schlechte Nachrichten auf ihrer Seite bedeutete. Hélène warf mir immer wieder Blicke zu, während wir arbeiteten. Ich sah, dass sie zu ergründen versuchte, was ich tun würde. Ich bediente, schenkte Wein aus, spülte und nahm mit knappem Nicken den Dank der Männer für das gute Essen zur Kenntnis. Dann, als die letzten gegangen waren, nahm ich Édith auf den Arm, die wieder auf der Treppe eingeschlafen war, und trug sie in mein Zimmer. Ich legte sie ins Bett und zog ihr die Decke bis zum Kinn hoch. Dann sah ich sie einen Moment lang an und strich ihr sanft eine Haarsträhne von der Wange. Sie bewegte sich ein bisschen, ihr Gesicht wirkte sogar im Schlaf besorgt.

Ich beobachtete sie, um sicher zu sein, dass sie nicht aufwachte. Dann kämmte ich mir mit langsamen, bedächtigen Bewegungen das Haar und steckte es hoch. Als ich im Kerzenlicht mein Spiegelbild ansah, zog etwas meinen Blick an. Ich drehte mich um und bückte mich nach einem Zettel, der unter der Tür hindurchgeschoben worden war. Ich starrte auf die Worte, auf Hélènes Schrift.

Wenn du das tust, gibt es kein Zurück.

Und dann dachte ich an den toten jungen Gefangenen mit den zu großen Schuhen, die zerlumpten Männer, die auch an diesem Nachmittag über unsere Straße gezogen waren. Und auf einmal war es ganz einfach: Es gab keine andere Wahl.

Ich legte den Zettel in mein Versteck, dann ging ich leise die Treppe hinunter. Unten angekommen, betrachtete ich das Porträt an der Wand. Dann nahm ich es vorsichtig von seinem Haken und wickelte es in ein Tuch, sodass es vollkommen von Stoff bedeckt war. Ich hüllte mich in zwei weitere Tücher und ging hinaus in die Dunkelheit. Als ich die Tür hinter mir zuzog, hörte ich meine Schwester vom oberen Treppenabsatz herunterflüstern, ihre Stimme eine Warnung.

Sophie.

Kapitel 9

Nach so vielen Monaten Ausgangssperre war es ein merkwürdiges Gefühl, im Dunkeln unterwegs zu sein. Die eisigen Straßen unseres Städtchens waren verlassen, die Fenster dunkel, kein Vorhang rührte sich. Ich ging eilig durch die Schatten, ein Tuch um meinen Kopf geschlungen, denn für den Fall, dass jemand zufällig auf die Straße schaute, sollte er nur eine unidentifizierbare Gestalt durch die Seitenstraßen hasten sehen.

Es war bitterkalt, aber ich spürte es kaum. Ich war wie betäubt. Während der fünfzehn Minuten, die ich brauchte, um aus der Stadt und zum Hof der Fourriers zu gehen, in dem sich die Deutschen beinahe ein Jahr zuvor einquartiert hatten, verlor ich jede Fähigkeit zu denken. Ich fürchtete, dass ich, wenn ich Gedanken darüber zuließ, wohin ich ging, meine Beine nicht mehr würde bewegen können, einen Fuß nicht mehr vor den anderen würde setzen können. Wenn ich nachdachte, würde ich die Warnungen meiner Schwester hören, die gnadenlosen Stimmen der Leute aus der Stadt, falls sie erfuhren, dass ich im Schutz der Dunkelheit den Kommandanten besucht hatte. Ich würde meine eigene Angst hören.

Stattdessen murmelte ich den Namen meines Mannes vor mich hin wie eine Beschwörungsformel. *Édouard. Ich werde Édouard befreien. Ich schaffe das.* Das Gemälde hielt ich fest unter dem Arm.

Ich ließ die Stadt hinter mir. Ich wandte mich nach links, wo die Landstraße holprig und zerfurcht wurde, die ohnehin schon bucklige Piste noch weiter von den Militärfahrzeugen zerstört, die hier entlangfuhren. Im Vorjahr hatte sich eines der Pferde, die früher meinem Vater gehört hatten, in einer Spurrille ein Bein gebrochen. Ein Deutscher hatte es zu schnell geritten, ohne auf den Untergrund zu achten. Aurélien hatte geweint, als er davon hörte. Nur ein weiteres Opfer der Okkupation. Dieser Tage weinte niemand mehr um Pferde.

Ich werde Édouard nach Hause bringen.

Der Mond verschwand hinter einer Wolke, und ich stolperte den Feldweg entlang, trat mehrere Male in Furchen mit eiskaltem Wasser, sodass meine Schuhe und Strümpfe durchnässt wurden und ich die Finger heftig um das Gemälde krallte, weil ich Angst hatte, es fallen zu lassen. Ich konnte nur die Lichter in dem Haus weit vor mir erkennen, und ich ging weiter darauf zu. Unklare Formen bewegten sich vor mir am Straßenrand, vielleicht Hasen, und die Gestalt eines Fuchses schlich quer über den Weg, hielt kurz inne, um mich dreist und furchtlos anzusehen. Augenblicke später hörte ich den Schreckensschrei eines Hasen und musste schlucken, um den bitteren Geschmack loszuwerden, der mir in die Kehle stieg.

Vor mir lag nun das Bauernhaus mit hell erleuchteten Fenstern. Hinter mir hörte ich das Rumpeln eines Lastwagens, und mein Atem beschleunigte sich. Ich drückte mich rücklings in eine Hecke, duckte mich aus dem Scheinwerferkegel, als das Militärfahrzeug holpernd und quietschend vorbeifuhr. Auf der Ladefläche, hinter einer Segeltuchklappe, erhaschte ich einen Blick auf die Gesichter von Frauen, die nebeneinandersaßen. Ich starrte ihnen nach, dann löste ich mich aus der Hecke. Meine Tücher verfingen sich in den Zweigen. Es gab Gerüchte, dass sich die Deutschen junge Frauen von außerhalb holten. Ich dachte an Liliane und schickte ein lautloses Gebet zum Himmel.

Ich war jetzt an der Einfahrt des Bauernhofes. Dreißig Meter vor mir sah ich den Militärlaster anhalten, Frauengestalten gingen schweigend zu einer Tür auf der linken Seite des Hauses, als hätten sie diesen Gang schon oft gemacht. Ich hörte Männerstimmen, fernes Singen.

«*Halt.*»

Ein Soldat trat mir in den Weg. Ich schreckte zusammen. Er hob sein Gewehr, dann sah er mich genauer an. Er deutete auf die anderen Frauen.

«Nein … nein. Ich bin hier, um den Kommandanten zu sehen.»

Er deutete erneut auf die Frauen, ungeduldig.

«Nein», sagte ich etwas lauter. «Herr Kommandant. Ich habe … einen Termin.»

Ich konnte sein Gesicht nicht erkennen. Aber die Silhouette schien mich zu mustern, dann ging der Soldat mit langen Schritten über den Hof zu einer Tür, die ich in der Dunkelheit gerade eben noch erkennen konnte. Er klopfte an, und ich hörte eine gedämpfte Unterhaltung. Ich wartete, mein Herz raste, meine Haut prickelte vor Angst.

«Name?», sagte er, als er zurückkam.

«Ich bin Madame Lefèvre», flüsterte ich.

Er deutete auf mein Tuch, das ich kurz von meinem Kopf zog, damit er mein Gesicht sehen konnte. Er deutete auf eine Tür auf der anderen Seite des Hofes. «*Dort. Obergeschoss. Grüne Tür. Rechte Seite*», sagte er auf Deutsch.

«Wie bitte?», fragte ich. «Ich verstehe nicht.»

Er wurde wieder ungeduldig. «*Da, da.*» Er deutete auf die Tür, nahm mich am Ellbogen und schob mich grob in die Richtung. Es schockierte mich, dass er so mit einem Gast des Kommandanten umging. Und dann dämmerte es mir: Meine Erwähnung, dass ich verheiratet war, hatte keinerlei Bedeutung. Ich war einfach eine von den Frauen, die nach Einbruch der Dunkelheit die Deutschen besuchten. Ich war froh, dass er nicht sehen konnte, wie mir das Blut in die Wangen schoss. Ich wand meinen Ellbogen aus seinem Griff und ging steif zu dem kleinen Gebäude auf der rechten Hofseite.

Es war nicht schwer, sein Zimmer zu finden: Nur unter einer Tür fiel Licht heraus. Ich zögerte, dann klopfte ich und sagte leise: «Herr Kommandant?»

Schritte, dann wurde die Tür geöffnet, und ich trat ein wenig zurück. Er trug keine Uniform, sondern ein gestreiftes, kragenloses Hemd und Hosenträger, in der einen Hand hielt er ein Buch, als hätte ich ihn unterbrochen. Er sah mich an, lächelte kurz und trat zurück, um mich einzulassen.

Der Raum war groß, mit schweren Deckenbalken, auf dem Holzboden lagen Teppiche, von denen ich einige aus den Häusern meiner Nachbarn zu kennen glaubte. Es gab einen kleinen Tisch mit Stühlen, eine Militärkiste, deren Messingecken im Licht zweier Karbidlampen schimmerten, einen Kleiderhaken, an dem seine Uniform hing, und einen großen Sessel bei einem üppig lodernden Kamin. Die Wärme war noch auf der anderen Seite des Raumes zu spüren. In der Ecke stand ein Bett mit zwei dicken Steppdecken. Ich sah kurz hin und wandte den Blick gleich wieder ab.

«Bitte.» Er stand hinter mir, hob die Tücher von meinen Schultern. «Lassen Sie mich die nehmen.»

Ich gestattete es ihm. Er hängte sie an den Kleiderhaken. Das Bild hielt ich immer noch fest an mich gedrückt. Ich stand wie gelähmt da und schämte mich dennoch für meine schäbige Kleidung. Wir konnten unsere Sachen bei dieser Kälte nicht häufig waschen. Wolle brauchte eine Ewigkeit zum Trocknen oder fror draußen zu störrischen, bretthärten Formen.

«Es ist eiskalt draußen», bemerkte er. «Das fühlt man an Ihrer Kleidung.»

«Ja.» Meine Stimme hörte sich fremd an.

«Es ist ein harter Winter. Und ich glaube, er dauert noch ein paar Monate. Möchten Sie etwas trinken?» Er ging zu einem kleinen Tisch und füllte aus einer Karaffe zwei Gläser mit Wein. Wortlos nahm ich das Glas entgegen, immer noch zitternd.

«Sie können das Paket abstellen», sagte er.

Ich hatte vergessen, dass ich es in der Hand hielt. Ich lehnte es gegen einen Stuhl.

«Bitte», sagte er. «Bitte, setzen Sie sich.» Er wirkte beinahe verärgert, weil ich zögerte, so als wäre meine Nervosität eine Beleidigung.

Ich setzte mich auf den Holzstuhl, die eine Hand auf den Rahmen des Gemäldes gelegt. Ich weiß nicht, warum ich das tröstlich fand.

«Ich bin heute nicht zum Essen ins Hotel gekommen. Ich habe darüber nachgedacht, was Sie gesagt haben. Dass Sie schon durch unsere bloße Anwesenheit in Ihrem Haus als Verräterin gelten. Ich möchte Ihnen nicht noch mehr Probleme machen, Sophie … mehr, als wir Ihnen ohnehin schon durch die Okkupation zumuten.»

Ich wusste nicht, was ich dazu sagen sollte. Ich trank einen kleinen Schluck Wein. Sein Blick fixierte mich, als würde er auf eine Reaktion warten.

Von der anderen Hofseite hörten wir Gesang. Ich fragte mich, ob die Frauen schon bei den Männern waren und wer sie waren, aus welchen Dörfern sie stammten. Würden auch sie irgendwann für das, was sie getan hatten, durch die Straßen getrieben werden?

«Sind Sie hungrig?» Er deutete auf ein Tablett mit Brot und Käse. Ich schüttelte den Kopf. Ich hatte den ganzen Tag keinen Appetit gehabt.

«Das entspricht zugegebenermaßen nicht ganz Ihren Kochkünsten. Kürzlich musste ich an das Entengericht denken, das Sie letzten Monat gemacht haben. Mit der Orange. Würden Sie uns das noch einmal kochen?» Er redete weiter. «Allerdings wird unser Nachschub knapper. Ich träume von einem bestimmten Weihnachtskuchen, einem *Stollen*. Kennt man den in Frankreich auch?»

Ich schüttelte erneut den Kopf.

Wir saßen uns an dem Kamin gegenüber. Ich fühlte mich wie elektrisiert, als würde jeder Körperteil sprühen, sich auflösen. Ich fühlte mich, als könnte er durch meine Haut sehen. Er wusste alles. Er steuerte alles. Ich lauschte auf die Stimmen auf der anderen Seite des Hofes, und jedes Mal, wenn mir neu bewusst wurde, wo ich hier war, konnte ich es nicht fassen. *Ich bin allein mit einem deutschen Kommandanten, im deutschen Truppenquartier. In einem Zimmer mit einem Bett.*

«Haben Sie über das nachgedacht, was ich gesagt habe?», platzte ich heraus.

Er starrte mich an. «Wollen Sie uns nicht das Vergnügen einer kleinen Unterhaltung gönnen?»

Ich schluckte. «Entschuldigung, aber ich muss es wissen.»

Er trank einen Schluck Wein. «Ich habe seitdem über kaum etwas anderes nachgedacht.»

«Dann …» Mir stockte der Atem in der Brust. Ich beugte mich vor, stellte mein Glas ab und wickelte das Gemälde aus. Ich lehnte es so an einen Stuhl, dass das Licht aus dem Kamin darauf fiel, damit er es so gut wie möglich sehen konnte. «Werden Sie es nehmen? Werden Sie es im Tausch für die Freiheit meines Mannes nehmen?»

Stille senkte sich über das Zimmer. Er schaute das Bild nicht an. Er starrte mich an, unverwandt, undurchdringlich.

«Wenn ich Ihnen bloß verständlich machen könnte, was dieses Bild für mich bedeutet … wenn Sie nur wüssten, wie es mir geholfen hat, die schwärzesten Tage zu überstehen … dann wüssten Sie, dass ich mich nicht leicht von ihm trenne. Aber es würde mich … nicht stören, wenn das Bild zu Ihnen käme, Herr Kommandant.»

«Friedrich. Nennen Sie mich Friedrich.»

«Friedrich. Ich … weiß, dass Sie die Arbeit meines Mannes verstehen. Sie verstehen etwas von Schönheit. Sie verstehen, was ein Künstler von seinem eigenen Wesen in ein Werk einbringt und warum es von unschätzbarem Wert ist. Es bricht mir das Herz, mich davon zu trennen. Aber ich gebe es gern weg. An Sie.»

Er starrte mich immer noch an. Ich wandte den Blick nicht ab. Alles hing von diesem Moment ab. Ich sah eine alte Narbe, die ein paar Zentimeter von seinem linken Ohr entfernt begann und als leichte, silbrige Erhöhung an seinem Hals hinablief. Ich sah, dass um seine hellblaue Iris ein schwarzer Ring lief, als habe jemand die Farbe hervorheben wollen.

«Es ging mir nie um das Bild, Sophie.»

Und damit war mein Schicksal besiegelt.

Ich schloss kurz die Augen und nahm die Erkenntnis in mich auf.

Der Kommandant begann, über Kunst zu reden. Ich hörte ihn kaum. Ich hob mein Glas und trank einen großen Schluck. «Kann ich noch ein bisschen haben?», sagte ich. Dann leerte ich das Glas und ließ es mir erneut füllen. Ich hatte noch nie so viel getrunken. Es war mir gleich, ob er mich für unkultiviert hielt. Der Kommandant redete weiter, mit leiser, monotoner Stimme. Es war, als wollte er, dass ich einfach nur zuhörte. Er wollte mich wissen lassen, dass unter der Uniform und der Schirmmütze noch ein anderer Mensch steckte. Aber ich hörte kaum hin. Ich wollte die Welt um mich herum ausblenden, wollte mich der Entscheidung entziehen.

«Sophie, glaubst du, wir wären Freunde geworden, wenn wir uns unter anderen Umständen begegnet wären? Ich denke gern, dass es so gekommen wäre.»

Ich versuchte zu vergessen, wo ich war, in diesem Zimmer und mit den Blicken eines Deutschen auf mir. Ich wollte ein Gegenstand sein, der nichts fühlte und nichts wusste.

«Vielleicht.»

«Tanzt du noch einmal mit mir, Sophie?»

Die Art, auf die er meinen Namen aussprach, als hätte er ein Recht darauf.

Ich stellte mein Glas ab und stand auf. Meine Arme hingen kraftlos herab, während er zu einem Grammophon hinüberging und einen langsamen Walzer auflegte. Dann kam er zu mir und zögerte kurz, bevor er seine Arme um mich legte. Als knisternd die Musik einsetzte, begannen wir zu tanzen. Wir bewegten uns langsam durchs Zimmer, meine Hand in seiner, meine Finger leicht auf die weiche Baumwolle seines Hemdes gelegt. Ich tanzte, in meinem Kopf herrschte Leere, nur vage drang zu mir durch, dass er seine Schläfe an meine lehnte. Ich roch Seife und Tabak, spürte, wie seine Hose an meinem Rock entlangstreifte. Er hielt mich, ohne mich näher an sich zu ziehen, wie jemand, der einen zerbrechlichen Gegenstand hält. Ich schloss die Augen, ließ mich in eine Art Dämmerzustand hineingleiten, versuchte, mich der Musik hinzugeben, mich an einen anderen Ort zu versetzen. Mehrmals versuchte ich, mir vorzustellen, er wäre Édouard, aber mein Verstand weigerte sich. Alles an diesem Mann war zu anders; wie er sich anfühlte, seine Größe, sein Geruch.

«Manchmal», sagte er leise, «kommt es mir so vor, als gäbe es auf dieser Welt kaum noch Schönheit. Und so wenig Freude. Du glaubst, ihr hättet ein schweres Leben in eurer kleinen Stadt. Aber wenn du gesehen hättest, was wir außerhalb der Stadt sehen … Es gibt keine Gewinner. In einem Krieg wie diesem gibt es keine Gewinner.»

Es war, als würde er mit sich selbst reden. Meine Finger lagen auf seiner Schulter. Wenn er atmete, spürte ich, wie sich die Muskeln unter seinem Hemd bewegten.

«Ich bin ein guter Mann, Sophie», murmelte er. «Es ist wichtig, dass du das verstehst. Dass wir uns verstehen.»

Und dann hörte die Musik auf. Er ließ mich widerstrebend los und ging zum Grammophon, um die Nadel neu aufzusetzen. Er wartete, bis die Musik wieder einsetzte, und dann – statt zu tanzen – betrachtete er einen Moment lang mein Porträt. Ich sah einen Hoffnungsschimmer. Würde er seine

Meinung vielleicht doch noch ändern? Doch dann, nach kaum merklichem Zögern, hob er die Hand und zog sanft eine der Haarnadeln aus meiner Frisur. Ich stand wie erstarrt, und er zog eine Haarnadel nach der anderen heraus, legte sie sorgfältig auf den Tisch, und schließlich fiel mein Haar in weichen Wellen um mein Gesicht. Er hatte kaum etwas getrunken, dennoch wirkte sein Blick verschleiert, als er mich melancholisch anschaute. Seine Augen suchten meine, stellten eine Frage. Ich erwiderte seinen Blick, ohne zu blinzeln, wie eine Porzellanpuppe. Aber ich sah nicht weg.

Als die letzte Haarsträhne gelöst war, hob er die Hand und ließ mein Haar zwischen seinen Fingern hindurchgleiten. Seine Ruhe war die eines Mannes, der seine eigene Bewegung fürchtet, die eines Jägers, der seine Beute nicht erschrecken will. Und dann nahm er behutsam mein Gesicht zwischen seine Hände und küsste mich. Panik drohte mich zu überwältigen. Ich konnte mich nicht dazu bringen, seinen Kuss zu erwidern. Doch ich erlaubte meinen Lippen, sich zu öffnen, und schloss die Augen. Der Schock ließ mir meinen eigenen Körper fremd werden. Ich spürte, wie sich seine Hände um meine Taille legten, spürte, wie er mich rückwärts auf das Bett zuschob. Und die ganze Zeit erinnerte mich eine leise Stimme daran, dass dies ein Handel war. Ich erkaufte die Freiheit meines Mannes. Alles, was ich zu tun hatte, war atmen. Ich hielt die Augen geschlossen, lag auf den unglaublich weichen Steppdecken. Ich spürte seine Hände an meinen Füßen, er zog mir die Schuhe aus, und dann waren sie auf meinen Beinen und glitten langsam unter meinen Rock. Ich fühlte seinen Blick auf meiner Haut, als sie sich höher schoben.

Édouard.

Er küsste mich. Er küsste meinen Mund, meine Brust, meinen Bauch, hörbar atmend, verloren in der Welt seiner Vorstellungen. Er küsste meine Knie, meine bestrumpften Oberschenkel, ließ seinen Mund auf bloßer Haut liegen, als wäre diese Nähe für ihn beinahe unerträglich aufreizend. «Sophie», murmelte er. «Oh, Sophie ...»

Und als seine Hände an der intimsten Stelle zwischen meinen Schenkeln ankamen, erwachte ein verräterischer Teil von mir zum Leben, eine Wärme, die nichts mit dem Kaminfeuer zu tun hatte. Ein Teil von mir trennte sich von meinem Herzen und ließ seinem Hunger nach Berührung, nach dem Gewicht eines anderen Körpers auf meinem freien Lauf. Als seine Lippen meine Haut streiften, bewegte ich mich etwas, und wie aus dem Nichts entschlüpfte meinen Lippen ein Stöhnen. Doch die Gier seiner Reaktion, sein schneller gehender Atem auf meinem Gesicht ließ es so plötzlich verschwinden, wie es gekommen war. Meine Röcke wurden hochgeschoben, meine Bluse von meiner Brust gezogen, und als ich seinen Mund auf meinen Brüsten spürte, fühlte ich, dass ich wie eine mythische Gestalt zu Stein erstarrte.

Er lag jetzt auf mir, drückte mich mit seinem Gewicht auf das Bett. Ich spürte, wie er an meiner Unterwäsche zog, wie er verzweifelt seine Hände darunterschieben wollte. Er drückte mein Knie zur Seite, brach in seiner Verzweiflung beinahe auf mir zusammen. Ich fühlte ihn hart und unnachgiebig an meinem Bein. Etwas zerriss. Und dann, mit einem leisen Keuchen, war er in mir, und meine Augen waren fest zugepresst, meine Zähne zusammengebissen, um zu verhindern, dass ich mich mit einem Aufschrei widersetzte.

Rein. Rein. Rein. Ich hatte seinen heiseren Atem im Ohr, fühlte seinen leichten Schweißfilm auf meiner Haut, seine Gürtelschnalle an meinem Oberschenkel. Mein Körper bewegte sich, angetrieben von seiner Heftigkeit. *O Gott, was habe ich getan? Rein. Rein. Rein.* Meine Fäuste krallten sich in die Steppdecke, meine Gedanken wirbelten wie aufzuckende Blitze durcheinander. Irgendein Teil von mir hasste die weiche, schwere Wärme der Steppdecke mehr als alles andere. Gestohlen, von irgendwem. Wie sie alles stahlen. Besatzung. Inbesitznahme. Ich wurde in Besitz genommen. Ich verschwand. Ich war auf einer Straße in Paris, auf der Rue Soufflot. Die Sonne schien, und beim Spazierengehen sah ich die Frauen von Paris in ihren eleganten Aufmachungen und die Tauben, die in den gefleckten Schatten der Bäume herumstolzierten. Mein Mann hatte mich untergehakt. Ich wollte etwas zu ihm sagen, doch stattdessen stieß ich ein leises Schluchzen aus. Die Szene fror ein, dann löste sie sich auf wie Dampf. Und dann wurde mir undeutlich bewusst, dass es aufgehört hatte. Das Stoßen verlangsamte sich und hörte auf. Alles hatte aufgehört. Das Ding. Sein Ding war nicht mehr in mir, sondern hing weich und zittrig vor meinem Schritt. Ich schlug die Augen auf und hatte seine direkt vor mir.

Das Gesicht des Kommandanten, nur Zentimeter von meinem entfernt, war gerötet, und seine Miene wirkte gequält. Ich hielt den Atem an, als ich seine peinliche Lage begriff. Ich wusste nicht, was ich tun sollte. Aber sein Blick ließ meinen nicht mehr los, und er wusste, dass ich es wusste. Er schob sich mit einem Ruck von mir herunter, sodass ich sein Gewicht los war.

«Du …», begann er.

«Was?» Ich war mir meiner entblößten Brüste bewusst und meiner Röcke, die bis zur Taille hochgeschoben waren.

«Du schaust so …»

Er stand auf und vermied meinen Blick, während ich hörte, wie er seine Hose hochzog und die Hosenträger über die Schultern streifte. Danach hielt er den Kopf weiter starr von mir abgewandt, eine Hand an die Stirn gelegt.

«Es ... es tut mir leid», fing ich an. Ich wusste nicht genau, wofür ich mich entschuldigte. «Was habe ich falsch gemacht?»

«Du ... du wolltest das nicht!» Er zeigte auf mich. «Dein Gesichtsausdruck ...»

«Ich verstehe nicht.» Inzwischen war ich beinahe wütend, weil all das so ungerecht war. Hatte er denn wirklich keine Ahnung davon, was ich durchmachte? Wusste er nicht, was es mich gekostet hatte, mich von ihm berühren zu lassen? «Ich habe getan, was Sie verlangt haben!»

«Ich wollte dich nicht auf diese Art! Ich wollte ...», sagte er und hob frustriert die Hand. «*Das dort* wollte ich! Ich wollte das Mädchen von dem Gemälde!»

Wir starrten schweigend auf das Porträt. Die junge Frau blickte uns unwandelbar an, das Haar um ihren Hals geringelt, und ihr Blick war herausfordernd, bestechend, sprach von sexueller Erfüllung. Mein Gesicht.

Ich zog mir den Rock über die Beine, ordnete meine Bluse. Als ich sprach, war meine Stimme belegt, unsicher. «Ich habe Ihnen ... Herr Kommandant ... alles gegeben, was ich nur geben konnte.»

Sein Blick wurde undurchdringlich, wie ein zugefrorener See. In seinem Kiefer zuckte ein Muskel, ein vibrierendes Pulsen. «Raus hier», sagte er leise.

Ich blinzelte fassungslos.

«Es tut mir leid», stammelte ich, als mir klarwurde, dass ich ihn richtig verstanden hatte. «Wenn ... ich kann ...»

«RAUS HIER!», brüllte er. Er packte mich an den Schultern, steuerte mich durch das Zimmer.

«Meine Schuhe … meine Tücher!»

«RAUS, VERDAMMT!» Ich konnte nur noch mein Gemälde greifen, dann wurde ich hinausgestoßen, landete stolpernd auf meinen Knien am oberen Treppenabsatz, während ich immer noch zu verstehen versuchte, was gerade passiert war. Hinter der Tür ertönte ein Krachen. Gefolgt von einem weiteren, begleitet von dem Geräusch splitternden Glases. Ich warf einen Blick über die Schulter. Und dann, barfuß, rannte ich die Treppe hinunter, über den Hof, und flüchtete.

Ich brauchte beinahe eine Stunde, um nach Hause zu laufen. Ich verlor das Gefühl in meinen Füßen nach wenigen Minuten. Bis ich die Stadt erreicht hatte, waren sie so kalt, dass ich die Schnitte und Kratzer nicht mehr spürte, die ich mir auf dem langen, geschotterten Feldweg zugezogen hatte. Ich ging immer weiter, stolperte durch die Dunkelheit, das Gemälde unter dem Arm, zitternd in meiner dünnen Bluse, und ich fühlte nichts. Auf dem Weg wurde der Schock langsam von der Erkenntnis dessen abgelöst, was ich getan hatte und was ich verloren hatte. Der Gedanke kreiste unaufhörlich in meinem Kopf. Ich ging durch die verlassenen Straßen meiner Heimatstadt, und es kümmerte mich nicht mehr, ob mich irgendjemand sah.

Kurz vor ein Uhr kam ich zum Le Coq Rouge. Ich hörte den einsamen Schlag der Kirchturmuhr, während ich vor der Tür stand, und überlegte kurz, ob es nicht für alle besser wäre, wenn ich das Haus nicht mehr betrat. Und dann, als ich noch so dastand, tauchte ein schwaches Schimmern hinter dem Gazevorhang auf, und die Riegel wurden zurückgezogen. Hélène stand vor mir, die Nachthaube auf dem Kopf, ihr weißes Tuch um die Schultern. Sie musste auf mich gewartet haben.

Ich sah zu ihr auf, meiner Schwester, und ich wusste, dass sie die ganze Zeit recht gehabt hatte. Ich wusste, dass ich mit meinem Verhalten unsere ganze Familie gefährdet hatte. Ich wollte ihr sagen, dass es mir leidtat. Ich wollte ihr sagen, dass ich verstand, welchen großen Fehler ich gemacht hatte, und dass mich meine Liebe zu Édouard, mein verzweifelter Wunsch danach, dass unser gemeinsames Leben weitergehen würde, für alles andere blind gemacht hatte. Aber ich bekam keinen Ton heraus. Ich stand einfach nur stumm vor der Tür.

Sie riss erschrocken die Augen auf, als sie meine nackten Schultern wahrnahm, meine bloßen Füße. Sie streckte die Hand aus, zog mich ins Haus und schloss die Tür hinter uns. Sie legte mir ihr Tuch um die Schultern und strich mir das Haar aus dem Gesicht. Wortlos führte sie mich in die Küche, machte die Tür zu und zündete eine Herdflamme an. Sie wärmte Milch für mich auf, und als ich die Hände um den Becher schloss, nicht in der Lage zu trinken, hob sie die Zinnwanne vom Haken an der Wand und stellte sie vor dem Herd auf den Boden. Sie füllte Kupfertopf um Kupfertopf mit Wasser, kochte es, hob es vom Herd und goss es in die Badewanne. Als sie voll genug war, kam sie zu mir und nahm mir behutsam das Tuch von den Schultern. Sie band meine Bluse auf, dann zog sie mir das Unterhemd über den Kopf, wie sie es bei einem Kind gemacht hätte. Sie knöpfte meine Röcke hinten auf, schnürte mein Korsett auf, hakte meine Unterröcke los und legte alles auf den Küchentisch, bis ich nackt war. Als ich zu zittern anfing, nahm sie mich an der Hand und half mir in die Wanne.

Das Wasser war brühheiß, aber ich spürte es kaum. Ich ließ mich hineingleiten, bis nur noch die Knie und Schultern herausschauten, und achtete nicht auf die schmerzenden Schnitte an meinen Füßen. Und dann rollte meine Schwester die Ärmel auf, nahm einen Waschlappen und begann mich einzuseifen, vom Kopf bis zu den Schultern, vom Rücken bis zu den Füßen. Sie badete mich schweigend, mit sanften Berührungen, hob jedes Glied, fuhr zart zwischen Finger und Zehen, achtete sorgfältig darauf, dass keine Stelle ungewaschen blieb. Sie badete meine Fußsohlen, zog vorsichtig die winzigen Steinsplitter heraus, die sich in die Schnitte gedrückt hatten. Sie wusch mir das Haar und spülte es mit Wasser aus einem Krug aus, bis das Wasser klar blieb, dann kämmte sie es Strähne für Strähne. Sie nahm den Waschlappen und wischte mir die Tränen weg, die über meine Wangen rollten. Und die ganze Zeit sagte sie kein Wort. Schließlich, als das Wasser kalt wurde und ich wieder zu zittern anfing, vor Kälte oder Erschöpfung oder etwas ganz anderem, nahm sie ein großes Handtuch und wickelte mich darin ein. Dann hielt sie mich, streifte mir ein Nachthemd über den Kopf und führte mich die Treppe hinauf zu meinem Bett.

«O Sophie», hörte ich sie murmeln, als ich in den Schlaf glitt. Und ich glaube, selbst in diesem Moment war mir noch bewusst, was ich angerichtet hatte.

«Was hast du nur getan?»

Kapitel 10

Tage vergingen. Hélène und ich erledigten die alltäglichen Aufgaben wie zwei Schauspielerinnen. Von außen betrachtet, wirkten wir wie immer, aber jede von uns quälte sich mit einem wachsenden Unbehagen. Keine von uns sprach das an, was geschehen war. Ich schlief wenig, in manchen Nächten nur zwei Stunden. Ich zwang mich zu essen. Mein Magen krampfte sich um meine Angst zusammen, sogar noch, als mein übriger Körper vor Schwäche zu versagen drohte.

Zwanghaft kehrten meine Gedanken immer wieder zu dem verhängnisvollen Abend zurück, ich beschimpfte mich für meine Naivität, meine Dummheit, meinen Stolz. Denn es musste Stolz gewesen sein, der mich dazu gebracht hatte. Wenn ich so getan hätte, als würde ich die Aufmerksamkeiten des Kommandanten genießen, wenn ich mein eigenes Porträt imitiert hätte, dann hätte ich vielleicht seine Bewunderung gewinnen können. Ich hätte vielleicht meinen Mann retten können. Wäre das wirklich so schrecklich gewesen? Stattdessen hatte ich mich an die lächerliche Idee geklammert, dass ich, wenn ich mir vorstellte, ein Gegenstand, ein Gefäß zu sein, irgendwie meine Untreue milderte. Dass ich uns irgendwie treu blieb. Als würde das für Édouard einen Unterschied machen.

Jeden Tag wartete ich mit klopfendem Herzen auf die Ankunft der Offiziere und sah schweigend zu, wie sie hereinkamen, aber der Kommandant war nicht dabei. Ich fürchtete mich davor, ihn zu sehen, aber noch mehr fürchtete ich das, was seine Abwesenheit bedeuten mochte. Eines Abends raffte Hélène ihren Mut zusammen und fragte einen Offizier mit grauem Schnurrbart, wo er sei, aber der Offizier winkte nur mit der Bemerkung ab, der Kommandant sei «zu beschäftigt». Meine Schwester warf mir einen Blick zu, und ich wusste, dass diese Auskunft für keine von uns eine Beruhigung war.

Ich beobachtete Hélène, und das Gewicht meiner Schuld lastete schwer auf mir. Jedes Mal, wenn sie die Kinder ansah, wusste ich, dass sie sich fragte, was wohl aus ihnen werden würde. Einmal sah ich sie leise mit dem Bürgermeister reden, und ich glaubte zu hören, wie sie ihn bat, die Kinder zu sich zu nehmen, falls ihr etwas zustieß. Das schloss ich aus seinem entsetzten Blick, dem Erstaunen darüber, dass ihr so etwas überhaupt in den Sinn kam. Ich sah die neuen Sorgenfalten um ihre Augen, die Anspannung in ihrem Gesicht, und wusste, dass ich dafür verantwortlich war.

Die kleineren Kinder schienen nichts von unseren Ängsten zu ahnen. Jean und Mimi spielten wie immer, jammerten und beschwerten sich über die Kälte oder kleine, wechselseitige Bosheiten. Der Hunger ließ sie quengelig werden. Ich wagte nun nicht mehr, auch nur den kleinsten Krümel von den deutschen Vorräten abzuzweigen, aber es war schwer, nein zu ihnen zu sagen. Aurélien hatte sich wieder in seine eigene Melancholie verkapselt. Er aß schweigend und sprach mit keinem von uns. Ich fragte mich, ob er sich wieder in der Schule geprügelt hatte, aber ich war zu beschäftigt, um weiter darüber nachzudenken. Édith allerdings wusste es. Sie hatte das Gespür einer Wünschelrute. Sie wich mir nicht von der Seite. Nachts schlief sie mit der rechten Hand an mein Nachthemd geklammert, und wenn ich morgens aufwachte, waren ihre großen, dunklen Augen auf mich gerichtet. Wenn ich einmal einen Blick in den Spiegel warf, sah ich mein hageres Gesicht, das ich sogar selbst kaum wiedererkannte.

Nachrichten sickerten durch, dass die Deutschen im Nordosten zwei weitere Städte eingenommen hatten. Unsere Rationen wurden gekürzt. Jeder Tag schien sich länger hinzuziehen als der vorhergehende. Ich bediente und spülte und kochte, aber ich konnte vor Erschöpfung kaum noch einen klaren Gedanken fassen. Vielleicht würde der Kommandant einfach überhaupt nicht mehr auftauchen. Vielleicht schämte er sich so sehr für das, was zwischen uns geschehen war, dass er es nicht ertragen konnte, mir gegenüberzutreten. Vielleicht hatte auch er Schuldgefühle. Vielleicht war er tot. Vielleicht würde Édouard gleich durch die Tür kommen. Vielleicht würde der Krieg morgen enden. An diesem Punkt musste ich mich gewöhnlich hinsetzen und tief durchatmen.

«Geh rauf und schlaf ein bisschen», murmelte Hélène dann. Ich fragte mich, ob sie mich hasste. Mir wäre es an ihrer Stelle schwergefallen, es nicht zu tun.

Zwei Mal holte ich die Briefe aus ihrem Versteck, die mich erreicht hatten, bevor die Deutschen in unsere Stadt gekommen waren. Ich las Édouards Worte, von den Freundschaften, die er geschlossen hatte, von ihren kargen Rationen, ihrer guten

Stimmung, und es war, als würde ich einem Geist zuhören. Ich las seine zärtlichen Worte für mich, sein Versprechen, dass er bald wieder bei mir sein würde und dass ich ihn in Gedanken in jeder wachen Minute begleitete.

Ich tue das für Frankreich, aber etwas selbstsüchtiger gesprochen, tue ich es auch für uns, weil ich durch ein freies Frankreich zu meiner Frau zurückkehren will. Die häusliche Behaglichkeit, unser Atelier, der Kaffee in der Bar de Lyon, unsere Bett-Nachmittage, an denen du mich mit Orangenspalten gefüttert hast … Weißt du, wie sehr ich mich danach sehne, dir einen Kaffee zu bringen? Dir zuzusehen, während du dir das Haar bürstest? Weißt du, wie sehr ich mich danach sehne, dich gegenüber am Tisch lachen zu sehen und zu wissen, dass ich der Grund für deine Fröhlichkeit bin? Ich rufe diese Erinnerungen wach, um mich damit zu trösten, um mir ins Gedächtnis zu rufen, warum ich hier bin. Pass für mich auf dich auf. Sei gewiss, ich bleibe immer

dein dich liebender Mann

Ich las seine Worte und hatte nun einen Grund mehr, mich zu fragen, ob ich sie jemals wieder hören würde.

Ich war unten im Keller, um ein Bierfass auszutauschen, als ich Schritte auf den Steinfliesen hörte. Hélènes Silhouette tauchte im Durchgang auf, schirmte das Licht ab.

«Der Bürgermeister ist hier. Er sagt, die Deutschen kommen dich holen.»

Mein Herzschlag setzte aus.

Sie rannte zu der Mauer und begann die losen Backsteine herauszuziehen. «Los … du kannst durchs Nachbarhaus flüchten, wenn du dich beeilst.» Mit hastigen Bewegungen zog sie weitere Backsteine heraus. Als sie ein Loch vom Durchmesser eines kleinen Fasses freigelegt hatte, drehte sie sich zu mir um. Sie senkte den Blick auf ihre Hände, drehte ihren Ehering vom Finger und gab ihn mir, um dann noch das Tuch von ihren Schultern zu ziehen. «Nimm das. Geh jetzt. Ich halte sie auf. Aber beeil dich, Sophie, sie sind schon am Marktplatz.»

Ich schaute auf den Ring in meiner Handfläche. «Ich kann nicht», sagte ich.

«Warum nicht?»

Ich sah sie an. «Was ist, wenn er einfach seinen Teil der Abmachung einhält?»

«Der Kommandant? Warum um alles in der Welt sollte er seinen Teil der Abmachung einhalten? Sie kommen, um dich abzuholen, Sophie! Sie kommen, um dich zu bestrafen, um dich in ein Lager zu stecken. Sie kommen, um dich von hier wegzubringen!»

«Aber denk doch mal nach, Hélène. Wenn er mich bestrafen wollte, hätte er mich erschießen oder durch die Straße treiben lassen. Er hätte getan, was er mit Liliane Béthune gemacht hat.»

«Und damit riskiert, dass bekannt wird, wofür er dich bestraft? Bist du denn von allen guten Geistern verlassen?»

«Nein.» Meine Gedanken hatten begonnen, sich zu klären. Es ergab alles einen Sinn. «Er hat Zeit gehabt nachzudenken und schickt mich zu Édouard. Das weiß ich einfach.»

Sie schob mich zu dem Loch. «Du begreifst nicht, was du da redest, Sophie. Das kommt von dem Schlafmangel, von deiner Angst, das ist Wahnsinn … Du kommst bald wieder zur Vernunft. Aber jetzt musst du weg. Der Bürgermeister sagt, du sollst zu Madame Poilâne gehen, damit du über Nacht in der

Scheune mit dem doppelten Boden bleiben kannst. Ich versuche, dir später eine Nachricht zukommen zu lassen.»

Ich schüttelte ihre Hand ab. «Nein … nein. Verstehst du es denn nicht? Der Kommandant kann Édouard unmöglich hierher zurückbringen, ohne dass seine Beteiligung an der Sache auffällt. Aber wenn er mich wegschickt, zusammen mit Édouard, kann er uns beide befreien.»

«Sophie! Genug geredet!»

«Ich habe meinen Teil der Abmachung eingehalten, oder etwa nicht?»

«Um Himmels willen, GEH!»

«Nein.» Wir starrten uns in dem dämmrigen Kellerlicht an. «Ich werde nicht gehen.»

Ich griff nach ihrer Hand, legte den Ring auf ihre Handfläche und drückte die Finger darüber zusammen. Leise wiederholte ich meine Worte: «Ich werde nicht gehen.»

Hélènes Gesicht verzog sich. «Du kannst dich nicht von ihnen abholen lassen, Sophie. Das ist Irrsinn. Sie schicken dich in ein Lager! Hast du gehört, was ich gesagt habe? Ein Lager! An einen Ort, von dem du selbst gesagt hast, dass er Édouard umbringen wird!»

Doch ich hörte sie kaum. Ich straffte mich und atmete tief aus. Ich fühlte mich seltsam erleichtert. Wenn sie nur mich abholen wollten, war Hélène sicher und die Kinder auch.

«Ich habe ihn die ganze Zeit richtig eingeschätzt, ich bin ganz sicher. Er hat noch einmal in Ruhe darüber nachgedacht und weiß jetzt, dass ich trotz allem versucht habe, meinen Teil der Abmachung einzuhalten. Er ist ein Ehrenmann. Er hat gesagt, wir wären Freunde.»

Meine Schwester weinte. «Bitte, Sophie, bitte tu das nicht. Du bist völlig verstört. Dir geht es nicht gut. Du hast immer noch genügend Zeit ...» Sie stellte sich mir in den Weg, doch ich schob mich an ihr vorbei und ging langsam die Treppe hinauf.

Sie standen schon am Eingang der Bar, als ich oben ankam, zwei Offiziere. In der Bar herrschte Stille, und zwanzig Augenpaare richteten sich auf mich. Ich sah den alten René, der mit zitternden Händen am Tisch saß, die Mesdames Louvier und Durant, die sich etwas zuraunten. Dann begann der Bürgermeister wild gestikulierend mit einem der Offiziere zu reden, um ihn davon zu überzeugen, dass ein Irrtum vorliegen müsse.

«Es geschieht auf Befehl des Kommandanten», sagte der Offizier.

«Aber sie hat nichts getan! Das ist eine Farce!»

«*Courage, Sophie!*», rief jemand.

Ich fühlte mich wie im Traum. Die Zeit schien sich zu verlangsamen, die Stimmen um mich herum zu versiegen.

Einer der Offiziere winkte mich nach vorn, und ich trat aus dem Haus. Blasses Sonnenlicht lag über dem Marktplatz. Leute standen auf der Straße, wollten wissen, warum in der Bar solch eine Aufregung herrschte. Ich blieb einen Moment stehen und sah mich um, blinzelte im Tageslicht nach der Düsternis des Kellers. Mit einem Mal schien alles schärfere Konturen anzunehmen, sich zu einem frischeren, helleren Bild zu formen, als solle es sich mit jedem Detail in mein Gedächtnis einprägen. Der Pfarrer stand vor der Post und bekreuzigte sich, als er den Militärlaster sah, den sie geschickt hatten, um mich wegzubringen. Ich erkannte, dass es derselbe war, auf dem ich die Frauen gesehen hatte, die zu dem Truppenquartier gefahren worden waren. Diese Nacht schien unendlich weit weg.

Der Bürgermeister rief: «Das werde ich nicht zulassen! Ich

lege hiermit offiziell Beschwerde ein! Die Grenze ist endgültig überschritten! Ich werde Sie diese Frau nicht mitnehmen lassen, ohne vorher mit dem Kommandanten gesprochen zu haben!»

«Er hat den Befehl dazu gegeben.»

Eine kleine Gruppe älterer Leute scharte sich um mich, als wollten sie einen Schutzwall bilden.

«Sie dürfen keine unschuldigen Frauen schikanieren!», wetterte Madame Louvier. «Sie haben sich schon in ihrem Haus eingenistet, sie zu Ihrem Dienstmädchen gemacht, und jetzt wollen Sie sie verhaften? Ohne Grund?»

«Sophie. Hier.» Meine Schwester tauchte neben mir auf. «Nimm wenigstens ein paar Sachen mit.» Sie drückte mir eine Reisetasche in die Hand, die überquoll von Habseligkeiten, die sie hastig hineingestopft hatte. «Pass auf, dass dir nichts passiert. Hörst du? Pass auf dich auf und komm zurück zu uns.»

Aus der Menge tönte Protest. Sie war größer geworden, hitzig, eine wütende Masse. Ich warf einen Blick zur Seite und sah Aurélien, das Gesicht gerötet und zornig, mit Monsieur Suel auf dem Trottoir stehen. Ich wollte nicht, dass er in die Sache verwickelt wurde. Wenn er jetzt auf die Deutschen losging, würde es eine Katastrophe geben. Und es war wichtig, dass Hélène einen Verbündeten hatte. Ich schob mich zu ihm durch. «Aurélien, du bist jetzt der Herr des Hauses. Du musst dich um alles kümmern, solange ich fort bin …», fing ich an, aber er unterbrach mich.

«Das ist deine eigene Schuld!», platzte er heraus. «Ich weiß, was du getan hast! Ich weiß, was du mit dem Deutschen gemacht hast!»

Die Welt erstarrte. Ich sah meinen Bruder an, die Mischung aus Qual und Zorn auf seinem Gesicht.

«Ich habe dich in dieser Nacht zurückkommen sehen!»

Um mich herum wurden Blicke gewechselt. *Hat Aurélien Bessette wirklich gerade gesagt, was ich gehört habe?*

«Es ist nicht, wie es ...», begann ich. Doch er drehte sich um und stürmte in die Bar zurück.

Erneut breitete sich Stille aus. Dann wurde Auréliens Anschuldigung murmelnd an diejenigen weitergegeben, die sie nicht gehört hatten. Ich nahm den Schock auf den Mienen um mich herum wahr und Hélènes ängstlichen Seitenblick. Ich war jetzt Liliane Béthune. Allerdings ohne den mildernden Umstand, Widerstand gegen die Deutschen geleistet zu haben. Es war beinahe körperlich spürbar, wie die Stimmung umschlug.

Hélène griff nach meiner Hand. «Du hättest durch den Keller fliehen sollen», flüsterte sie mit brechender Stimme. «Du hättest fliehen sollen, Sophie ...» Sie machte eine Bewegung, als wolle sie mich festhalten, aber sie wurde zurückgezogen.

Einer der Deutschen packte mich am Arm und schob mich auf die Ladefläche des Lasters zu. In der Entfernung wurde etwas gerufen, aber ich konnte nicht ausmachen, ob es ein Protest gegen die Deutschen war oder eine auf mich gemünzte Beschimpfung. Dann verstand ich es. «*Putain! Putain!*» Ich zuckte zusammen. *Er schickt mich zu Édouard*, redete ich mir ein, während mir das Herz in der Brust zu zerspringen drohte. Ich weiß, dass es so ist. Ich muss Vertrauen haben.

Und dann hörte ich sie, ihre Stimme hallte durch die Stille. «Sophie!» Eine Kinderstimme, durchdringend und verängstigt. «Sophie! Sophie!» Édith drängte sich durch die Menge zu mir und klammerte sich an mein Bein. «Geh nicht weg. Du hast gesagt, du gehst nicht weg.»

Sie hatte noch nie so viel am Stück gesprochen, seit sie zu

uns gekommen war. Ich schluckte, meine Augen füllten sich mit Tränen. *Wie kann ich sie allein lassen?* Meine Gedanken verschwammen ineinander, meine Wahrnehmung verengte sich auf den Druck ihrer kleinen Hände.

Und dann blickte ich auf und sah, dass die deutschen Soldaten sie beobachteten, und in ihren Augen lag ein nachdenklicher Ausdruck. Ich strich ihr übers Haar. «Édith, du musst bei Hélène bleiben und tapfer sein. Deine *Maman* und ich kommen zu dir zurück. Ich verspreche es.»

Sie glaubte mir nicht. Ihre Augen waren weit aufgerissen vor Angst.

«Mir wird nichts Schlimmes passieren. Ich verspreche es. Ich gehe meinen Mann besuchen.» Ich versuchte sie zu überzeugen, meine Stimme sicher klingen zu lassen.

«Nein», sagte sie, und ihr Griff wurde fester. «Nein. Bitte, lass mich nicht allein.»

Mir brach das Herz. In meinen Gedanken flehte ich meine Schwester an. Bring sie von hier weg. Lass sie das nicht mitansehen. Hélène ließ meine Hand los. Sie hatte angefangen zu schluchzen. «Bitte, nehmen Sie meine Schwester nicht mit», sagte sie zu den Soldaten, während sie zugleich Édith wegzog. «Sie weiß nicht, was sie tut. Bitte, nehmen Sie meine Schwester nicht mit. Das hat sie nicht verdient.» Der Bürgermeister legte ihr den Arm um die Schultern. Aus seinem Blick sprach Verwirrung, Auréliens Worte hatten seinen Kampfeswillen zum Versiegen gebracht.

«Alles wird gut, Édith. Sei stark», rief ich ihr über den Lärm hinweg zu. Dann spuckte mich jemand an, und ich sah eine dünne, ekelhafte Spur auf meinem Ärmel. Die Menge johlte. Panik stieg in mir auf. «Hélène?», rief ich. «Hélène?»

Deutsche Hände stießen mich grob auf die Ladefläche des

Lasters. Ich fand mich in dem dämmrigen Innenraum auf einer Holzbank wieder. Ein Soldat setzte sich mir gegenüber, das Gewehr in die Armbeuge gelehnt. Die Segeltuchklappen fielen herunter, der Motor wurde angelassen. Das Motorengeräusch schwoll an, genauso wie der Lärm der Menge, als wären mit dem Wagen auch diejenigen in Gang gesetzt worden, die mich beschimpfen wollten. Ich fragte mich kurz, ob ich mich durch den schmalen Spalt zwischen den Segeltuchklappen werfen konnte, doch dann hörte ich «Hure!», gefolgt von Édiths durchdringendem Jammern und dem scharfen Knall, mit dem ein Stein die Seite des Lasters traf, sodass der Soldat eine Warnung ausrief. Ich zuckte zusammen, als direkt hinter mir ein weiterer Stein den Laster traf. Der Deutsche sah mich unbewegt an.

Ich saß da, die Hände auf meiner Tasche ineinandergekrampft, und begann zu zittern. Als der Laster wegfuhr, versuchte ich nicht, die Klappe anzuheben, um hinauszuschauen. Ich wollte mich nicht den Blicken der Leute preisgeben. Ich wollte ihre Verurteilung nicht hören. Ich saß über dem hinteren Radkasten, ließ langsam den Kopf in die Hände sinken und murmelte *Édouard, Édouard, Édouard* vor mich hin. Und: *Es tut mir leid.* Ich weiß nicht, vor wem ich mich entschuldigte.

Nach einem Moment wagte ich es, wieder aufzusehen. Durch das flatternde Segeltuch sah ich das rote Schild des Le Coq Rouge in der Wintersonne schimmern und das helle Blau von Édiths Kleid am Rande der Menge. Es wurde kleiner und kleiner, bis es schließlich, wie die ganze Stadt, aus meinem Blick verschwand.

Teil zwei

Kapitel 11

London, 2006

Liv bleibt so lange in der stillen Toilettenkabine wie nur möglich, ohne dass jemand eine Suchaktion einleitet. In dieser Zeit hört sie mehrere Frauen hereinkommen, manchmal zu zweit, plaudernd, während sie ihre Frisuren und ihr Make-up im Spiegel überprüfen. Sie checkt ihre Mails – Fehlanzeige – und spielt auf ihrem Handy Scrabble. Als Letztes macht sie mit dem Wort «flux» Punkte, dann betätigt sie die Toilettenspülung, kommt aus der Kabine, wäscht sich die Hände und mustert ihr Spiegelbild mit einer Art perverser Befriedigung. Ihre Wimperntusche ist unter einem Auge zerlaufen. Auf dem Weg zum Restaurant hat es angefangen zu regnen. Sie wischt die Spur weg und fragt sich, warum sie das eigentlich macht, wo sie doch gleich wieder neben Roger sitzen wird, dem einzigen anderen Single in der Runde, neben dem Kristen sie ganz zufällig platziert hat.

Sie wirft einen Blick auf die Uhr. Wann kann sie sich mit dem Hinweis auf einen frühen Termin am nächsten Morgen entschuldigen und nach Hause gehen? Falls sie Glück hat, ist Roger so betrunken, wenn sie zum Tisch zurückkommt, dass er sie vergessen hat.

Liv wirft einen letzten Blick in den Spiegel, schiebt sich das Haar aus dem Gesicht und schneidet eine Grimasse. *Was soll's?* Und dann öffnet sie die Tür.

«Liv! Liv, komm her! Ich will dir was erzählen!» Roger steht wild gestikulierend am Tisch. Sein Gesicht ist noch roter geworden, und seine Haare stehen an einer Seite von seinem Kopf ab. Vielleicht ist er ja halb Mann, halb Strauß, denkt sie und wird kurz panisch bei der Aussicht, noch eine halbe Stunde neben ihm sitzen zu müssen. Daran ist sie gewöhnt: an ihren beinahe überwältigenden Drang, sich zurückzuziehen; daran, auf den abendlichen Straßen allein zu sein; daran, überhaupt niemand sein zu müssen.

Kristens Mann Sven wirft ihr einen entschuldigenden Blick zu. Sie setzt sich, angespannt wie jemand, der jeden Augenblick zu einem Sprint starten könnte, und trinkt noch ein halbes Glas Wein. «Ich sollte jetzt wirklich gehen», sagt sie, und von den anderen kommt eine Welle des Protests, als wäre das eine persönliche Beleidigung. Sie bleibt. Ihr Lächeln ist verkrampft. Sie ertappt sich dabei, wie sie die Paare am Tisch beobachtet, jedes weitere Glas Wein lässt die Risse in der häuslichen Harmonie sichtbarer werden. Sie dort kann ihren Mann nicht mehr ausstehen, verdreht die Augen bei jedem zweiten Kommentar, den er abgibt. Und er dort ist von allen gelangweilt, von seiner Frau vermutlich auch. Zwanghaft schaut er unter dem Tisch immer wieder auf sein Handy. Liv wirft einen Blick auf die Uhr, nickt mechanisch zu Rogers wortreicher Litanei über eheliche Ungerechtigkeiten. In Gedanken spielt sie Smalltalk-Bingo. Sie kann Schulgebühren ankreuzen und Immobilienpreise. Gerade wendet sich das Tischgespräch beliebten Urlaubszielen zu, als ihr jemand auf die Schulter tippt.

«Entschuldigung. Da ist ein Anruf für Sie.»

Liv wirbelt herum. Die Kellnerin hat blasse Haut und langes, dunkles Haar, das ihr ums Gesicht fällt wie halb zugezogene Vorhänge. Sie wedelt mit ihrem Bestellblock. Irgendwie kommt sie Liv bekannt vor.

«Wie bitte?»

«Dringender Anruf. Ich glaube, es ist jemand aus Ihrer Familie.»

Liv zögert. *Familie?* Aber es ist ein Licht am Ende des Tunnels. «Oh», sagt sie. «Oh, na dann.»

«Soll ich Ihnen zeigen, wo das Telefon ist?»

«Dringender Anruf», flüstert sie Kristen über den Tisch zu und deutet auf die Kellnerin, die wiederum in Richtung Küche deutet. Auf Kristens Miene erscheint ein Ausdruck übertriebener Besorgnis. Sie beugt sich vor, um etwas zu Roger zu sagen, der einen Blick über die Schulter wirft und eine Hand ausstreckt, als wolle er Liv aufhalten. Und dann ist Liv vom Tisch verschwunden, folgt der kleinen, dunkelhaarigen Kellnerin durch das halb leere Restaurant, am Tresen vorbei und durch einen holzgetäfelten Korridor.

Nach dem gedämpften Licht im Restaurant blendet die grelle Beleuchtung der Küche, die Stahloberflächen reflektieren die Helligkeit. Zwei Männer in Weiß füllen eine Spülmaschine und beachten sie nicht. Irgendetwas wird in einer Ecke zischend und spritzend frittiert; jemand redet Spanisch, schnell wie ein Maschinengewehr. Die Kellnerin winkt sie durch eine Schwingtür, und dann ist Liv in einer Garderobe.

«Wo ist das Telefon?», fragt Liv.

Die Kellnerin zieht ein Päckchen Zigaretten aus der Schürzentasche und zündet sich eine an. «Welches Telefon?», fragt sie verständnislos.

«Hatten Sie nicht gesagt, da wäre ein Anruf für mich?»

«Oh. Das. Hier gibt es kein Telefon. Ich hatte nur den Eindruck, du müsstest gerettet werden.» Sie zieht an ihrer Zigarette, bläst einen langen Rauchstrahl aus und wartet einen Moment lang ab. «Du erkennst mich nicht, oder? Mo. Mo Stewart.» Sie seufzt, als Liv die Stirn runzelt. «Wir waren im selben Seminar an der Uni. Italienische Renaissancemalerei. Und Aktzeichnung.»

Liv denkt an ihre Unizeit zurück. Und da hat sie das Bild auf einmal vor sich: die kleine Gruftifrau in der Ecke, die praktisch in keinem Kurs jemals etwas gesagt hat, mit ausdruckslosem oder eher misstrauischem Gesichtsausdruck, die Fingernägel in einem aggressiven, glitzernden Lila lackiert. «Wow. Du hast dich kein bisschen verändert.» Und das ist keine Lüge. Doch während sie es sagt, weiß sie nicht genau, ob das ein Kompliment ist.

«Du allerdings schon», sagt Mo und betrachtet Liv. «Du siehst … ich weiß nicht … belesen aus.»

«Belesen.»

«Vielleicht nicht belesen. Anders eben. Müde. Na ja, neben so einem Trottel zu sitzen ist nicht gerade der Hit. Was ist das heute? So was wie ein Single-Abend?»

«Nur für mich, so wie es aussieht.»

«Meine Güte. Ich werde ihnen einfach erzählen, dass du wegmusstest. Großtante mit schwerer Lähmung. Oder was Schlimmeres? Aids? Ebola? Irgendwelche Sonderwünsche zum Ausmaß des Leidens? Musst du dich an der Rechnung beteiligen?»

«Oh, stimmt.» Liv wühlt in ihrer Handtasche nach dem Geldbeutel. Bei der Aussicht, ihre Freiheit wiederzuhaben, überkommt sie auf einmal der Leichtsinn.

Mo nimmt die Geldscheine und zählt sie sorgfältig durch. «Mein Trinkgeld?», sagt sie, ohne eine Miene zu verziehen. Sie meint es anscheinend ernst.

Liv blinzelt, dann legt sie noch einen Fünf-Pfund-Schein drauf. «Danke», sagt Mo und steckt das Geld in ihre Schürze. «Sehe ich bestürzt genug aus?» Sie setzt eine Miene milden Desinteresses auf, als würde sie akzeptieren, dass ihr für Besorgtheit die passenden Gesichtsmuskeln fehlen, und verschwindet durch die Tür.

Liv weiß nicht recht, ob sie gehen oder warten soll, bis Mo zurück ist. Sie schaut sich in dem Hinterzimmer um, sieht dic billigen Mäntel an der Garderobe, den schmuddeligen Eimer mit Wischmopp darunter, und schließlich setzt sie sich auf einen Holzstuhl. Als sie Schritte hört, steht sie auf, aber es ist ein südeuropäisch aussehender Mann. Er hat ein Glas mit einer bernstcinfarbenen Flüssigkeit in der Hand. «Hier», sagt er. Als sie Einwände erheben will, fügt er hinzu: «Gegen den Schock.» Dann zwinkert er ihr zu und geht wieder.

Liv setzt sich und nippt an dem Glas. In der Entfernung, über das Töpfeklappern in der Küche hinweg, hört sie, wie sich Rogers Stimme hebt und Stühle über den Boden scharren. Die Köche kommen aus der Küche, nicken ihr beim Vorbeigehen kurz zu, als wäre es nichts Ungewöhnliches, dass ein Gast zwanzig Minuten lang mit einem Brandy in der Garderobe sitzt.

Als Mo zurückkommt, hat sie ihre Kellnerschürze abgelegt. Sie hat einen Schlüsselbund in der Hand, geht an Liv vorbei und schließt den Notausgang ab. «Sie sind weg», sagt sie und schlingt ihre Haare zu einem Knoten im Nacken zusammen. «Dein heißes Date meinte, er würde dich gern trösten. An deiner Stelle würde ich mein Handy eine Zeitlang ausstellen.»

«Danke», sagt Liv. «Das war wirklich sehr nett.»

«Keine Ursache. Kaffee?»

Das Restaurant ist leer. Mo hantiert an der Kaffeemaschine und winkt Liv zu einem Stuhl. Liv würde lieber nach Hause gehen, weiß aber, dass sie für ihre Freiheit einen Preis zu zahlen hat, und wahrscheinlich besteht er in einer kurzen, gekünstelten Unterhaltung über die guten alten Zeiten.

«Ich kann kaum glauben, dass sie alle so schnell gegangen sind», sagt sie, als sich Mo noch eine Zigarette anzündet.

«Oh. Eine von ihnen hat eine SMS auf einem Blackberry gesehen, die nicht für sie bestimmt war. Das hat alles ein bisschen beschleunigt», sagt Mo. «Ich schätze, angeblich geschäftliche Mittagessen involvieren normalerweise keine Brustwarzenklammern.»

«Das hast du gehört?»

«Man hört alles. Die meisten Gäste reden einfach weiter, wenn die Bedienung kommt.» Sie schaltet den Milchaufschäumer an und fügt hinzu: «Eine Kellnerschürze verleiht einem übernatürliche Kräfte. Sie macht einen mehr oder weniger unsichtbar.»

Liv denkt mit unbehaglichem Gefühl daran, dass auch sie nicht mitbekommen hat, wie Mo an ihren Tisch gekommen ist. Mo sieht sie mit einem kleinen Lächeln an, als könnte sie ihre Gedanken lesen. «Es ist okay. Ich bin daran gewöhnt, die Große Unbemerkte zu sein.»

«Und?», sagt Liv, während sie ihren Kaffee entgegennimmt. «Was hast du so gemacht?»

«In den letzten zehn Jahren? Tja, dies und das eben. Das Kellnern liegt mir. Ich habe nicht den Ehrgeiz, zur Barfrau aufzusteigen», sagt sie vollkommen trocken. «Und du?»

«Oh, freiberufliche Sachen. Ich arbeite selbständig. Ich habe nicht genug Persönlichkeit für einen Bürojob.» Liv lächelt.

Mo zieht kräftig an ihrer Zigarette. «Das überrascht mich», sagt sie. «Du warst doch immer eins von den Golden Girls.»

«Den Golden Girls?»

«Ja, du und deine Blondinentruppe. Nur Beine und Haare und Männer, die um euch herumgeschwirrt sind, wie Satelliten auf der Umlaufbahn. Ich dachte, du wärst … keine Ahnung. Beim Fernsehen. Oder bei der Presse oder Schauspielerin oder so was.»

Wenn Liv diese Worte nur gelesen und nicht gehört hätte, wäre ihr vielleicht der Gedanke gekommen, dass sich dahinter eine Spitze verbergen könnte, doch in Mos Stimme liegt keinerlei Boshaftigkeit. «Nein», sagt sie und sieht zum Saum ihrer Bluse hinunter.

Liv trinkt ihren Kaffee aus. Es ist Viertel vor zwölf. «Musst du noch abschließen? In welche Richtung gehst du dann?»

«Ich gehe nirgends hin. Ich bleibe hier.»

«Hast du hier eine Wohnung?»

«Nein, aber meinem Chef macht es nichts aus.» Mo drückt ihre Zigarette aus und steht auf, um den Aschenbecher zu leeren. «Eigentlich weiß er es gar nicht. Er denkt einfach, ich wäre unheimlich gewissenhaft. Jeden Abend die Letzte, die das Restaurant verlässt. ‹Warum können die anderen nicht ein bisschen mehr sein wie du?›» Sie deutet mit dem Daumen über die Schulter. «Ich habe einen Schlafsack in meinem Spind und stelle meinen Wecker auf halb sechs. Hab gerade ein kleines Wohnungsproblem. Soll heißen: Ich kann mir keine leisten.»

Liv starrt sie an.

«Jetzt guck nicht so schockiert. Die Sitzbank ist bequemer als so manches Bett in einer möblierten Wohnung, das kann ich dir versichern.»

Im Nachhinein weiß sie nicht mehr, was sie dazu gebracht hat, es zu sagen. Liv lässt sehr selten jemanden ins Haus, ganz zu schweigen von Leuten, die sie seit Jahren nicht gesehen hat. Doch bevor ihr klar ist, was sie da tut, öffnet sich ihr Mund, und die Worte «Du kannst bei mir übernachten» kommen heraus. «Nur für heute Nacht», fügt sie hinzu, als sie begreift, was sie gesagt hat. «Ich habe ein Gästezimmer. Mit einer tollen Dusche.» Weil ihr klar ist, dass sich das gönnerhaft angehört haben könnte, fügt sie hinzu: «Wir haben uns bestimmt eine Menge zu erzählen. Das wird lustig.»

Mos Gesicht ist ausdruckslos. Dann schneidet sie eine Grimasse, als wäre sie es, die Liv einen Gefallen tut. «Wenn du meinst», sagt sie und geht ihren Mantel holen.

Sie kann ihr Haus schon von weitem sehen. Die blassblauen Glaswände erheben sich auf dem alten Zuckerspeicher, als wäre ein Ufo auf dem Dach gelandet. David mochte das; es gefiel ihm, darauf deuten zu können, wenn sie mit Freunden oder potenziellen Kunden nach Hause liefen. Ihm gefiel der Kontrast zu den dunkelbraunen Backsteinen der viktorianischen Lagerhäuser und wie das Glashaus das Licht einfing oder sich das Wasser des Flusses in der Fassade spiegelte.

Als es gebaut wurde, vor etwa acht Jahren, war Glas Davids bevorzugtes Material gewesen, hochentwickeltes Glas natürlich, mit thermischen Eigenschaften und einer guten Ökobilanz. Transparenz ist der Schlüssel, würde er sagen. Gebäude sollten ihren Zweck und ihre Struktur erkennen lassen. Die einzigen verborgenen Räume sind Badezimmer und Toiletten, und sogar dabei musste er oft dazu überredet werden, kein einseitig transparentes Glas zu verwenden. Es war typisch für David, sich nicht vorstellen zu können, dass es einem auf die Nerven gehen konnte, hinausschauen zu können, während man auf der Toilette saß, selbst wenn einem versichert wurde, dass niemand hereinsehen konnte.

Ihre Freunde hatten sie um dieses Haus beneidet, diese *Location*, und darum, dass es gelegentlich in Magazinen für Innenarchitektur auftauchte – aber sie wusste, dass sie insgeheim dachten, solch ein Minimalismus würde sie in den Wahnsinn treiben. Er lag David im Blut, dieser Hang zum Purismus, dazu, alles wegzuschaffen, was nicht gebraucht wurde. Alles, was sich im Haus befand, musste seinen William-Morris-Test bestehen: Erfüllt es einen Zweck? Ist es schön? Und schließlich: Ist es absolut notwendig? Zu Beginn ihres Zusammenlebens hatte sie das sehr anstrengend gefunden. David hatte sich auf die Unterlippe gebissen, wenn sie eine Kleiderspur über den Schlafzimmerboden gezogen, billige Blumensträuße in die Küche gestellt und die Räume mit Nippes vom Flohmarkt dekoriert hatte. Inzwischen ist sie dankbar für die Nüchternheit ihres Zuhauses, für seine karge Askese.

«Oh. Abgefahren. Cool.» Sie fahren mit dem klapprigen Lift direkt in das Glashaus, und Mo wirkt ungewöhnlich lebhaft. «Das ist dein Haus? Im Ernst? Wie zum Teufel hast du es geschafft, an so was zu kommen?»

«Mein Mann hat es gebaut.» Sie geht durch das Atrium, hängt ihren Schlüsselbund sorgfältig an den einzelnen Silberhaken und schaltet im Vorbeigehen die Beleuchtung an.

«Dein Ex? Wahnsinn. Und er hat es dich behalten lassen?»

«Ganz so war es nicht.» Liv drückt auf einen Schalter und sieht zu, wie sich lautlos die Dachjalousien zurückschieben, sodass die Küche unterm Sternenhimmel liegt. «Er ist gestorben.» Sie steht da, das Gesicht nach oben gerichtet, und wappnet sich für den Schauer unsicherer Mitleidsbekundungen. Die Erklärung wird niemals einfacher. Vier Jahre ist es her, aber die Worte verursachen immer noch einen reflexhaften Stich, als wäre Davids Abwesenheit eine offene Wunde tief in ihrem Inneren.

Aber Mo schweigt. Als sie schließlich den Mund aufmacht, sagt sie einfach nur: «Der Horror.»

«Ja», sagt Liv und stößt einen kleinen Seufzer aus. «Ja, das kann man wohl sagen.»

Liv hört sich die Ein-Uhr-Nachrichten im Radio an und nimmt unbewusst die gedämpften Geräusche aus dem Gästebad wahr und das vage Unbehagen, das sie jedes Mal überkommt, wenn jemand anderes im Haus ist. Sie wischt die Granitoberflächen in der Küche ab und poliert sie mit einem weichen Tuch. Sie fegt nicht existente Krümel vom Boden auf. Schließlich geht sie durch den Flur aus Glas und Holz und dann die Holz-Plexiglas-Schwebetreppe hinauf zu ihrem Schlafzimmer. Die Wand mit den grifflosen Schranktüren schimmert, gibt keinerlei Hinweis auf die wenigen Kleidungsstücke, die sich dahinter verbergen. Das Bett steht riesig und leer mitten im Raum, zwei mit «Letzte Mahnung» überschriebene Briefe von der Bank liegen auf der Tagesdecke, wo Liv sie am Morgen hingelegt hat. Sie setzt sich, faltet die Schreiben ordentlich, steckt sie zurück in die Umschläge, schaut geradeaus auf das Porträt *Jeune Femme*, dessen Farben in dem Goldrahmen und vor dem gedeckten Nilgrün und Grau des Raumes noch mehr zu strahlen scheinen, und erlaubt sich, in Gedanken abzuschweifen.

Sie sieht aus wie du.

Sie sieht überhaupt nicht aus wie ich.

Sie hatte ihn angelacht, vollkommen überdreht, immer noch trunken vor Verliebtheit. Immer noch bereit, an seine Vision von ihr zu glauben.

Du siehst ganz genauso aus, wenn du …

Die *Jeune Femme* lächelt.

Liv schließt kurz die Augen, bevor sie das Licht ausmacht, damit sie das Gemälde nicht länger anschauen muss.

Kapitel 12

Manche Menschen kommen besser zurecht, wenn sie sich an feste Gewohnheiten halten, und Liv gehört dazu. Unter der Woche steht sie jeden Tag um halb acht auf, zieht ihre Laufschuhe an, schnappt sich ihren iPod, und bevor sie lange darüber nachdenken kann, macht sie sich auf den Weg nach unten, verschlafen, in dem klapprigen Lift, und absolviert einen halbstündigen Lauf am Fluss. Während sie sich zwischen den grimmig entschlossenen Büroangestellten durchfädelt und zurücksetzenden Lieferwagen ausweicht, wird sie richtig wach, ihr Gehirn stellt sich auf den Rhythmus der Musik in ihren Ohren ein, auf das leise Tapp-Tapp ihrer Schritte auf dem Bürgersteig. Dann hat sie sich wieder einmal vor der Zeit gerettet, vor der sie sich immer noch fürchtet. Vor diesen Minuten zwischen Schlaf und Erwachen, in denen sie so verletzlich ist, dass sie der Verlust immer noch treffen kann, unangekündigt, hinterhältig, und ihre Gedanken in einen giftigen, schwarzen Nebel hüllt. Sie hat mit dem Laufen angefangen, nachdem ihr klarwurde, dass sie die Außenwelt, die Geräusche aus ihrem Kopfhörer, ihre eigene Bewegung als eine Art Blitzableiter einsetzen kann. Inzwischen ist es eine Gewohnheit geworden, eine Übereinkunft. *Ich muss nicht nachdenken. Ich muss nicht nachdenken. Ich muss nicht nachdenken.*

Ganz besonders nicht heute.

Sie wechselt vom Laufen zu schnellem Gehen, kauft Kaffee und fährt mit dem Lift zurück ins Glashaus, in ihren Augen brennt der Schweiß, auf dem T-Shirt haben sich unansehnliche Flecken ausgebreitet. Sie duscht, zieht sich an, trinkt ihren Kaffee und isst zwei Scheiben Toast mit Marmelade. Sie hat kaum etwas zu essen im Haus, findet den Anblick eines gefüllten Kühlschranks erdrückend; eine Erinnerung daran, dass sie kochen und essen sollte, statt sich von Crackern und Käse zu ernähren. Ein Kühlschrank voller Lebensmittel ist ein stiller Vorwurf.

«Mo? Ich stelle dir einen Kaffee vor die Tür.» Sie steht mit schräg gelegtem Kopf da, wartet auf ein Geräusch aus dem Zimmer. Es ist Viertel nach acht. Zu früh, um einen Gast zu wecken? Sie hat schon so lange niemanden mehr über Nacht im Haus gehabt, dass sie nicht mehr recht weiß, was richtig ist. Sie wartet unbehaglich, rechnet halb mit einer verschlafenen Antwort, sogar einem genervten Murren, und geht dann davon aus, dass Mo noch schläft. Sie hat immerhin den ganzen Abend gearbeitet. Liv stellt den Styroporbecher vor der Tür ab, nur für den Fall.

Dann setzt sie sich an den Computer und checkt, ob über Nacht ein Auftrag von *Copywritersperhour* hereingekommen ist. Oder, wie es in letzter Zeit meist der Fall war, nicht.

Sie hat vier neue E-Mails.

Sehr geehrte Mrs. Halston,

ich habe Ihre E-Mail-Adresse von Copywritersperhour.com erhalten. Ich führe ein Papierwarengeschäft und habe eine Broschüre, die überarbeitet werden muss. Wie ich sehe, beträgt Ihr Honorar hundert Pfund für tausend Worte. Wäre es Ihnen eventuell möglich, diesen Preis zu senken? Unser Budget ist sehr knapp. Die Broschüre umfasst in ihrer aktuellen Form 1250 Worte.

Mit freundlichem Gruß
Terence Blank

Livvy Darling
Hier schreibt dein Vater. Caroline hat mich verlassen. Ich bin fassungslos. Das Kapitel Frauen ist für mich erledigt. Ruf mich an, wenn du es einrichten kannst.

Hi Liv,
alles klar wegen Donnerstag? Die Kinder freuen sich schon unheimlich darauf. Wir gehen im Moment von 20 aus, aber wie du weißt, kann sich die Zahl immer ändern. Lass von dir hören, wenn du irgendwas brauchst.
Viele Grüße
Abiola

Sehr geehrte Mrs. Halston,

wir haben mehrfach erfolglos versucht, Sie telefonisch zu erreichen. Bitte melden Sie sich bei uns, damit wir einen Termin

vereinbaren, um über Ihre Kontoüberziehung zu sprechen. Wenn Sie sich nicht melden, müssen wir Ihnen Zusatzgebühren berechnen.
Wir bitten ebenfalls darum, dafür zu sorgen, dass wir über Ihre aktuellen Kontaktdaten informiert sind.

Mit freundlichem Gruß
Damian Watts
Kundenbetreuung, NatWest Bank

Sie beantwortet die erste Mail.

Sehr geehrter Mr. Blank,

ich würde meine Preise liebend gern senken, um Ihnen entgegenzukommen. Leider macht es jedoch mein Biorhythmus erforderlich, dass ich ab und zu auch etwas essen muss. Viel Glück mit Ihrer Broschüre.

Sie weiß, dass da draußen irgendjemand ist, der es für weniger erledigen wird, jemand, der sich nicht allzu viele Gedanken über Grammatik und Zeichensetzung macht und dem es nicht auffällt, dass in dem Manuskript ungefähr zweiundzwanzig Mal ‹das› statt ‹dass› steht. Aber sie hat es satt, ihre ohnehin schon niedrigen Preise noch weiter drücken zu lassen.

Dad, ich melde mich später. Falls Caroline inzwischen zufällig zurückgekommen ist, achte bitte darauf, dass du angezogen bist. Mrs. Patel hat erzählt, letzte Woche wärst du schon wieder nackt rausgegangen, um die japanischen Anemonen zu gießen, und du weißt, was die Polizei dazu gesagt hat.
Liv x

Als sie das letzte Mal zu ihrem Vater fuhr, um ihn zu trösten, weil Caroline wieder verschwunden war, hatte er ihr die Tür in einem orientalischen Damen-Seidenkaftan geöffnet, der vorne aufstand, und sie in eine innige Umarmung gezogen, bevor sie protestieren konnte. «Ich bin dein Vater, um Himmels willen», hatte er gemurrt, als sie ihn ausschimpfte. Obwohl er seit wenigstens zehn Jahren kein ordentliches Engagement mehr als Schauspieler gehabt hatte, besaß Michael Worthing immer noch seinen kindlichen Mangel an Hemmungen und empfand das, was bei ihm «Verpackung» hieß, als lästig. In ihrer Kindheit hatte Liv aufgehört, Freunde mit nach Hause zu bringen, nachdem Samantha Howe heimgegangen war und ihrer Mutter erzählt hatte, Mr. Worthing ließe beim Herumlaufen «seine Teile frei pendeln». (Und in der Schule hatte sie allen erzählt, Livs Dad hätte einen Pimmel wie eine Riesenwurst. Über diesen Spruch hatte sich ihr Vater merkwürdigerweise nicht aufgeregt.)

Caroline, seine rothaarige Freundin seit beinahe fünfzehn Jahren, störte sich nicht an seiner Nacktheit. Tatsächlich lief sie sogar selbst gern halbnackt herum. Liv dachte manchmal, dass ihr der Anblick dieser beiden blassen, leicht erschlafften Körper vertrauter war als der ihres eigenen.

Caroline war seine große Leidenschaft, aber alle paar Monate lief sie ihm nach einem epischen Wutanfall davon, nachdem sie aufgezählt hatte, wie unmöglich er war, dass er nichts verdiente und ständig Affären mit anderen Frauen hatte. Was die Frauen an ihm fanden, hatte Liv noch nie verstanden.

«Die Lebenslust, mein Liebling!», rief er dann aus. «Leidenschaft! Wenn du keine Leidenschaft hast, bist du eine tote Hülle.» Liv glaubt insgeheim, dass sie eine Enttäuschung für ihren Vater ist.

Sie trinkt den letzten Schluck Kaffee und schreibt eine Mail an Abiola.

Hi Abiola,
ich treffe dich um 14 Uhr vor dem Conaghy-Gebäude. Von meiner Seite aus ist alles klar. Sie sind ein bisschen nervös, haben aber definitiv Lust darauf. Ich hoffe, dir geht's gut.
Gruß
Liv

Sie schickt die Mail ab und schaut dann auf die von ihrem Bankberater. Ihre Finger erstarren auf der Tastatur. Dann drückt sie auf Löschen.

Sie weiß, dass es so nicht weitergehen kann. Sie meint ein leises, bedrohliches Gezeter aus den Umschlägen zu hören, in denen die sorgfältig gefalteten Mahnbriefe stecken. Es erinnert sie an die Trommelschläge einer einmarschierenden Armee. Sie lebt wie eine Kirchenmaus, kauft wenig, geht selten aus, und trotzdem reicht das Geld nicht. Ihre Bankkarten und Kreditkarten neigen dazu, von den Automaten eingezogen zu werden. Im Jahr zuvor hatte eine Frau von der Kommunalverwaltung vor ihrer Tür gestanden, weil eine Neuberechnung der Grundsteuern vorgenommen werden sollte. Die Frau war durch das Glashaus gegangen und hatte Liv angesehen, als hätte sie versucht, die Behörde zu betrügen. Als wäre es eine Beleidigung, dass sie, eine so junge Frau, allein in diesem Haus lebte. Liv konnte ihr kaum einen Vorwurf daraus machen: Seit Davids Tod fühlt sie sich wie eine Hochstaplerin, weil sie in dem Glashaus wohnt. Sie ist wie eine Museumskuratorin, die Davids Erbe hütet, den Ort so erhält, wie er es sich gewünscht hätte.

Jetzt zahlt Liv den Höchstsatz, der an Grundsteuer überhaupt erhoben werden kann, den gleichen Satz wie die Banker mit ihren millionenschweren Lohntüten oder die Kapitalgeber mit ihren pervers hohen Boni. Die Steuer verschlingt in manchen Monaten mehr als die Hälfte ihrer Einkünfte.

Sie öffnet die Umschläge mit den Kontoauszügen nicht mehr. Sie weiß ohnehin genau, was drinsteht.

«Es ist meine eigene Schuld.» Ihr Vater lässt theatralisch den Kopf in die Hände sinken. Zwischen seinen Fingern stehen graue Haarbüschel hoch. In der Küche zeugen Töpfe und Pfannen von einem abgebrochenen Abendessen. Ein Stück Parmesan, eine Schüssel mit kalt gewordener Pasta: ein Geisterschiff häuslichen Unfriedens. «Ich weiß, dass ich die Finger von ihr hätte lassen sollen. Aber, oh! Ich war wie eine Motte, die von der Flamme angezogen wird. Und von was für einer Flamme! Diese Hitze! Diese *Hitze!*» Er klingt völlig fassungslos.

Liv nickt verständnisvoll. Im Stillen versucht sie, die Erzählung von diesem überwältigenden sexuellen Fehltritt mit Jean in Einklang zu bringen, der Frau in den Fünfzigern, die am Tag vierzig Zigaretten raucht und deren graue Knöchel unter zu kurzen Hosen herausschauen wie Kutteln.

Liv setzt den Wasserkessel auf. Während sie aufräumt, trinkt ihr Vater sein Weinglas aus. «Es ist zu früh für Wein.»

«Es ist nie zu früh für Wein. Der Nektar der Götter. Mein einziger Trost.»

«Dein ganzes Leben ist ein einziger langer Trost.»

«Wie konnte ich nur eine so willensstarke Frau mit so beängstigenden Grundsätzen aufziehen?»

«Das liegt daran, dass du mich nicht aufgezogen hast. Das war Mum.»

Liv denkt manchmal, dass die kurze, zerbrochene Ehe ihrer Eltern seit dem Tag, an dem ihre Mutter sechs Jahre zuvor gestorben ist, von ihrem Vater irgendwie neu erfunden wurde, sodass die Frau, die früher für ihn dieses intolerante Weib, dieses Luder, diese Xanthippe war, die sein einziges Kind gegen ihn eingenommen hat, nun an eine Art Jungfrau Maria erinnert. Liv stört sich nicht daran. Sie tut dasselbe. Wenn man seine Mutter verliert, nimmt sie in der Vorstellung nach und nach perfekte Züge an. Besteht nur noch aus sanften Küssen, liebenden Worten und tröstenden Umarmungen.

«Der Verlust hat dich hart gemacht.»

«Ich verliebe mich nur einfach nicht in jeden Vertreter des anderen Geschlechts, der mir zufällig an der Supermarktkasse begegnet.»

Sie zieht Schubladen auf, sucht nach den Kaffeefiltern. Das Haus ihres Vaters ist so vollgestopft und chaotisch wie ihres aufgeräumt.

«Ich habe kürzlich Jasmine im Pig's Foot gesehen.» Seine Miene hellt sich auf. «Sie ist hinreißend. Sie hat nach dir gefragt. Warum triffst du dich nicht mehr mit ihr? Ihr wart doch so gute Freundinnen.»

Sie zuckt mit den Schultern. «Man entwickelt sich eben auseinander.» Das ist nur die halbe Wahrheit, aber das kann sie ihm nicht erzählen. Es gibt ein paar Sachen, die einem niemand sagt, wenn man den Ehemann verliert: dass du nur noch schlafen und schlafen willst und dir an manchen Tagen selbst das Aufwachen so schwerfällt, dass deine Augenlider einfach wieder runterklappen, und dass allein den Tag zu überstehen eine Herkulesanstrengung ist – und du fängst an, deine Freunde völlig irrational zu hassen. Jedes Mal, wenn einer von ihnen vor deiner Tür auftaucht oder wenn sie über die Straße kommen, um dir zu sagen, wie unglaublich leid es ihnen tut, siehst du deine Freundin an, ihren Mann und ihre kleinen Kinder und bist geschockt von deinem eigenen, ungebändigten Neid. Wie können sie leben, und David musste sterben? Wie kann der langweilige Trottel Richard mit seinen Bankerfreunden und seinen Wochenend-Golftrips und seinem totalen Desinteresse an allem außerhalb seiner kleinen, selbstgefälligen Welt leben, wo David, der brillante, liebevolle, großzügige, leidenschaftliche David sterben musste? Wie kann der Blödmann Tim sich vermehren, weitere kleine, phantasielose Tims in die Welt setzen, wenn Davids überraschende Gedankensprünge, seine Güte, seine Küsse für immer ausgelöscht wurden?

Liv weiß noch, wie sie auf Toiletten geweint hat, ohne Erklärung aus vollen Räumen davonlief, sich ihrer eigenen Unhöflichkeit sehr bewusst, aber außerstande, etwas dagegen zu tun. Es hat Jahre gedauert, bis sie das Glück anderer sehen konnte, ohne ihren eigenen Verlust zu betrauern.

Inzwischen ist die Wut verraucht, aber sie zieht es immer noch vor, häusliches Glück nur aus der Ferne zu betrachten und bei Leuten, die sie nicht besonders gut kennt, so als wäre Glück eine wissenschaftliche Theorie, die sie einfach nur bestätigt sehen will.

Sie trifft sich nicht mehr mit ihren Freundinnen von früher, den Cherrys, den Jasmines. Den Frauen, die sich an das Mädchen erinnern können, das sie einmal war. Es ist zu kompliziert, um es zu erklären. Und es gefällt Liv nicht besonders, was diese Haltung über sie aussagt.

«Also, ich finde, du solltest sie anrufen. Es hat mir immer so gefallen, wenn ihr beide zusammen ausgegangen seid, ihr wart wirklich zwei junge Göttinnen.»

«Wann rufst du Caroline an?», sagt sie, wischt Krümel von dem abgebeizten Küchentisch aus Kiefernholz und schrubbt an einem angetrockneten Ring Rotwein herum.

«Sie will nicht mit mir reden. Ich habe ihr heute vierzehn Nachrichten auf die Mailbox gesprochen.»

«Du musst aufhören, mit anderen Frauen zu schlafen, Dad.»

«Ich weiß.»

«Und du musst Geld verdienen.»

«Ich weiß.»

«Und du musst dich anziehen. Wenn ich an ihrer Stelle wäre und dich so sehen würde, wenn ich zurückkomme, würde ich auf dem Absatz umdrehen und wieder verschwinden.»

«Ich trage ihren Hausmantel.»

«Das habe ich mir schon gedacht.»

«Er riecht noch nach ihr. Was soll ich nur tun, wenn sie nicht zurückkommt?»

Liv erstarrt, ihr Gesichtsausdruck wird einen Moment lang sehr hart. Sie fragt sich, ob ihr Vater auch nur die geringste Ahnung hat, welcher Tag heute ist. Dann sieht sie den niedergeschlagenen Mann in seinem Frauenmorgenmantel an, die blauen Adern, die sich unter seiner Krepphaut erheben, und dreht sich zum Abwasch um. «Weißt du, was, Dad? Für diese Frage bin ich wirklich nicht die Richtige.»

Kapitel 13

Der alte Mann setzt sich behutsam und stößt einen Seufzer aus, als hätte ihn die Durchquerung des Raumes einige Anstrengung gekostet. Sein Sohn, der ihn am Ellbogen gestützt hat, sieht ihn besorgt an.

Paul schlägt seinen Ordner auf. Er legt seine Hände auf den Schreibtisch, spürt Mr. Nowickis Blick auf sich. «Nun, ich habe Sie heute zu mir gebeten, weil ich Neuigkeiten habe. Als Sie damals zu mir gekommen sind, habe ich gesagt, dass es ein schwieriger Fall werden würde, weil Sie keinen Provenienznachweis haben. Wie Sie wissen, sind viele Galerien äußerst zurückhaltend, wenn es um die Rückgabe eines Kunstwerkes ohne soliden Nachweis der ...»

«Ich erinnere mich ganz deutlich an das Gemälde.» Der alte Mann hebt die Hand.

«Ich weiß. Und Sie wissen, dass die betreffende Galerie einer Zusammenarbeit mit uns nur sehr zögernd zugestimmt hat, obwohl auch sie keinen vollständigen Provenienznachweis besitzt. Zusätzlich wurde der Fall durch die erhebliche Wertsteigerung des in Frage stehenden Werkes erschwert. Zudem hatten Sie keine Abbildung, auf die wir uns stützen konnten.»

«Wie kann man von mir verlangen, solch ein Gemälde perfekt zu beschreiben? Ich war erst zehn, als man uns aus unserem Haus vertrieben hat – zehn Jahre. Können Sie mir genau beschreiben, was in Ihrem Elternhaus an der Wand hing, als Sie zehn Jahre alt waren?»

«Nein, Mr. Nowicki, das kann ich nicht.»

«Hätten wir denn wissen sollen, dass wir nie mehr in unser Haus zurückkehren durften? Dieses Verfahren ist lächerlich. Warum soll ich den Beweis führen müssen, dass uns etwas gestohlen wurde? Nach allem, was wir durchgemacht haben …»

«Dad, das haben wir doch besprochen.» Der Sohn, Jason, legt seinem Vater die Hand auf den Unterarm, und der alte Mann presst widerstrebend die Lippen zusammen, als wäre er daran gewöhnt, zurückgehalten zu werden.

«Ich wollte über Folgendes mit Ihnen sprechen», sagt Paul. «Als wir uns im Januar getroffen haben, erwähnten Sie, dass Ihre Mutter mit einem Nachbarn, Artur Bohmann, befreundet war, der nach Amerika gegangen ist. Es ist mir gelungen, seine Nachkommen ausfindig zu machen, sie wohnen in Des Moines. Und seine Enkelin, Anne-Marie, hat die Familienalben durchgeblättert und in einem davon das hier entdeckt.» Paul nimmt ein Foto aus seinem Ordner und schiebt es Mr. Nowicki über den Schreibtisch zu.

Es ist kein sehr guter Abzug, aber das Motiv ist deutlich zu erkennen. Auf dem Schwarz-Weiß-Foto sitzt eine Familie steif auf einem hart gepolsterten Sofa. Eine Frau lächelt zurückhaltend, hält einen Säugling auf dem Schoß. Ein Mann mit enormem Schnurrbart lehnt sich zurück, den Arm über die Rückenlehne des Sofas gelegt. Ein Junge grinst breit, sodass seine Zahnlücke deutlich zu sehen ist. Hinter ihnen hängt ein Gemälde von einem tanzenden Mädchen.

«Das ist es», sagt Mr. Nowicki leise und hebt eine arthritische Hand zum Mund. «Der Degas.»

«Ich habe es in der Bilderdatenbank überprüft und dann noch bei der Edgar Degas Foundation. Ich habe ihren Anwälten diese Abbildung zusammen mit einer Erklärung der Tochter Artur Bohmanns geschickt, in der steht, dass auch sie sich erinnert, dieses Bild im Hause Ihrer Eltern gesehen zu haben und daran, dass Ihr Vater darüber sprach, wie er es gekauft hat.»

Er hält inne. «Aber das ist noch nicht alles, was Anne-Marie berichtet hat. Sie sagt, nach der Flucht Ihrer Eltern wäre Artur Bohmann nachts einmal in die Wohnung gegangen, um einige Wertsachen Ihrer Familie zu retten. Als er wieder ging, hat er bemerkt, dass das Gemälde nicht mehr da war.»

«Es war Dreschler. Er hat den Nazis von dem Gemälde erzählt. Ich wusste immer, dass er es ihnen erzählt hat. Und er hat meinen Vater seinen Freund genannt!» Seine Hände zittern auf seinen Knien.

«Ja, nun, wir haben uns Mr. Dreschlers Akten angesehen, und dort tauchen mehrere unklare Geschäfte mit den Deutschen auf – und eines bezieht sich auf einen Degas. Die Daten und die Tatsache, dass es in Ihrer Gegend um diese Zeit nicht viele Gemälde von Degas gegeben haben kann, verleihen Ihrem Standpunkt wesentlich mehr Gewicht.»

Der alte Mann wendet sich seinem Sohn zu. *Siehst du?*, sagt sein Gesichtsausdruck.

«Nun, Mr. Nowicki, gestern Abend habe ich ein Schreiben von der Galerie erhalten. Soll ich es vorlesen?»

«Ja.»

Sehr geehrter Mr. McCafferty,

in Anbetracht der neuen Beweislage, unseres eigenen lückenhaften Provenienznachweises und des ganzen Ausmaßes dessen, was Mr. Nowickis Familie erlitten hat, sind wir zu der Entscheidung gekommen, den Anspruch auf das Werk «Femme dansante» von Degas nicht anzufechten. Die Kuratoren der Galerie haben die beauftragten Anwälte angewiesen, den Fall nicht weiterzuverfolgen, und wir erwarten Ihre Bestimmungen in Bezug auf den Transport des Objektes.

Paul wartet ab.

Der alte Mann scheint in Gedanken versunken. Schließlich sieht er auf. «Sie geben es zurück?»

Paul nickt. Er kann nicht aufhören zu lächeln. Es war ein langer, anstrengender Fall, doch seine Lösung war schließlich erfreulich schnell vonstattengegangen.

«Sie geben es uns wirklich zurück?»

«Sie müssen ihnen nur noch mitteilen, wohin sie es schicken sollen.»

Darauf folgt eine lange Stille. Jason Nowicki wischt sich mit dem Handballen die Tränen aus den Augenwinkeln.

«Entschuldigung», sagt er. «Ich weiß nicht, warum ...»

«Das ist ganz normal.» Paul nimmt eine Box mit Papiertaschentüchern aus dem Schreibtisch und reicht sie ihm. «Solche Fälle sind immer sehr emotionsbeladen. Es geht nie einfach nur um ein Gemälde.»

«Es hat so lange gedauert. Der Verlust dieses Degas war eine ständige Erinnerung an das, was mein Vater und meine Großeltern im Krieg durchmachen mussten. Und ich war nicht sicher, ob Sie …» Er atmet tief ein. «Es ist unglaublich. Dass Sie die Familie dieses Mannes aufgespürt haben. Es hieß ja, dass Sie gut sind, aber …»

Paul und Jason sehen den alten Herrn an, der immer noch auf die Abbildung des Gemäldes starrt. Er ist sehr blass. Er scheint irgendwie geschrumpft zu sein, so als hätte sich nun das ganze Gewicht der lange vergangenen Ereignisse auf ihn gesenkt.

«Alles in Ordnung mit dir, Dad?»

«Mr. Nowicki?»

Er strafft sich ein wenig, als fiele ihm gerade erst wieder ein, dass er nicht alleine ist. Seine Hand liegt auf dem Foto.

Paul setzt sich wieder hinter den Schreibtisch, nimmt seinen Stift und hält ihn wie eine Brücke zwischen den Händen. «Nun. Die Rückgabe des Gemäldes. Ich kann Ihnen eine Spedition empfehlen, die auf Kunsttransporte spezialisiert ist. Und ich würde Ihnen ebenfalls dazu raten, das Bild vor dem Transport zu versichern. Ich muss Ihnen ja nicht sagen, dass ein Gemälde wie dieses …»

«Haben Sie Kontakt zu einem Auktionshaus?»

«Wie bitte?»

Mr. Nowickis Gesichtsfarbe hat sich wieder normalisiert. «Haben Sie Kontakt zu irgendeinem Auktionshaus? Ich habe vor einer Weile bei einem angerufen, aber sie wollten zu viel Geld. Zwanzig Prozent, glaube ich. Plus Steuern. Das ist zu viel.»

«Sie … wollen ein Versicherungsgutachten erstellen lassen?»

«Nein. Ich will es verkaufen.» Er öffnet seine abgegriffene Brieftasche und legt das Foto hinein. «Anscheinend sind die Zeiten für einen Verkauf gerade günstig. Die Ausländer kaufen ja alles …» Er hebt wegwerfend die Hand.

Jason starrt ihn an. «Aber Dad …»

«Das alles war sehr kostspielig. Wir haben Rechnungen zu bezahlen.»

«Aber du hast doch gesagt …»

Mr. Nowicki wendet sich von seinem Sohn ab. «Können Sie das für mich herausfinden? Und dann schicken Sie mir Ihre Honorarrechnung.»

Paul schluckt. Bleibt ruhig. «Ja, natürlich.»

Ein langes Schweigen. Schließlich steht der alte Herr auf. «Das waren wirklich sehr gute Neuigkeiten. Vielen Dank, Mr. McCafferty.»

«Keine Ursache», sagt er. Er steht auf und streckt die Hand zum Abschied aus.

Als sie weg sind, setzt sich Paul McCafferty auf seinen Stuhl. Er schließt den Ordner und dann seine Augen.

«Das darfst du nicht persönlich nehmen», sagt Janey. «Das geht uns nichts an. Wir sind nur für die Rückerstattung zuständig.»

«Ich weiß. Nur hat Mr. Nowicki ständig davon geredet, was für eine unglaubliche Bedeutung dieses Gemälde für seine Familie hat und dass es für alles steht, was sie verloren haben und …»

«Denk nicht mehr dran, Paul.»

«So etwas ist mir im Dezernat nie untergekommen.» Er steht auf und läuft in Janeys beengtem Büro auf und ab. Schließlich bleibt er am Fenster stehen und sieht hinaus. «Wenn wir den

Leuten ihre Sachen wiederbeschaffen konnten, waren sie einfach nur froh.»

«Du willst aber trotzdem nicht zurück zur Polizei.»

«Ich weiß. Ich meine ja nur. Diese Restitutionsfälle gehen mir jedes Mal an die Nieren.»

«Tja, du hast es geschafft, uns das Honorar in einem Fall einzubringen, bei dem ich dachte, es würde vielleicht nie eine Einigung erzielt werden. Und die Provision kannst du gut gebrauchen. Du suchst doch eine neue Wohnung. Also sollten wir zufrieden sein. Hier.» Janey schiebt eine Aktenmappe über den Schreibtisch. «Das sollte dich aufheitern. Ist gestern Abend reingekommen. Scheint ziemlich unkompliziert zu sein.»

Paul nimmt die Unterlagen aus der Mappe. Ein Frauenporträt, vermisst seit 1917, dessen Diebstahl erst vor zehn Jahren entdeckt wurde, als die Nachkommen eine Bestandsprüfung der Werke des Künstlers durchführten. Auf dem nächsten Blatt eine Abbildung des fraglichen Gemäldes, das in einem minimalistisch eingerichteten Raum mitten an der Wand hängt. Abgedruckt vor mehreren Jahren in einem Hochglanzmagazin für Innenarchitektur.

«Erster Weltkrieg?»

«Die Verjährungsfrist ist offensichtlich noch nicht abgelaufen. Scheint alles ziemlich eindeutig. Sie sagen, sie haben Beweise dafür, dass die Deutschen das Gemälde während des Krieges gestohlen haben. Seitdem war es verschwunden. Vor ein paar Jahren hat eines der Familienmitglieder zufällig eine alte Zeitschrift in die Hand bekommen, und jetzt rate mal, was da auf einer Doppelseite abgebildet war.»

«Sind sie sicher, dass es das Original ist?»

«Es ist offenbar nie kopiert worden.»

Paul schüttelt den Kopf. Die Ereignisse des Vormittags sind für einen Moment vergessen; er spürt, wie sich automatisch die Aufregung einstellt, die jeder neue Fall bringt. «Und da ist es. Beinahe hundert Jahre später. Hängt einfach bei einem reichen Paar an der Wand.»

«In dem Artikel steht nur Londoner Innenstadt. Das ist bei diesen Artikeln zu Luxusbehausungen immer so. Sie wollen keine Einbrüche provozieren, indem sie die genaue Adresse angeben. Aber ich schätze, es wird nicht allzu schwierig, sie herauszufinden – immerhin wird der Name des Paars genannt.»

Paul klappt die Mappe zu. Er sieht wieder Mr. Nowickis zusammengepressten Mund vor sich, den Blick, mit dem der Sohn den Vater angeschaut hat, als hätte er ihn noch nie zuvor gesehen.

Janey legt ihm leicht die Hand auf den Arm. «Wie läuft es mit der Wohnungssuche?»

«Nicht besonders.»

«Tja, wenn du Aufheiterung brauchst, könnten wir einen Happen essen gehen. Ich habe heute Abend nichts vor.»

Paul setzt ein Lächeln auf. Er versucht zu übersehen, wie sich Janey übers Haar streicht, wie ein peinlich hoffnungsvolles Lächeln in ihr Gesicht tritt. Er tritt einen Schritt zurück. «Ich arbeite heute ziemlich lange. Habe ein paar Fälle, die ich in den Griff bekommen will. Aber danke. Morgen Vormittag mache ich mich sofort an die neue Akte.»

Liv kommt um fünf Uhr zurück, nachdem sie ihrem Vater etwas zu essen gekocht und gestaubsaugt hat. Caroline staubsaugt selten, und die Farben des alten Persianerläufers erstrahlten, als Liv fertig war. Unter ihr liegt die Stadt in der

Hitze eines Spätsommertages, Verkehrsgeräusche steigen auf, Dieselgerüche liegen über der erhitzten Straße.

«Hey, Fran», sagt sie, als sie an die Haustür kommt.

Die Frau, die sich trotz der Hitze eine Wollmütze tief in die Stirn gezogen hat, nickt zum Gruß. Sie wühlt in einer Plastiktüte herum. Sie hat eine unglaubliche Sammlung davon, mit Schnüren zusammengebunden oder ineinandergestopft, und holt die Tüten ständig heraus und ordnet sie um. Heute hat sie ihre beiden Pappkisten, die mit einer blauen Plastikplane abgedeckt sind, in den relativ geschützten Hauseingang des Hausverwalters gezogen. Der frühere Hausverwalter hat Fran jahrelang toleriert, sie sogar als inoffizielle Paketannahmestelle eingesetzt. Der neue, erzählt sie, wenn ihr Liv einmal einen Kaffee bringt, droht damit, sie zu vertreiben. Ein paar Hausbewohner haben sich über sie beschwert.

«Sie hatten Besuch.»

«Wie bitte? Oh. Wann ist sie gegangen?» Liv hat weder eine Nachricht hinterlassen noch einen Schlüssel herausgelegt. Sie fragt sich, ob sie später beim Restaurant vorbeigehen soll, um sicher zu sein, dass mit Mo alles in Ordnung ist. Noch während sie darüber nachdenkt, weiß sie, dass sie es nicht tun wird. Eine vage Erleichterung überkommt sie bei dem Gedanken an ihre stille, leere Wohnung.

Fran zuckt mit den Schultern.

«Möchten Sie etwas trinken?», sagt Liv, während sie die Tür aufschließt.

«Kaffee wäre ganz wunderbar», sagt Fran und fügt hinzu: «Drei Stücke Zucker, bitte», als hätte ihr Liv noch nie Kaffee gemacht. Und dann, mit der Ausstrahlung eines Menschen, der viel zu viel zu tun hat, um herumzustehen und einen Plausch zu halten, wendet sie sich wieder ihren Tüten zu.

Sie riecht den Rauch schon, als sie die Tür öffnet. Mo sitzt im Schneidersitz auf dem Boden neben dem Glas-Couchtisch, in der einen Hand ein Taschenbuch, mit der anderen streift sie die Asche von einer Zigarette in einer weißen Untertasse ab.

«Hi», sagt sie, ohne aufzusehen.

Liv starrt sie an, den Schlüsselbund in der Hand. «Ich ... ich dachte, du wärst gegangen. Fran meinte, du wärst gegangen.»

«Oh. Die Lady von unten. Ja. Ich bin gerade zurückgekommen.»

«Zurück von wo?»

«Von meiner Tagesschicht.»

«Du machst eine Tagesschicht?»

«In einem Pflegeheim. Hoffentlich habe ich dich heute Morgen nicht gestört. Ich habe versucht, beim Rausgehen leise zu sein. Ich dachte, das ganze Schubladenaufziehen hätte dich vielleicht geweckt. Um sechs Uhr aufzustehen, macht die ganze Netter-Besuch-Atmosphäre kaputt.»

«Schubladenaufziehen?»

«Du hast keinen Schlüssel rausgelegt.»

Liv runzelt die Stirn. Es kommt ihr so vor, als wäre sie bei dieser Unterhaltung immer zwei Schritte im Verzug. Mo senkt das Buch und spricht langsamer. «Ich musste ein bisschen suchen, bis ich den Ersatzschlüssel in deiner Kommode gefunden habe.»

«Du warst an meiner Kommode?»

«Schien mir der wahrscheinlichste Platz zu sein.» Sie blättert eine Seite um. «Es ist okay. Ich habe ihn wieder zurückgelegt.» Dann fügt sie murmelnd hinzu: «Echt, bei dir herrscht wirklich Ordnung.»

Sie wendet sich wieder ihrem Buch zu. Davids Buch, sieht Liv. Es ist eine zerlesene Ausgabe der «Einführung in die moderne Architektur», eines seiner Lieblingsbücher. Sie sieht ihn immer noch vor sich, wie er darin gelesen hat, ausgestreckt auf dem Sofa. Es in den Händen von jemand anderem zu sehen, zieht ihr den Magen zusammen. Liv stellt ihre Tasche ab und geht in die Küche.

Die Granitoberflächen sind mit Toastkrümeln übersät. Zwei Becher stehen auf dem Tisch, braune Ringe auf den Innenseiten. Beim Toaster liegt eine offene Packung Toastbrot. Ein benutzter Teebeutel trocknet neben der Spüle, und ein Messer steckt in einem Stück Butter wie in der Brust eines Mordopfers.

Liv bleibt einen Moment stehen, dann beginnt sie aufzuräumen, wischt die Krümel in den Abfalleimer, stellt Becher und Teller in die Spülmaschine. Sie lässt die Dachjalousien zurückfahren, und als sie ganz offen sind, drückt sie die Taste, mit der das Glasdach geöffnet wird, und wedelt mit den Händen, um den Rauchgeruch zu vertreiben.

Als sie sich umdreht, steht Mo an der Tür. «Du kannst hier nicht rauchen. Das kannst du einfach nicht», sagt Liv. Ihre Stimme klingt leicht panisch.

«Oh. Klar. Ich wusste nicht, dass du eine Terrasse hast.»

«Nein. Auf der Terrasse auch nicht. Bitte. Rauch hier einfach gar nicht.»

Mo wirft einen Blick auf die Arbeitsplatte, auf Livs hektische Aufräumversuche. «Hey … ich mache das, bevor ich gehe. Wirklich.»

«Ist schon okay.»

«Das ist es offensichtlich nicht, sonst hättest du keinen Herzinfarkt. Echt. Hör auf. Ich beseitige mein Chaos selbst. Wirklich.»

Liv hört auf. Sie weiß, dass sie überreagiert, aber sie kann nicht anders. Sie will, dass Mo verschwindet. «Ich muss Fran einen Kaffee bringen», sagt sie.

Auf dem ganzen Weg hinunter zum Erdgeschoss rauscht ihr das Blut in den Ohren.

Als sie zurückkommt, ist die Küche sauber. Mo bewegt sich ruhig durch den Raum. «Ich bin vermutlich ein bisschen faul, wenn es darum geht, sofort aufzuräumen», sagt sie. «Das liegt an der ganzen Aufräumerei bei der Arbeit. Für alte Leute, Restaurantgäste ... Da räumt man so viel auf, dass man sich zu Hause irgendwie dagegen wehrt.»

Liv versucht, nicht gereizt zu reagieren, weil Mo «zu Hause» gesagt hat. Dann nimmt sie hinter dem Zigarettenrauch einen anderen Geruch wahr. Und der Backofen ist eingeschaltet.

Sie beugt sich hinunter, um hineinzuspähen, und sieht ihre Auflaufform von Le Creuset, in der etwas mit Käsebelag Blasen wirft.

«Ich habe Abendessen gemacht. Überbackene Nudeln. Ich habe einfach etwas aus dem zusammengemixt, was ich in dem Eckladen gefunden habe. Ist in zehn Minuten fertig. Ich wollte später essen, aber wenn du jetzt da bist ...»

Liv kann sich nicht erinnern, wann sie das letzte Mal den Herd benutzt hat.

«Oh», sagt Mo und greift nach den Topfhandschuhen. «Es hat jemand von der Stadtverwaltung angerufen.»

«Wie bitte?»

«Ja. Irgendwas wegen der Grundsteuer.»

Liv wird kurz schlecht.

«Ich habe behauptet, ich wäre du, also hat er mir gesagt, wie viel du ihnen schuldest. Es ist ziemlich viel.» Sie reicht ihr einen Zettel, auf den eine Zahl notiert ist.

Als Liv den Mund öffnet, um zu protestieren, sagt sie: «Na

ja, ich musste sicherstellen, dass er die richtige Nummer gewählt hat. Ich dachte, es liegt bestimmt ein Irrtum vor.»

Liv hat ungefähr gewusst, wie viel es ist, aber die Zahl vor sich zu sehen, ist trotzdem ein Schock. Sie spürt Mos Blick auf sich, und ihr untypisch langes Schweigen macht Liv klar, dass sie die Wahrheit erraten hat.

«Hey. Setz dich. Mit einem vollen Magen sieht gleich alles besser aus.» Sie drückt Liv auf einen Stuhl. Mo öffnet den Backofen, und in der Küche breitet sich der ungewohnte Duft selbstgekochten Essens aus. «Und wenn nicht, tja, dann weiß ich eine richtig bequeme Bank zum Schlafen.»

Das Essen ist gut. Liv isst einen Teller voll, lehnt sich danach mit den Händen auf dem Bauch zurück und fragt sich, warum es sie so überrascht, dass Mo kochen kann. «Danke, das war wirklich gut. Ich weiß nicht, wann ich das letzte Mal so viel gegessen habe.»

«Keine Ursache.»

Und jetzt musst du gehen. Die Worte, die ihr seit zwanzig Stunden auf den Lippen liegen, kommen nicht heraus. Sie will gar nicht mehr, dass Mo schon geht. Sie will nicht mit den Leuten von der Stadtverwaltung und den letzten Mahnungen und ihren unkontrollierbaren Gedanken allein sein. Plötzlich ist sie dankbar dafür, dass sie an diesem Abend jemand zum Reden hat – einen menschlichen Schutzschild –, ganz besonders an diesem Abend.

«Also. Liv Worthing. Die ganze Ehemann-gestorben-Sache …»

Liv legt Messer und Gabel zusammen. «Ich möchte lieber nicht darüber reden.»

«Okay. Keine toten Ehemänner. Also … was ist mit … Männern?» Mo pflückt ein Stückchen Käse vom Rand der Auflaufform. «Unvernünftige One-Night-Stands?»

«Nope.»

Mo hebt ruckartig den Kopf. «Kein einziger? Seit wann?»

«Vier Jahre», murmelt Liv.

Sie lügt. Einen hatte es gegeben, vor drei Jahren, nachdem wohlmeinende Freunde darauf beharrt hatten, dass sie endlich «mit ihrem Leben weitermachen» müsse. Als wäre David so etwas wie ein Hindernis. Sie hatte beinahe bis zur Besinnungslosigkeit getrunken, um es durchziehen zu können, und danach vor Trauer und Selbstekel angefangen zu schluchzen, mit bebenden, tränenerstickten Atemstößen. Der Mann – sie kann sich nicht einmal mehr an seinen Namen erinnern – hatte seine Erleichterung kaum verbergen können, als sie sagte, sie würde nach Hause gehen. Sogar jetzt überkommt sie noch die kalte Scham, wenn sie nur daran denkt.

«Nichts in vier Jahren? Und du bist … wie alt? Zweiunddreißig? Was soll das sein, eine Art sexuelle Witwenverbrennung? Was machst du da, Liv Worthing? Sparst du dich für Mr. Toter Ehemann im Jenseits auf?»

«Ich heiße Halston. Liv Halston. Und … ich habe einfach … noch niemanden kennengelernt, mit dem ich …» Liv beschließt, den Spieß umzudrehen. «Okay, und was ist mit dir? Hast du einen netten Ritzer-Hardcore-Punker in der Hinterhand?» Sie fühlt sich in die Ecke gedrängt, und das macht sie boshaft.

Mos Finger kriechen in Richtung ihrer Zigaretten und ziehen sich wieder zurück.

«Ich komme klar.»

Liv wartet.

«Ich habe ein Arrangement.»

«Ein Arrangement.»

«Mit Ranic, dem Weinkellner. Alle paar Wochen treffen wir uns zu technisch anspruchsvollem, aber komplett seelenlosem Geschlechtsverkehr. Er war ein ziemlicher Stümper, als wir angefangen haben, aber so langsam hat er den Bogen raus.» Sie isst noch ein Stückchen Käse. «Aber er sieht sich immer noch zu viele Pornos an. Das merkt man.»

«Niemand Ernsthaftes?»

«Meine Eltern haben irgendwann um die Jahrhundertwende aufgehört, von Enkeln zu reden.»

«O Gott. Da fällt mir ein ... ich habe versprochen, meinen Dad anzurufen.» Liv hat eine Idee. Sie steht auf und greift nach ihrer Handtasche. «Wie wär's, wenn ich kurz in den Laden runtergehe und eine Flasche Wein besorge?» Das wird nett, sagt sie sich. Wir reden über Eltern und Leute, an die ich mich nicht erinnern kann, und über die Uni und Mos Jobs, und ich umschiffe die ganze Sexgeschichte, und im Handumdrehen fängt der neue Tag an, und das Datum von heute ist wieder ein ganzes Jahr weit weg.

Mo schiebt ihren Stuhl zurück. «Nicht für mich», sagt sie und nimmt ihren Teller. «Ich muss mich umziehen und abzischen.»

«Abzischen?»

«Arbeit.»

Livs Hand liegt auf ihrem Geldbeutel. «Aber ... du hast gesagt, dass du gerade erst zurückgekommen bist.»

«Von der Tagesschicht. Jetzt fange ich mit der Abendschicht an. Na ja, in ungefähr zwanzig Minuten.» Sie dreht ihr Haar zusammen und steckt es fest. «Ist es okay, wenn du den Abwasch machst? Und wenn ich den Schlüssel noch mal nehme?»

Das kurze Gefühl des Wohlbehagens, das sich mit dem Essen eingestellt hatte, zerplatzt wie eine Seifenblase. Liv sitzt an dem halb abgeräumten Tisch, hört Mos unharmonisches Summen, das Geräusch, mit dem sie sich im Gästebadezimmer die Zähne putzt, das leise Schließen der Schlafzimmertür.

Mo ist zurück im Flur. Sie trägt eine schwarze Bluse und eine Bomberjacke, unter dem Arm hat sie eine Kellnerschürze. «Bis später, Sweetie», ruft sie. «Das heißt, wenn ich nicht von Ranic flachgelegt werde, natürlich.»

Dann ist sie weg, auf der Straße, zurück in der Welt der Lebenden. Und als das Echo ihrer Stimme verhallt ist, beginnt die Stille des Glashauses Liv zu erdrücken, und ihr wird mit aufkeimender Panik klar, dass ihr Haus, ihr sicherer Hafen, dabei ist, sie zu verraten.

Sie weiß, dass sie diesen Abend nicht alleine hier verbringen kann.

Kapitel 14

Es gibt Orte, an denen es keine gute Idee ist, als Frau allein etwas trinken zu gehen:

1. *Bazookas*: hieß früher *White Horse* und war ein ruhiger Pub. Die Einrichtung bestand aus dick gepolsterten, durchgesessenen Samtbänken, hier und da einem Hufeisen, und sein Schild war wegen der abblätternden Farbe kaum noch zu entziffern. Jetzt ist es eine Neon-Schicki-Bar, die von Businesstypen frequentiert wird. In den frühen Morgenstunden sieht man dann überschminkte Mädchen mit angespannten Gesichtern auf Plateauschuhen hinaustreten, die wütend rauchen und sich über das Trinkgeld beschweren.
2. *Dino's*: Das Weinlokal um die Ecke, das in den Neunzigern ständig überfüllt war, hat sich als Bistro für Jungmütter neu erfunden. Nach acht Uhr abends findet dort jetzt gelegentlich Speeddating statt. An den übrigen Tagen, mit Ausnahme von Freitag, eröffnen seine wandhohen Fenster den Blick auf eine unübersehbare, trostlose Leere.

3. Sämtliche älteren Pubs in den Nebenstraßen auf der anderen Seite des Flusses, die von missmutigen Stammgästen besucht werden, Männern mit mörderischen Pitbulls, die Selbstgedrehte rauchen, Männern, die eine Frau, die allein im Pub sitzt, anstarren wie ein Mullah, der eine Frau im Bikini herumflanieren sieht.
4. Sämtliche neuen angesagten Lokale in der Nähe des Flusses, in denen sich Leute drängen, die jünger sind als man selbst, meistens fröhliche Cliquen mit MacBooks und schwarzen Brillengestellen, bei deren Anblick man sich noch einsamer fühlt, als wenn man einfach zu Hause geblieben wäre.

Liv spielt mit dem Gedanken, eine Flasche Wein zu kaufen und wieder nach Hause zu gehen. Doch sobald sie sich vorstellt, allein in dieser leeren, weißen Weite zu sitzen, erheben sich ungewohnte Ängste in ihr. Sie will sich nicht vor der *Jeune Femme* wiederfinden, voller Erinnerungen an den Tag, an dem sie das Bild gemeinsam gekauft haben, und sie will in ihrer Ausstrahlung nicht die Liebe und Erfüllung sehen, die sie früher selbst gespürt hat. Sie will sich nicht dabei ertappen, wie sie die alten Fotos von sich und David ausgräbt, und weiß, dass sie, auch wenn sie sich genau an seine Lachfältchen oder die Art erinnert, auf die er einen Kaffeebecher mit den Fingern umschlossen hat, diese einzelnen Eindrücke nicht mehr zu einem Gesamtbild zusammensetzen kann.

Außerdem will sie nicht der kleinsten Versuchung ausgesetzt sein, auf seinem Handy anzurufen, wie sie es im ersten Jahr nach seinem Tod beinahe obsessiv getan hat, um seine Stimme bei der Mailboxansage zu hören. Sein Verlust ist inzwischen zu einem Teil von ihr geworden, ein bleiernes, für alle anderen unsichtbares Gewicht, das sie mit sich herumschleppt. Doch heute, am Jahrestag seines Todes, kann alles passieren.

Da fällt ihr etwas ein, das eine Frau bei dem Essen am Abend zuvor gesagt hat. *Wenn meine Schwester ausgehen will, ohne angemacht zu werden, kommt für sie nur eine Schwulenbar in Frage. Lustig, was?* Kaum zehn Minuten entfernt gibt es eine Schwulenbar. Liv ist schon hundert Mal daran vorbeigekommen, ohne sich je gefragt zu haben, was wohl hinter den vergitterten Fenstern vor sich geht. In einer Schwulenbar wird sie niemand belästigen.

«Tja, ziemlich peinlich, was?»

«Es war nur ein Mal. Und das ist Monate her. Aber ich habe das Gefühl, sie denkt immer noch ständig daran.»

«Weil du einfach DERMASSEN GUT bist.» Greg trocknet grinsend das nächste Bierglas ab und stellt es auf das Regal.

«Nein … Na ja, okay, offensichtlich», sagt Paul. «Aber im Ernst, Greg, ich habe ständig Schuldgefühle, wenn sie mich so anschaut. Als … als hätte ich ihr etwas versprochen, das ich nicht halten kann.»

«Wie lautet die goldene Regel, Bruderherz? Scheiß niemals auf deine eigene Türschwelle.»

«Ich war betrunken. Es war der Abend, an dem mir Leonie gesagt hat, dass sie mit Jake bei Mitch einzieht. Ich war …»

«Dein emotionaler Schutzwall war geschwächt», sagt Greg mit seiner Fernsehpsychologenstimme. «Deine Chefin hat dich erwischt, als du verletzlich warst. Dich mit einem Drink weichgekriegt. Und jetzt fühlst du dich benutzt. Warte mal kurz …» Er geht weg, um einen Kunden zu bedienen. Die Bar ist gut besucht für einen Donnerstagabend, sämtliche Tische sind besetzt, es herrscht ein ständiges Kommen und Gehen, in die Musik mischen sich angeregte Unterhaltungen. Paul hatte vorgehabt, nach der Arbeit nach Hause zu gehen, aber er hat selten Gelegenheit, mit seinem Bruder zu sprechen. Allerdings muss er in der Bar bei siebzig Prozent der Gäste ständig darauf achten, Blickkontakt zu vermeiden.

Greg kassiert und kommt wieder zu Paul.

«Ja, ich weiß, wie sich das anhört. Aber sie ist wirklich eine nette Frau. Und es ist schrecklich, sie die ganze Zeit abweisen zu müssen.»

«Tja, in deiner Haut möchte ich nicht stecken.»

«Als ob du das verstehen würdest.»

Greg stellt ein Glas ins Regal. «Hör mal, warum setzt du dich nicht einfach mal mit ihr zusammen, sagst ihr, dass sie eine tolle Frau ist, *bla bla bla*, aber du nicht auf diese Art an ihr interessiert bist?»

«Weil das total peinlich wäre. Wo wir doch so eng zusammenarbeiten und alles.»

«Und jetzt ist es nicht peinlich? Dieses ganze *Hast-du-nicht-Lust-auf-einen-Quickie-wenn-du-den-Fall-abgeschlossen-hast-*Ding?» Gregs Aufmerksamkeit wird zum anderen Ende der Bar gezogen. «Oh Mann, ich glaube, wir kriegen gleich eine Sondervorstellung geboten.»

Paul hatte die Frau schon den ganzen Abend am Rande wahrgenommen. Beim Hereinkommen hatte sie völlig entspannt gewirkt, und er war davon ausgegangen, dass sie auf jemanden wartete. Jetzt versucht sie gerade, wieder auf ihren Barhocker zu steigen. Beim zweiten Versuch stolpert sie unbeholfen nach hinten. Sie streicht sich eine Haarsträhne aus den Augen und fixiert den Barhocker, als wäre er der Gipfel des Mount Everest. Sie schwingt sich hinauf. Als sie auf der Sitzfläche landet, klammert sie sich mit beiden Händen an den

Tresen, um sich zu stabilisieren, und blinzelt, als bräuchte sie ein paar Sekunden, um zu glauben, dass sie es tatsächlich geschafft hat. Dann schaut sie in Gregs Richtung. «Entschuldigung. Ich hätte gern noch einen Wein.» Sie hebt ihr leeres Glas hoch.

Gregs Blick, der eine Mischung aus Belustigung und Überdruss zeigt, wandert zu Paul und wieder zu ihr zurück. «Wir schließen in zehn Minuten», sagt er und wirft sich das Geschirrhandtuch über die Schulter. Er kann gut mit Betrunkenen umgehen. Paul hat ihn noch nie die Beherrschung verlieren sehen. Was das angeht, sagt ihre Mutter immer, sind sie so verschieden wie Tag und Nacht.

«Also habe ich noch zehn Minuten, um ihn zu trinken», sagt sie mit etwas unsicherem Lächeln.

«Schätzchen, sei mir nicht böse, aber wenn du noch was trinkst, fange ich an, mir Sorgen um dich zu machen. Und ich hasse es wirklich, meine Schicht damit zu beenden, dass ich mir Sorgen um die Gäste machen muss.»

«Ein kleines Glas», sagt sie. Ihr Lächeln ist herzzerreißend. «Eigentlich trinke ich normalerweise gar nicht so viel.»

«Ja. Und genau um solche wie dich mache ich mir Sorgen.»

«Das …» Ihr Blick ist angespannt. «Das ist ein schwieriger Tag heute. Ein unheimlich schwieriger Tag. Bitte, kann ich noch ein letztes Glas haben? Und dann kannst du mir ein nettes, anständiges Taxi von einem netten, anständigen Taxiunternehmen rufen, und ich gehe heim und falle ins Bett, und du kannst auch heimgehen, ohne dir Sorgen um mich zu machen.»

Er sieht wieder Paul an und seufzt. *Siehst du, was ich hier alles aushalten muss?* «Ein kleines», sagt er. «Ein sehr kleines.»

Ihr Lächeln löst sich auf, ihre Augen schließen sich halb,

und sie beugt sich schwankend von dem Barhocker hinunter, um nach ihrer Handtasche zu greifen. Paul dreht sich wieder zum Tresen und checkt sein Handy. Morgen Abend soll Jake zu ihm kommen, und obwohl die Sache mit Leonie inzwischen freundschaftlich läuft, fürchtet er immer noch, dass sie einen Grund zum Absagen findet.

«Meine Handtasche!»

Er sieht auf.

«Meine Handtasche ist weg!» Die Frau ist von dem Barhocker geglitten und schaut suchend auf den Boden, während sie sich mit einer Hand am Tresen festhält. Als sie den Blick hebt, ist sie blass vor Schreck.

«Hast du sie mit zur Toilette genommen?» Greg beugt sich über den Tresen.

«Nein», sagt sie und lässt ihren Blick hastig durch die Bar schweifen. «Ich habe sie unter meinen Stuhl gestellt.»

«Du hast sie unter dem Stuhl stehen lassen?» Greg schnalzt missbilligend mit der Zunge. «Hast du die Schilder nicht gelesen?»

Sie hängen überall in der Bar. *Lassen Sie Ihre Sachen nicht unbeaufsichtigt. In dieser Gegend sind Handtaschendiebe unterwegs.* Paul sieht von seinem Platz aus drei Schilder.

Sie hat sie nicht gelesen.

«Es tut mir wirklich leid. Aber das ist hier keine gute Idee.»

Die Frau lässt ihren Blick zwischen ihnen wandern, und obwohl sie so betrunken ist, sieht er, dass sie errät, was sie denken. *Dämlich und betrunken.*

Paul greift nach seinem Handy. «Ich rufe die Polizei.»

«Und erzählst ihnen, dass ich dumm genug war, meine Tasche unter einem Barhocker stehen zu lassen?» Sie lässt den Kopf in die Hände sinken. «O Gott. Ich habe gerade zweihundert Pfund für die Grundsteuer abgehoben. Ich fasse es nicht. Zwei. Hundert. Pfund.»

«Wir hatten diese Woche schon zwei Handtaschendiebstähle», sagt Greg. «Wir lassen bald Überwachungskameras einbauen. Es ist eine Seuche. Es tut mir wirklich leid.»

Sie hebt den Kopf und wischt sich übers Gesicht. Sie stößt einen langen, bebenden Atemzug aus. Man sieht, dass sie sich bemüht, nicht in Tränen auszubrechen. Das neue Weinglas steht unberührt auf dem Tresen. «Es tut mir sehr leid, aber ich glaube, ich kann das nicht bezahlen.»

«Vergiss es», sagt Greg. «Also. Paul, du rufst die Polizei. Ich mache ihr einen Kaffee. So. Sperrstunde, Ladys and Gentlemen, bitte …»

Die Polizei kommt in dieser Gegend nicht wegen einer verschwundenen Handtasche. Sie geben der Frau, die Liv heißt, eine Vorgangsnummer, versprechen, dass sie ihr ein Schreiben mit Hinweisen für Diebstahlsopfer schicken und dass sie Kontakt aufnehmen, sollte sich irgendeine Spur finden. Wobei allen klar ist, dass dieser Fall nicht eintreten wird.

Als sie mit dem Telefonat fertig ist, sind die anderen Gäste längst gegangen. Greg schließt die Tür auf, um sie hinauszulassen, und Liv nimmt ihre Jacke. «Ich habe einen Gast zu Hause. Sie hat einen Ersatzschlüssel.»

«Willst du sie anrufen?» Paul hält ihr das Handy hin.

Sie sieht ihn mit leerem Blick an. «Ich habe ihre Nummer nicht. Aber ich weiß, wo sie arbeitet.»

Paul wartet.

«Es ist ein Restaurant, ungefähr zehn Minuten zu Fuß von hier. Richtung Blackfriars.»

Es ist Mitternacht. Paul wirft einen Blick auf die Uhr. Es war ein langer Tag, er ist müde, aber er kann eine betrunkene Frau, die seit beinahe einer Stunde krampfhaft die Tränen unterdrückt, nicht um Mitternacht allein durch die Seitenstraßen der South Bank gehen lassen.

«Ich bringe dich hin», sagt er.

Er fängt einen skeptischen Blick auf, sieht, dass sie ablehnen will. Greg berührt sie sacht am Arm. «Das ist okay, Schätzchen. Er ist Ex-Polizist.»

Paul spürt, dass er rehabilitiert ist. Unter einem Auge der Frau ist die Wimperntusche zerlaufen, und er muss den Impuls unterdrücken, die Spur wegzuwischen.

«Ich kann für seinen guten Charakter bürgen. Dieses Verhalten ist bei ihm genetisch veranlagt, er ist so was wie ein Bernhardinerhund in Menschengestalt.»

«Ja. Danke, Greg.»

Sie zieht ihre Jacke an. «Also, wenn es dir wirklich nichts ausmacht, wäre das echt sehr nett von dir», sagt sie zu Paul.

«Ich rufe dich morgen an, Paul. Und viel Glück, Miss Liv. Hoffentlich klärt sich alles.» Greg wartet, bis sie ein Stück die Straße hinunter sind, und schließt dann die Tür.

Sie gehen rasch, ihre Schritte hallen auf den menschenleeren Kopfsteinpflasterstraßen nach, das Echo wird von den Gebäuden zurückgeworfen. Es hat angefangen zu regnen, und Paul bohrt die Hände tief in die Taschen und zieht den Kopf zwischen die Schultern. Sie kommen an zwei jungen Männern in Kapuzenpullis vorbei, und er nimmt wahr, dass sie etwas näher an ihn rückt.

«Hast du deine Kreditkarten sperren lassen?», sagt er.

«Oh. Nein.» Die frische Luft versetzt ihr einen Schock. Sie wirkt niedergeschlagen, und hin und wieder stolpert sie ein bisschen. Er würde ihr seinen Arm anbieten, aber er glaubt nicht, dass sie das Angebot annehmen würde. «Daran habe ich nicht gedacht.»

«Welche Karten hast du?»

«Eine Mastercard und eine von Barclays.»

«Warte mal. Ich weiß jemanden, der sich da auskennt.» Er wählt eine Nummer. «Sherrie? … Hi. Hier ist McCafferty … Ja, gut, danke. Alles in Ordnung. Und bei dir?» Er wartet. «Hör mal … könntest du mir einen Gefallen tun und mir per SMS die Sperrnummern für gestohlene Kreditkarten schicken? Mastercard und Barclays. Einer Bekannten von mir ist gerade die Handtasche gestohlen worden … Ja. Danke, Sherrie. Richte den Jungs einen Gruß von mir aus. Und bis bald, ja?»

Er wählt die Nummern, die er per SMS bekommen hat, und gibt Liv das Handy. «Polizisten», sagt er, «eine kleine Welt.» Und dann geht er schweigend neben ihr her, während sie am Telefon die Situation erklärt.

«Danke», sagt sie und gibt ihm das Handy zurück.

«Keine Ursache.»

«Es würde mich allerdings überraschen, wenn es irgendjemand schafft, mit diesen Karten etwas zu bezahlen.» Sie lächelt kläglich.

Sie sind bei dem Restaurant angekommen. Die Lichter sind aus, und die Tür ist abgeschlossen. Er versucht, durch die Tür etwas zu erkennen, und sie späht durch das Fenster, als wollte sie mit reiner Willenskraft erzwingen, dass sich ein Lebenszeichen zeigt.

Paul wirft einen Blick auf die Uhr. «Es ist Viertel nach zwölf. Vermutlich sind schon alle weg.»

Liv beißt sich auf die Unterlippe. Sie dreht sich zu ihm um. «Vielleicht ist sie bei mir. Bitte, kann ich noch mal dein Telefon benutzen?» Er reicht es ihr, und sie hält es in das Licht einer Straßenlampe, um das Display besser sehen zu können. Er sieht ihr zu, während sie die Nummer wählt, dann dreht er sich weg und fährt sich unbewusst durch die Haare. Sie wirft einen Blick über die Schulter, lächelt ihn unsicher an und wendet sich wieder um. Sie wählt eine andere Nummer und eine dritte.

«Sonst jemand, den du anrufen kannst?»

«Mein Dad. Ich habe es gerade bei ihm versucht. Dort geht auch niemand dran. Es ist gut möglich, dass er schläft. Er schläft wie ein Toter.» Sie wirkt vollkommen ratlos.

«Hör mal ... soll ich dir nicht einfach ein Hotelzimmer buchen? Du kannst es mir zurückzahlen, wenn du eine neue Kreditkarte hast.»

Sie steht da und kaut wieder auf ihrer Unterlippe. *Zweihundert Pfund.* Er denkt daran, wie verzweifelt sie das gesagt hat. Sie gehört nicht zu den Menschen, die sich mitten in London ein Hotelzimmer leisten können.

Der Regen ist stärker geworden, spritzt ihnen an den Beinen hinauf, gurgelt in den Gullys. «Weißt du, was? Ich wohne ungefähr zwanzig Minuten zu Fuß von hier. Was meinst du, sollen wir zu mir gehen? Wir können alles von dort aus regeln, wenn du willst.»

Sie gibt ihm sein Handy zurück. Er sieht ihr an, wie sie kurz mit sich kämpft. Dann lächelt sie ein bisschen misstrauisch und macht einen Schritt an seine Seite. «Danke. Und es tut mir leid. Ich ... ich hatte wirklich nicht vor, noch jemand anderem den Abend zu verderben.»

Liv wird immer schweigsamer, während sie zu seiner Wohnung gehen, und er denkt, dass sie langsam nüchtern wird. Vermutlich fragt sie sich gerade, worauf sie sich da eingelassen hat. Er überlegt, ob sie eine Freundin hat. Sie ist hübsch, aber auf die Art, die keine Aufmerksamkeit auf sich ziehen will: kaum geschminkt, das Haar zu einem strengen Pferdeschwanz zusammengefasst. Ihre Haut ist zu gut für eine gewohnheitsmäßige Trinkerin. Sie hat muskulöse Beine und einen langen Schritt, der von regelmäßigem Training zeugt. Aber sie geht in Verteidigungshaltung, die Arme vor der Brust gekreuzt.

Seine Maisonette-Wohnung liegt über einem Café am Rand des Theater Districts, und er tritt zurück, nachdem er die Tür für sie aufgemacht hat.

Paul schaltet das Licht an und geht direkt zum Couchtisch. Er räumt die Zeitungen und den Kaffeebecher vom Morgen weg, sieht seine Wohnung mit den Augen eines Besuchers: zu klein, vollgestopft mit Fachliteratur, Fotos und Möbeln. Glücklicherweise liegen keine Socken oder Wäschehaufen herum. Er geht in die Kochnische, um Kaffee zu machen, holt ihr ein Handtuch, damit sie sich die Haare trocken reiben kann, und beobachtet, wie sie sich zögernd umsieht, anscheinend beruhigt von den Bücherregalen und den Fotos auf dem Sideboard: er in Uniform, er und Jake – grinsend, Arm in Arm.

«Ist das dein Sohn?»

«Yup.»

«Er sieht aus wie du.» Sie nimmt ein Foto in die Hand, Jake und Leonie. Livs Kleidung ist vom Regen durchnässt. Er würde ihr ein T-Shirt geben, aber er will sie nicht denken lassen, er würde es darauf anlegen, dass sie sich auszieht.

«Ist das seine Mutter?»

«Ja.»

«Also … dann bist du nicht schwul?»

Paul ist einen Moment lang sprachlos, dann sagt er: «Nein! Oh. Nein, die Bar gehört meinem Bruder.»

«Oh.»

Er deutet auf das Foto, auf dem er in Uniform zu sehen ist. «Ich ziehe da keine Village-People-Nummer ab. Ich war wirklich Polizist.»

Sie fängt an zu lachen, auf die Art, wenn die einzige Alternative ein Tränenausbruch ist. Dann wischt sie sich über die Augen und lächelt ihn verlegen an. «Es tut mir leid. Heute ist ein schlechter Tag. Und zwar schon lange, bevor meine Tasche gestohlen wurde.»

Sie ist wirklich hübsch, denkt er. Es ist, als könnte man ihr sämtliche Gefühle vom Gesicht ablesen. Sie sieht ihn direkt an und wendet dann den Blick ab, als wäre es ihr peinlich, dass sie ihn angestarrt hat. «Paul, hast du etwas zu trinken da? Und ich meine nicht Kaffee. Ich weiß, dass du mich vermutlich für eine komplette Säuferin hältst, aber ich könnte jetzt echt was zu trinken brauchen.»

Er schaltet die Kaffeemaschine aus, schenkt zwei Gläser Wein ein und kommt zu ihr in den Wohnbereich. Sie sitzt auf der Sofakante, die Hände im Schoß.

«Willst du darüber reden? Die meisten Ex-Polizisten haben schon eine Menge Geschichten gehört.» Er gibt ihr ein Glas. «Viel schlimmere als deine. Darauf wette ich.»

«Eigentlich nicht.» Sie trinkt einen Schluck Wein. «Ehrlich gesagt, doch. Mein Mann ist heute vor vier Jahren gestorben. Er ist gestorben. Die meisten Leute, die ich kenne, konnten es nicht mal aussprechen, und jetzt sagen sie mir ständig, ich soll mit dem Leben weitermachen. Aber ich habe keine Ahnung, wie ich weitermachen soll. In meiner Wohnung übernachtet eine Grufti-Frau, und ich kann mich nicht mal an ihren Nachnamen erinnern. Ich habe überall Schulden. Und ich bin heute Abend in eine Schwulenbar gegangen, weil ich den Gedanken nicht ertragen konnte, alleine zu Hause zu sein, und dann ist mir die Handtasche mit den zweihundert Pfund gestohlen worden, um die ich mein Konto überzogen habe, weil ich die Grundsteuer bezahlen muss. Und als du mich gefragt hast, ob ich noch jemanden weiß, den ich anrufen könnte, ist mir nur ein einziger Mensch eingefallen, der mir vielleicht einen Schlafplatz anbieten würde, und zwar Fran, die Frau, die vor meinem Haus in einer Pappkiste lebt.»

Er ist so beschäftigt damit, die Worte «mein Mann» zu verdauen, dass er den Rest kaum hört. «Tja, ich kann dir ein Bett anbieten.»

Dieser misstrauische Blick.

«Das Bett meines Sohnes. Es ist nicht besonders bequem. Ich meine, mein Bruder hat ab und zu darin geschlafen, als er mit seinem letzten Freund Schluss gemacht hatte, und er behauptet, dass er seitdem regelmäßig zum Chiropraktiker muss, aber es ist ein Bett.»

Er unterbricht sich. «Und vermutlich besser als eine Pappkiste.»

Sie hebt die Augenbrauen.

«Okay. Geringfügig besser.»

Sie lächelt schief in ihr Glas hinein. «Ich hätte Fran sowieso nicht fragen können. Sie lädt mich nie zu sich ein.»

«Also, das ist wirklich unhöflich. Und ich hätte ohnehin keine Lust gehabt, noch zu ihr zu laufen. Warte kurz. Ich hole dir eine Zahnbürste.»

Manchmal, denkt Liv, kann man in eine Art Parallelwelt geraten. Oberflächlich betrachtet ist alles die reine Katastrophe: die gestohlene Handtasche, das verlorene Geld, der tote Ehemann, das ganze schiefgegangene Leben. Und dann sitzt du in der winzigen Wohnung eines Mannes mit charmantem amerikanischen Akzent, strahlend blauen Augen und angegrautem Haar, und es ist beinahe drei Uhr morgens, und er bringt dich zum Lachen, so richtig zum Lachen, als gäbe es auf der ganzen Welt nichts, um das du dir Sorgen machen musst.

Sie hat sehr viel getrunken, mindestens drei Gläser, und davor in der Bar waren es auch einige. Aber sie hat diesen gewissen, angenehmen Alkoholpegel erreicht. Sie ist nicht so betrunken, dass ihr schlecht wird. Sie ist einfach ausreichend angeheitert, um sich gehenzulassen, um diesen schönen Moment mit dem Mann, dem Lachen und der vollgestopften, kleinen Wohnung zu genießen, die keinerlei Erinnerungen wachruft.

Sie haben geredet und geredet und geredet und wurden dabei immer lauter und aufgeregter. Und sie hat ihm alles erzählt, von ihren Hemmungen durch den Schreck und den Alkohol befreit – und von der Tatsache, dass er ein Fremder ist und sie ihn vermutlich nie wiedersehen wird. Er hat ihr von seiner grauenvollen Scheidung erzählt, den politischen Winkelzügen im Hintergrund der Polizeiarbeit und warum er dafür ungeeignet war, und davon, dass er New York vermisst, aber nicht zurückgehen kann, bevor sein Sohn erwachsen ist. Sie hat ihm von ihrer Trauer und ihrer Wut erzählt, davon, wie sie andere Paare anschaut und einfach keinen Sinn darin sieht, es noch einmal zu versuchen. Weil keines dieser Paare wirklich richtig glücklich wirkt. Kein einziges.

«Okay, ich mache jetzt mal den Advocatus Diaboli.» Paul stellt sein Glas ab. «Und das kommt von jemandem, der seine eigene Beziehung total in den Sand gesetzt hat. Aber du warst vier Jahre lang verheiratet, stimmt's?»

«Stimmt.»

«Ich will nicht zynisch klingen oder so, aber glaubst du nicht, dass ein Grund, aus dem eure Ehe für dich so perfekt erscheint, darin besteht, dass er gestorben ist? Alles, was vorzeitig zu Ende geht, wird idealisiert. Das beweisen doch schon all die tragisch ums Leben gekommenen Hollywoodstars.»

«Du meinst also, wenn er weitergelebt hätte, wären wir genauso geworden wie alle anderen? Hätten uns angemuffelt und sattgehabt?»

«Nicht unbedingt. Aber die Routine und Kinder, die Arbeit und der Alltagsstress können der Romantik reichlich zusetzen.»

«Die Stimme der Erfahrung.»

«Ja. Vermutlich.»

«Tja, das war bei uns nicht so.» Sie schüttelt entschieden den Kopf. Der Raum dreht sich ein bisschen.

«Oh, jetzt komm schon. Es muss doch Momente gegeben haben, in denen er dir auf die Nerven gegangen ist. Das ist immer so. Wenn er darüber gestöhnt hat, dass du Geld verschwendest oder im Bett gepupst hat oder die Zahnpastatube nicht zugeschraubt hast …»

Liv schüttelt wieder den Kopf. «Warum machen das alle? Warum sind alle so darauf aus, das kleinzureden, was wir hatten? Weißt du, was? Wir waren einfach glücklich. Wir haben uns eigentlich nie gestritten. Weder über Zahnpastatuben noch über Pupser oder sonst was. Wir waren … glücklich.» Sie schluckt, schaut zum Fenster und unterdrückt die Tränen. Sie wird heute nicht weinen. Sie wird nicht weinen.

Lange Stille. *Mist*, denkt sie.

«Dann warst du eine der Glücklichen», sagt die Stimme hinter ihr.

Als sie sich umwendet, verteilt er gerade den Rest aus der Flasche.

«Der Glücklichen?»

«Das erleben nicht viele Leute. Nicht mal für vier Jahre. Du solltest dankbar sein.»

Dankbar. Es hört sich vollkommen richtig an, wenn er es so sagt. «Ja», sagt sie nach einem Augenblick. «Ja, das sollte ich.»

«Ehrlich gesagt machen mir Geschichten wie deine Hoffnung.»

Sie lächelt. «Das hast du wirklich sehr nett gesagt.»

«Na ja, es stimmt einfach. Also, auf ... Wie hieß er?» Paul hebt sein Glas.

«David.»

«Auf David. Einen von den guten Kerlen.»

Sie lächelt ... breit und unerwartet. Sie bemerkt seinen leicht erstaunten Blick. «Ja», sagt sie. «Auf David.»

Paul nippt an seinem Glas. «Weißt du, heute ist das erste Mal, dass ich eine Frau mit nach Hause gebracht und schließlich auf ihren Ehemann angestoßen habe.»

Und da ist es wieder: das Lachen, das unwiderstehlich in ihr aufsteigt, ein Überraschungsgast.

Er beugt sich zu ihr vor. «Weißt du, das wollte ich schon den ganzen Abend machen.» Er streckt die Hand aus, und noch bevor sie erstarren kann, wischt er sanft mit dem Daumen unter ihrem linken Auge entlang. «Deine Wimperntusche», sagt er und hält den Daumen hoch. «Ich wusste nicht, ob du es bemerkt hast.»

Liv starrt ihn an, und etwas Elektrisches durchzuckt ihren Körper. Sie schaut auf diese kräftigen, sommersprossigen Hände, den Halsansatz im Kragenausschnitt und hat einen Aussetzer. Sie stellt ihr Glas ab, beugt sich vor, und noch ehe er etwas sagen kann, tut sie das Einzige, an das sie jetzt denken kann, und drückt ihre Lippen auf seine. Sie bekommt einen kleinen Schreck bei dem Körperkontakt, dann spürt sie seinen Atem auf ihrer Haut, eine Hand, die sich zu ihrer Taille hebt, und er erwidert ihren Kuss mit weichen, warmen Lippen, die leicht nach Wein schmecken. Sie ergibt sich in den Kuss, ihr Atem wird schneller, sie schwebt auf einer Wolke aus Alkohol und Sinnlichkeit und dem wundervollen Gefühl, umarmt zu werden. O *Gott, dieser Mann.* Ihre Augen sind geschlossen, ihre Gedanken wirbeln durcheinander, seine Küsse sind sanft und zärtlich.

Und dann zieht er sich zurück. Sie braucht eine Sekunde, um es zu begreifen. Sie zieht sich auch zurück, nur ein paar Zentimeter, ihr stockt der Atem. *Wer bist du?*

Er sieht ihr direkt in die Augen. Blinzelt. «Weißt du … ich finde dich absolut toll. Aber ich habe gewisse Grundsätze.»

Ihre Lippen fühlen sich geschwollen an. «Bist du … mit jemandem zusammen?»

«Nein. Es ist einfach …» Er streicht ihr übers Haar. Spannt den Kiefer an. «Liv, ich glaube, du bist nicht …»

«Ich bin betrunken.»

«Ja, das bist du.»

Sie seufzt. «Ich war betrunken immer großartig im Bett. Wirklich, das stimmt.»

«Du solltest jetzt aufhören, davon zu reden. Ich versuche hier echt, mich anständig zu verhalten.»

Sie lässt sich in die Sofakissen zurückfallen. «Wirklich. Ein paar Frauen sind grässlich, wenn sie betrunken sind. Bei mir war das anders.»

«Liv …»

«Und du bist … lecker.»

Er hat ein Stoppelkinn, als sollten sie daran erinnert werden, dass es bald hell wird. Sie will mit den Fingern über diese winzigen Stoppeln streichen, ihre Rauheit an ihrer Haut fühlen. Sie streckt die Hand aus, und er rückt ein Stück von ihr weg.

«Okay, bis hierhin und nicht weiter.» Er steht auf, holt tief Luft. Er sieht sie nicht an. «Also, da drüben ist das Schlafzimmer meines Sohnes. Wenn du was trinken willst, dort ist ein Hahn. Da kommt, na ja, Wasser raus.»

Er nimmt eine Zeitschrift in die Hand und legt sie wieder weg. Und dann macht er das Gleiche mit einer anderen Zeitschrift. «Und hier sind Zeitschriften. Falls du was lesen willst. Ganz viele ...»

So kann es nicht aufhören. Sie begehrt ihn so, dass ihr ganzer Körper glüht. Sie könnte darum betteln. Sie spürt immer noch die Wärme seiner Hand auf ihrer Hüfte, den Druck seiner Lippen. Sie schauen sich einen Moment lang an. *Spürst du das nicht? Geh nicht weg*, bittet sie ihn in Gedanken. *Bitte geh nicht weg von mir.*

«Gute Nacht, Liv», sagt er.

Er schaut sie noch einen Moment an, dann geht er den Flur hinunter und zieht leise seine Schlafzimmertür hinter sich zu.

Vier Stunden später wacht Liv in einem winzigen Zimmer in *Arsenal*-Bettwäsche auf und mit einem Kopf, der so sehr dröhnt, dass sie mit der Hand nach einer Verletzung tastet. Sie blinzelt, starrt mit trüben Augen auf kleine, japanische Cartoon-Figuren an der Wand gegenüber und lässt ihren Verstand ganz langsam die Informationsfragmente zum letzten Abend zusammensetzen.

Handtasche gestohlen. Sie schließt die Augen. O nein.

Fremdes Bett. Sie hat keine Schlüssel. O Gott, sie hat keine

Schlüssel. Und kein Geld. Sie versucht sich zu bewegen, und der Schmerz blitzt so heftig durch ihren Kopf, dass sie beinahe aufschreit.

Und dann fällt ihr der Mann ein. *Pete? Paul?* Sie sieht sich nach Mitternacht durch menschenleere Straßen gehen. Und dann sieht sie, wie sie sich unvermittelt vorbeugt, um ihn zu küssen, und seinen höflichen Rückzug. *Du bist … lecker.* «O nein», sagt sie leise und legt die Hand über die Augen. «Oh, was hab ich …»

Sie richtet sich auf und setzt sich auf die Bettkante. Neben ihrem rechten Fuß steht ein kleines, gelbes Plastikauto. Dann, als sie hört, wie eine Tür geöffnet wird und im Nebenraum die Geräusche einer Dusche einsetzen, greift sich Liv ihre Schuhe und ihre Jacke und schlüpft aus der Wohnung in das grelle Tageslicht.

Kapitel 15

Man kommt sich ein bisschen vor wie bei einer Invasion.» Der Geschäftsführer tritt einen Schritt zurück, die Arme vor der Brust verschränkt, und lacht nervös. «Geht das allen so?»

«O ja», sagt Liv. Diese Reaktion ist nicht ungewöhnlich.

Um sie jagen etwa fünfzehn Teenager durch das Foyer von *Conaghy Securities.* Zwei von ihnen springen über das Geländer, das an der Glaswand entlangläuft, hin und zurück. Ein paar andere sind schon ins Atrium gerannt, balancieren kreischend vor Lachen auf den Rändern der perfekt ausgerichteten Gehwege und zeigen mit den Fingern auf einen riesigen Koi, der friedlich durch ein rechteckiges Wasserbecken schwimmt.

«Sind sie immer so ... laut?», fragt der Geschäftsführer.

Abiola, die Sozialarbeiterin, steht neben Liv. «Ja. Wir geben ihnen normalerweise zehn Minuten, um sich an die Umgebung zu gewöhnen. Danach beruhigen sie sich erstaunlich schnell.»

«Und wurde noch nie ... etwas beschädigt?»

«Nein, noch nie.» Liv sieht Cam leichtfüßig über ein erhöhtes Holzgeländer rennen und an seinem Ende gekonnt herunterspringen. «Bei all den Firmen auf der Liste, die ich Ihnen gegeben habe, ist nicht mal ein Fußabstreifer von seinem Platz gerutscht.» Sie sieht die Ungläubigkeit in seinen Augen. «Sie müssen sich klarmachen, dass ein englisches Kind im Durchschnitt in einer Wohnung mit weniger als sechsundsiebzig Quadratmeter Grundfläche wohnt.» Sie nickt. «Und die hier haben vermutlich noch viel weniger Platz zu Hause. Es ist unvermeidlich, dass sie ein bisschen ausflippen, wenn sie an einem solchen Ort losgelassen werden. Aber Sie werden schon sehen. Der Raum wird auf sie wirken.»

Einmal im Monat organisiert die David-Halston-Foundation, die zum Architekturbüro Solberg Halston gehört, einen Ausflug für benachteiligte Jugendliche zu einem Ort mit besonderer Architektur. David hatte geglaubt, dass junge Leute ihre architektonische Umgebung nicht nur in theoretischem Unterricht kennenlernen, sondern eigene Raumerfahrungen machen sollten. Er hatte gewollt, dass die Kinder diese Ausflüge genossen. Liv erinnert sich noch gut, wie sie ihn dieses Thema mit einer Gruppe indischstämmiger Jugendlicher aus Whitechapel hatte diskutieren sehen. «Was sagt dieser Eingang, wenn ihr hereinkommt?», hatte er gefragt und auf die riesenhafte Einfassung der Haupttüren gedeutet.

«Geld», sagte einer, und alle hatten gelacht.

«Genau das», hatte David lächelnd gesagt, «soll er ausdrücken. Das hier ist ein Börsenhandelsunternehmen. Dieser Eingang, mit seinen enormen Marmorsäulen und Goldlettern, sagt euch ‹Gib uns dein Geld. Und wir machen für dich daraus MEHR GELD.› Er sagt so aufdringlich, wie man es sich bloß vorstellen kann: ‹WIR KENNEN UNS MIT GELD AUS.›»

«Mann, Nikhil, jetzt weißt du auch, warum eure Haustür nur einen Meter hoch ist», hatte einer der Jungs zu einem anderen gesagt, und beide hatten sich gebogen vor Lachen.

Aber es funktionierte. «Sie müssen erkennen, dass es eine Alternative zu den Schuhschachteln gibt, in denen sie wohnen», hatte David gesagt. «Sie müssen verstehen, dass ihre Umgebung Einfluss auf ihre Gefühle hat.»

Seit er gestorben war, hatte Liv mit Svens Segen Davids Rolle übernommen. Sven und David waren Geschäftspartner gewesen, hatten zusammen das Architekturbüro Solberg Halston gegründet. Die Tätigkeit für die Foundation hatte Liv geholfen, die ersten Monate zu überstehen, als sie kaum einen Sinn in ihrem Leben gesehen hatte. Sie hatte sich in die Arbeit gekniet, sich mit Vorstandsvorsitzenden getroffen und sie von dem sozialen Nutzen des Projekts überzeugt. Inzwischen ist es die einzige Sache, auf die sie sich richtig freut.

«Miss? Dürfen wir die Fische anfassen?»

«Nein. Anfassen verboten, fürchte ich. Sind alle da?» Sie wartet, während Abiola kurz durchzählt.

«Okay. Wir fangen hier an. Ich hätte gern, dass ihr alle mal für zehn Sekunden stillsteht und mir dann erzählt, wie dieser Raum auf euch wirkt.»

«Friedlich», sagt einer, nachdem das Gelächter verebbt ist.

«Warum?»

«Keine Ahnung. Liegt an dem Wasser. Und dem Geräusch von diesem Wasserfallding. Das ist friedlich.»

«Was gibt es sonst noch, das euch ein friedliches Gefühl vermittelt?»

«Der Himmel. Hier ist kein Dach, oder?»

«Das stimmt. Was meint ihr dazu, dass es in diesem Teil kein Dach gibt?»

«Denen ist das Geld ausgegangen.» Erneutes Gelächter.

«Und wenn ihr bei euch daheim aus dem Haus geht, was macht ihr dann als Erstes?»

«Tief einatmen. Atmen.»

«Außer wenn die Luft total versifft ist. Diese Luft hier schleusen sie vermutlich durch irgendwelche Filter und so.»

«Es gibt kein Dach. Die Luft hier kann man nicht filtern.»

«Also, ich atme jedenfalls. So richtig tief. Ich hasse es, in kleinen Zimmern eingesperrt zu sein. Meins hat nicht mal ein Fenster, und ich muss mit offener Tür schlafen, damit ich nicht denke, ich liege schon im Sarg.»

«Mein Bruder hat auch kein Fenster im Zimmer, also hat ihm meine Mum ein Poster gekauft, auf dem ein Fenster drauf ist.»

Sie fangen an, ihre Zimmer zu vergleichen. Liv mag diese Jugendlichen, und sie macht sich Sorgen um sie, fürchtet die tagtäglichen Einschränkungen, denen sie ausgesetzt sind, die Art, auf die sie zu erkennen geben, dass sich neunundneunzig Prozent ihres Lebens innerhalb von einem oder zwei Quadratkilometern abspielen, eingeschränkt von äußeren Bedingungen oder echter Angst vor rivalisierenden Gangs und unerlaubter Grenzüberschreitung.

Es ist ein kleines Projekt, aber es gibt ihr das Gefühl, Davids Leben wäre nicht umsonst gewesen. Manchmal taucht ein extrem intelligentes Kind auf – eines, das Davids Ideen sofort versteht –, dann versucht sie, ihm irgendwie zu helfen, mit seinen Lehrern zu reden oder Beihilfen zu organisieren. Ein paar Mal hat sie sogar mit den Eltern gesprochen. Einer von Davids früheren Protegés studiert inzwischen Architektur, seine Studiengebühren trägt die Stiftung.

Doch für die meisten ist es nur ein kurzer Ausflug in eine

andere Welt, eine Stunde oder zwei, in der sie ihre Parcour-Fähigkeiten auf anderer Leute Treppen und Geländern und Marmorfoyers trainieren können, eine Gelegenheit, einen Blick auf den Mammon zu werfen, wenn auch unter den irritierten Augen der Reichen, die Liv dazu gebracht hat, ihnen die Tür zu öffnen.

«Vor ein paar Jahren ist eine Studie durchgeführt worden, die gezeigt hat, dass Jugendliche, deren Freiraum von fünfundzwanzig auf fünfzehn Quadratmeter reduziert wird, aggressiver werden und ihre Bereitschaft zu sozialer Interaktion nachlässt. Was haltet ihr davon?»

Cam schwingt sich um das Ende eines Geländers. «Ich muss mir das Zimmer mit meinem Bruder teilen, und die halbe Zeit habe ich Lust, ihn zu verprügeln. Er legt ständig sein Zeug auf meine Seite.»

«Und an welchen Orten fühlt ihr euch wohl? Fühlt ihr euch hier wohl?»

«Hier fühle ich mich, als hätte ich keine Sorgen.»

«Ich mag die Pflanzen. Die mit den großen Blättern.»

«O Mann. Ich würde mich einfach bloß hierhin setzen und die Fische anschauen. Ist echt friedlich hier.»

Zustimmendes Gemurmel.

«Und dann würde ich einen fangen und mir von meiner Mum ein paar Fritten dazu machen lassen.»

Alle lachen. Liv sieht Abiola an und muss unwillkürlich selbst lachen.

«Ist es gut gelaufen?» Sven steht vom Schreibtisch auf, um ihr entgegenzukommen. Sie küsst ihn auf die Wange, setzt sich auf den weißen Eames-Stuhl vor dem Schreibtisch und stellt ihre Handtasche neben sich ab. Es hat sich inzwischen eingespielt, dass sie nach jedem Ausflug ins Büro der Solberg Halston Association kommt und bei einem Kaffee berichtet, wie es war. Sie ist jedes Mal erschöpfter, als sie erwartet hat.

«Großartig. Nachdem Mr. Conaghy erst einmal begriffen hatte, dass wir keine Kopfsprünge in seine Atriumteiche machen wollten, fand er es sehr anregend, glaube ich. Er ist sogar dabeigeblieben, um sich mit ihnen zu unterhalten. Ich glaube, ich könnte ihn sogar dazu überreden, ein bisschen was zu spenden.»

«Gut. Das sind gute Nachrichten. Ich hole dir einen Kaffee. Wie geht's dir so? Und wie geht es deiner Verwandten, die so schwer krank geworden ist?»

Sie schaut ihn verständnislos an.

«Deine Tante?»

Die Röte steigt ihr ins Gesicht. «Oh. O ja, ist doch nicht so schlimm, danke. Es geht ihr besser.»

Sven reicht ihr einen Kaffee, und sein Blick ruht einen Moment zu lange auf ihr. Sein Stuhl quietscht leise, als er sich setzt. «Du darfst es Kristen nicht übel nehmen. Sie lässt sich eben manchmal einfach zu irgendetwas hinreißen. Roger ist ein Blödmann. Kein Wunder, dass du dich aus dem Staub gemacht hast.»

«Oh.» Sie windet sich. «War es so leicht zu durchschauen?»

«Nicht für Kristen. Sie weiß nicht, dass Ebola üblicherweise nicht operativ behandelt werden kann.» Und dann, als Liv stöhnt, fängt er an zu lächeln. «Vergiss es einfach. Es war jedenfalls schön, dich wieder einmal unter Leuten zu sehen.» Er nimmt seine Brille ab. «Wirklich. So was solltest du öfter machen.»

«Na ja, hab ich ja auch in letzter Zeit.»

Sie errötet, denkt an ihre Nacht mit Paul McCafferty. Sie

ertappt sich seit Tagen immer wieder dabei, wie sie sich über die Ereignisse dieses Abends Gedanken macht. Was er wohl von ihr denkt? Und dann dieses elektrische Zittern, das durch ihren Körper gelaufen ist, der Abdruck seines Kusses. Sie friert vor Verlegenheit, und gleichzeitig ist ihr warm, wenn sie sich an das Gefühl erinnert, das der Kuss auf ihren Lippen zurückgelassen hat. Es kommt ihr vor, als wäre in einem lange vergessenen Teil ihres Körpers ein neuer Lebensfunke erwacht.

«Und wie läuft es mit den Goldsteins?»

«Es ist jetzt bald so weit. Wir hatten Probleme mit den neuen Bauvorschriften, aber wir sind beinahe fertig. Die Goldsteins sind jedenfalls zufrieden.»

«Hast du ein paar Fotos?»

Das Goldstein Building war Davids Traum-Auftrag gewesen. Eine riesige Glas-Konstruktion in organischen Formen, die sich halb um einen Platz am Stadtrand erstreckte. Er hatte Jahre daran gearbeitet, die schwerreichen Brüder Goldstein davon überzeugt, seinen kühnen Entwurf zu akzeptieren und etwas ganz anderes zu bauen als die rechteckigen Betonblöcke allerorten, und er hatte bis zu seinem Tod an diesem Projekt gearbeitet.

Sven hatte die Entwürfe übernommen, die Planungsphase überwacht und danach die Bauleitung. Es war ein schwieriges Projekt gewesen, Material aus China kam zu spät, das falsche Glas wurde geliefert, die Fundamente erwiesen sich als ungeeignet für den Lehmboden Londons. Aber jetzt, endlich, wächst das Gebäude wie geplant in die Höhe, und jedes Glaspaneel schimmert wie die Schuppen einer riesigen Schlange.

Sven blättert durch ein paar Unterlagen auf seinem Schreibtisch, nimmt ein Foto heraus und reicht es ihr. Sie betrachtet den enormen Bau, der noch von blauen Bauzäunen umgeben, aber unverkennbar ein Entwurf Davids ist. «Das wird großartig.» Sie muss lächeln.

«Ich wollte dir noch etwas sagen ... Sie haben zugesagt, im Foyer eine kleine Gedenktafel für ihn anzubringen.»

«Wirklich?»

«Ja. Jerry Goldstein hat es mir letzte Woche erzählt. Sie wollten auf irgendeine Art an David erinnern. Sie haben ihn sehr gemocht.»

Sie lässt die Vorstellung wirken. «Das ... das ist wundervoll.»

«Finde ich auch. Kommst du zur Eröffnung?»

«Sehr gern.»

«Gut. Und wie läuft es sonst so?»

Sie trinkt einen Schluck Kaffee. Sie ist immer ein bisschen verlegen, wenn sie Sven von ihrem Leben erzählt. Es ist, als könnten ihn die fehlenden Perspektiven darin einfach nur enttäuschen. «Na ja, anscheinend habe ich jetzt eine Mitbewohnerin. Was ... interessant ist. Ansonsten geht es einigermaßen. Mit der Arbeit läuft es gerade nicht so ...»

«Wie schlimm ist es?»

Sie versucht zu lächeln. «Ehrlich? Vermutlich würde ich in einem Ausbeuterbetrieb in Bangladesch mehr verdienen.»

Sven schaut auf seine Hände hinunter. «Du ... hast du vielleicht mal daran gedacht, dass es Zeit wäre, etwas anderes zu machen?»

«Ich habe kaum die Voraussetzungen für etwas anderes.» Sie weiß schon lange, dass es nicht die beste Idee war, nach der Hochzeit ihre Arbeit aufzugeben und mit David herumzureisen. Während ihre Freunde Karriere machten und zwölf Stunden täglich im Büro saßen, war sie einfach mit ihm unterwegs gewesen, in Paris, Sydney, Barcelona. Es war nicht notwendig gewesen, dass sie Geld verdiente. Es war ihr dumm vorgekommen, die ganze Zeit von ihm getrennt zu sein. Und nach seinem Tod war sie zu nichts mehr zu gebrauchen gewesen. Für eine sehr lange Zeit.

«Letztes Jahr musste ich eine Hypothek auf das Haus aufnehmen. Und jetzt kann ich die Raten nicht bezahlen.» Sie platzt damit heraus wie eine Sünderin bei der Beichte.

Aber Sven wirkt nicht überrascht. «Hör mal ... wenn du es je verkaufen willst, könnte ich ohne Probleme einen Käufer finden.»

«Verkaufen?»

«Es ist ein riesiges Haus, in dem du da herumgeisterst. Und ... ich weiß auch nicht. Du bist so isoliert da oben, Liv. Es war ein tolles Projekt für David, bei dem er seine ersten Erfahrungen sammeln konnte, und ein großartiger Rückzugsort für euch beide, aber denkst du nicht, dass du langsam wieder mehr unter Menschen kommen solltest? Irgendwo wohnen, wo mehr los ist? In Notting Hill oder Clerkenwell vielleicht?»

«Ich kann Davids Haus nicht verkaufen.»

«Warum nicht?»

«Weil es falsch wäre.»

Er sagt das Offensichtliche nicht. Das muss er auch nicht. Er drückt es in der Art aus, auf die er sich in seinem Stuhl zurücklehnt und den Mund schließt.

«Na ja», sagt er und beugt sich etwas über den Schreibtisch. «Ich wollte nur mal den Gedanken ins Spiel bringen.»

«Wie geht's den Kindern?», sagt sie unvermittelt. Und Sven, mit dem Takt eines Menschen, der sie seit Jahren kennt, lässt sich auf den Themenwechsel ein.

Die monatliche Besprechung ist schon halb vorbei, als Paul bemerkt, dass Miriam – seine und Janeys gemeinsame Sekretärin – nicht auf einem Stuhl, sondern auf zwei großen Aktenkisten sitzt. Es wirkt unbequem; sie hat die Beine angewinkelt, damit ihr der Rock nicht zu hoch rutscht, und lehnt mit dem Rücken an weiteren Kisten.

Irgendwann Mitte der Neunziger war die Suche nach gestohlenen Kunstwerken zu einem Riesengeschäft geworden. Niemand bei der *Trace and Return Partnership* schien dies geahnt zu haben, sodass jetzt, einige Jahre später, die Besprechungen in Janeys immer vollgestopfterem Büro stattfinden, wo man mit den Ellbogen an schwankenden Aktenstapeln und Schachteln mit Faxen und Fotokopien entlangstreift.

«Miriam?» Paul steht auf und bietet ihr seinen Stuhl an.

«Wirklich», sagt sie. «Es geht schon.» Sie nickt heftig, als müsse sie sich das selbst bestätigen.

«Sie werden noch in die Kiste *Ungelöste Fälle 1996* rutschen», sagt er. Am liebsten hätte er hinzugefügt: *Und ich kann Ihnen halb unter den Rock schauen.*

«Miriam sitzt gut, Paul. Wirklich.» Janey rückt ihre Brille zurecht. «Also, die Personal- und Bürofragen hätten wir geklärt. Was für laufende Fälle haben wir?»

Sean, ihr Rechtsanwalt, berichtet von seinem bevorstehenden Termin: eine Kontaktaufnahme mit der spanischen Regierung, die einen als Beutekunst eingestuften Velázquez an einen Privatsammler zurückgeben soll. Paul lehnt sich zurück und legt seinen Kugelschreiber auf den Notizblock.

Und da ist sie wieder; mit ihrem verzagten Lächeln. Ihrem unerwarteten, lauten Gelächter. Mit ihrer Traurigkeit, die sich in den zarten Fältchen um ihre Augen zeigt. *Ich war betrunken immer großartig im Bett. Wirklich, das stimmt.*

Er will sich nicht eingestehen, wie sehr es ihn enttäuscht hat, als er an diesem Morgen aus dem Badezimmer kam und feststellte, dass sie einfach gegangen war. Die Decke auf dem Bett seines Sohnes war glatt gestrichen, und an Livs Stelle war eine große Abwesenheit getreten. Keine hastig gekritzelte Nachricht. Keine Telefonnummer. Gar nichts.

«Ist sie häufiger da?», hat er Greg abends am Telefon beiläufig gefragt.

«Nein. Hab sie vorher noch nie gesehen. Tut mir leid, dass ich sie dir aufgehalst hab, Bruderherz.»

«Schon okay.» Er hat sich nicht die Mühe gemacht, Greg zu bitten, dass er darauf achten sollte, ob sie noch einmal auftauchte. Irgendetwas sagte ihm, dass sie das nicht tun würde.

«Paul?»

Er lenkt seine Aufmerksamkeit wieder auf den A4-Block, der vor ihm liegt. «Also ... Na ja, wir haben die Rückerstattung des Nowicki-Gemäldes erreicht. Das Bild wird versteigert. Was natürlich ... mh ... ziemlich einträglich wird.» Er ignoriert Jancys warnenden Blick. «Diesen Monat habe ich ein Treffen wegen der Statuetten-Sammlung bei Bonhams, außerdem verfolge ich die Spur eines Lowry, der aus einem Herrensitz in Ayrshire gestohlen wurde und ...» Er blättert durch seine Papiere. «Diese französische Arbeit, die im Ersten Weltkrieg gestohlen wurde und im Haus eines Londoner Architekten wieder aufgetaucht ist. Ich schätze, in Anbetracht des Wertes werden sie es nicht so einfach hergeben. Aber der Fall sieht ziemlich eindeutig aus, wenn wir beweisen können, dass das Bild damals gestohlen wurde. Sean, vielleicht lohnt es sich, nach Präzedenzfällen aus der Zeit des Ersten Weltkrieges zu suchen, könnte ja sein, dass es da was gibt.»

Sean macht sich eine Notiz.

«Davon abgesehen mache ich mit den anderen Fällen vom letzten Monat weiter und bin im Gespräch mit ein paar Versicherungsvertretern. Es geht darum, ob wir uns an einer neuen Kunstwerke-Datenbank beteiligen wollen.»

«Noch eine?», sagt Janey.

«Die Polizei verkleinert das Dezernat Kunst und Antiquitäten», sagt Paul. «Die Versicherer werden nervös.»

«Das sind für uns ja vielleicht sogar gute Nachrichten. Wie weit sind wir mit dem Stubbs?»

Er klickt mit seinem Kugelschreiber. «Sackgasse.»

«Sean?»

«Komplizierte Geschichte. Ich habe nach einem Präzedenzfall gesucht, aber es ist gut möglich, dass die Sache vor Gericht geht.»

Janey nickt, dann sieht sie auf, weil Pauls Handy klingelt. «Entschuldigung», sagt er und zieht es aus der Tasche. Er schaut auf das Display. «Oh, entschuldigt mich bitte kurz, ich glaube, da sollte ich rangehen. Sherrie. Hi.»

Er spürt Janeys stechenden Blick im Rücken, als er den Raum verlässt. Er zieht die Tür hinter sich zu. «Du hast etwas gefunden? … Ihr Name? Liv. … Nein, mehr habe ich nicht. … Wirklich? Kannst du es beschreiben? … Ja, das klingt nach ihr. Mittelbraunes Haar, vielleicht blond, schulterlang. Trägt sie einen Pferdeschwanz? … Handy, Geldbeutel, was sonst noch, weiß ich nicht. Keine Adresse? … Nein, hab ich nicht. Klar … Sherrie, kannst du mir einen Gefallen tun und das Ding abholen?»

Er starrt aus dem Fenster.

«Ja. Ja, mach ich. Mir ist gerade eingefallen … ich glaube, ich weiß jetzt, wie ich sie ihr zurückgeben kann.»

«Hallo?»

«Liv?»

«Nein.»

Er hält inne. «Hm … ist sie da?»

«Sind Sie ein Gerichtsvollzieher?»

«Nein.»

«Na ja, sie ist nicht zu Hause.»

«Wissen Sie, wann sie zurückkommt?»

«Sind Sie sicher, dass Sie kein Gerichtsvollzieher sind?»

«Ich bin definitiv kein Gerichtsvollzieher. Ich habe ihre Handtasche.»

«Sind Sie ein Taschendieb? Wenn Sie nämlich vorhaben, sie zu erpressen, verschwenden Sie Ihre Zeit.»

«Ich bin kein Taschendieb. Oder Gerichtsvollzieher. Ich bin ein Mann, der ihre Handtasche gefunden hat und versucht, sie ihr zurückzugeben.» Er lockert seinen Hemdkragen.

Sie lässt eine lange Pause entstehen.

«Woher haben Sie diese Nummer?»

«Sie war in meinem Handy. Das hat sie sich ausgeliehen, als sie versucht hat, zu Hause anzurufen.»

«Sie waren mit ihr zusammen?»

Das Gespräch fängt an, ihm Spaß zu machen. Er zögert, will nicht zu eifrig klingen. «Warum? Hat sie von mir gesprochen?»

«Nein.» Er hört einen Wasserkessel pfeifen. «Ich war nur neugierig. Hören Sie … sie ist gerade bei ihrem jährlichen Gang außer Haus. Wenn Sie so um vier vorbeikommen, müsste sie wieder da sein. Andernfalls nehme ich die Tasche entgegen.»

«Und Sie sind?»

Eine lange, misstrauische Pause.

«Ich bin die Frau, die für Liv gestohlene Handtaschen entgegennimmt.»

«Ach so. Und wie lautet Ihre Adresse?»

«Das wissen Sie nicht?» Erneutes Schweigen. «Hmm. Passen Sie auf, Sie kommen an die Ecke Audley Street und Packers Lane, und dort wird Sie jemand ansprechen ...»

«Ich bin kein Taschendieb.»

«Das haben Sie bereits gesagt. Rufen Sie an, wenn Sie da sind.» Beinahe hört er sie nachdenken. «Wenn niemand abnimmt, warten Sie fünf Minuten, dann geben Sie die Tasche der Frau in den Pappkisten vor der Haustür. Sie heißt Fran. Und falls wir uns zu einem Treffen mit Ihnen entschließen, machen Sie lieber keine Dummheiten. Wir haben eine Waffe.»

Bevor er noch etwas sagen kann, hat sie aufgelegt. Er sitzt an seinem Schreibtisch und starrt sein Telefon an.

Janey kommt in sein Büro, ohne anzuklopfen. Mittlerweile ärgert es ihn. Es kommt ihm vor, als wolle sie ihn bei irgendetwas ertappen. «Das Lefèvre-Gemälde. Haben wir das Eröffnungsschreiben schon rausgeschickt?»

«Nein. Ich prüfe noch, ob das Bild jemals ausgestellt worden ist.»

«Haben wir die Adresse des derzeitigen Besitzers?»

«Die Zeitschrift hat sie nicht archiviert. Aber das ist kein Problem ... ich schicke den Brief an sein Büro. Wenn er Architekt ist, wird er leicht zu finden sein. Vermutlich trägt die Firma sogar seinen Namen.»

«Gut. Ich habe gerade eine Mail von den Anspruchstellern bekommen. Sie sind in ein paar Wochen in London und bitten um ein Treffen. Es wäre toll, wenn wir da schon eine erste Reaktion hätten. Kannst du mir ein paar Daten zu dem Fall rüberschicken?»

«Mach ich.»

Er schaut intensiv auf seinen Computerbildschirm, obwohl nur der Bildschirmschoner läuft, bis Janey den Wink versteht und aus seinem Büro geht.

Mo ist zu Hause. Sie ist eine seltsam unaufdringliche Existenz, obwohl das Tiefschwarz ihres Haars und ihrer Kleidung eigentlich eher auffällt. Manchmal wacht Liv um sechs Uhr morgens auf und hört, wie sie sich für ihre Frühschicht im Pflegeheim fertig macht. Sie findet die Anwesenheit eines anderen Menschen im Haus merkwürdig tröstlich.

Mo kocht jeden Tag oder bringt etwas zu essen aus dem Restaurant mit, stellt mit Alufolie abgedeckte Teller in den Kühlschrank und legt Zettel auf den Küchentisch: *40 Min. bei 180 Grad aufwärmen. Das bedeutet: DEN HERD ANSCHALTEN* und *ISS DAS AUF, SONST KRIECHT ES BIS MORGEN AUS DEM BEHÄLTER UND BRINGT UNS UM*. Die Wohnung riecht nicht mehr nach Zigarettenrauch. Liv vermutet, dass Mo ab und zu heimlich auf der Terrasse raucht, aber sie fragt nicht nach.

Sie haben eine Art Alltagsroutine entwickelt. Liv steht auf wie immer und geht laufen, hört auf das Geräusch ihrer Schritte und die Musik aus ihren Kopfhörern. Sie kocht für Fran Kaffee, isst ihren Toast, setzt sich an ihren Schreibtisch und versucht, sich keine Sorgen wegen mangelnder Aufträge zu machen. Aber mittlerweile freut sie sich schon beinahe auf das Geräusch des Schlüssels im Schloss, wenn Mo um drei Uhr nach Hause kommt. Mo hat ihr nicht angeboten, Miete zu zahlen – und Liv glaubt, dass keine von ihnen die Situation als festes Arrangement betrachten will –, doch als ihr Liv von der Sache mit der Handtasche erzählt hatte, war am nächsten Tag ein Haufen knittriger Geldscheine auf dem Küchentisch aufgetaucht. *Notfall-Grundsteuer* hatte auf dem Zettel gestanden, der daneben lag. *Und fang nicht an, deswegen rumzuspinnen.*

Liv fing nicht im Entferntesten an, deswegen rumzuspinnen. Sie hatte gar keine Wahl.

Sie trinken Tee und lesen eine Londoner Gratiszeitung, als das Telefon klingelt. Mo sieht auf wie ein Jagdhund, der Witterung aufnimmt, wirft einen Blick auf die Uhr und sagt: «Oh, ich weiß, wer das ist.» Liv widmet sich wieder der Zeitung. «Das ist der Mann mit deiner Handtasche.»

Livs Teebecher bleibt in der Luft stehen. «Wie bitte?»

«Hab vergessen, es dir zu erzählen. Er hat schon mal angerufen. Ich habe ihm gesagt, er soll an der Ecke warten, und wir kommen runter.»

«Was für ein Mann ist das?»

«Keine Ahnung. Ich hab nur sichergestellt, dass er kein Gerichtsvollzieher ist.»

«O Gott. Er hat sie wirklich? Glaubst du, er will eine Belohnung?» Sie kramt in ihren Taschen. Sie findet vier Pfund und ein paar Cent in Münzen und zeigt sie Mo auf der ausgestreckten Hand.

«Nicht besonders viel, was?»

«Abgesehen von sexuellen Gefälligkeiten ist das aber so ziemlich alles, was du ihm anbieten kannst.»

«Immerhin sind es vier Pfund.»

Sie gehen zum Lift. Liv hat das Geld in der Hand, Mo grinst übers ganze Gesicht.

«Was ist?»

«Ich dachte bloß gerade. Es wäre doch lustig, wenn wir ihm *seine* Tasche stehlen. Du weißt schon, ihn ausrauben. Frauengang.» Sie kichert. «Ich habe mal ein Stück Kreide aus einem Postamt gestohlen. Ich habe Übung.»

Liv ist entsetzt.

«Na und?» Mo sieht sie finster an. «Ich war sieben.» Schweigend fahren sie mit dem Lift nach unten. Als die Türen aufgehen, sagt Mo: «Wir könnten ganz leicht flüchten. Er kennt nämlich deine Adresse nicht.»

«Mo …», fängt Liv an, doch als sie aus der Haustür kommt, sieht sie den Mann an der Ecke, seine Haarfarbe, die Art, wie er sich über den Kopf streicht, und sie wirbelt mit brennenden Wangen wieder herum.

«Was ist denn? Wohin willst du?»

«Ich kann nicht hingehen.»

«Warum denn nicht? Ich sehe deine Tasche schon von hier aus. Der Typ wirkt okay. Ich glaube nicht, dass er ein Straßenräuber ist. Er trägt Schuhe. Kein Straßenräuber trägt Schuhe.»

«Kannst du sie für mich holen? Wirklich … ich kann nicht mit ihm reden.»

«Warum?» Mo sieht sie prüfend an. «Warum bist du so rot geworden?»

«Weißt du, ich habe bei ihm übernachtet. Und die Situation ist einfach peinlich.»

«O mein Gott. Du hast es mit ihm getrieben!»

«Nein, hab ich nicht.»

«Doch, hast du.» Mo sieht sie aus leicht zusammengekniffenen Augen an. «Oder du wolltest es. DU WOLLTEST ES. Ich hab dich erwischt!»

«Mo … kannst du einfach meine Tasche für mich holen, bitte? Sag ihm, ich wäre noch nicht zu Hause. Bitte.» Bevor Mo etwas erwidern kann, ist sie zurück im Lift, drückt auf den Knopf und fährt völlig durcheinander in die oberste Etage. Als sie im Glashaus ankommt, lehnt sie ihre Stirn an die Wand und spürt ihren Herzschlag in den Ohren.

Ich bin zweiunddreißig Jahre alt, sagt sie zu sich selbst.

Hinter ihr geht der Lift auf.

«O Gott, danke, Mo, ich …»

Da steht Paul McCafferty vor ihr.

«Wo ist Mo?», sagt sie dümmlich.

«Ist das deine Mitbewohnerin? Sie ist … interessant.»

Sie bringt kein Wort mehr heraus. Ihre Zunge scheint irgendwie angeschwollen. Sie hebt ihre Hand zu ihrem Haar und ist sich auf einmal sehr der Tatsache bewusst, dass sie es nicht gewaschen hat.

«Egal», sagt er. «Hallo.»

«Hallo.»

Er streckt die Hand aus. «Deine Tasche. Das ist doch deine Tasche, oder?»

«Ich fasse es nicht, dass du sie gefunden hast.»

«Ich bin gut darin, Sachen wiederzufinden. Das ist mein Beruf.»

«Oh. Ja. Ex-Polizist. Also, danke. Wirklich.»

«Sie steckte in einem Mülleimer, falls dich das interessiert. Zusammen mit zwei anderen. Vor der Unibibliothek. Der Hausmeister hat sie gefunden und bei der Polizei abgegeben. Ich fürchte, deine Kreditkarten und das Handy sind weg. … Aber jetzt kommt die gute Nachricht: Das Bargeld war noch drin.»

«Was?»

«Ja. Unglaublich. Zweihundert Pfund. Ich habe es überprüft.»

Erleichterung umflutet sie wie ein warmes Bad. «Wirklich? Die haben das Bargeld drin gelassen? Das verstehe ich nicht.»

«Ich auch nicht. Ich kann mir nur vorstellen, dass es aus deinem Geldbeutel gefallen ist, als sie ihn aufgemacht haben.»

Sie nimmt die Tasche und wühlt darin herum. Zweihundert Pfund flattern unten in der Tasche, zusammen mit ihrer Haarbürste, dem Taschenbuch, das sie an jenem Vormittag gelesen hat, und einem Lippenstift.

«Nie gehört, dass so was schon mal vorgekommen ist. Immerhin, es ist nicht schlecht, oder? Eine Sorge weniger.»

Er lächelt. Kein mitleidiges Oh-die-arme-betrunkene-Frau-die-mir-an-die-Wäsche-wollte-Lächeln, sondern das Lächeln eines Menschen, der sich ehrlich über etwas freut.

Sie merkt, dass sie zurücklächelt. «Das ist einfach … unglaublich.»

«Und bekomme ich jetzt meine vier Pfund Belohnung?» Sie blinzelt ihn an. «Mo hat es mir erzählt. Witz. Ehrlich.» Er lacht. «Aber …» Er sieht einen Moment lang auf seine Füße hinunter. «Liv … hast du Lust, irgendwann mal auszugehen?» Als sie nicht sofort antwortet, fügt er hinzu: «Es muss keine große Sache sein. Wir könnten uns nicht betrinken. Und nicht in eine Schwulenbar gehen. Wir könnten sogar einfach nur herumlaufen, uns an unsere Hausschlüssel klammern und uns die Handtaschen nicht klauen lassen.»

«Okay», sagt sie langsam und ertappt sich schon wieder beim Lächeln. «Das würde mir gefallen.»

Paul McCafferty pfeift auf der ganzen Fahrt abwärts in dem lauten, rumpelnden Lift vor sich hin. Als er unten ankommt, zieht er die Auszahlungsquittung aus seiner Tasche, knüllt sie zusammen und wirft sie in den nächstbesten Abfalleimer.

Kapitel 16

Sie gehen vier Mal miteinander aus. Beim ersten Mal gehen sie Pizza essen, und sie hält sich an Mineralwasser, bis sie sicher ist, dass er sie nicht für eine Säuferin hält, und dann genehmigt sie sich einen einzigen Gin Tonic. Es ist der köstlichste Gin Tonic, den sie je getrunken hat. Er bringt sie nach Hause, fährt sogar im Lift mit ihr nach oben und macht den Anschein, als ob er einfach umdrehen und wieder hinunterfahren wollte. Doch dann, nach einem etwas peinlichen Moment, küsst er sie auf die Wange, und sie lachen beide ein bisschen verlegen. Ohne nachzudenken, beugt sie sich vor und gibt ihm einen richtigen Kuss, einen kurzen, aber intensiven. Einen, der etwas andeutet. Danach ist sie ein bisschen außer Atem. Er geht rückwärts wieder in den Lift und grinst immer noch, als die Türen vor ihm zugleiten.

Sie mag ihn.

Beim zweiten Mal gehen sie zum Auftritt einer Band, die sein Bruder empfohlen hat, und das Konzert ist schrecklich.

Nach zwanzig Minuten stellt sie mit Erleichterung fest, dass er es auch schrecklich findet, und nachdem er sie gefragt hat, ob sie gehen will, halten sie sich auf einmal an der Hand, damit sie sich auf dem Weg aus dem überfüllten Club nicht verlieren. Irgendwie halten sie sich an der Hand, bis sie zu seiner Wohnung kommen. Dort reden sie über ihre Kindheit, die Bands, die sie mögen, Hunderassen, ihre Abneigung gegen Zucchini, und dann küssen sie sich auf dem Sofa, bis ihre Beine ein bisschen schwach werden. Danach ist ihr Kinn noch zwei Tage lang hellrosa.

Ein paar Tage später ruft er um die Mittagszeit an, um zu sagen, dass er gerade zufällig vor einem Café in der Nähe steht, und fragt, ob sie kurz einen Kaffee mit ihm trinken will. «Bist du wirklich zufällig hier vorbeigekommen?», fragt sie, als sie so lange bei Kaffee und Kuchen gesessen haben, wie es seine Mittagspause nur zulässt.

«Klar», sagt er, und sie sieht zu ihrem Entzücken seine Ohren rot werden. Er bemerkt ihren Blick und hebt die Hand ans linke Ohr. «O Mann. Ich bin ein richtig schlechter Lügner.»

Beim vierten Mal gehen sie in ein Restaurant. Kurz bevor der Nachtisch gebracht wird, ruft ihr Vater an, weil Caroline ihn wieder verlassen hat. Er jammert so laut ins Telefon, dass Paul auf der anderen Seite des Tisches zusammenzuckt. «Ich muss gehen», sagt sie und lehnt sein Angebot ab mitzukommen. Sie ist für eine Begegnung der beiden noch nicht bereit, ganz besonders nicht, wenn es sein kann, dass ihr Vater dabei keine Hosen trägt.

Als sie eine halbe Stunde später bei ihm ankommt, ist Caroline wieder zu Hause.

«Ich habe vergessen, dass sie heute ihren Aktzeichenkurs hat», sagt er kleinlaut.

Paul setzt sie nicht unter Druck. Sie überlegt, ob sie zu viel über David spricht; ob sie sich irgendwie zur Tabuzone gemacht hat. Aber dann denkt sie, dass er vermutlich nur ein Gentleman ist. Bei anderen Gelegenheiten denkt sie beinahe empört, dass David schließlich ein Teil ihres Lebens ist, und wenn Paul mit ihr zusammen sein will, tja, dann muss er das akzeptieren. Sie unterhält sich in ihrer Vorstellung oft mit ihm, und zwei Mal streiten sie sich sogar.

Sie denkt beim Aufwachen an ihn, daran, wie er sich vorbeugt, wenn er zuhört, als wolle er keine Silbe verpassen, die sie sagt, die Art, auf die seine Schläfen vorzeitig ergraut sind, seine blauen, blauen Augen. Sie hat vergessen, wie es ist, mit dem Gedanken an einen anderen Menschen aufzuwachen, ihm nah sein zu wollen und bei der Erinnerung an den Duft seiner Haut einen leichten Schwächeanfall zu bekommen. Manchmal schickt er ihr einfach so mitten am Tag eine SMS, und sie hört die Worte in Gedanken mit seinem amerikanischen Akzent.

Es fällt ihr schwer, Paul McCafferty mit Mos Meinung über Männer in Einklang zu bringen: schmierige, egoistische, pornobesessene Faulpelze. Er ist auf eine ruhige Art geradeheraus, man scheint in seiner Miene lesen zu können wie in einem offenen Buch. Deshalb hat auch die Karriere in der Spezialeinheit der New Yorker Polizei nicht zu ihm gepasst, sagt er. «All das Schwarz und Weiß wird ziemlich grau, je höher man aufsteigt.» Jetzt arbeitet er für eine Firma, die gestohlene Kunstgüter ausfindig macht. Dass er wenig darüber spricht, seine Verschwiegenheit, scheint zum Job zu gehören. Nur wenn er von seinem Sohn erzählt, wird er ein wenig unsicher. «Eine Scheidung ist Mist», sagt er. «Wir reden uns ein, Kinder kämen damit zurecht, dass es so besser ist, anstelle des Dauerstreits zwischen zwei unglücklichen Menschen, aber wir sind zu feige, sie nach der Wahrheit zu fragen.»

«Der Wahrheit?»

«Danach, was sie in Wirklichkeit wollen. Weil wir die Antwort kennen. Und sie würde uns das Herz brechen.» Er schaut in eine unbestimmte Ferne, und dann, Sekunden später, findet er sein Lächeln wieder. «Trotzdem, Jake ist ein guter Junge. Ein richtig guter Junge. Besser, als wir alle beide verdient haben.»

Sie mag seine amerikanische Art, die ihn etwas fremd wirken lässt und vollkommen anders als David. Er hat einen angeborenen Sinn für Höflichkeit, gehört zu den Männern, die einer Frau automatisch die Tür aufhalten, nicht, weil sie ritterlich sein wollen, sondern weil es ihnen nicht einfiele, die Tür nicht für jemanden aufzuhalten, der durchgehen will. Er besitzt eine untergründige Autorität; die Leute auf der Straße weichen aus, wenn er ihnen entgegenkommt. Er scheint es gar nicht wahrzunehmen.

«O mein Gott, wie kann man nur alles so falsch verstehen», sagt Mo.

«Wieso denn? Ich meine ja nur. Es ist nett, mit jemandem Zeit zu verbringen, der …»

Mo schnaubt bloß. «Diese Woche wird noch jemand so richtig flachgelegt.»

Aber Liv hat ihn nicht ins Glashaus eingeladen. Mo spürt ihr Zögern. «Okay, Rapunzel. Wenn du in deinem Turm sitzen bleiben willst, wirst du ab und zu einen Prinzen über dein Haar streichen lassen müssen.»

«Ich weiß nicht …»

«Also habe ich gedacht», sagt Mo, «dass wir dein Schlafzimmer umräumen sollten. Das Haus ein bisschen umgestalten. Sonst wirst du immer das Gefühl haben, dass du jemanden zu David nach Hause bringst.»

Liv vermutet, dass sie dieses Gefühl nie loslassen wird, ganz gleich, wie die Möbel stehen. Aber am Dienstagnachmittag hat Mo frei, und sie stellen das Bett auf die andere Seite des Zimmers und schieben es an die alabasterweiße Betonwand, die wie ein architektonisches Rückgrat mitten durch das Haus läuft. Es ist nicht der beste Platz für das Bett, wenn man es genau nimmt, aber Liv muss zugeben, dass die Veränderung etwas Erfrischendes hat.

«Und jetzt», sagt Mo und schaut zu der *Jeune Femme* hinauf, «solltest du noch das Bild woanders hinhängen.»

«Nein. Das bleibt dort.»

«Aber du hast gesagt, David hat es für dich gekauft. Und das bedeutet ...»

«Ist mir egal. Sie bleibt. Außerdem ...», Liv sieht die Frau in dem Bilderrahmen mit verengten Augen an, «... finde ich, dass sie in einem Wohnzimmer seltsam wirken würde. Sie ist zu ... intim.»

«Intim?»

«Sie ist ... sexy. Findest du nicht?»

Mo betrachtet das Porträt. «Kann ich nicht erkennen. Wenn das mein Zimmer wäre, würde dort sowieso ein Riesenflachbildschirm hängen.»

Mo geht hinaus, und Liv schaut das Gemälde an, und ausnahmsweise einmal schnürt ihr die Trauer nicht die Kehle zu. *Was meinst du?*, fragt sie die Frau. *Ist jetzt doch der Moment gekommen, in dem ich mit meinem Leben weitermachen sollte?*

Am Freitagvormittag fangen die Probleme an.

«So, du hast also eine heiße Verabredung!» Ihr Vater tritt

auf sie zu und zieht sie in eine innige Umarmung. Er ist voller *joie de vivre*, überschäumend und welterfahren. Er spricht wieder mit Ausrufezeichen. Und er ist angezogen.

«Er ist einfach ... Ich will keine große Sache daraus machen, Dad.»

«Aber es ist großartig! Du bist eine so schöne junge Frau! So will es die Natur ... du solltest dort draußen sein, dein Gefieder spreizen, dich mit deinen Dingern brüsten!»

«Ich habe kein Gefieder, Dad.» Sie nippt an ihrem Tee. «Und was die Dinger angeht, bin ich nicht ganz deiner Meinung.»

«Was wirst du anziehen? Hoffentlich etwas Helleres. Caroline, was soll sie anziehen?»

Caroline kommt in die Küche und steckt sich dabei das lange, rote Haar hoch. Sie hat an ihren Wandteppichen gearbeitet und riecht ein bisschen nach Schaf. «Sie ist zweiunddreißig Jahre alt, Michael. Sie kann selbst entscheiden, was sie trägt.»

«Aber sieh dir doch an, wie sie sich zuhängt! Sie zieht sich immer noch nach Davids Geschmack an – alles schwarz, grau und formlos. Du solltest dir ein Beispiel an Caroline nehmen, Liebling. Schau dir die Farben an, die sie trägt! So eine Frau zieht alle Blicke an ...»

«Deinen Blick würde sogar eine Frau anziehen, die sich kleidet wie ein Yak», sagt Caroline und schaltet den Wasserkocher ein. Aber es klingt nicht boshaft. Livs Vater stellt sich hinter sie und schmiegt sich an ihren Rücken. Seine Augen schließen sich ekstatisch. «Wir Männer ... sind eben primitive Wesen. Unser Blick wird unweigerlich von Helligkeit und Schönheit angezogen.» Er öffnet ein Auge und mustert Liv. «Vielleicht ... könntest du wenigstens etwas weniger Maskulines tragen.»

«Maskulin?»

Er tritt von Caroline zurück. «Schwarzer Riesenpullover.

Schwarze Jeans. Kein Make-up. Das ist nicht direkt ein Lockruf der Sirenen.»

«Du ziehst einfach etwas an, in dem du dich wohlfühlst, Liv. Beachte ihn am besten gar nicht.»

«Du findest, ich sehe maskulin aus?»

«Andererseits hast du ihn in einer Schwulenbar kennengelernt. Vielleicht gefallen ihm Frauen, die ein bisschen ... jungenhaft wirken.»

«Du bist ein unverbesserlicher alter Narr», sagt Caroline und geht mit ihrem Teebecher aus der Küche.

«Ich sehe also aus wie eine Kampflesbe.»

«Ich sage ja nur, dass du deine Vorzüge ein bisschen stärker betonen könntest. Locken vielleicht. Ein Gürtel, damit deine Taille zur Geltung kommt.»

Caroline steckt den Kopf durch die Tür. «Es spielt überhaupt keine Rolle, was du trägst, Liebes. Sorg einfach nur dafür, dass die Unterwäsche gut ist. Letzten Endes sind die Dessous das Einzige, worauf es ankommt.»

Ihr Vater sieht Caroline wieder verschwinden und schickt ihr einen Luftkuss nach. «Dessous!», sagt er ehrfürchtig.

Liv sieht an ihrer Kleidung hinunter. «Tja dann, vielen Dank auch, Dad. Ich fühle mich jetzt wirklich super. Einfach ... super.»

«War mir ein Vergnügen. Du kannst mich jederzeit wieder fragen.» Er schlägt mit der Handfläche auf den Küchentisch. «Und berichte mir, wie es gelaufen ist! Eine Verabredung! Wie aufregend!»

Liv mustert sich im Spiegel. Es ist drei Jahre her, seit ein Mann ihren Körper gesehen hat, und vier, seit ein Mann ihren Körper gesehen hat, während sie nüchtern genug war, um sich darüber Gedanken zu machen. Sie hat Mos Rat befolgt: bis auf einen säuberlich getrimmten Rest sämtliche Körperbehaarung epiliert, sich das Gesicht geschrubbt, eine Haarkur gemacht. Sie hat so lange in ihrer Unterwäscheschublade herumgesucht, bis sie etwas gefunden hat, das mit etwas gutem Willen als verführerisch durchgehen kann und nicht schon altersgrau verfärbt ist. Sie hat sich die Fußnägel lackiert und ihre Fingernägel gefeilt, statt sie mit einem Nagelknipser zu bearbeiten.

David hat auf solche Dinge nie Wert gelegt. Aber David ist nicht mehr da.

Sie hat ihren Schrank durchgesehen, reihenweise schwarze und graue Sachen, unauffällige schwarze Hosen und Pullover. Ihre Garderobe ist, das muss sie zugeben, einfach nur praktisch. Schließlich entscheidet sie sich für einen schwarzen Bleistiftrock und einen Pullover mit V-Ausschnitt. Dazu trägt sie ein Paar rote High Heels mit Schmetterlingen an der Spitze, die sie irgendwann für eine Hochzeit gekauft und nie aussortiert hat.

«Wow! Sieh mal einer an!» Mo steht an der Tür, die Jacke angezogen, den Rucksack über die Schulter gehängt, bereit für ihre Schicht.

«Ist es übertrieben?» Liv hebt zweifelnd einen Fuß.

«Du siehst toll aus. Und du trägst keine Oma-Unterhosen, oder?»

Liv atmet hörbar ein. «Nein, ich trage keine Oma-Unterhosen. Aber eigentlich fühle ich mich nicht verpflichtet, sämtliche Bewohner dieses Postleitzahlenbereiches über die Auswahl meiner Unterwäsche auf dem Laufenden zu halten.»

«Dann gehe hin und versuch, dich nicht zu vermehren. Ich hab dir das Essen mit dem Hühnchen gemacht, und im Kühlschrank ist eine Schüssel Salat. Du musst nur noch das Dressing dazugeben. Ich übernachte heute bei Ranic, also bin ich dir nicht im Weg. Du hast sturmfreie Bude.» Sie grinst Liv vielsagend an, dann macht sie sich auf den Weg.

Liv dreht sich wieder zum Spiegel. Eine zu stark geschminkte Frau in einem Rock erwidert ihren Blick. Sie geht auf und ab, etwas unsicher in den ungewohnt hohen Schuhen, und versucht herauszufinden, warum sie sich so unwohl fühlt. Der Rock sitzt perfekt. Durch das Laufen sind ihre Beine fest und gut geformt. Die Schuhe bilden einen guten Kontrast zum restlichen Outfit. Die Unterwäsche sieht gut aus, ohne nuttig zu wirken. Sie verschränkt die Arme und setzt sich auf die Bettkante. In einer Stunde will er kommen.

Sie sieht zu der *Jeune Femme* hinauf. Ich will aussehen wie du, erklärt sie ihr in Gedanken.

Ausnahmsweise einmal sagt ihr dieses Lächeln nichts. Stattdessen wirkt es beinahe ein wenig spöttisch.

Es sagt: *Das hättest du wohl gern.*

Liv schließt einen Moment lang die Augen. Sie schleudert die Schuhe weg. Dann nimmt sie ihr Handy und schreibt Paul eine SMS.

Planänderung.
Macht es dir etwas aus, wenn wir uns stattdessen irgendwo auf ein Glas treffen?

«Also … keine Lust aufs Kochen? Ich hätte ja auch was vom Imbiss mitbringen können.»

Paul lehnt sich auf seinem Stuhl zurück, sein Blick zuckt zu einer Gruppe lärmender Büroangestellter, die anscheinend schon den ganzen Nachmittag da sind, wenn man von dem reichlich angeheiterten Geflirte ausgeht. Paul amüsiert sich im Stillen über sie, über die torkelnden Frauen, den Buchhalter, der in der Ecke döst.

«Ich ... musste einfach ein bisschen aus dem Haus.»

«Ah ja. Du arbeitest ja von zu Hause aus. Ich habe vergessen, dass einen das wahnsinnig machen kann. Als mein Bruder hierhergezogen ist, hat er Wochen bei mir verbracht und Bewerbungen geschrieben. Wenn ich von der Arbeit nach Hause gekommen bin, hat er mich eine Stunde lang zugetextet.»

«Seid ihr zusammen aus den Staaten hierhergekommen?»

«Er kam, um mich zu unterstützen, als ich geschieden wurde. Ich war in einem ziemlich schrecklichen Zustand. Und dann ist er einfach geblieben.» Paul ist sieben Jahre zuvor nach England gekommen. Seine englische Frau war unglücklich, hatte Heimweh, ganz besonders nach Jakes Geburt, und Paul hat bei der New Yorker Polizei gekündigt, damit sie glücklich ist.

«Als wir hier waren, haben wir festgestellt, dass es an uns gelegen hat, nicht an der Umgebung. Hey, schau mal, der blaue Anzug macht sich an die Frau mit den Wahnsinnshaaren ran.»

Liv nippt an ihrem Glas. «Das sind keine echten Haare.»

Er sieht genauer hin. «Willst du mich auf den Arm nehmen? Ist das eine Perücke?»

«Extensions. Das sieht man doch.»

«Ich nicht. Jetzt erzählst du mir gleich, dass die Brüste auch falsch sind, oder?»

«Nein, die sind echt. Sie hat Quattrobrüste.»

«Quattrobrüste?»

«Der BH ist zu klein. Deswegen sieht es so aus, als hätte sie vier.»

Paul muss so lachen, dass er anfängt zu husten. Sie lächelt

ihn an, beinahe unwillig. Sie benimmt sich an diesem Abend ein bisschen merkwürdig, als wäre sie in einen inneren Monolog verstrickt, der ihre Reaktionen verlangsamt.

Es gelingt ihm, sich wieder zu beruhigen. «Und? Was wettest du?», sagt er, damit sie sich ein bisschen entspannt. «Steigt die Quattrotittenfrau auf seine Anmache ein?»

«Vielleicht, wenn sie noch ein oder zwei Drinks intus hat. Ich glaube nicht, dass sie ihn wirklich gut findet.»

«Ja. Sie schaut ständig an ihm vorbei, wenn sie mit ihm redet. Ich glaube, sie mag den Typen mit den grauen Schuhen.»

«Keine Frau steht auf diese Schuhe. Das kannst du mir glauben.»

Er zieht eine Augenbraue hoch und stellt sein Glas ab. «Und genau deshalb finden es Männer einfacher, sich mit Molekülspaltung zu beschäftigen und in andere Länder einzufallen, als zu verstehen, was in den Köpfen von Frauen vor sich geht.»

«Pah. Wenn du Glück hast, lasse ich dich eines Tages mal einen Blick in das große Buch der Regeln werfen.» Er sieht sie an, und sie wird rot, als hätte sie zu viel gesagt. Plötzlich entsteht eine unerklärliche, verlegene Stille. Sie schaut in ihr Glas. «Fehlt dir New York?»

«Ich fahre gern zu Besuch hin. Wenn ich jetzt nach Hause komme, machen sie sich alle über meine komische Aussprache lustig.»

Sie scheint nur halb zuzuhören.

«Du musst dir keine Sorgen machen», sagt er. «Wirklich, ich fühle mich sehr wohl hier.»

«Oh. Nein. Ich wollte nicht ...» Ihre Worte versiegen. Wieder ein langes Schweigen. Und dann sieht sie ihn direkt an und fängt an zu reden, den Zeigefinger auf den Rand ihres Glases gelegt. «Paul … ich wollte dich heute Abend fragen, ob du mit zu mir kommst. Ich wollte, dass wir … Aber ich … es … es ist einfach zu früh. Ich kann nicht. Ich kann das nicht. Deshalb habe ich die Einladung zum Essen abgesagt.» Die Worte sprudeln aus ihr heraus. Sie wird bis zu den Haarwurzeln rot.

Er öffnet den Mund und schließt ihn wieder. Er beugt sich vor und sagt leise: «‹Ich habe keinen besonderen Hunger› hätte auch gereicht.»

Sie reißt die Augen auf und sackt dann ein bisschen zusammen. «O Gott, ich bin echt eine Albtraum-Verabredung, oder?»

«Vielleicht ein bisschen ehrlicher, als du es sein müsstest.»

Sie stöhnt. «Tut mir leid. Ich weiß auch nicht, was ich …»

Er berührt sanft ihre Hand. Er will, dass sie nicht mehr so verunsichert aussieht. «Liv», sagt er gelassen, «ich mag dich. Ich finde dich großartig. Aber ich verstehe vollkommen, dass du dich lange in dich zurückgezogen hattest. Und ich werde nicht … nicht …» Er findet nicht die richtigen Worte. Es scheint zu früh für ein solches Gespräch. Und obwohl er es nicht will, muss er gegen das Gefühl der Enttäuschung ankämpfen. «Ach, was soll's, gehen wir eine Pizza essen? Ich bin nämlich am Verhungern. Suchen wir uns einen anderen Laden, in dem wir uns gegenseitig in Verlegenheit bringen können.»

Er spürt ihr Knie an seinem.

«Weißt du, ich habe etwas zu essen zu Hause.»

Er lacht. Und hört wieder auf. «Okay. Na ja, jetzt weiß ich nicht, was ich sagen soll.»

«Sag ‹Das wäre super›. Und dann könntest du noch hinzufügen: ‹Und bitte, halt jetzt die Klappe, Liv, bevor du alles noch komplizierter machst, als es ohnehin schon ist.›»

«Also dann. Das wäre super», sagt Paul. Er hält ihr den

Mantel, damit sie hineinschlüpfen kann, dann verlassen sie den Pub.

Dieses Mal gehen sie nicht schweigend nebeneinanderher. Etwas hat sich zwischen ihnen gelöst, vielleicht durch das, was er gesagt hat, oder durch ihr unvermitteltes Gefühl der Erleichterung. Sie schlängeln sich zwischen den Touristen durch, springen atemlos in ein Taxi, und als er den Arm ausstreckt, schmiegt sie sich an ihn, atmet seinen sauberen, männlichen Geruch ein und fühlt sich ein bisschen beschwipst von ihrem unerwarteten Glück.

Sie steigen aus dem Taxi und gehen in das Speichergebäude. Es liegt eine Vorahnung von Herbst in der kühlen Luft. Sie beeilen sich, in die miefige Wärme des Foyers zu kommen. Jetzt kommt Liv sich fast ein wenig albern vor. Irgendwann in den letzten achtundvierzig Stunden ist Paul für sie von einem Menschen zu einer Idee geworden. Zum Symbol ihres Weitermachens. Das war viel zu viel Bedeutungsschwere für eine so neue Sache.

Sie hört Mos Stimme in ihrem Kopf. *Wow, echt. Du denkst zu viel.*

Und dann, als er die Türen des Lifts zugezogen hat, verfallen sie in Schweigen. Der Lift fährt langsam nach oben, ratternd und klappernd, und wie immer flackert die Beleuchtung. Sie passieren den ersten Stock, hören den scharfen Nachhall der Schritte von jemandem, der die Treppe genommen hat, und ein paar Bogenstriche Cellomusik aus einer Wohnung.

Liv ist sich seiner Nähe in dem engen Raum überaus bewusst, der frischen Zitrusnote seines Aftershaves, und sie spürt immer noch das Gewicht seines Armes auf ihrer Schulter. Sie senkt den Blick und wünscht sich auf einmal, sie hätte nicht doch noch diesen langweiligen Rock und diese flachen Schuhe angezogen. Sie wünschte, sie hätte ihre Schmetterlingsschuhe an.

Sie sieht auf und stellt fest, dass er sie beobachtet. Er lacht nicht. Er streckt die Hand aus, und als sie ihre hineinlegt, zieht er sie langsam durch den engen Lift an sich und senkt seinen Kopf zu ihr, sodass ihre Lippen nur noch ein paar Handbreit voneinander entfernt sind. Aber er küsst sie nicht.

Seine blauen Augen wandern langsam über ihr Gesicht. Augen, Wimpern, Augenbrauen, Lippen, bis sie sich merkwürdig entblößt fühlt. Sie spürt seinen Atem auf ihrer Haut, sein Mund ist ihrem so nahe, dass sie sich vorbeugen und sanft in seine Lippen beißen könnte.

Er küsst sie immer noch nicht.

Sie fängt an zu zittern vor Verlangen.

«Ich kann nicht aufhören, an dich zu denken», murmelt er.

«Gut.»

Er lehnt seine Nase an ihre. Ihre Oberlippen berühren sich. Sie spürt sein Gewicht gegen ihren Körper. Ihre Beine fangen an zu zittern. «Ja, es ist gut. Ich meine, nein, ich bin panisch. Aber auf eine gute Art. Ich … ich glaube, ich …»

«Hör auf zu reden», murmelt er. Sie fühlt seine Worte an ihren Lippen, seine Fingerspitzen, die seitlich an ihrem Hals entlanggleiten, und sie sagt nichts mehr.

Und dann sind sie in der obersten Etage und küssen sich. Er zieht die Türen des Lifts auf, sie stolpern hinaus, immer noch aneinandergepresst, in einer Wolke aus Begehren. Sie hat eine Hand unter sein Hemd geschoben, nimmt seine Körperwärme auf. Mit der anderen Hand fummelt sie am Türschloss herum.

Sie taumeln ins Haus. Sie schaltet das Licht nicht an. Sie macht ein paar schwankende Schritte rückwärts, wie betäubt von seinen Lippen auf ihren, von seinen Händen an ihrer Taille. Sie begehrt ihn so sehr, dass ihre Beine nachzugeben drohen. Sie prallt an die Wand, hört ihn leise fluchen.

«Hier», flüstert sie. «Jetzt.»

Sein Körper fühlt sich so fest an. Sie sind in der Küche. Der Mond steht über dem Glasdach und taucht den Raum in bläulich kaltes Licht. Etwas Gefährliches ist aufgetaucht, etwas Dunkles, Lebendiges und Verlockendes. Sie zögert, aber nur einen kleinen Moment, dann zieht sie den Pullover über den Kopf. Sie wird zu jemandem, den sie vor langer Zeit kannte, furchtlos und lüstern. Sie hebt die Hände, ihr Blick versenkt sich in seinen, und knöpft ihre Bluse auf. Ein, zwei, drei Knöpfe sind offen. Die Bluse gleitet von ihren Schultern, sodass sie bis zur Taille entblößt ist. Sie bekommt eine Gänsehaut in der kühlen Luft. Sein Blick wandert an ihrem Oberkörper hinunter, und ihr Atem beschleunigt sich. Alles bleibt stehen.

Nur ihre Atmung ist in der stillen Küche zu hören. Sie ist wie elektrisiert. Sie beugt sich vor, und etwas Intensives und Unwiderstehliches baut sich in dieser kurzen Pause auf, und dann küssen sie sich, und sie hat das Gefühl, dass dieser Kuss niemals enden wird, dass dieser Kuss nicht schon sein Ende in sich trägt. Sie atmet in den Duft seines Aftershaves, ihre Gedanken wirbeln durcheinander, setzen aus. Sie weiß nicht mehr, wo sie ist. Dann zieht er sich sanft zurück, und er lächelt.

«Was ist?» Ihre Stirn glänzt, sie ist außer Atem.

«Du.» Ihm fehlen die Worte. Ihr Lächeln wird breiter, dann küsst sie ihn, bis sie nicht mehr denken kann, bis sich ihr Verstand ausschaltet und sie nur noch das beharrliche, immer lauter werdende Murmeln ihres Begehrens hört. *Hier. Jetzt.* Seine Umarmung verstärkt sich, seine Lippen liegen auf ihrem Schlüsselbein. Sie greift nach ihm, ihr Atem kommt in pulsierenden Stößen, ihr Herz rast, sie ist so übersensibilisiert, dass sie zittert, als seine Fingerspitzen über ihre Haut gleiten. Er zieht das Hemd über den Kopf. Er hebt sie ungeschickt auf die Arbeitsplatte, und sie schlingt die Beine um ihn. Er beugt sich zu ihr, schiebt ihr den Rock bis zur Taille hoch, und sie beugt sich zurück, berührt den kalten Granit mit der nackten Haut, sodass sie zu dem Glasdach hinaufschaut, die Hände in sein Haar gewühlt. Die Jalousien sind hochgezogen, das ganze Haus ist ein Fenster zum Nachthimmel. Sie schaut auf zu den schimmernden Sternen und denkt beinahe triumphierend mit einem immer noch funktionierenden Teil ihres Verstandes: *Ich lebe noch.*

Und dann schließt sie die Augen und hört auf zu denken.

Seine Stimme vibriert durch ihren Körper. «Liv?»

Er hält sie in den Armen. Sie hört ihren eigenen Atem.

«Liv?»

Ein letzter Schauer überläuft sie.

«Alles in Ordnung mit dir?»

«Sorry. Ja. Es … es ist lange her.»

Er schließt sie fester in die Arme, eine wortlose Antwort. Wieder Schweigen.

«Ist dir kalt?»

Sie atmet bewusst ruhiger, bevor sie antwortet. «Eiskalt.»

Er hebt sie von der Arbeitsplatte, greift nach seinem Hemd auf dem Boden und legt es ihr um die Schultern. Sie sehen einander in der dunklen Küche an.

«Also … das war …» Sie will etwas Witziges sagen, etwas Unbekümmertes. Aber sie kann nicht reden. Sie fürchtet sich davor, ihn loszulassen, als wäre er ihr Anker, der sie mit der Erde verbindet.

Die echte Welt macht sich wieder bemerkbar. Sie hört die Verkehrsgeräusche von der Straße, die irgendwie zu laut klingen, sie spürt den kühlen Kalksteinboden unter ihren bloßen Füßen. Anscheinend hat sie die Schuhe verloren. «Ich glaube, wir haben die Haustür offen stehen lassen», sagt sie und schaut den Flur hinunter.

«Mmh … vergiss die Tür. Dein Haus hat noch nicht mal ein Dach.»

Sie schaut auf. Sie kann sich nicht erinnern, das Dach geöffnet zu haben. Sie muss den Schalter versehentlich gedrückt haben. Herbstliche Luft umweht sie, ruft eine Gänsehaut hervor, als hätte selbst ihre Haut erst jetzt begriffen, was passiert ist. Mos schwarzer Pullover hängt über einer Stuhllehne wie die ausgebreiteten Schwingen eines herabsegelnden Geiers.

«Warte», sagt sie, drückt auf den Schalter und hört das summende Geräusch, mit dem sich das Dach über ihnen schließt. Paul starrt zu dem überdimensionalen Dachfenster hinauf, dann senkt er seinen Blick zu ihr, und als sich seine Augen an das schwache Licht gewöhnt haben, dreht er sich langsam um die eigene Achse und mustert seine Umgebung. «Also, das … habe ich nicht erwartet.»

«Warum nicht? Was hast du denn erwartet?»

«Ich weiß auch nicht. … Die ganze Sache mit deiner Grundsteuer …» Er schaut wieder zu der Glasdecke hinauf. «Eine chaotische kleine Wohnung. So ungefähr wie meine. Das hier ist …»

«Davids Haus. Er hat es gebaut.»

Ein merkwürdiger Ausdruck zieht über sein Gesicht.

«Oh. War das unpassend?»

«Nein.» Paul späht in das Wohnzimmer und bläst die Wangen auf. «Du kannst ruhig von ihm sprechen. Er klingt nach … mmh … einem ziemlich großartigen Typ.»

Sie gießt ihnen beiden ein Glas Wasser ein und versucht nicht unsicher zu werden, als sie sich anziehen. Sie schauen sich an und lachen ein bisschen, angezogen sind sie komischerweise plötzlich schüchtern.

«Also … was passiert jetzt? Brauchst du ein bisschen Zeit für dich?» Dann fügt er hinzu: «Ich muss dich aber vorwarnen. Wenn du willst, dass ich gehe, muss ich vermutlich warten, bis meine Beine aufgehört haben zu zittern.»

Sie schaut Paul McCafferty an, in seine freundlichen Augen, betrachtet seine Gestalt, die ihr schon so unglaublich vertraut ist. Sie will nicht, dass er geht. Sie will neben ihm schlafen, in seinen Armen, den Kopf an seine Brust geschmiegt. Sie will ohne den grässlichen Drang aufwachen, vor ihren eigenen Gedanken weglaufen zu müssen. Es wird Zeit, wieder in der Gegenwart zu leben. Sie ist nicht mehr nur die junge Frau, die David zurückgelassen hat.

Sie schaltet das Licht nicht an. Sie greift nach Pauls Hand und führt ihn durch das dunkle Haus, die Treppe hinauf und zu ihrem Bett.

Sie schlafen nicht. Die Stunden werden zu einem nebelhaften Rausch aus verschlungenen Gliedern und gemurmelten Worten. Sie hat vergessen, wie unglaublich schön es ist, einen Menschen zu umarmen, den man einfach nicht mehr loslassen kann. Es kommt ihr vor, als wäre sie neu aufgeladen worden, als würde sie einen neuen Platz im Universum einnehmen.

Es ist sechs Uhr morgens, als der erste Glanz der Morgendämmerung den Raum erreicht.

«Dieses Haus ist unglaublich», murmelt er und schaut hinaus. Ihre Beine sind verschlungen, sie spürt seine Küsse immer noch am ganzen Körper. Sie fühlt sich trunken vor Glück.

«Das stimmt. Aber ich kann es mir eigentlich nicht leisten, weiter hier zu wohnen.» Sie linst an ihm vorbei in die Dämmerung. «Meine finanzielle Situation ist eine ziemliche Katastrophe. Man hat mir geraten, das Haus zu verkaufen.»

«Aber das willst du nicht.»

«Das käme mir vor wie ... Verrat.»

«Na ja, ich verstehe, warum du nicht wegwillst», sagt er. «Es ist unglaublich schön. Diese Ruhe.» Er schaut wieder nach oben. «Wow. Einfach so sein Dach aufmachen zu können, wenn einem danach ist ...» Sie dreht sich ein bisschen aus seinem Arm, damit sie sich zu dem hohen Fenster umdrehen kann, den Kopf in seine Armbeuge gelegt. «An manchen Morgen sehe ich gern den Frachtern zu, die zur Tower Bridge hinauffahren. Sieh mal. Beim richtigen Licht sieht der Fluss aus wie ein Strom aus flüssigem Gold.»

«Ein Strom aus flüssigem Gold, soso.»

Sie beobachten, wie der Raum zu schimmern beginnt. Sie schaut hinunter auf den Fluss, der nach und nach von den Sonnenstrahlen erfasst wird wie ein Pfad, der in ihre Zukunft führt. *Ist das okay?*, überlegt sie. *Darf ich es mir erlauben, wieder so glücklich zu sein?*

Paul ist so still, dass sie sich fragt, ob er wieder eingeschlafen ist. Doch als sie sich umdreht, schaut er die gegenüberliegende Wand an. Er starrt die *Jeune Femme* geradezu an, die im heraufziehenden Morgenlicht gerade eben zu erkennen ist. Liv rutscht auf die Seite und beobachtet ihn. Er ist wie gebannt, sein Blick weicht keine Sekunde von dem Bild, während es zunehmend heller wird. *Er versteht sie*, denkt Liv. Sie wird von etwas durchzuckt, was tatsächlich pure Freude sein könnte.

«Gefällt sie dir?»

Er scheint sie nicht zu hören.

Sie schmiegt sich wieder an ihn, legt ihre Wange an seine Schulter. «In ein paar Minuten siehst du die Farben besser. Sie heißt *Jeune Femme*. Oder jedenfalls glauben wir … glaube ich das. Es steht auf der Rückseite des Rahmens. Sie ist … das Liebste, was ich in diesem Haus habe. Eigentlich ist sie sogar das Liebste, was ich auf der ganzen Welt habe.» Sie hält inne. «David hat sie mir auf unserer zweiten Hochzeitsreise geschenkt.»

Paul schweigt. Sie lässt ihren Zeigefinger an seinem Arm hinaufgleiten. «Ich weiß, dass es dumm klingt, aber nachdem er gestorben ist, wollte ich einfach nirgends mehr dazugehören. Ich habe wochenlang einfach nur hier gesessen. Ich … ich wollte keinen Menschen sehen. Und sogar als es richtig schlimm war, hatte sie etwas im Blick … Ihr Anblick war der einzige, den ich ertragen konnte. Sie war so etwas wie eine Erinnerung daran, dass ich es überleben würde.» Sie seufzt tief. «Und dann, als ich dir begegnet bin, wurde mir klar, dass sie mich noch an etwas anderes erinnert. An die Frau, die ich einmal war. Die sich nicht die ganze Zeit Sorgen gemacht hat. Und sich freuen konnte, die einfach … Diese Frau will ich wieder sein.»

Er schweigt immer noch.

Sie hat zu viel gesagt. Sie will, dass Paul sein Gesicht über ihres beugt, sie will sein Gewicht auf ihrem Körper spüren.

Aber er sagt nichts. Sie wartet einen Moment lang, und dann sagt sie, einfach um das Schweigen zu brechen: «Vermutlich klingt es dämlich … so sehr an einem Gemälde zu hängen …»

Als er sich ihr zuwendet, wirkt sein Gesicht merkwürdig.

Hager und angespannt. Das sieht sie sogar in dem schwachen Licht. Er schluckt. «Liv ... wie heißt du?»

Sie schneidet eine Grimasse.

«Liv. Das weißt du d...»

«Nein. Dein Familienname.»

Sie blinzelt verständnislos. «Halston. Mein Familienname ist Halston. Oh. Ich glaube, wir haben nie ...» Sie weiß nicht, was das bedeuten soll. Sie will, dass er das Gemälde nicht mehr anschaut. Sie begreift plötzlich, dass sich die entspannte Atmosphäre aufgelöst und etwas Seltsames an ihre Stelle getreten ist.

Er hebt die Hand an seine Stirn. «Hm ... Liv? Wäre es schlimm, wenn ich jetzt gehe? Ich muss ... ich hab im Büro zu tun.»

Es verschlägt ihr den Atem. Sie braucht einen Moment, bis sie etwas sagen kann, und als sie es tut, ist ihre Stimme viel zu hoch, klingt nicht wie ihre eigene. «Um sechs Uhr morgens?»

«Ja. Tut mir leid.»

«Oh.» Sie blinzelt. «Oh. Na dann.»

Er ist schon aufgestanden und zieht sich an. Verwirrt sieht sie zu, wie er in seine Hose steigt und den Reißverschluss zuzieht und mit welcher grimmigen Hast er sein Hemd überstreift. Als er angezogen ist, dreht er sich zu ihr um, zögert, dann beugt er sich vor und küsst sie auf die Wange. Unbewusst zieht sie die Decke bis zum Kinn hoch.

«Bist du sicher, dass du nicht noch frühstücken willst?»

«Nein. Ich ... es tut mir leid.» Er lächelt nicht.

«Oh.»

Er kann gar nicht schnell genug gehen. Das Gefühl der Demütigung breitet sich in ihr aus, rinnt wie Gift durch ihre Adern.

Als er an der Schlafzimmertür ist, bringt er es kaum noch über sich, sie anzuschauen. Er schüttelt den Kopf, wie jemand, der eine Fliege vertreiben will. «Hmm … also … ich rufe dich an.»

«Okay.» Sie versucht locker zu klingen. «Von mir aus.»

Als sich die Tür hinter ihm schließt, beugt sie sich noch einmal vor: «Ich hoffe, bei der Arbeit läuft es …»

Liv starrt ungläubig auf die Stelle, an der er eben noch gestanden hat, ihre gekünstelt fröhlichen Worte hallen durch das stille Haus. Leere beginnt den Raum zu füllen, den Paul McCafferty irgendwie in ihr geöffnet hat.

Kapitel 17

Das Büro ist verwaist. Hastig betritt er den Vorraum, während über seinem Kopf flackernd die alten Neonlampen zum Leben erwachen, und geht direkt in sein Zimmer. Er kramt in den Unterlagen, die sich auf seinem Schreibtisch stapeln, ohne darauf zu achten, dass einzelne Blätter auf den Boden segeln, bis er findet, wonach er gesucht hat. Dann schaltet er seine Schreibtischlampe an, legt den fotokopierten Artikel vor sich und streicht ihn mit der Hand glatt.

«Lass es ein Irrtum sein», murmelt er. «Lass es einfach eine Sinnestäuschung gewesen sein.»

Die Wand im Glashaus ist nur teilweise zu sehen, weil das Gemälde auf DIN-A4-Format vergrößert wurde. Aber das Gemälde ist unverkennbar die *Jeune Femme*. Und rechts davon ist das deckenhohe Fenster, durch das ihm Liv den Ausblick Richtung Tilbury gezeigt hat.

Er überfliegt den Text.

Halston hat diesen Raum so gestaltet, dass die Bewohner von der Morgensonne geweckt werden. «Ursprünglich wollte ich ein Blendensystem für die langen Sommertage einbauen», sagt er. «Aber dann habe ich festgestellt, dass man weniger müde ist, wenn man vom Tageslicht geweckt wird. Also habe ich auf den Einbau verzichtet.»

An dieses Schlafzimmer schließt sich im japanischen Stil ein

Hier ist der Text am Rand der Fotokopie abgeschnitten. Paul starrt einen Moment lang auf das Blatt, dann schaltet er seinen Computer an und gibt DAVID HALSTON in die Suchmaschine ein.

Gestern fand die Trauerfeier für den innovativen Architekten David Halston statt, der im Alter von 38 Jahren überraschend in Lissabon verstorben ist. Erste Befunde gehen davon aus, dass sein Tod auf eine undiagnostizierte Herzschwäche zurückzuführen ist. Die örtliche Polizei betrachtet seinen Tod als unverdächtig.

Seine Frau Olivia Halston, 28, mit der er seit vier Jahren verheiratet war, wird von ihrer Familie unterstützt. Ein Mitglied des britischen Konsulats in Lissabon bittet darum, den Wunsch der Familie nach privater Trauer zu respektieren.

David Halstons Tod beendet eine kurze, aber steile Karriere, die vor allem durch ihren neuartigen Einsatz von Glas bemerkenswert ist. Viele seiner Kollegen aus der Architekturszene haben gestern …

Paul lehnt sich langsam auf seinem Bürostuhl zurück. Er blättert den Rest der Akte durch, dann liest er noch einmal das Anwaltsschreiben der Familie Lefèvre.

eindeutiger Fall, der unter den gegebenen Umständen auch nicht verjährt sein dürfte ... etwa 1917 aus einem Hotel in St. Péronne gestohlen, kurz nachdem die Gattin des Künstlers von den deutschen Besatzungskräften verhaftet worden war ...

Wir hoffen, dass TARP diesen Fall zu einer schnellen und zufriedenstellenden Lösung bringen kann. Das Budget enthält einen gewissen Spielraum zum Ausgleich für die derzeitigen Eigner, doch selbstverständlich kann nicht einmal annäherungsweise der geschätzte Auktionswert erreicht werden.

Er würde darauf wetten, dass sie keine Ahnung hat, von wem das Gemälde ist. Er hört ihre Stimme, verlegen und doch eigentümlich besitzergreifend. *Sie ist das Liebste, was ich hier im Haus habe. Eigentlich ist sie sogar das Liebste, was ich auf der ganzen Welt habe.*

Paul lässt seinen Kopf in die Hände fallen. Und so bleibt er eine ganze Weile wie erstarrt sitzen.

Die Sonne steigt über dem Tiefland östlich von London auf und taucht das Schlafzimmer in mattes Gold. Die Wände schimmern kurz auf, das beinahe phosphoreszierende Licht wird von den weißen Oberflächen reflektiert, sodass Liv an einem anderen Tag vermutlich gestöhnt, die Augen zugekniffen und sich die Decke über den Kopf gezogen hätte. Doch sie liegt ganz still in dem überdimensionalen Bett, ein dickes Kissen hinter dem Kopf, und starrt mit ausdruckslosem Blick in den Morgenhimmel.

Sie hat alles falsch verstanden.

Sie sieht immer noch sein Gesicht vor sich, hört seine angestrengt höfliche Zurückweisung. *Wäre es schlimm, wenn ich jetzt gehe?*

Sie liegt schon beinahe zwei Stunden so da und überlegt, ob sie ihm eine SMS schicken soll.

Ist mit uns alles klar? Du warst auf einmal so …

Tut mir leid, wenn ich zu viel über David geredet habe. Es fällt mir schwer, daran zu denken, dass nicht jeder …

War wirklich schön gestern. Hoffentlich ist deine Arbeit bald nicht mehr so stressig. Hast du am Sonntag frei? Ich könnte …

Was habe ich falsch gemacht?

Sie schickt keine davon ab. Immer wieder denkt sie über ihre Gespräche nach, geht jeden einzelnen Satz durch, jeden Ausdruck, akribisch, wie eine Archäologin, die einen Knochenfund sichtet. War es diese Stelle, an der er es sich anders überlegt hat? Hat es an etwas gelegen, das sie getan hat? Ein sexueller Spleen, dessen sie sich nicht bewusst war? Oder einfach daran, dass er ins Glashaus gekommen ist? Ein Haus, das – auch wenn seine Sachen nicht mehr da waren – so eindeutig Davids Haus war, als hätte er jeder Wand seinen Stempel aufgedrückt. Wenn sie diese möglichen Fehler überdenkt, zieht sich ihr Magen zusammen.

Ich habe ihn gemocht, denkt sie. Ich habe ihn richtig gemocht.

Schließlich, weil sie weiß, dass sie nicht einschlafen kann, steht sie auf und geht hinunter in die Küche. Ihre Augen brennen vor Müdigkeit, und ihr Körper fühlt sich an wie ausgehöhlt. Sie kocht Kaffee, und gerade als sie sich mit ihrer Tasse an den Küchentisch setzt, geht die Haustür auf.

«Hab meine Schließkarte vergessen. Ohne die komme ich um diese Zeit nicht ins Heim. Sorry ... ich wollte mich ganz leise reinschleichen, damit ich dich nicht störe.» Mo bleibt stehen und schaut an ihr vorbei, als würde sie jemanden suchen. «Und? ... Was ist? Hast du ihn aufgefressen?»

«Er ist nach Hause gegangen.»

Mo sucht in den Taschen ihrer anderen Jacke nach der Schließkarte, findet sie und steckt sie ein.

«Du musst damit Schluss machen, das weißt du. Vier Jahre ist zu lang, um nicht ...»

«Ich wollte nicht, dass er geht.» Liv schluckt. «Er ist weggerannt.»

Mo lacht und hört augenblicklich auf, als sie erkennt, dass Liv es ernst meint.

«Er ist richtig aus dem Schlafzimmer gerannt.» Es ist ihr egal, ob sie sich lächerlich macht. Noch schlechter als jetzt kann sie sich gar nicht mehr fühlen.

«Bevor oder nachdem du ihn besprungen hast?»

Liv trinkt einen Schluck Kaffee. «Rate mal.»

«Oh, autsch. War es so schlimm?»

«Nein, es war toll. Na ja, jedenfalls dachte ich das. Allerdings hatte ich in letzter Zeit wenig Vergleichsmöglichkeiten.»

Mo sieht sich um, als würde sie nach einer Erklärung suchen. «Du hattest die Bilder von David weggeräumt, oder?»

«Natürlich.»

«Und du hast nicht so was gemacht, wie im entscheidenden Augenblick Davids Namen zu sagen.»

«Nein.» Sie denkt daran, wie Paul sie festgehalten hat. «Ich habe ihm gesagt, dass ich mich mit ihm ganz anders wahrnehmen kann.»

Mo schüttelt traurig den Kopf. «Oh Liv. Schlechtes Blatt. Du hast einen Giftigen Single erwischt.»

«Was?»

«Er ist der perfekte Mann. Er ist ehrlich, fürsorglich, aufmerksam. Er ist stark wie Superman, bis ihm klarwird, dass du ihn magst. Dann gibt er Fersengeld. Er ist das reinste Kryptonit für eine gewisse Sorte hilfsbedürftige, verletzbare Frauen. Das wäre also deine Rolle.» Mo runzelt die Stirn. «Aber du überraschst mich echt. Ich hätte nicht gedacht, dass er dein Typ ist.»

Liv senkt den Blick auf ihren Becher. Dann sagt sie nur eine Spur abwehrend: «Vielleicht habe ich ein bisschen zu viel über David geredet. Als ich ihm das Gemälde gezeigt habe.»

Mo reißt die Augen auf, dann hebt sie den Blick zur Decke.

«Na ja, ich habe gedacht, ich könnte ganz offen sein. Er kennt meine Situation. Ich dachte, es wäre okay für ihn.»

Sie hört selbst, wie zittrig ihre Stimme klingt. «Er meinte, es wäre okay.»

Mo geht zum Brotkasten. Sie nimmt sich eine Scheibe heraus und beißt ab. «Liv, du kannst nicht offen sein, wenn es um andere Männer geht. Kein Mann will hören, wie toll sein Vorgänger war, auch nicht, wenn der Vorgänger tot ist. Da könntest du gleich einen Wer-hat-den-größten-Wettbewerb ausrufen.»

«Ich kann nicht so tun, als würde David nicht zu meiner Vergangenheit gehören.»

«Nein, aber er muss nicht auch deine gesamte Gegenwart ausfüllen.» Als Liv sie anfunkelt, sagt Mo: «Willst du wissen, was ich wirklich denke? Es ist, als wärst du in einer Endlosschleife gefangen. Ich habe das Gefühl, dass du, selbst wenn du nicht über ihn sprichst, daran denkst, über ihn zu sprechen.»

Das mochte bis vor ein paar Wochen gestimmt haben. Aber jetzt nicht mehr. Liv will mit ihrem Leben weitermachen. Sie hat mit Paul weitermachen wollen. «Na ja, ist ja eigentlich nicht so wichtig, oder? Ich hab's vergeigt. Ich glaube nicht, dass er wiederkommt.» Sie nippt an ihrem Kaffee. «Es war dumm, dass ich mir Hoffnungen gemacht habe.»

Mo legt ihr die Hand auf die Schulter. «Männer sind komisch. Ich meine, es war ja klar, dass du in einer schlechten Verfassung bist. Oh, Mist … ich muss los. Pass auf, du gehst jetzt raus und machst eine von deinen irren Joggingrunden. Ich bin um drei Uhr zurück, dann melde ich mich im Restaurant krank, und wir haben genügend Zeit, um über ihn zu lästern und uns mittelalterliche Folterstrafen für bescheuerte Volltrottel auszudenken, die immer nur herumeiern. Ich hab oben ein bisschen Knetmasse, die ich für Voodoo-Puppen benutze. Kannst du schon mal ein paar Zahnstocher rauslegen? Oder Grillspieße? Ich muss los.»

Mo schnappt sich ihren Schlüssel, winkt zum Abschied mit der Brotscheibe und ist verschwunden, bevor Liv noch etwas sagen kann.

In den letzten fünf Jahren hat TARP mehr als zweihundertvierzig Kunstwerke ihren Besitzern oder den Nachfahren der Besitzer zurückgebracht, die geglaubt hatten, die Werke vielleicht nie mehr wiederzusehen. Paul hat Geschichten von Kriegsgräueln gehört, die entsetzlicher sind als alles, was er während seiner Arbeit für das NYPD erlebt hat. Die Geschichten werden mit so klarer Erinnerung erzählt, dass man glauben könnte, sie hätten sich erst gestern und nicht vor etlichen Jahrzehnten abgespielt. Er hat Leid gesehen, das wie ein kostbares Erbe durch die Zeiten getragen wird und unübersehbar in die Gesichter derjenigen eingeprägt ist, die übrig geblieben sind.

In Anbetracht der Geschichten von Gräueln und Betrug, von Familien, die im Zweiten Weltkrieg vertrieben oder ermordet wurden, als wären diese Verbrechen erst gestern begangen worden, und weil er wusste, dass viele Opfer weiterhin jeden Tag mit diesen Ungerechtigkeiten leben mussten, genoss er es, wenigstens an diesen kleinen Wiedergutmachungen beteiligt zu sein.

Aber mit so einer Sache hat er es noch nie zu tun gehabt.

«Shit», sagt Greg. «Das ist ja der Hammer.»

Sie sind mit Gregs Hunden draußen, zwei hyperaktiven Terriern. Der Vormittag ist ungewöhnlich kalt, und Paul wünschte, er hätte noch einen Extrapullover angezogen.

«Ich konnte es nicht glauben. Ausgerechnet dieses Gemälde. Direkt vor meiner Nase.»

«Was hast du gesagt?»

Paul zieht den Schal enger um den Hals. «Ich habe gar nichts gesagt. Ich wusste nicht, was ich sagen soll. Ich bin … einfach gegangen.»

«Du bist abgehauen?»

«Ich brauchte Zeit, um darüber nachzudenken.»

Pirat, der kleinere von Gregs Hunden, schießt über die Wiese wie eine Lenkrakete. Die beiden Männer bleiben stehen, um zu beobachten, auf welches Ziel er es abgesehen hat.

«Bitte, lass es keine Katze sein, bitte, lass es keine Katze sein. Oh, alles okay. Es ist Ginger.» In der Ferne springt Pirat fröhlich einen Spaniel an, und die beiden Hunde jagen sich wie wild in immer größeren Kreisen über die Wiese. «Und wann war das alles? Gestern Abend?»

«Vor zwei Tagen. Ich weiß, dass ich sie anrufen muss. Aber ich habe keine Ahnung, was ich sagen soll.»

«Ich schätze ‹Gib mir dein verdammtes Gemälde› wäre keine so gute Idee.» Greg ruft seinen älteren Hund zu sich und beschirmt sich die Augen, um festzustellen, wo Pirat abgeblieben ist. «Bruderherz, ich glaube, du solltest einfach akzeptieren, dass dir das Schicksal mit diesem Date ein Überraschungsgeschenk gemacht hat.»

Paul bohrt die Hände in die Hosentaschen. «Ich mag sie.»

Greg wirft ihm einen Seitenblick zu. «Was? Etwa wie in ‹Ich mag sie sehr›?»

«Genau. Sie ... ist mir unter die Haut gegangen.»

Sein Bruder mustert ihn. «Okay. Tja, jetzt wird's interessant. *Pirat. Hierher!* Oh, Mann. Da ist dieser Vizla. Ich hasse diesen Hund. Hast du mit deiner Chefin darüber gesprochen?»

«Klar. Weil Janey ja unbedingt mit mir über eine andere Frau reden will. Nein. Ich habe nur mit unserem Anwalt geprüft, wie stark unsere Position bei diesem Fall ist. Er glaubt, wir würden einen Prozess gewinnen.»

Es gibt in England keine Verjährung bei solchen Fällen, Paul, hatte Sean gesagt, ohne groß von seinem Schreibtisch aufzusehen. *Das weißt du.*

«Und was machst du jetzt?» Greg leint den größeren Hund wieder an und wartet auf die Antwort.

«Viel kann ich nicht machen. Das Bild muss an seine rechtmäßigen Eigentümer zurückgehen. Ich weiß nicht, wie sie das aufnehmen wird.»

«Vielleicht findet sie es ja okay. Man kann nie wissen.» Greg geht über die Wiese in Richtung Pirat, der manisch den Himmel anbellt. «Hey, wenn sie pleite ist und richtig Geld im Spiel ist, tust du ihr vielleicht sogar einen Gefallen.» Er fängt an zu rennen und ruft über die Schulter zurück: «Und vielleicht findet sie dich ja auch gut, und alles andere ist ihr egal. Schließlich geht es letzten Endes nur um ein Bild, Bruderherz.»

Paul starrt seinem Bruder nach. Es geht nie nur um ein Bild, denkt er.

Das Wochenende zieht sich hin, sein Schweigen lastet immer schwerer. Mo kommt und geht. Sie erweitert ihr Urteil über Paul: «Geschiedener Giftiger Single. Der schlimmste Vertreter seiner Spezies.» Sie macht für Liv eine kleine Knetpuppe von ihm und drängt sie, mit spitzen Gegenständen hineinzustechen.

Liv muss zugeben, dass die Haare des Mini-Paul erschreckend gut getroffen sind. «Und du glaubst, davon bekommt er Bauchschmerzen?»

«Garantieren kann ich es nicht. Aber jedenfalls wirst du dich besser fühlen.»

Liv nimmt einen Zahnstocher, verpasst Mini-Paul zögernd einen Bauchnabel, bekommt sofort Schuldgefühle und streicht die Stelle mit ihrem Daumen wieder glatt. Es gelingt ihr nicht, diese Version von Paul mit ihren Gefühlen in Einklang zu bringen, aber sie ist klug genug, um zu wissen, dass man manchen Sachen besser nicht nachhängt, also befolgt sie Mos Rat und geht laufen, bis ihr alles weh tut. Sie hat das Glashaus von oben bis unten geputzt. Sie hat die Schuhe mit den Schmetterlingen in die Mülltonne geworfen. Sie hat ihr Handy vier Mal auf Nachrichten überprüft, es dann abgeschaltet und sich beschimpft, weil sie diese Sache so wichtig nimmt.

«Das ist schwach. Du hast ihm nicht mal den kleinen Zeh gebrochen. Soll ich mal für dich in Aktion treten?», sagt Mo, als sie am Montagmorgen das kleine Knetmodell begutachtet.

«Nein. Es ist okay. Wirklich.»

«Du bist zu empfindlich. Weißt du, was? Wenn ich nach Hause komme, kneten wir ihn durch und machen einen Aschenbecher aus ihm.» Als Liv wieder in die Küche kommt, hat ihm Mo fünfzehn Streichhölzer in den Kopf gesteckt.

Am Montag kommen zwei Aufträge. Der erste, die Korrektur eines Katalogtextes, ist voller Grammatik- und Rechtschreibfehler. Bis sechs Uhr hat Liv so viel geändert, dass sie das Ganze mehr oder weniger neu geschrieben hat. Das Honorar pro Wort ist lächerlich. Es ist ihr egal. Sie ist so erleichtert, arbeiten zu können, statt zu grübeln, dass sie einen ganzen Versandhauskatalog gratis geschrieben hätte.

Es klingelt. Mo hat vermutlich ihren Schlüssel bei der Arbeit liegen lassen. Liv steht vom Schreibtisch auf, streckt sich und geht zur Gegensprechanlage.

«Du hast den Schlüssel liegen lassen.»

«Hier ist Paul.»

Sie erstarrt. «Oh. Hallo.»

«Kann ich raufkommen?»

«Das musst du wirklich nicht. Ich …»

«Bitte. Wir müssen reden.»

Sie hat keine Zeit, sich zu schminken oder ihre Haare zu kämmen. Sie zögert, ihr Finger schwebt über dem Türöffner. Sie drückt auf die Taste, dann tritt sie einen Schritt zurück, wie jemand, der gleich eine Explosion erwartet.

Der Lift rattert nach oben, und sie spürt, wie sich ihr Magen zusammenzieht, als das Geräusch näher kommt. Und dann ist er da, sieht sie durch das Gitter des Lifts an. Er trägt eine hellbraune Jacke, und sein Blick ist auffällig wachsam. Er wirkt erschöpft.

«Hey.»

Er tritt aus dem Lift und wartet im Flur. Sie steht da, die Arme vor der Brust verschränkt.

«Hallo.»

«Kann ich ... kann ich reinkommen?»

Sie tritt einen Schritt zurück. «Willst du etwas trinken? Ich meine ... bleibst du ein bisschen?»

Er nimmt die Schärfe in ihrer Stimme wahr. «Etwas zu trinken wäre toll, danke.»

Sie geht durchs Haus in die Küche, mit durchgedrücktem Rücken, und er folgt ihr. Während sie Tee macht, spürt sie seinen Blick auf sich. Als sie ihm einen Becher gibt, reibt er sich nachdenklich die Schläfe. Und als er ihren Blick auffängt, sagt er beinahe entschuldigend: «Kopfschmerzen.»

Liv sieht zu der kleinen Knetfigur auf dem Kühlschrank und wird rot. Als sie daran vorbeigeht, schubst sie die Figur beiläufig hinter den Kühlschrank.

Paul stellt seinen Becher auf den Tisch. «Okay. Das alles ist ziemlich kompliziert. Ich wäre schon früher gekommen, aber mein Sohn war bei mir, und ich musste mir überlegen, was ich machen soll. Also, ich werde dir die ganze Sache erklären, aber ich glaube, du setzt dich besser.»

Sie starrt ihn an. «O Gott. Du bist verheiratet.»

«Ich bin nicht verheiratet. Das wäre ... beinahe noch einfacher. Bitte, Liv. Setz dich einfach hin.»

Sie bleibt stehen. Er zieht einen Brief aus seinem Jackett und gibt ihn ihr.

«Was ist das?»

«Lies es einfach. Und dann versuche ich, es zu erklären.»

TARP
Etage 6, 115 Grantham Street
London W1

15. Oktober 2006

Sehr geehrte Mrs. Halston,

wir, die Trace and Return Partnership, kurz TARP, wurden gegründet, um Kunstwerke an diejenigen rückzuerstatten, die zu Kriegszeiten Opfer von Kunstraub oder erzwungenen Verkäufen wurden.

Nach unserer Kenntnis sind Sie im Besitz des Gemäldes *Jeune Femme* des französischen Künstlers Édouard Lefèvre. Wir haben von den Nachfahren Monsieur Lefèvres die schriftliche Bestätigung, dass dieses Werk zum persönlichen Besitz der Ehefrau des Künstlers gehörte und Gegenstand einer unfreiwilligen Beschlagnahme oder eines Zwangsverkaufs wurde. Die Anspruchsteller, die französischer Staatsangehörigkeit sind, fordern die Rückgabe des Werkes an die Familie des Künstlers, und unter Hinweis auf das Genfer Abkommen und die Bestimmungen der Haager Konvention in Bezug auf den Schutz von Kulturgut bei bewaffneten Konflikten möchten wir Sie davon in Kenntnis setzen, dass wir in dieser Sache die Ansprüche der Familie vertreten.

In vielen derartigen Fällen können Kunstwerke außergerichtlich an ihre rechtmäßigen Eigentümer zurückgegeben werden. Daher bitten wir Sie, mit uns Kontakt aufzunehmen, sodass wir ein Treffen zwischen Ihnen und den Vertretern der Lefèvres planen können, um eine dahingehende Verständigung einzuleiten.

Wir sind uns bewusst, dass eine solche Mitteilung ein großer Schock sein kann, aber wir möchten Sie daran erinnern, dass gewichtige Präzedenzfälle für die Rückgabe von Kunstwerken vorliegen, deren Raub ein Kriegsverbrechen ist, und ich möchte hinzufügen, dass die Möglichkeit eines diskreten finanziellen Ausgleichs für Ihren Verlust im Raum steht.

Darüber hinaus hoffen wir sehr, dass – wie es bei vergleichbaren Werken der Fall war – die Gewissheit, das Kunstwerk endlich wieder zu seinen rechtmäßigen Besitzern zurückkehren zu sehen, bei sämtlichen Beteiligten für Zufriedenheit sorgt.

Bitte zögern Sie nicht, Kontakt mit uns aufzunehmen, wenn Sie weiteren Klärungsbedarf haben.

Paul McCafferty
Janey Dickinson
Geschäftsführung, TARP

Sie starrt auf den Namen am Ende der Seite, und der Raum scheint sich um sie zurückzuziehen. Sie liest den Text noch einmal, denkt, das Ganze muss ein Witz sein. Nein, das ist ein anderer Paul McCafferty, ein vollkommen anderer Paul McCafferty. Es muss Hunderte mit diesem Namen geben. Und dann fällt ihr wieder ein, wie merkwürdig er drei Tage zuvor das Gemälde angeschaut hat und dass er ihr danach kaum noch ins Gesicht sehen konnte. Sie lässt sich schwer auf einen Stuhl sinken.

«Soll das so eine Art Witz sein?»

«Ich wünschte, es wäre so. Die *Jeune Femme* ist Gegenstand eines Restitutionsantrags. Das Gemälde stammt von einem Künstler namens Édouard Lefèvre. Seine Familie will es zurückhaben.»

«Aber ... das ist lächerlich. Ich habe es schon jahrelang. Sieben Jahre, ziemlich genau.»

Er zieht einen weiteren Brief mit einem fotokopierten Bild aus der Tasche. «Das ist vor ein paar Wochen bei uns im Büro angekommen. Ich hatte mit einem anderen Fall zu tun, also habe ich im ersten Moment nicht zwei und zwei zusammengezählt. Und dann, als du mich mit zu dir genommen hast, habe ich es sofort wiedererkannt.»

Sie überfliegt das Schreiben, wirft einen Blick auf die Fotokopie. Ihr eigenes Gemälde sieht sie an, die Farben sind etwas verfälscht. «Der *Architectural Digest.*»

«Ja. Ich denke, das war der Auslöser.»

«Sie sind kurz nach unserer zweiten Hochzeitsreise hergekommen, um einen Artikel über das Glashaus zu machen.» Sie hebt die Hand zum Mund. «David dachte, es wäre eine gute Reklame für seine Arbeit.»

«Die Familie Lefèvre hat eine Überprüfung des Gesamtwerks vorgenommen und dabei entdeckt, dass mehrere Werke fehlen. Eines davon ist die *Jeune Femme.* Nach 1917 gibt es keine Aufzeichnungen mehr zu dem Bild. Kannst du mir erzählen, woher du es hast?»

«Das ist verrückt. Es war … David hat es einer Amerikanerin abgekauft. In Barcelona.»

«Einer Galeristin? Hast du einen Kaufbeleg dafür?»

«So was Ähnliches. Aber der hat keinerlei Bedeutung. Die Frau wollte das Bild wegwerfen. Es war draußen auf der Straße.»

Paul fährt sich mit der Hand übers Gesicht. «Weißt du, wer diese Frau war?»

Liv schüttelt den Kopf. «Das ist Jahre her.»

«Liv, du musst dich erinnern. Das ist wichtig.»

Sie explodiert. «Ich kann mich nicht erinnern! Und du kannst nicht hier reinkommen und mir erklären, ich müsste das Besitzrecht an meinem eigenen Gemälde nachweisen, nur weil irgendwer irgendwo beschlossen hat, dass es vor einer Million Jahren seiner Familie gehört hat! Ich meine, was soll das?» Sie geht aufgeregt um den Küchentisch herum. «Ich … ich fasse es einfach nicht.»

Paul legt das Gesicht in die Hände. Dann hebt er den Kopf und schaut sie an. «Liv, es tut mir wirklich leid. Das ist der schlimmste Fall, mit dem ich je zu tun hatte.»

«Fall?»

«Das ist meine Arbeit. Das weißt du. Ich suche gestohlene Kunstwerke, und ich sorge für die Rückerstattung an ihre Eigentümer.»

Sie nimmt die befremdliche Unerbittlichkeit in seiner Stimme wahr. «Aber es ist nicht gestohlen. David hat es gekauft, ganz offiziell. Und dann hat er es mir geschenkt. Es gehört mir.»

«Es wurde gestohlen, Liv. Vor beinahe hundert Jahren, das stimmt, aber es wurde gestohlen. Sieh mal, das Gute daran ist, dass sie dir einen gewissen finanziellen Ausgleich geben wollen.»

«Ausgleich? Denkst du, mir geht es dabei um Geld?»

«Ich sage doch nur, dass …»

Sie streicht sich über die Augenbraue. «Weißt du, was, Paul? Ich glaube, du gehst besser.»

«Ich weiß, dass dir das Gemälde viel bedeutet, aber du musst doch einsehen …»

«Wirklich. Ich möchte, dass du jetzt gehst.»

Sie starren sich an. Sie würde am liebsten explodieren. Sie weiß nicht, ob sie je im Leben schon einmal so wütend war.

«Hör mal, ich suche doch nur nach einer Möglichkeit, diese Sache auf eine gute …»

«Auf Wiedersehen, Paul.»

Sie bringt ihn hinaus. Als sie die Tür hinter ihm zuschlägt, knallt es so laut, dass es ihr vorkommt, als würde das gesamte Speicherhaus unter ihr vibrieren.

Kapitel 18

Ihre Hochzeitsreise. Jedenfalls so eine Art Hochzeitsreise, nachdem ihre erste in Paris komplett von Davids Arbeit zerfressen worden war. Dieses Mal hatte David an einem neuen Konferenzzentrum in Barcelona gearbeitet, einem monolithischen Gebäude, das den blauen Himmel und das blitzende Meer reflektieren sollte. Sie erinnert sich noch an ihre leichte Überraschung über sein fließendes Spanisch und wie verblüfft sie sowohl über all sein Wissen war als auch darüber, was sie alles noch nicht über ihn wusste. Die Nachmittage verbrachten sie in ihrem Hotelbett, dann schlenderten sie durch die mittelalterlichen Straßen des Barrio Gótico und El Borns, hielten sich im kühlen Schatten, legten Pausen ein, um Mojitos zu trinken und sich träge aneinanderzulehnen, mit schweißfeuchter, klebriger Haut. Sie kann sich noch an den Anblick seiner Hand auf ihrer Hüfte erinnern. Er hatte Handwerkerhände. Er hielt die Finger leicht gespreizt, als würde er immerzu unsichtbare Baupläne auf dem Tisch niederhalten.

Sie waren um die Plaça de Catalunya spaziert, als sie die Stimme der Amerikanerin hörten. Sie hatte den Tränen nah drei ungerührte Männer angeschrien, die durch einen getäfelten Hauseingang ins Freie kamen und Möbel, Haushaltsgegenstände und Krimskrams vor das Haus trugen. «Das können Sie nicht machen!»

David hatte Livs Hand losgelassen und war zu der Frau hinübergegangen. Sie war hager, nicht mehr ganz jung, sehr blond und stieß ein frustriertes «Oh oh oh» aus, als ein Sessel vor dem Haus abgestellt wurde. Ein paar Touristen waren stehen geblieben, um zuzusehen.

«Alles in Ordnung?», hatte er gefragt und sie am Ellbogen genommen.

«Es ist der Vermieter. Er lässt die Wohnung meiner Mutter ausräumen. Ich habe ihm die ganze Zeit gesagt, dass ich so schnell nicht weiß, wo ich mit den Sachen hinsoll.»

«Und wo ist Ihre Mutter?»

«Sie ist gestorben. Ich bin rübergekommen, um alles durchzusehen, und er sagt, die Wohnung muss heute geräumt sein. Diese Männer stellen einfach alles auf die Straße, und ich habe keine Ahnung, was ich mit den Sachen machen soll.»

Liv erinnert sich, wie David das Kommando übernommen hat, wie er zu ihr gesagt hat, sie solle sich mit der Frau in ein Café auf der anderen Straßenseite setzen, wie er den Männern auf Spanisch Vorhaltungen gemacht hat, während die Amerikanerin, die Marianne Johnson hieß, ein Glas eisgekühltes Wasser trank und besorgt über die Straße schaute. Sie war erst vormittags angekommen, erzählte sie. Und sie wusste nicht mehr, wo ihr der Kopf stand.

«Es tut mir sehr leid für Sie. Wann ist Ihre Mutter gestorben?»

«Oh, vor drei Monaten. Ich weiß, dass ich früher etwas hätte unternehmen sollen. Aber es ist so kompliziert, wenn man kein Spanisch spricht. Und ich musste ihren Leichnam zur Beerdigung überführen lassen … und ich habe gerade meine Scheidung hinter mir, also stehe ich mit allem alleine da …» Sie hatte grobe, weiße Fingerknöchel und trug ein schwindelerregendes Arrangement Plastikringe. Ihr türkisblaues Haarband schmückte ein Paisleymuster. Sie tastete immer wieder danach, als könnte es ihr Trost spenden.

David redete mit einem Mann, möglicherweise dem Vermieter. Der Mann hatte zuerst unwillig gewirkt, doch dann, zehn Minuten später, schüttelten sie sich herzlich die Hand. David kam zu ihnen an den Tisch. Die Frau sollte die Sachen heraussuchen, die sie behalten wollte, sagte David, und er hatte die Telefonnummer einer Speditionsfirma, die diese Dinge einpacken und nach Amerika bringen würde. Der Vermieter hatte zugestimmt, dass die Sachen noch einen Tag länger in der Wohnung bleiben konnten. Alles Übrige wurde von den Möbelpackern für wenig Geld mitgenommen und entsorgt. «Ist das mit dem Geld für Sie ein Problem?», fragte er leise. So ein Mann war er.

Marianne Johnson weinte beinahe vor Dankbarkeit. Sie halfen ihr, die Sachen umzuräumen; sie rechts beziehungsweise links aufzustapeln, je nachdem, ob sie etwas behalten wollte oder nicht. Während sie so dastanden und die Frau auf Dinge deutete, die sorgsam zur Seite gestellt wurden, sah sich Liv die Sachen, die auf den Bürgersteig geräumt wurden, ein bisschen genauer an. Da waren eine Corona-Schreibmaschine und enorme, ledergebundene Alben mit vergilbten Zeitungsartikeln. «Meine Mutter war Journalistin», sagte die Frau und legte die Alben achtsam auf eine Steintreppe. «Sie hieß Louanne Baker. Ich weiß noch, wie sie diese Schreibmaschine benutzt hat, als ich ein kleines Mädchen war.»

«Und was ist das?» Liv deutete auf einen kleinen, braunen Gegenstand. Obwohl sie nicht direkt erkennen konnte, was es war, überlief sie instinktiv ein Schauer. Sie glaubte, so etwas wie Zähne zu sehen.

«Oh, die. Das sind Moms Schrumpfköpfe. Sie hat alles Mögliche gesammelt. Irgendwo ist auch ein Stahlhelm von den Nazis. Glauben Sie, dass vielleicht ein Museum an den Köpfen interessiert wäre?»

«Damit werden Sie beim Zoll eine Menge Spaß haben.»

«O Gott. Vielleicht lasse ich sie einfach hier auf der Straße und mache mich aus dem Staub.» Sie hielt inne, um sich über die Stirn zu wischen. «Diese Hitze! Ich sterbe.»

Und dann hatte Liv das Gemälde gesehen. Es lehnte an einem Sessel, und das Gesicht war irgendwie unwiderstehlich, inmitten all des Durcheinanders. Sie hatte sich gebückt und das Bild vorsichtig zu sich gedreht. Eine junge Frau blickte sie leicht herausfordernd aus dem angestoßenen, vergoldeten Rahmen an. Über ihre Schultern fiel üppiges rotgoldenes Haar, ein schwaches Lächeln drückte ihren Stolz aus und noch etwas anderes, etwas Intimeres. Etwas Sexuelles.

«Sie sieht aus wie du», hatte David neben ihr gemurmelt. «Genauso siehst du aus.» Livs Haar war blond, nicht rot, und es war kurz. Aber sie hatte sofort verstanden, was er meinte. Der Blick, den sie daraufhin wechselten, ließ die ganze Szenerie in den Hintergrund treten.

Dann hatte sich David an Marianne Johnson gewandt. «Wollen Sie das nicht behalten?»

Sie hatte sich aufgerichtet, in seine Richtung geblinzelt. «Oh … nein. Ich glaube nicht.»

David hatte die Stimme gesenkt. «Darf ich es Ihnen abkaufen?»

«Abkaufen? Ich schenke es Ihnen. Das ist das Mindeste, was ich tun kann, schließlich haben Sie mir hier das Leben gerettet.»

Doch das hatte er abgelehnt. Sie hatten auf dem Bürgersteig gestanden und angefangen zu feilschen wie in einer verkehrten Welt. David bestand darauf, ihr mehr Geld zu geben, als sie haben wollte. Schließlich drehte sich Liv einmal um, während sie eine Kleiderstange durchsah, und da besiegelten die beiden gerade den Kauf durch Handschlag.

«Ich bin sogar froh, dass Sie es nehmen», sagte die Frau, als David das Geld abzählte. «Ehrlich gesagt, mochte ich dieses Bild nie besonders. Als Kind habe ich geglaubt, sie macht sich über mich lustig. Sie hat immer ein bisschen herablassend auf mich gewirkt.»

Als es dunkel wurde, hatten sie der Frau Davids Handynummer gegeben und sich verabschiedet. Der Bürgersteig vor dem Haus war leer geräumt, und Marianne Johnson nahm ihre Tasche, um in ihr Hotel zu gehen. Liv und David waren durch die Abendhitze spaziert, und David hatte gestrahlt, als hätte er einen großen Schatz erbeutet, und das Gemälde so behutsam gehalten, wie er später am Abend Liv festhalten würde. «Das ist dein Hochzeitsgeschenk», hatte er gesagt. «Schließlich hast du nie eines von mir bekommen.»

«Ich dachte, du wolltest die klaren Linien deiner Wände durch nichts stören lassen», hatte sie ihn geneckt.

Sie waren auf der belebten Straße stehen geblieben, und er hatte das Bild von sich gestreckt, damit sie es besser anschauen konnten. Sie erinnert sich noch an die gespannte, sonnenverbrannte Haut ihres Nackens, den leicht schweißigen Staubfilm auf ihren Armen. An die heißen Straßen Barcelonas, an den Glanz der Abendsonne in seinen Augen. «Ich glaube, für etwas, das man liebt, darf man die Regeln brechen.»

«Also haben du und David dieses Gemälde in gutem Glauben erworben?», sagt Kristen. Sie hält inne, um der Hand eines Teenagers, die sich in den Kühlschrank streckt, einen Klaps zu versetzen. «Nein. Keine Mousse au Chocolat vor dem Abendessen.»

«Ja. Ich habe sogar den Beleg wiedergefunden.» Sie zieht ihn aus der Handtasche. Ein Stück knittriges Papier, das aus einer Zeitschrift gerissen wurde.

Dankend erhalten für Porträt, mögl. Titel Jeune Femme. 30 000,– Pesetas Marianne Johnson.

«Also gehört es dir. Du hast es gekauft. Du hast den Kaufbeleg. Damit ist doch alles klar. Tasmin? Sagst du bitte George, dass es in zehn Minuten Abendessen gibt?»

«Sollte man meinen. Und die Frau, von der wir es haben, sagte, es wäre ein halbes Jahrhundert im Besitz ihrer Mutter gewesen. Sie wollte es uns nicht mal verkaufen – sie wollte es uns schenken. David hat darauf bestanden, ihr etwas dafür zu bezahlen.»

«Wirklich, diese ganze Sache ist total lächerlich.» Kristen unterbricht sich beim Salatwaschen und hebt die Hände. «Ich meine, wo soll das hinführen? Wenn du ein Haus gekauft hast, und irgendwer hat im Mittelalter das Land geraubt, auf dem es steht, heißt das dann, dass eines Tages jemand kommt und das Haus von dir wiederhaben will? Müssen wir meinen

Diamantring zurückgeben, weil er aus dem falschen Teil von Afrika kommt? Es geht um den Ersten Weltkrieg, zum Teufel. Das war vor beinahe hundert Jahren. Das Gesetz geht wirklich zu weit.»

Liv lehnt sich auf ihrem Stuhl zurück. Sie hat nachmittags zitternd vor Schock Sven angerufen, und er hatte gesagt, sie solle abends vorbeikommen. Er war wohltuend ruhig geblieben, als sie ihm von dem Brief erzählte, und als er ihn selbst las, hatte er sogar mit den Schultern gezuckt. «Vermutlich ist das eine neue Variante dieser Masche, bei der mit Mahnbescheiden Geld abgezockt werden soll. Für mich klingt das alles sehr unwahrscheinlich. Ich prüfe es nach, aber ich würde mir keine Sorgen machen. Du hast einen Beleg, du hast es legal gekauft, also wird so eine Forderung vor Gericht nicht standhalten, schätze ich.»

Kristen stellt die Salatschüssel auf den Tisch. «Wer ist dieser Künstler überhaupt? Magst du Oliven?»

«Er heißt Édouard Lefèvre. Aber das Bild ist nicht signiert. Und ja. Danke.»

«Ich wollte dir noch was sagen … zu unserem letzten Treffen.» Kristen wirft einen Blick auf ihre Tochter. «Geh mal kurz raus, Tasmin. Ich brauch ein bisschen Mama-Zeit.»

Liv wartet, bis Tasmin mit einem missmutigen Blick über die Schulter aus der Küche geschlurft ist. «Es geht um Roger. Ich habe schlechte Neuigkeiten.» Sie beugt sich über den Tisch. «Weißt du, er findet dich unheimlich nett, aber ich fürchte, du bist nicht … also … er meint, du bist nicht sein Typ.»

«Ach.»

«Er will eigentlich jemand … Jüngeres. Es tut mir echt leid.»

Liv bemüht sich um eine ernste Miene, während Sven

in die Küche kommt. Er hat einen Zettel in der Hand. «Ich habe gerade mit einem Bekannten bei Sotheby's telefoniert. Also ... die schlechte Nachricht zuerst: TARP ist ein sehr angesehenes Unternehmen. Sie suchen nach gestohlenen Kunstwerken, kümmern sich aber in letzter Zeit auch um heiklere Fälle, nämlich um Arbeiten, die im Krieg verschwunden sind. Sie haben in den letzten Jahren für die Rückerstattung einiger ziemlich hoch gehandelter Stücke gesorgt, sogar welchen aus staatlichen Kunstsammlungen. Scheint ein Wachstumsmarkt zu sein.»

«Aber die *Jeune Femme* ist kein hoch gehandeltes Kunstwerk. Es ist einfach ein kleines Ölbild, das wir auf unserer zweiten Hochzeitsreise entdeckt haben.»

«Na ja ... das stimmt nur zum Teil. Liv, hast du dich ein bisschen über diesen Lefèvre informiert, nachdem du den Brief bekommen hast?»

Das war das Erste gewesen, was sie getan hatte. Ein unbekanntes Mitglied der impressionistischen Schule um die Wende vom 19. zum 20. Jahrhundert. Es gab ein sepiabraunes Foto von einem großen Mann mit dunkelbraunen Augen, dem das Haar bis zum Hemdkragen reichte. Er hatte kurz unter Matisse gearbeitet.

«Ich verstehe langsam, warum sein Bild – wenn es wirklich von ihm ist – zum Gegenstand einer Restitutionsforderung wird.»

«Sprich weiter.» Liv steckt sich eine Olive in den Mund. Kristen steht mit einem Geschirrtuch in der Hand neben ihrem Stuhl.

«Ich habe ihm natürlich nichts von der Forderung erzählt, und er kann keine Einschätzung abgeben, ohne das Bild gesehen zu haben, aber aufgrund des letzten Auktionsergebnisses für ein Lefèvre-Werk und im Hinblick auf sein künstlerisches Umfeld schätzt er, dass es leicht um zwei oder drei Millionen Pfund gehen könnte.»

«Wie bitte?», sagt sie mit schwacher Stimme.

«Ja. Davids kleines Hochzeitsgeschenk war offensichtlich eine richtig gute Investition. Zwei Millionen Pfund *mindestens* hat er sich ausgedrückt. Und er empfiehlt dir, sofort ein Versicherungsgutachten anfertigen zu lassen. Anscheinend ist unser Monsieur Lefèvre gerade richtig angesagt auf dem Kunstmarkt. Die Russen sind ganz besessen von ihm, und das hat die Preise wahnsinnig hochgetrieben.»

Sie schluckt die Olive im Ganzen hinunter und muss würgen. Kristen klopft ihr auf den Rücken und schenkt ihr ein Glas Wasser ein. Sie trinkt, Svens Worte kreisen in ihrem Kopf. Sie ergeben keinen Sinn.

«Also ist es vermutlich keine große Überraschung, wenn plötzlich Leute aus dem Busch springen und versuchen, ein Stück vom Kuchen abzubekommen. Ich habe Dana im Büro gebeten, ein paar Fallstudien auszugraben und sie per Mail rüberzuschicken. Diese Anspruchsteller … sie wühlen ein bisschen in der Familiengeschichte herum, fordern das Gemälde zurück, erzählen, welchen großen Wert es für ihre Großeltern hatte, dass ihnen der Raub des Bildes das Herz gebrochen hat … Dann bekommen sie es zurück, und jetzt ratet mal.»

«Was sollen wir raten?», sagt Kristen.

«Dann verkaufen sie es. Und werden reicher als in ihren kühnsten Träumen.»

Schweigen senkt sich über die Küche.

«Zwei bis drei Millionen Pfund? Aber … aber wir haben nur umgerechnet zweihundert Euro für sie bezahlt.»

«Das ist ja wie bei *Kunst und Krempel*», sagt Kristen vergnügt.

«Typisch David. Er hatte immer die Gabe des Midas: Was er anfasste, verwandelte sich in Gold.» Sven schenkt sich ein Glas Wein ein. «Zu dumm, dass sie wussten, dass es bei dir im Haus ist. Ich glaube, ohne irgendeine Erklärung oder einen Beweis hätten sie nicht nachweisen können, dass du es hast. Wissen sie denn ganz sicher, dass es dort ist?»

Sie denkt an Paul. Und ihr Magen zieht sich zusammen. «Ja», sagt sie. «Sie wissen es.»

«Okay. Tja, so oder so», er setzt sich neben sie und legt ihr die Hand auf die Schulter, «wir müssen dir einen guten Anwalt besorgen. Und zwar schnell.»

Die nächsten beiden Tage durchlebt Liv wie im Traum. Ihre Gedanken rasen wild durcheinander. Sie geht zum Zahnarzt, kauft Brot und Milch, liefert ihre Arbeit ab, bringt Fran Becher mit Kaffee hinunter und nimmt sie wieder mit nach oben, weil sich Fran darüber beschwert, dass sie den Zucker vergessen hat. Sie nimmt kaum etwas von all dem wahr. Sie denkt daran, wie Paul sie geküsst hat, an ihre erste, zufällige Begegnung, seine auffällige Hilfsbereitschaft. Hatte er das etwa alles von Anfang an geplant? Ist sie angesichts des Wertes, den das Gemälde hat, das Opfer einer perfiden Täuschung geworden? Sie googelt Paul McCafferty, liest Berichte über seine Zeit beim Kunstdezernat des NYPD, über seine «brillanten Ermittlerfähigkeiten», sein «strategisches Denken». Alles, was sie über ihn zu wissen glaubte, löst sich in Luft auf. Zwei Mal wird ihr so schlecht, dass sie vom Schreibtisch aufstehen, sich im Bad kaltes Wasser ins Gesicht spritzen und danach die Stirn an die kühlen Wandfliesen lehnen muss.

Im November zuvor hatte TARP bei der Rückgabe eines

kleinen Cézannes an eine jüdisch-russische Familie geholfen. Der Wert des Gemäldes lag angeblich bei fünfzehn Millionen Pfund. TARP arbeitet, wie dem Punkt *Über uns* auf der Website zu entnehmen ist, auf Provisionsbasis.

Er schreibt ihr drei SMS. *Können wir reden? Ich weiß, dass es schwierig ist, aber bitte – können wir es einfach besprechen?* Er klingt so vernünftig. Wie jemand, dem man beinahe vertrauen kann. Sie schläft unruhig, muss sich zwingen zu essen.

Mo sieht das alles mit an und sagt ausnahmsweise einmal gar nichts.

Liv geht laufen. Jeden Morgen und öfters auch abends. Das Laufen hat das Denken abgelöst, das Essen und manchmal das Schlafen. Sie läuft, bis ihre Muskeln brennen und sich ihre Lunge anfühlt, als würde sie gleich explodieren. Sie läuft neue Strecken: durch die Nebenstraßen von Southwark, über die Brücke in die City, wo sie anzugtragenden Bankern und Kaffeebecher balancierenden Sekretärinnen ausweicht.

Am Freitagabend um sechs verlässt sie das Haus. Es ist einer dieser schönen, frischen Abende, an denen ganz London aussieht wie die Kulisse eines Liebesfilms. Ihr Atem steht in der Luft, und sie hat sich eine Wollmütze tief ins Gesicht gezogen, die sie irgendwann vor der Waterloo Bridge abziehen wird. In der Entfernung glitzern die Lichter der City-Skyline; die Busse kriechen am Embankment entlang, die Straßen sind belebt. Sie steckt sich die Stöpsel ihres iPhones in die Ohren, zieht die Haustür hinter sich zu, steckt die Schlüssel ein und rennt los. Sie überlässt sich dem ohrenbetäubenden, unnachgiebigen Beat, der keinen Raum für Gedanken lässt.

«Liv.»

Er stellt sich ihr in den Weg, und sie stolpert, streckt unwillkürlich eine Hand aus und zieht sie wieder zurück, als hätte sie sich verbrannt, weil ihr in demselben Moment klarwird, wen sie vor sich hat.

«Liv – wir müssen reden.»

Er trägt die braune Jacke, der Kragen ist gegen die Kälte hochgeschlagen, unter dem Arm hat er einen dünnen Aktenordner. Ihre Blicke treffen sich, und sie wirbelt herum, bevor sich irgendein Gefühl in ihr melden kann, und rennt mit jagendem Herzschlag wieder los.

Er ist hinter ihr. Sie schaut sich nicht um, aber sie kann über die Musik hinweg gerade noch seine Stimme wahrnehmen. Sie dreht die Lautstärke weiter auf, spürt beinahe die Vibration seiner Schritte auf dem Bürgersteig hinter ihr.

«Liv.» Seine Hand greift nach ihrem Arm, und beinahe instinktiv holt sie mit der rechten Hand aus, fährt herum und schlägt ihm heftig ins Gesicht. Der Aufprall ihrer Hand ist so heftig, dass sie beide rückwärts stolpern. Er drückt die Hand an seine Nase.

Sie zieht die Ohrstöpsel heraus. «Lass mich in Ruhe!», brüllt sie und findet ihr Gleichgewicht wieder. «Verpiss dich einfach!»

«Ich will mit dir reden.» Blut rinnt zwischen seinen Fingern herunter. Er senkt den Blick und sieht es. «Meine Güte.» Er lässt seinen Aktenordner fallen, tastet mit der freien Hand nach seiner Tasche, zieht ein großes Stofftaschentuch heraus und drückt es an seine Nase. Die andere Hand hebt er besänftigend. «Liv, ich weiß, dass du sauer auf mich bist …»

«Sauer auf dich? Sauer auf dich? Das beschreibt nicht mal *annähernd* meine Gefühle dir gegenüber. Du schleichst dich mit einem Trick bei mir zu Hause ein, erzählst mir irgendeinen Scheiß von wegen meiner wiedergefundenen Handtasche, schmeichelst mir, bis du in meinem Bett landest, und dann –

oh, Wahnsinnsüberraschung – hast du ausgerechnet das Gemälde vor der Nase, das du ganz zufällig für eine richtig fette Provision wiederfinden sollst.»

«Was?» Seine Stimme klingt durch das Taschentuch etwas gedämpft. «Du glaubst, ich hätte deine Tasche gestohlen? Du glaubst, ich hätte das alles *eingefädelt*? Spinnst du?»

«Bleib mir vom Leib.» Ihre Stimme zittert, ihr klingeln die Ohren. Sie joggt rückwärts von ihm weg. Ein paar Leute sind stehen geblieben und beobachten sie.

Er läuft ihr nach. «Nein. Du hörst zu. Nur eine Minute. Ich bin Ex-Polizist. Ich bin weder im Taschendiebstahl tätig, noch habe ich, offen gesagt, normalerweise etwas mit ihrer Rückgabe zu tun. Ich bin dir begegnet und mochte dich, und dann habe ich festgestellt, dass du durch irgendeine Laune des Schicksals das Gemälde hast, das ich wiederfinden soll. Wenn ich diesen Auftrag an irgendjemanden hätte abgeben können, das kannst du mir glauben, hätte ich es getan. Es tut mir leid. Aber du musst mir zuhören.»

Er senkt das Taschentuch. Auf seinen Lippen ist Blut.

«Dieses Gemälde wurde gestohlen, Liv. Ich habe die Unterlagen eine Million Mal geprüft. Es ist ein Bild von Sophie Lefèvre, der Frau des Künstlers. Sie wurde von den Deutschen verhaftet, und direkt danach ist das Gemälde verschwunden. Es wurde gestohlen.»

«Das war vor *hundert Jahren.*»

«Und du denkst, dadurch wird es gerecht? Weißt du, wie es ist, wenn dir etwas weggenommen wird, was du liebst?»

«Komisch, aber das weiß ich sogar ganz genau», zischt sie.

«Liv ... ich weiß, dass du ein guter Mensch bist. Ich weiß, dass diese Geschichte ein Schock ist, aber wenn du darüber nachdenkst, wirst du das Richtige tun. Die Zeit lässt Unrecht nicht zu Recht werden. Und dein Gemälde wurde der Familie dieser bedauernswerten Frau gestohlen. Es war das Letzte, was sie von ihr noch hatten, und es gehört in ihre Familie. Es ist richtig, wenn es zurückgegeben wird.» Seine Stimme ist sanft, beinahe überzeugend. «Ich glaube, wenn du die wahre Geschichte über sie kennst, wirst du Sophie Lefèvre mit ganz anderen Augen sehen.»

«Oh, verschon mich mit deinem scheinheiligen Mist.»

«Wie bitte?»

«Glaubst du vielleicht, ich weiß nicht, was es wert ist?»

Er starrt sie an.

«Glaubst du, ich hätte mich nicht über dich und deine Firma informiert? Wie ihr arbeitet? Ich weiß, worum es hier geht, Paul, und es hat nicht das Geringste mit deinem Richtig und Falsch zu tun.» Sie verzieht das Gesicht. «Gott, du musst mich wirklich für dermaßen schwachsinnig halten. Die dämliche Ziege in ihrem leeren Haus, die immer noch um ihren Mann trauert, sitzt rum und hat keine Ahnung, was da vor ihrer Nase hängt. Es geht um *Geld*, Paul. Du und wer auch immer sonst noch hinter dem Bild her ist, will es haben, weil es ein Vermögen wert ist. Tja, aber mir geht es nicht ums Geld. Mich kann man nicht kaufen – und sie genauso wenig. Und jetzt lass mich in Ruhe.»

Sie wirbelt herum und rennt los, bevor er noch ein Wort sagen kann, ihr Herzschlag dröhnt laut in ihren Ohren und überlagert jedes andere Geräusch. Sie wird erst langsamer, als sie das Southbank Centre erreicht. Sie dreht sich um. Er ist verschwunden, verschluckt von der unübersehbaren Menschenmenge eines Londoner Feierabends. Als sie wieder bei ihrem Haus ankommt, muss sie Tränen unterdrücken. Sie kann nicht anders, als an Sophie Lefèvre zu denken. *Das Gemälde war das*

Letzte, was sie von ihr noch hatten. Es ist richtig, wenn es zurückgegeben wird. «Hol dich der Teufel», murmelt sie, während sie versucht, seine Worte zu vergessen. *Hol dich der Teufel, hol dich der Teufel.*

«Liv!»

Sie zuckt zusammen, als ein Mann aus dem Eingang tritt. Aber es ist ihr Vater, eine schwarze Baskenmütze auf dem Kopf, einen bunten Schal um den Hals und in seinen alten Tweedmantel gehüllt. Sein Gesicht schimmert golden im Licht der Straßenlaterne. Er breitet die Arme aus, um sie an sich zu ziehen, und lässt dabei ein verwaschenes Sex-Pistols-T-Shirt sehen. «Da bist du ja! Wir haben seit deinem heißen Date nichts mehr von dir gehört. Ich dachte, ich komme mal vorbei und frage, wie es gelaufen ist!»

Kapitel 19

Möchten Sie einen Kaffee?»

Liv sieht zu der Sekretärin auf. «Danke.» Sie sitzt sehr aufrecht in dem Ledersessel und schaut blicklos auf die Zeitung, die sie vor einer Viertelstunde zur Hand genommen hat, um so zu tun, als würde sie lesen.

Sie trägt ein Kostüm, das einzige, das sie besitzt. Der Schnitt ist vermutlich außer Mode, aber sie braucht das Kostüm an diesem Tag als Rüstung. Sie war schon von ihrem ersten Besuch in dem Anwaltsbüro überfordert, und jetzt braucht sie das Gefühl, dass sie von noch etwas anderem als nur von ihrer Selbstbeherrschung aufrecht gehalten wird.

«Henry ist ins Foyer hinuntergegangen, um auf sie zu warten. Es dauert nicht lange.» Mit einem professionellen Lächeln dreht sich die Frau auf ihren High Heels um und geht weg.

Der Kaffee ist gut. Und das kann man auch erwarten, in Anbetracht des Stundenhonorars. Ohne eine schlagkräftige

Vertretung, hatte Sven gesagt, hätte es von vornherein keinen Sinn, sich auf ein Verfahren einzulassen. Er hatte sich bei seinen Bekannten in den Auktionshäusern und bei Gericht erkundigt, an wen man sich bei einer Restitutionsforderung am besten wenden sollte. Leider, hatte er hinzugefügt, kosten gute Leute auch gutes Geld. Jedes Mal, wenn sie Henry Phillips anschaut, seinen teuren Haarschnitt, seine wunderschönen, handgearbeiteten Schuhe, die Luxusferienbräune auf seinem feisten Gesicht, muss sie denken: *Es sind Menschen wie ich, die dich so reich gemacht haben.*

Sie hört Schritte und Stimmen vor dem Empfangsbereich. Sie steht auf, streicht ihren Kostümrock glatt, setzt eine undurchdringliche Miene auf. Und da ist er, mit dem blauen Wollschal um den Hals und einem Aktenordner unter dem Arm steht er hinter Henry und zwei Leuten, die sie nicht kennt. Er fängt ihren Blick auf, und sie wendet sich hastig ab, spürt, wie sich ihre Nackenhaare aufstellen.

«Liv? Wir sind jetzt vollzählig. Würden Sie mit in den Sitzungsraum kommen? Ich sorge dafür, dass Ihnen Ihr Kaffee gebracht wird.»

Sie hält ihren Blick ununterbrochen auf Henry gerichtet, der an ihr vorbeigeht, um der anderen Frau die Tür zu öffnen. Sie spürt Pauls Gegenwart, als würde er glühende Hitze verströmen. Da ist er, neben ihr. Er trägt Jeans, als wären solche Termine so unbedeutend für ihn wie ein Spaziergang.

«Noch irgendwelche anderen Frauen in letzter Zeit um ihre Wertsachen gebracht?», sagt sie leise, so leise, dass nur er sie hören kann.

«Nein. Ich war zu sehr mit Handtaschendiebstählen und der Verführung von Unschuldslämmern beschäftigt.»

Ruckartig hebt sie den Kopf, und sein Blick versenkt sich

in ihren. Er ist, wie sie etwas erschrocken feststellt, genauso wütend wie sie selbst.

Der Sitzungsraum ist holzgetäfelt und mit schweren, lederbezogenen Stühlen ausgestattet. An einer Wand stehen Regale mit ledergebundenen Büchern. Alles suggeriert jahrelange Erfahrung in der Rechtsvertretung, ist getränkt von altehrwürdiger Weisheit. Sie folgt Henry, und dann sitzen sich die Parteien am Tisch gegenüber. Sie schaut auf ihren Notizblock, auf ihre Hände, ihren Kaffee, auf alles außer Paul.

«Also.» Henry wartet, bis der Kaffee eingeschenkt ist, und legt dann die Fingerspitzen aneinander. «Wir sind hier, um in aller Offenheit über die Forderung zu sprechen, die durch TARP an Mrs. Halston gestellt wurde, und um zu eruieren, ob es eine Möglichkeit gibt, eine Einigung zu erreichen, ohne dass wir rechtliche Schritte einleiten.»

Sie betrachtet die Leute, die ihr gegenübersitzen. Die Frau ist Anfang vierzig. Sie hat dunkles Haar, das ihr in Korkenzieherlocken ums Gesicht fällt, und eine ausdrucksvolle Miene. Sie schreibt etwas auf ihren Notizblock. Der Mann neben ihr ist Franzose, und seine markanten Gesichtszüge erinnern sie an Serge Gainsbourg in mittleren Jahren. Liv hat schon oft gedacht, dass man den Leuten ansehen kann, woher sie kommen, selbst wenn man sie nicht reden hört. Dieser Mann ist dermaßen gallisch, dass er ebenso gut eine Gauloise rauchen und einen Zwiebelzopf dabeihaben könnte.

Und dann ist da noch Paul.

«Ich glaube, zunächst sollten wir uns vorstellen. Mein Name ist Henry Phillips, und ich vertrete Mrs. Halston. Das ist Sean Flaherty, der für TARP tätig ist, und der Unternehmensvorstand, bestehend aus Janey Dickinson und Paul McCafferty. Dies ist Monsieur André Lefèvre, dessen Forderung von TARP vertreten wird. Mrs. Halston, TARP ist ein Unternehmen, das sich auf die Suche und Rückgewinnung von ...»

«Ich weiß, was TARP macht», sagt sie.

Oh, er ist so nahe bei ihr. Direkt auf der anderen Seite des Tisches, sie kann die Adern an seinen Händen sehen und wie seine Manschetten aus den Ärmeln rutschen. Er trägt dasselbe Hemd wie an dem Abend, an dem sie sich kennengelernt haben. Wenn sie ihr Bein unter dem Tisch ausstrecken würde, könnte sie seines berühren. Sie zieht ihre Beine unter ihren Stuhl zurück und greift nach ihrer Kaffeetasse.

«Paul, würden Sie Mrs. Halston bitte erläutern, wie es zu dieser Forderung gekommen ist?»

«Ja», sagt sie mit eisiger Stimme. «Das würde mich sehr interessieren.»

Langsam hebt sie den Blick, und Paul sieht sie direkt an. Sie fragt sich, ob er mitbekommt, dass sie geradezu vibriert vor Anspannung. Sie hat das Gefühl, alle müssten es wahrnehmen; jeder einzelne Atemzug verrät sie.

«Nun ... Ich würde gern mit einer Entschuldigung beginnen», sagt er. «Mir ist bewusst, dass diese Geschichte ein Schock sein muss. Das bedauere ich. Aber leider gibt es in solchen Fällen keine Möglichkeit, die Sache nett anzugehen.»

Noch immer sieht er sie direkt an. Sie spürt, dass er auf eine Reaktion von ihr wartet, ein Zeichen. Sie umklammert unter dem Tisch ihre Knie, gräbt die Fingernägel in ihre Haut, um etwas anderes zu haben, auf das sie sich konzentrieren kann.

«Hier will niemand einem anderen etwas wegnehmen, das ihm rechtmäßig gehört. Darum geht es uns nicht. Aber es ist Tatsache, dass vor langer Zeit während des Krieges ein Unrecht begangen wurde. Das Gemälde *Jeune Femme* von Édouard Lefèvre, das geliebte Eigentum seiner Frau, wurde in deutschen Besitz genommen.»

«Das wissen Sie nicht.»

«Liv», sagt Henry mahnend.

«Wir haben Beweismaterial erhalten, ein Tagebuch, das einem Nachbarn Madame Lefèvres gehörte und in dem angemerkt wird, dass ein Porträt der Künstlergattin von einem deutschen Kommandanten, der zu diesem Zeitpunkt in der Region stationiert war, gestohlen oder beschlagnahmt wurde. Dieser Fall ist insofern ungewöhnlich, als wir uns meist mit Kunstgegenständen aus der Zeit des Zweiten Weltkriegs beschäftigen, wir in diesem Fall jedoch davon ausgehen, dass der ursprüngliche Diebstahl im Ersten Weltkrieg begangen wurde. Trotzdem greifen die Bestimmungen der Haager Konvention.»

«Und was jetzt?», sagt sie. «Beinahe hundert Jahre danach behaupten Sie, das Bild wäre gestohlen worden. Sehr passend, dass Édouard Lefèvres Werke gerade eine erhebliche Wertsteigerung erfahren haben, finden Sie nicht?»

«Der finanzielle Wert ist unwesentlich.»

«Schön. Wenn der finanzielle Wert unwesentlich ist, dann leiste ich eine Entschädigung. Wollen Sie, dass ich Ihnen gebe, was wir dafür bezahlt haben? Ich habe den Kaufbeleg nämlich noch. Werden Sie diese Summe akzeptieren und mich anschließend in Frieden lassen?»

In dem Raum breitet sich Stille aus.

Henry streckt die Hand aus und berührt sie am Arm. «Ich möchte an dieser Stelle noch einmal darauf hinweisen», sagt er aalglatt, «dass der Zweck dieses Treffens darin besteht, mehrere Lösungsvorschläge zusammenzutragen und festzustellen, ob einer davon akzeptabel ist.»

Janey Dickinson tauscht sich flüsternd mit André Lefèvre aus. Sie trägt die demonstrative Gelassenheit einer Grundschullehrerin zur Schau. «Ich muss darauf hinweisen, dass von Seiten der Familie Lefèvre die einzige akzeptable Lösung in der Rückgabe ihres Gemäldes besteht», sagt sie.

«Nur dass es nicht ihr Gemälde ist», sagt Liv.

«Unter den Bestimmungen der Haager Konvention ist es das», sagt Janey Dickinson ruhig.

«Das ist Bullshit.»

«Das ist das Gesetz.»

Liv schaut auf, und Paul starrt sie an. Sein Gesichtsausdruck verändert sich nicht, aber in seinem Blick liegt so etwas wie eine Entschuldigung. Für was? Für diesen unschönen Wortwechsel quer über einen hochpolierten Mahagonitisch? Für eine erschwindelte Nacht? Ein gestohlenes Gemälde? Sie weiß es nicht. *Sieh mich nicht an*, sagt sie in Gedanken zu ihm.

«Vielleicht …», sagt Sean Flaherty, «vielleicht könnten wir, wie Henry sagt, wenigstens einige der möglichen Lösungen darlegen.»

«Oh, tun Sie das», sagt Liv.

«Für derartige Forderungen liegen zahlreiche Präzedenzfälle vor. Wenn man ihnen folgt, wäre eine Möglichkeit, dass sich Mrs. Halston dazu entscheidet, die Forderung zu tilgen. Das würde bedeuten, Mrs. Halston, dass Sie der Familie Lefèvre den Gegenwert des Gemäldes bezahlen und es behalten.»

Janey Dickinson sieht nicht von ihrem Block auf. «Wie ich schon dargelegt habe, ist die Familie nicht an Geld interessiert. Sie wollen das Gemälde.»

«Oh, ach so», sagt Liv. «Glauben Sie, ich hätte noch nie eine Verhandlung geführt? Und ich wüsste nicht, was eine Eröffnungssalve ist?»

«Liv», sagt Henry wieder, «könnten wir einfach …»

«Ich weiß, was hier läuft. ‹O nein, wir wollen kein Geld.› Bis wir bei der Höhe eines Lottogewinns angekommen sind. Dann gelingt es auf einmal allen, über ihre verletzten Gefühle hinwegzusehen.»

«Liv …», sagt Henry leise.

Sie atmet aus. Unter dem Tisch zittern ihre Hände.

«Es gab Fälle, in denen man sich darauf geeinigt hat, sich das Gemälde zu teilen. Das ist bei sogenannten unteilbaren Gütern, wie auch diesem Gemälde, zugegebenermaßen etwas kompliziert. Aber es hat Fälle gegeben, in denen sich die beiden Parteien auf, wenn Sie so wollen, die geteilte Nutzung eines Gemäldes geeinigt haben oder auf gemeinsames Besitzrecht und die Ausstellung in einem Museum. Hierzu würden selbstverständlich Besucherinformationen über die Geschichte des Werks als Beutekunst und die Großzügigkeit der derzeitigen Besitzer gehören.»

Liv schüttelt schweigend den Kopf.

«Und es gibt die Möglichkeit der Teilung durch Verkauf, bei der wir …»

«Nein», sagen Liv und Andrè Lefèvre wie aus einem Mund.

«Mrs. Halston.» Pauls Ton ist schärfer geworden. «Ich muss Sie darauf hinweisen, dass unsere Position sehr stark ist. Wir haben zahlreiche Beweismittel, um dieser Restitutionsforderung Nachdruck zu verleihen, und es gibt viele Präzedenzfälle, die unsere Sache stützen. In Ihrem eigenen Interesse rate ich Ihnen, sehr sorgfältig über eine außergerichtliche Einigung nachzudenken.»

Wieder kehrt Stille ein. «Wollen Sie mir Angst machen?», fragt Liv.

«Nein», sagt er langsam. «Aber es liegt, wie ich Sie nochmals erinnern möchte, im Interesse aller Beteiligten, diese Sache gütlich zu regeln. Unsere Forderung wird sich nicht in Luft auflösen. Ich ... wir werden uns nicht in Luft auflösen.»

Plötzlich sieht sie ihn vor sich, sein Arm ist um ihre nackte Taille geschlungen, sein Kopf liegt auf ihrer linken Brust. Sie sieht seine Augen, die Lachfältchen im Dämmerlicht.

Sie hebt das Kinn ein bisschen. «Sie haben kein Recht auf sie», sagt Liv. «Wir sehen uns vor Gericht wieder.»

Sie sind in Henrys Büro. Liv hat einen großen Whisky getrunken. Sie hat noch nie im Leben tagsüber Whisky getrunken, aber Henry hat ihr einen eingeschenkt, als wäre das die übliche Erwartung seiner Klienten. Er schweigt eine Weile, während sie an dem Glas nippt.

«Ich muss Sie darauf hinweisen, dass dieses Verfahren kostspielig wird», sagt er und lehnt sich auf seinem Stuhl zurück.

«Wie kostspielig?»

«Nun, in vielen Fällen musste das Kunstwerk nach dem Gerichtsverfahren verkauft werden, um die Anwaltshonorare zu decken. In Connecticut gab es kürzlich einen Anspruchsteller, der gestohlene Kunstwerke im Wert von zweiundzwanzig Millionen Dollar zurückbekommen hat. Aber er schuldete allein einem einzigen Anwalt Honorare von mehr als zehn Millionen. Wir werden Sachverständige bezahlen müssen, und in Anbetracht der Geschichte des Gemäldes vor allem juristische Sachverständige aus Frankreich. Und diese Fälle können sich lange hinziehen, Liv.»

«Aber die Gegenseite muss für unsere Kosten aufkommen, wenn wir gewinnen, oder?»

«Nicht unbedingt.»

Das muss sie erst einmal verdauen. «Also, wovon reden wir? ... Fünfstellig?»

«Ich würde eher mit sechsstellig rechnen. Das hängt davon ab, welche Geschütze sie auffahren. Aber auf jeden Fall haben sie einen passenden Präzedenzfall auf ihrer Seite.» Henry zuckt mit den Achseln. «Wir könnten nachweisen, dass Sie ein belegbares Besitzrecht haben. Aber es scheint Lücken in der Geschichte des Bildes zu geben, und wenn die Gegenseite beweisen kann, dass es im Krieg gestohlen wurde, dann ...»

«Sechsstellig?», sagt sie, steht auf und beginnt, im Zimmer auf und ab zu gehen. «Ich fasse das alles nicht. Ich fasse es nicht, dass irgendjemand einfach so in mein Leben spazieren und etwas von mir verlangen kann, was mir gehört. Etwas, das mir schon ewig gehört.»

«Die Position der anderen Seite ist keineswegs wasserdicht. Aber ich muss darauf hinweisen, dass die politische Wetterlage zurzeit die Anspruchsteller begünstigt. Sotheby's hat letztes Jahr achtunddreißig entsprechende Kunstobjekte versteigert. Ein Jahrzehnt davor lag diese Zahl bei null.»

Sie fühlt sich wie elektrisiert, ihre Nerven stehen nach dem Treffen immer noch unter Hochspannung. «Er wird ... sie werden Sophie Lefèvre nicht bekommen», sagt sie.

«Aber denken Sie an das Geld. Sie haben angedeutet, dass Sie jetzt schon an der Belastungsgrenze sind.»

«Ich nehme noch eine Hypothek auf», sagt sie. «Gibt es irgendwas, das ich tun kann, um die Kosten niedrig zu halten?»

Henry beugt sich über seinen Schreibtisch. «Wenn Sie sich wirklich dafür entscheiden, diese Sache durchzufechten, dann können Sie sogar eine Menge tun. Am wichtigsten ist, dass unsere Position umso stärker wird, je mehr Sie über die Provenienz des Bildes herausfinden können. Andernfalls müsste ich jemanden mit der Recherche beauftragen und Ihnen ein Stundenhonorar in Rechnung stellen, und das umfasst noch nicht die Sachverständigengutachten, die wir vor Gericht brauchen. Ich denke, wenn Sie das übernehmen, sehen wir danach, wo wir stehen, und ich kümmere mich um die Unterrichtung eines Barristers. Wie Sie ja sicher wissen, brauchen die gegnerischen Parteien in diesem Fall vor Gericht einen weiteren Juristen, der ihre Sache vor dem Richter darlegt.»

Sie hört immer noch ihre selbstsicheren Stimmen. *Unsere Position ist sehr stark. Es gibt viele Präzedenzfälle, die unsere Sache stützen.* Sie sieht Pauls Gesicht vor sich, seine geheuchelte Anteilnahme. *Es liegt im Interesse aller Beteiligten, diese Sache gütlich zu regeln.*

Sie trinkt ein Schlückchen Whisky und entspannt sich etwas. Plötzlich fühlt sie sich sehr allein. «Henry, was würden Sie tun? An meiner Stelle, meine ich.»

Er massiert sich mit Daumen und Zeigefinger die Nasenwurzel. «Ich halte das für eine höchst unfaire Situation. Aber Liv, ich persönlich wäre sehr zurückhaltend mit einem Gerichtsverfahren. Diese Fälle können sehr … hässlich werden. Sie sollten noch einmal darüber nachdenken, ob es irgendeine Möglichkeit zu einer außergerichtlichen Einigung gibt.»

Sie hat immer noch Pauls Gesicht vor Augen. «Er bekommt sie nicht.»

«Selbst wenn …»

«Nein.»

Sie spürt Henrys Blick auf sich, als sie ihre Sachen nimmt und geht.

Paul wählt die Nummer zum vierten Mal, lässt seinen Finger auf der Wähltaste liegen, dann überlegt er es sich anders und steckt das Handy in seine Hosentasche.

«Kommst du zum Essen mit?» Janey steht an der Tür. «Wir haben einen Tisch für dreizehn Uhr dreißig.»

Sie muss gerade Parfüm aufgelegt haben. Der Geruch weht bis hinter seinen Schreibtisch. «Brauchst du mich wirklich dabei?» Er ist nicht in Stimmung für Smalltalk. Er hat keine Lust darauf, charmant zu sein oder von den erstaunlichen Erfolgen des Unternehmens bei Rückerstattungen zu erzählen. Er will nicht neben Janey sitzen und spüren, wie sie sich beim Lachen an ihn lehnt, ihn leicht mit dem Knie berührt. Aber vor allem mag er André Lefèvre mit seinem argwöhnischen Blick und seinen missmutig nach unten gezogenen Mundwinkeln nicht. Er empfindet selten eine derartige, augenblickliche Abneigung gegen einen Klienten.

«Darf ich mich erkundigen, wann Sie zum ersten Mal festgestellt haben, dass das Gemälde fehlt?», hatte er André Lefèvre gefragt.

«Wir haben es bei einer Bestandsaufnahme der Werke festgestellt.»

«Also haben Sie es nicht persönlich vermisst?»

«Persönlich?» Bei diesem Wort hatte Lefèvre mit den Schultern gezuckt. «Warum sollte jemand anderer den finanziellen Gewinn von einem Werk haben, das in unseren Besitz gehört?»

«Du willst nicht mit? Warum?», sagt Janey. «Was hast du zu tun?»

«Ich dachte, ich bringe mal meine Unterlagen auf den neusten Stand.»

Janey betrachtet ihn. Sie trägt Lippenstift. Und Absätze. Sie hat schöne Beine, denkt er abwesend.

«Wir brauchen diesen Fall, Paul. Und wir müssen André Lefèvre das Gefühl geben, dass wir gewinnen werden.»

«In diesem Fall nutze ich meine Zeit wohl besser dazu, Hintergrundinformationen zu sammeln, als mit ihm zum Mittagessen zu gehen.» Er sieht sie nicht an. Er beißt störrisch die Zähne zusammen. Er hat schon die ganze Woche schlechte Laune. «Nimm Miriam mit», sagt er. «Sie verdient mal ein schönes Essen.»

«Ich glaube, unser Budget gibt es nicht her, Sekretärinnen zu verwöhnen, wenn es uns gerade einfällt. Ist alles okay, Paul?»

«Alles bestens.»

«Also gut.» Sie kann die Schärfe in ihrer Stimme nicht unterdrücken. «Wie ich sehe, kann ich dich nicht überreden. Ich bin gespannt, was du über diesen Fall herausfindest. Es wird bestimmt sehr überzeugend.»

Sie bleibt noch einen Moment stehen, dann geht sie. Er hört sie mit Lefèvre Französisch sprechen, als sie aus dem Büro gehen.

Liv hängt das Gemälde ab. Sie lässt ihren Zeigefinger zart über das Ölbild gleiten, spürt die erhöhten Wirbel der Pinselstriche, denkt darüber nach, dass die Hand des Künstlers sie aufgetragen hat, und schaut die Frau auf der Leinwand an. Der vergoldete Rahmen ist an manchen Stellen schadhaft, aber das hat sie schon immer reizvoll gefunden; dieser Gegensatz zwischen der alten, leicht schäbigen Verschnörkelung des Rahmens und den frischen, klaren Linien des Zimmers. Es hat ihr gefallen, dass die *Jeune Femme* der einzige Farbklecks im Raum ist, alt und kostbar, der wie ein Juwel am Ende ihres Bettes glitzert.

Nur, dass die *Jeune Femme* jetzt nicht mehr nur ein Stück von Livs Geschichte ist, ein intimes Geschenk unter Hochzeitsreisenden. Jetzt ist sie die Ehefrau eines berühmten Künstlers, verschwunden, möglicherweise ermordet. Sie ist die letzte Verbindung zu einem Ehemann in einem Kriegsgefangenenlager. Sie ist ein verschollenes Gemälde, Gegenstand eines Rechtsstreits, das künftige Zentrum eines Ermittlungsverfahrens. Liv weiß nicht, wie sie mit dieser neuen Version Sophies umgehen soll. Sie weiß nur, dass sie einen Teil von ihr schon jetzt verloren hat.

Das Gemälde wurde in deutschen Besitz genommen.

André Lefèvre hatte einfach nur aggressiv gewirkt und kaum einen Blick für die Kopie von Sophies Bild übriggehabt. Und McCafferty. Jedes Mal, wenn sie an Paul McCafferty in diesem Sitzungsraum denkt, überkommt sie die Wut. Manchmal hat sie das Gefühl, vor Wut zu glühen, als stünde sie unter Strom. Wie könnte sie Sophie einfach weggeben?

Kapitel 20

Februar 1917

Liebste Schwester,

es sind jetzt drei Wochen und vier Tage, seit du weg bist. Ich weiß nicht, ob dich dieser Brief erreicht oder ob dich die anderen erreicht haben. Der Bürgermeister hat einen neuen Informationsweg aufgebaut und versprochen, dass er diesen Brief losschickt, sobald er hört, dass die Verbindung sicher ist. Also warte ich, und ich bete.

Wir hatten zwei Wochen lang Regen, und er hat das, was von unseren Straßen noch übrig war, in Morast verwandelt, der an unseren Schuhen saugt und den Pferden die Hufeisen von den Hufen zieht. Wir gehen kaum weiter als bis zum Marktplatz. Es ist zu kalt und zu mühselig, und ehrlich gesagt, will ich die Kinder nicht mehr allein lassen, selbst wenn es nur für ein paar Minuten ist. Édith hat drei Tage lang am Fenster gesessen, nachdem du weg warst, wollte sich nicht von dort wegrühren, bis ich Angst bekam, dass sie krank werden könnte, und sie an den

Tisch gezogen habe, und später ins Bett. Sie spricht nicht mehr. Ich hatte viel zu wenig Zeit, um sie zu trösten. Abends kommen jetzt weniger Deutsche, aber es sind immer noch so viele, dass ich bis Mitternacht arbeiten muss, nur um ihnen etwas zu essen zu machen und hinterher aufzuräumen.

Aurélien ist verschwunden. Er ist kurz nach dir gegangen. Ich höre von Madame Louvier, dass er immer noch in St. Péronne ist und bei Jacques Arriège über dem Tabac wohnt, aber offen gestanden habe ich keine Lust darauf, ihn zu sehen. Er ist nicht besser als Kommandant Hencken, mit seinem Verrat an dir. Deine gute Meinung von den Menschen in allen Ehren, aber ich kann nicht glauben, dass dich der Kommandant, wenn er es wirklich gut mit dir meint, auf diese Art aus unserer Mitte gerissen hätte, sodass die ganze Stadt deine vermeintliche Sünde mitbekommt. Ich kann in keiner ihrer Taten irgendeine Menschlichkeit erkennen. Ich kann es einfach nicht.

Ich bete für dich, Sophie. Ich sehe dein Gesicht vor mir, wenn ich morgens aufwache, und wenn ich mich im Bett umdrehe, erschrecke ich immer noch, weil du nicht neben mir liegst, das Haar zu einem dicken Zopf geflochten, und mich mit damit zum Lachen bringst, dass du ein Essen aus deiner Phantasie heraufbeschwörst. In der Bar drehe ich mich um, weil ich nach dir rufen will, und dort, wo du sein solltest, ist einfach nur Schweigen. Manchmal geht Mimi nach oben und späht in dein Schlafzimmer, als ob auch sie erwartet, dich an deinem Schreibtisch sitzen zu sehen, schreibend oder in die Ferne blickend, den Kopf voller Träume. Weißt du noch, wie wir am Fenster gestanden und uns ausgemalt haben, was hinter dem Horizont liegt? Als wir von Feen und Prinzessinnen träumten und den Rittern, die kommen und uns retten würden? Ich frage mich, was unsere kindlichen Gemüter wohl jetzt aus diesem Ort machen würden, mit seinen zerfurchten Straßen, seinen Männern wie Gespenster in Lumpen und seinen hungernden Kindern.

Die Stadt ist so still, seit du weg bist. Madame Louvier kommt herein, verdorben bis ins Letzte, und schreckt nicht davor zurück, über dich zu reden. Sie lässt ihre Tiraden vor jedem los, der ihr zuhört. Der Kommandant ist nicht unter den paar Deutschen, die abends zum Essen kommen. Ich bin davon überzeugt, dass er meine Blicke nicht ertragen kann. Oder vielleicht weiß er auch, dass ich mich mit meinem guten Gemüsemesser auf ihn stürzen würde, und hat deshalb beschlossen wegzubleiben.

Ab und zu kommt eine Information zu uns durch. Auf einem Fetzen Papier, der unter der Haustür durchgeschoben wurde, stand, dass bei Lille wieder die Grippe ausgebrochen ist, ein Konvoi alliierter Soldaten bei Douai gefangen genommen wurde und an der belgischen Grenze Pferde zum Essen geschlachtet worden sind. Kein Wort von Jean-Michel. Kein Wort von dir.

An manchen Tagen fühle ich mich, als wäre ich in einem Bergwerk eingeschlossen und könnte nur die Echos weit entfernter Stimmen hören. Mit Ausnahme der Kinder wurden mir alle Menschen genommen, die ich liebe, und ich weiß nicht, ob ihr noch lebt oder tot seid. Manchmal habe ich solche Angst um dich, dass ich wie gelähmt erstarre, und sei es, dass ich gerade die Suppe umrühre oder einen Tisch decke, und dann muss ich mich zwingen zu atmen, mir sagen, dass ich für die Kinder stark sein muss. Und vor allem muss ich mir meinen Glauben bewahren. Was würde Sophie tun?, *frage ich mich dann, und die Antwort ist immer klar.*

Bitte, geliebte Schwester, pass auf dich auf. Bringe die Deutschen nicht noch mehr gegen dich auf, selbst wenn sie dich gefangen halten. Gehe kein Risiko ein, ganz gleich, wie sehr es dich dazu drängt. Alles, was zählt, ist, dass du sicher wieder zu uns zurückkehrst, du und Jean-Michel und dein geliebter Édouard. Ich sage mir, dass dich dieser Brief erreichen wird. Ich sage mir, dass ihr beide vielleicht zusammen seid, und zwar nicht auf die Art, die ich am meisten fürchte. Ich sage mir, dass Gott gerecht sein muss, auch wenn Er in diesen dunklen Stunden mit unserer Zukunft spielt.

Pass gut auf dich auf, Sophie

deine dich liebende Schwester
Hélène

Kapitel 21

Paul legt den Brief weg, der aus einem Briefversteck stammt, das französische Widerstandskämpfer im Ersten Weltkrieg angelegt hatten. Es ist der einzige Nachweis, den er von Sophie Lefèvres Familie gefunden hat, und dieser Brief hat sie – ebenso wie andere – anscheinend nicht erreicht.

Die *Jeune Femme* ist jetzt Pauls Hauptfall. Er ackert sich durch die üblichen Quellen: Museen, Archive, Auktionshäuser, nimmt Kontakt mit Sachverständigen für internationale Kunst-Rechtsfragen auf. Inoffiziell spricht er mit weniger harmlosen Informanten: alten Bekannten von Scotland Yard, Kontakten in der Welt der Kunstverbrechen, einem Rumänen, der dafür bekannt ist, akribisch die Bewegungen eines ganzen Kontingents gestohlener Kunstwerke aus Europa durch den Untergrundhandel zu dokumentieren.

Er bringt Folgendes in Erfahrung: Édouard Lefèvre war bis vor kurzem der am wenigsten bekannte Künstler aus der Académie Matisse. Es gibt nur zwei Wissenschaftler, die sich auf sein Werk spezialisiert haben, und keiner der beiden weiß mehr über die *Jeune Femme* als Paul selbst.

Eine Fotografie und ein paar Tagebucheinträge, die ihm die Familie Lefèvre zur Verfügung gestellt hat, zeigen, dass das Gemälde für alle Welt sichtbar in einem Hotel namens Le Coq Rouge in St. Péronne hing, einer Stadt, die während des Ersten Weltkriegs unter deutscher Besatzung stand. Einige Zeit nach der Verhaftung Sophie Lefèvres verschwand das Bild spurlos.

Darauf folgt eine Lücke von etwa dreißig Jahren, bevor das Gemälde wieder auftaucht, und zwar im Besitz Louanne Bakers, die es dreißig Jahre lang in ihrem Haus in den USA hatte, bevor sie nach Spanien auswanderte, wo sie starb und David Halston das Gemälde kaufte.

Was war in der Zwischenzeit geschehen? Wenn das Bild tatsächlich im Krieg geraubt wurde, wohin wurde es gebracht? Was war mit Sophie Lefèvre passiert, die wie vom Erdboden verschluckt schien? Die bekannten Fakten wirken wie einzelne Punkte in einem Verbinde-die-Zahlen-Spiel, doch das vollständige Bild zeigt sich nicht. Es wurde mehr über Sophie Lefèvres Porträt geschrieben als über den Menschen Sophie Lefèvre.

Während des Zweiten Weltkriegs wurde Raubgut von den Deutschen unter anderem in bombensichere und bewachte unterirdische Verstecke gebracht. Diese Kunstwerke, es waren Millionen, waren mit militärischer Effizienz anvisiert und mit der Unterstützung skrupelloser Händler und Sachverständiger gestohlen worden. Das war keine Zufallsbeute von Soldaten im Kampf; dieser Kunstraub war systematisch durchgeführt und dokumentiert worden.

Doch aus der Zeit des Ersten Weltkrieges sind kaum schriftliche Zeugnisse zu Beutekunst erhalten und ganz besonders nicht für das Gebiet Nordfrankreichs. Das bedeutet, sagt Janey, dass es sich um eine Art Präzedenzfall handelt. Sie klingt richtig stolz. In Wirklichkeit ist dieser Fall lebenswichtig für TARP. Konkurrierende Unternehmen schießen wie Pilze aus dem Boden, und alle machen Provenienzrecherchen, erfassen Werke, nach denen Verwandte der Toten jahrzehntelang gesucht haben. Inzwischen wird TARP von Erfolgshonorar-Firmen unterboten, die Menschen, die alles glauben wollen, um ihr geliebtes Kunstwerk zurückzubekommen, das Blaue vom Himmel versprechen.

Sean berichtet, dass Livs Anwalt versucht hat, Rechtsmittel einzulegen, um den Fall niederschlagen zu lassen. Er machte Verjährung geltend und führte an, der Verkauf an David durch Marianne Johnson sei «schuldlos» erfolgt. Aus einer Reihe komplizierter Gründe konnte er sich damit nicht durchsetzen. «Und wir können von Glück reden», fügt Sean hinzu, «dass dieser Prozess nicht in einem Land geführt wird, in dem es eine Verjährungsfrist für Beutekunstfälle gibt.» Sie stünden, sagt Sean gut gelaunt, kurz vor einem Gerichtsverfahren. «Es könnte schon nächste Woche so weit sein. Wir haben Richter Berger. Er neigt in solchen Fällen dazu, die Anspruchsteller zu begünstigen. Sieht gut für uns aus!»

«Super», sagt Paul.

Er hat eine A4-Fotokopie von der *Jeune Femme* an die Pinnwand in seinem Büro gehängt, zwischen die Abbildungen anderer Gemälde, die verschollen oder Gegenstand einer Restitutionsforderung sind. Gelegentlich sieht Paul vom Schreibtisch zu der Fotokopie hinüber und wünscht sich dabei jedes Mal, Liv Halston würde nicht seinen Blick erwidern. Paul widmet sich wieder den Papieren, die er vor sich liegen hat. «Ein derartiges Gemälde würde man nicht in einem bescheidenen

Provinzhotel erwarten», schreibt der Kommandant einmal an seine Frau. «Tatsächlich kann ich kaum den Blick von ihm abwenden.»

Von ihm?, fragt sich Paul. Oder von ihr?

Ein paar Meilen entfernt ist auch Liv an der Arbeit. Sie steht jeden Tag um sieben Uhr auf, zieht ihre Laufschuhe an, sprintet am Fluss entlang, Musik in den Ohren, ihr Herzschlag im Gleichklang mit ihren Schritten. Wenn sie nach Hause kommt, ist Mo schon zur Arbeit gegangen. Liv duscht, frühstückt, bringt Fran einen Kaffee vorbei, aber dann verlässt sie das Glashaus, verbringt die Tage in Kunstbibliotheken, in den muffigen Archiven von Gemäldegalerien, im Internet, und überall sucht sie nach Spuren. Sie telefoniert jeden Tag mit Henry, fährt in seine Kanzlei, wenn er eine Besprechung anberaumt, um ihr einzuschärfen, wie wichtig Zeugenaussagen aus Frankreich sind und wie schwierig es ist, Sachverständige zu finden. «Im Grunde», sagt sie, «wollen Sie also, dass ich mit konkreten Beweisen zu einem Bild komme, zu dem es keine Aufzeichnungen gibt und das eine Frau zeigt, die nie existiert zu haben scheint.»

Henry lächelt sie nervös an. Das tut er häufig in letzter Zeit.

Sie lebt und atmet für das Bild. Sie ist blind dafür, dass bald Weihnachten ist und taub für die wehleidigen Anrufe ihres Vaters. Henry hat ihr alle Unterlagen weitergegeben, die er von der Gegenseite bekommen hat – Kopien von Briefwechseln zwischen Sophie und ihrem Mann, Hinweise auf das Gemälde und die kleine Stadt, in der sie lebten. Sophie nimmt konkrete Gestalt an. Als Liv ihre Worte liest, ist sie immer überzeugter davon, dass Paul McCafferty im Unrecht ist. Liv wird sie nicht hergeben.

Sie liest Hunderte Seiten wissenschaftlicher und historischer Abhandlungen, Zeitungsartikel über Restitutionsfälle; über Familien, die in Dachau ausgelöscht wurden, von überlebenden Enkeln, die sich Geld liehen, um einen Tizian wiederzubekommen; von einer polnischen Familie, deren einziges überlebendes Mitglied zwei Monate nach der Rückgabe der kleinen Rodinskulptur seines Vaters in Frieden starb. Fast alle diese Artikel sind aus der Sicht der Anspruchsteller geschrieben, der Familie, die alles verloren hatte und gegen alle Wahrscheinlichkeit das Gemälde der Großmutter wiederentdeckte. Die Leser werden dazu eingeladen, sich mit der Familie zu freuen, wenn sie das Kunstwerk zurückbekommt. Das Wort «Unrecht» steht in nahezu jedem Absatz. Die Artikel schildern selten die Sichtweise derjenigen Person, die das Werk in gutem Glauben gekauft hat und es wieder verliert.

Wie kann das alles fair sein? Paul, das schwört sie sich, wird ihr Gemälde nicht bekommen. Und doch entdeckt sie überall, wo sie hingeht, seine Spuren, so als würde sie die falschen Fragen stellen, an den falschen Stellen suchen, als würde sie nur Informationen nachvollziehen, die er schon längst gesammelt hat.

Sie steht auf und streckt sich, geht in ihrem Zimmer auf und ab. Während sie arbeitet, nimmt sie die *Jeune Femme* meist von der Wand und stellt sie auf ein Regal im Arbeitszimmer, um sich von ihr inspirieren zu lassen. Liv stellt fest, wie oft sie Sophie ansieht, als wäre ihr bewusst geworden, dass ihre gemeinsame Zeit möglicherweise begrenzt ist. Und das Gerichtsverfahren rückt näher, immer näher, wie die Trommelschläge einer fernen Schlacht. *Gib mir die Antworten, Sophie. Oder gib mir wenigstens einen Tipp, verdammt.*

«Hey.»

Mo steht an der Tür, sie isst einen Joghurt. Sechs Wochen sind vergangen, und sie wohnt immer noch im Glashaus. Liv ist froh, dass sie da ist. Sie streckt sich und wirft einen Blick auf die Uhr. «Schon drei Uhr? Meine Güte. Ich habe heute praktisch nichts herausgefunden.»

«Vielleicht willst du ja mal einen Blick auf das hier werfen.» Mo zieht eine Londoner Abendzeitung unter dem Arm heraus und gibt sie Liv. «Seite drei.»

Liv schlägt die Zeitung auf.

Witwe eines preisgekrönten Architekten in millionenschweren Streit um Nazi-Beutekunst verwickelt, lautet die Überschrift. Darunter ist ein halbseitiges Foto von ihr und David bei einer Wohltätigkeitsveranstaltung einige Jahre zuvor. Sie trägt ein stahlblaues Kleid und hält ein Champagnerglas hoch, als würde sie der Kamera zuprosten. Daneben ist in Briefmarkengröße ein Bild der *Jeune Femme* abgedruckt, unter dem steht: *Millionenschweres impressionistisches Gemälde wurde von Deutschen gestohlen.*

«Hübsches Kleid», sagt Mo.

Liv wird blass. Sie erkennt die lächelnde Partygängerin auf dem Bild nicht mehr, eine Frau aus einem anderen Leben. «Oh mein Gott …» Sie kommt sich vor, als hätte jemand die Tür zu ihrem Haus aufgerissen, zu ihrem Schlafzimmer.

«Ich schätze, es bringt ihnen mehr, wenn sie dich als so eine Art High-Society-Hexe darstellen. Dann können sie nämlich ihre Armes-französisches-Opfer-Schiene fahren.»

Liv schließt die Augen. Wenn sie die Augen geschlossen hält, wird das alles vielleicht einfach verschwinden.

«Historisch gesehen ist es natürlich falsch. Im Ersten Weltkrieg gab es keine Nazis. Also glaube ich nicht, dass das irgendjemand ernst nimmt. Ich meine, ich würde mir keine Sorgen machen oder so was.» Darauf folgt längeres Schweigen. «Und ich glaube auch nicht, dass dich irgendwer erkennt. Du siehst ja jetzt ganz anders aus. Viel ...», sie sucht nach den passenden Worten, «... ärmer. Und irgendwie älter.»

Liv schlägt die Augen auf. Da ist sie, neben David, wie eine reiche, sorglose Version von ihr selbst.

Mo zieht den Löffel aus dem Mund und mustert ihn. «Aber die Online-Ausgabe siehst du dir besser nicht an, okay? Ein paar von den Leserkommentaren sind ziemlich ... heftig.»

Liv schaut auf.

«Oh, du weißt schon. Heutzutage hat doch jeder zu allem eine Meinung. Das ist alles Schwachsinn.» Mo dreht sich zur Küche um. «Hey, ist es okay für dich, wenn Ranic übers Wochenende kommt? Er wohnt mit ungefähr fünfzehn Leuten zusammen. Es ist ziemlich nett, wenn man mal seine Beine vor dem Fernseher ausstrecken kann, ohne versehentlich jemandem in den Hintern zu treten.»

Liv arbeitet den ganzen Abend, versucht, ihre wachsende Unruhe in Schach zu halten. Sie hat ständig den Zeitungsartikel im Kopf. Die Überschrift, die Society-Lady mit ihrem erhobenen Champagnerglas. Sie ruft Henry an, der ihr rät, den Artikel zu ignorieren, und meint, so etwas sei zu erwarten gewesen. Sie ertappt sich dabei, wie sie mit beinahe forensischer Wachsamkeit auf den Klang seiner Stimme lauscht, um herauszuhören, ob er wirklich so zuversichtlich ist, wie er sich gibt.

«Hören Sie, Liv. Das ist ein großer Fall. Da werden auch unfaire Mittel eingesetzt. Darauf müssen Sie sich einstellen.» Er hat einen Barrister beauftragt. Als er den Namen nennt, klingt er, als müsste sie ihn kennen. Sie fragt, wie viel das kostet, worauf Henry mit ein paar Papieren herumraschelt und ihr dann eine Summe nennt, bei der ihr die Luft wegbleibt.

Das Telefon klingelt drei Mal. Beim ersten Mal ist es ihr Vater, der erzählt, dass er bei einem kleinen Tourneetheater eine Rolle in «Die Schule der Frauen» bekommen hat. Abwesend sagt sie, dass sie sich sehr für ihn freut, weil er in dieser Schule noch jede Menge lernen kann. «Caroline hat genau das Gleiche gesagt!», ruft er aus und legt auf.

Die zweite Anruferin ist Kristen. «O mein Gott», sagt sie ohne jede Begrüßung, «ich habe gerade die Zeitung gesehen.»

«Ja. Nicht die beste Nachmittagslektüre.»

Sie hört, dass Kristen die Hand über den Hörer legt, eine gedämpfte Unterhaltung führt. «Sven sagt, du solltest mit niemandem mehr reden. Sag einfach gar nichts mehr.»

«Das habe ich bis jetzt auch nicht getan.»

«Woher haben sie dann diese grässlichen Sachen?»

«Henry meint, es kommt vermutlich von TARP. Es liegt in ihrem Interesse, Informationen durchsickern zu lassen, damit der Fall so ekelhaft wie möglich wirkt.»

«Soll ich rüberkommen? Ich habe im Moment nicht viel zu tun.»

«Das ist lieb von dir, Kristen, aber ich komme schon klar.» Sie will mit niemandem reden.

«Gut, aber ich kann zu dem Prozess mitkommen, wenn du willst. Oder ich könnte dafür sorgen, dass auch deine Seite zur Sprache kommt. Ich habe Kontakte. Wie wäre es mit einem Artikel in *Hello!*?»

«Das ... nein. Danke.» Liv legt auf. Inzwischen weiß vermutlich jeder Bescheid. Kristen ist wesentlich effektiver, was Nachrichtenverbreitung angeht, als jede Abendzeitung. Liv ahnt, dass sie die Geschichte bei sämtlichen Freunden und

Bekannten erklären muss. Das Gemälde gehört ihr irgendwie schon nicht mehr. Es ist ein Thema für die Archive, für Diskussionen, das Symbol für ein Unrecht.

Als sie den Hörer auflegt, klingelt das Telefon augenblicklich wieder, sodass sie zusammenzuckt.

«Kristen, ich …»

«Spricht dort Olivia Halston?»

Eine Männerstimme.

Sie zögert. «Ja?»

«Mein Name ist Robert Schiller. Ich bin Kulturredakteur bei der *Times*. Entschuldigen Sie, wenn mein Anruf ungelegen kommt, aber ich schreibe gerade einen Hintergrundartikel zu dem Gemälde in Ihrem Besitz und habe überlegt, ob Sie …»

«Nein. Nein danke.» Sie knallt das Telefon auf die Gabel. Dann starrt sie es misstrauisch an und nimmt es wieder in die Hand, weil sie fürchtet, dass es gleich erneut klingelt. Drei Mal legt sie den Hörer wieder auf, und jedes Mal fängt der Apparat sofort wieder an zu klingeln. Journalisten hinterlassen ihre Namen und Telefonnummern. Sie klingen freundlich, einnehmend. Sie versprechen faire Artikel, entschuldigen sich dafür, ihre Zeit in Anspruch zu nehmen. Liv sitzt in dem leeren Haus und lauscht auf ihren Herzschlag.

Mo kommt kurz nach ein Uhr nachts zurück und findet Liv vor dem Computer, der Hörer liegt neben der Gabel. Sie schreibt jedem Experten für französische Kunst des frühen 20. Jahrhunderts, den sie auftreiben kann, eine E-Mail.

> Ich würde mich gern erkundigen, ob Sie irgendetwas über … Ich versuche die Geschichte eines … auch wenn es nur Details sind, die Sie dazu wissen … irgendetwas …

«Möchtest du einen Tee?», sagt Mo und zieht ihren Mantel aus.

«Danke.» Liv schaut nicht auf. Ihre Augen brennen. Sie weiß, dass sie den Punkt erreicht hat, an dem sie sich nur noch blind durch Webseiten klickt und zwanghaft ihr Postfach checkt, aber sie kann nicht aufhören. Sie sucht nach etwas, nach irgendetwas, das ihr Besitzrecht bestätigt. Und sie hat das Gefühl, dass es besser ist, etwas zu tun, ganz gleich, wie sinnlos es ist, als sich der Alternative zu stellen.

Mo setzt sich ihr am Küchentisch gegenüber und schiebt ihr einen Becher Tee hin. «Du siehst schrecklich aus.»

«Vielen Dank.»

Mo schaut zu, wie sie lustlos Suchbegriffe eingibt, trinkt einen Schluck Tee und zieht dann ihren Stuhl näher zu Liv. «Okay. Also sehen wir uns das mal mit meinen Kunstgeschichtemagisteraugen an. Hast du die Museumsarchive schon durch? Auktionskataloge? Kunsthändler?»

Liv klappt den Computer zu. «Das habe ich alles schon gemacht.»

«Du hast gesagt, David hätte das Gemälde von einer Amerikanerin. Kannst du die nicht fragen, woher ihre Mutter es bekommen hatte?»

Liv blättert durch ihre Papiere. «Die … Gegenseite hat sie schon gefragt. Sie weiß es nicht. Louanne Baker hatte es, ihre Tochter hat es unter ihren Besitztümern in Barcelona gefunden, und dann haben wir es gekauft. Das ist alles, was sie weiß. Das ist alles, was sie je wissen musste, verflixt.»

Sie starrt auf die Abendzeitung, die Andeutung, David und sie wären irgendwie im Unrecht, wären irgendwie moralisch unzulänglich, weil sie das Gemälde überhaupt besessen hatten. Sie sieht Pauls Gesicht vor sich, seinen Blick, mit dem er sie in dem Anwaltsbüro angesehen hat.

Mos Stimme ist untypisch sanft. «Bist du okay?»

«Ja. Nein. Ich liebe dieses Gemälde, Mo. Ich liebe es wirklich. Ich weiß, wie dumm das klingt, aber der Gedanke, sie zu verlieren ist … Es ist, als würde ich einen Teil von mir selbst verlieren.»

Mos Augenbrauen heben sich leicht.

«Es tut mir leid. Es ist einfach … Sich selbst in der Zeitung als Staatsfeind Nummer eins wiederzufinden, ist … O verdammt, Mo, ich weiß nicht, was ich machen soll. Ich kämpfe gegen einen Mann, der mit solchen Geschichten sein Geld verdient, während ich auf der Suche nach dem kleinsten Hinweis herumirre und nicht die geringste Ahnung von der Materie habe.» Sie ist kurz davor, in Tränen auszubrechen.

Mo zieht den Ordner zu sich. «Geh raus», sagt sie. «Geh raus auf die Terrasse, starr zehn Minuten in den Himmel und erinnere dich daran, dass unsere Existenz bedeutungslos und flüchtig ist und unser Planet vermutlich von einem Schwarzen Loch geschluckt wird, sodass all das hier ohnehin überhaupt keine Rolle mehr spielt. Und ich überlege inzwischen, ob mir was einfällt, das dir helfen kann.»

Liv schnieft. «Aber du bist doch bestimmt müde.»

«Ach was. Ich muss nach der Schicht immer erst runterkommen. Danach kann ich viel besser schlafen. Los jetzt.» Sie fängt an, in dem Ordner zu blättern.

Liv wischt sich über die Augen, zieht einen Pullover an und geht hinaus auf die Terrasse. Draußen in der endlosen Schwärze der Nacht fühlt sie sich merkwürdig schwerelos. Sie schaut auf die riesige Stadt hinunter, die sich unter ihr ausbreitet, und atmet die kalte Nachtluft ein. Sie streckt sich, spürt die Verspannung in ihren Schultern, ihren steifen Nacken. Und die ganze Zeit hat sie unterbewusst das Gefühl, dass ihr etwas entgeht; Geheimnisse, die sich im letzten Moment aus ihrem Blickfeld zurückziehen.

Als sie zehn Minuten später in die Küche zurückkommt, macht sich Mo Notizen auf einem Schreibblock. «Erinnerst du dich noch an Mr. Chambers?»

«Chambers?»

«Malerei des Mittelalters. Ich bin sicher, dass du sein Seminar auch besucht hast. Ich denke oft an etwas, das er gesagt hat – viel mehr habe ich von dem Stoff nicht behalten. Er sagte, dass es bei der Geschichte eines Gemäldes nicht nur um das Gemälde geht. Sondern auch um die Geschichte der Familie, mit all ihren Geheimnissen und Verfehlungen.» Mo klopft mit ihrem Stift auf den Tisch. «Also, ich habe ja keine Ahnung von der Sache, aber eins finde ich komisch. Die Familie hat schließlich zusammengewohnt, als das Gemälde verschwunden ist, als Sophie verschwunden ist, und sie haben sich ja anscheinend ziemlich nahegestanden – warum gibt es dann so wenig Informationen über Sophies Angehörige?»

Liv bleibt noch lange wach, geht die Unterlagen wieder und wieder durch. Sie surft im Internet, die Brille auf der Nasenspitze. Als sie endlich findet, was sie sucht, ist es kurz nach vier Uhr morgens, und sie dankt Gott für die Akribie, mit der die französischen Einwohnerverzeichnisse geführt werden. Dann lehnt sie sich auf ihrem Stuhl zurück und wartet darauf, dass Mo aufwacht.

«Besteht irgendeine Chance, dich dieses Wochenende von Ranic wegzulocken?», sagt sie, als Mo verschlafen an der Küchentür auftaucht. Ihre Haare sehen aus, als hätte sich eine schwarze Krähe auf ihre Schulter gesetzt. Ohne den dicken schwarzen Eyeliner wirkt ihr Gesicht seltsam rosig und verletzlich.

«Ich will nicht mit dir laufen gehen, danke. Oder sonst was Schweißtreibendes machen.»

«Du sprichst doch fließend Französisch, oder? Willst du mich nach Paris begleiten?»

Mo geht zum Wasserkessel. «Ist das deine Art, mir zu sagen, dass du ans andere Ufer gewechselt bist? Auch wenn ich Paris wundervoll finde, stehe ich nicht auf Frauen.»

«Nein. Das ist meine Art, dir zu sagen, dass ich deine überragenden Sprachkenntnisse brauche, um einen Achtzigjährigen anzumachen.»

«Klingt nach einem perfekten Wochenende.»

«Und ich kann ein mieses Ein-Sterne-Hotel drauflegen. Und vielleicht einen Tag shoppen in den Galeries Lafayette. Schaufenster-shoppen.»

Mo dreht sich um und sieht sie an. «So ein Angebot kann wirklich kein Mensch ablehnen. Wann geht's los?»

Kapitel 22

Liv verabredet sich für halb vier nachmittags mit Mo am Bahnhof St. Pancras, und bei ihrem Anblick – Mo sitzt rauchend vor einem Café und winkt ihr lässig zu – wird ihr bewusst, dass sie bei der Aussicht auf die zweitägige Reise eine fast beschämende Erleichterung überkommt. Zwei Tage weg von der tödlichen Stille des Glashauses. Zwei Tage weg von dem Telefon, das ihr inzwischen wie eine Zeitbombe vorkommt. Zwei Tage weg von Paul, dessen bloße Existenz sie ständig daran erinnert, wie falsch sie alles verstanden hat.

Am Vorabend hat sie Sven von ihrem Plan erzählt, und er hat sofort gesagt: «Kannst du dir das leisten?»

«Ich kann mir gar nichts leisten. Aber ich habe eine neue Hypothek auf das Haus aufgenommen.»

Svens Schweigen war bezeichnend.

«Ich hatte keine andere Wahl. Der Anwalt wollte eine Garantie.»

Die Prozesskosten fressen alles auf. Der Barrister allein

kostet fünfhundert Pfund die Stunde, und dabei hat es noch nicht mal einen Termin vor Gericht gegeben. «Es wird sich alles regeln, wenn mir das Gemälde zugesprochen wurde», sagt sie forsch.

«Und wer ist der Mann, den wir treffen, und was hat er mit dem Fall zu tun?», fragt Mo jetzt.

Philippe Bessette ist der Sohn von Aurélien Bessette, dem jüngeren Bruder Sophie Lefèvres. Aurélien, erklärt Liv, hat während der Besatzung im Le Coq Rouge gewohnt. Er war dabei, als Sophie abgeholt wurde. «Er könnte wissen, wie das Gemälde verschwunden ist. Ich habe mit der Leiterin des Pflegeheims gesprochen, in dem er untergebracht ist, und sie sagte, er ist geistig fit genug für ein Gespräch, aber dass ich es persönlich führen muss, weil er ziemlich taub ist und deshalb nicht telefonieren kann.»

«Tja, ich helfe dir gern.»

«Danke.»

«Aber du weißt, dass ich eigentlich kein Französisch kann.»

Livs Kopf fährt herum. Mo schenkt Rotwein aus einer kleinen Flasche in zwei Plastikbecher. «Wie bitte?»

«Ich spreche kein Französisch. Aber ich bin gut darin, das Gefasel von alten Leuten zu interpretieren. Ich glaube schon, dass ich irgendwas mitkriege.»

Liv sinkt auf ihrem Sitz zusammen.

«Das war ein *Witz*. Meine Güte, dich kann man wirklich leicht reinlegen.» Mo gibt ihr den Wein und trinkt selbst einen Schluck. «Manchmal mache ich mir richtige Sorgen um dich. Wirklich.»

An den Rest der Zugfahrt erinnert sie sich später kaum noch. Sie trinken drei kleine Flaschen Wein und reden. Es ist seit vier Wochen die erste Gelegenheit, die entfernt an Ausgehen erinnert. Mo erzählt von ihrem distanzierten Verhältnis zu ihren Eltern, die nicht verstehen können, warum sie keinen Ehrgeiz hat oder dass sie in einem Pflegeheim arbeitet. Mo aber liebt diesen Job. «Oh, ich weiß, dass wir als Pflegerinnen auf der alleruntersten Stufe stehen, aber die Alten sind super. Ein paar sind richtig klug, und andere sind lustig. Ich mag sie mehr als die meisten Leute in unserem Alter.» Liv wartet auf «Anwesende ausgenommen» und versucht nicht beleidigt zu sein, als es nicht kommt.

Irgendwann erzählt sie Mo von Paul. Und Mo ist einen Moment lang sprachlos. «Du hast mit ihm geschlafen, ohne ihn vorher zu googeln?», sagt sie, als sie ihre Sprache wiedergefunden hat. «O mein Gott, als du gesagt hast, du bist nicht mehr auf dem Laufenden, was Verabredungen angeht, hätte ich nie gedacht ... Man schläft nicht mit jemandem, ohne *Hintergrundrecherche* zu machen. Also echt.»

Sie lehnt sich zurück und schenkt sich nach. Einen Moment lang wirkt sie seltsam vergnügt. «Wow. Weißt du, was mir gerade aufgefallen ist? Du, Liv Halston, hast vielleicht die teuerste Nummer der Weltgeschichte geschoben.»

Sie übernachten in einem Billighotel in einem Außenbezirk von Paris, in dem das Bad ein gelblicher Plastikkubus ist und das Shampoo die Farbe von Spülmittel hat. Unwillkürlich muss Liv an ihre erste, katastrophale Hochzeitsreise mit David nach Paris denken, die von einer Suite im Royal Monceau gerettet wurde.

Nach einem harten, fettigen Croissant und einer Tasse Kaffee zum Frühstück rufen sie in dem Wohnheim an. Liv packt ihre Sachen zusammen, die nervöse Erwartung schlägt ihr jetzt schon auf den Magen.

«Tja, Fehlanzeige», sagt Mo, während sie den Telefonhörer auflegt.

«Wieso?»

«Es geht ihm nicht gut. Er kann heute keinen Besuch empfangen.»

Liv, die sich gerade schminkt, schaut Mo entsetzt an. «Hast du ihnen gesagt, dass wir extra aus London angereist sind?»

«Ich habe ihr gesagt, wir wären aus Sydney gekommen. Aber die Frau meinte, er wäre sehr schwach und würde nur schlafen. Ich habe ihr meine Handynummer gegeben, und sie hat versprochen zurückzurufen, wenn es ihm besser geht.»

«Und wenn er jetzt stirbt?»

«Es ist nur eine Erkältung, Liv.»

«Aber er ist alt.»

«Jetzt komm schon. Gehen wir was trinken und uns Kleider ansehen, die wir uns nicht leisten können. Und wenn sie anruft, fahren wir direkt hin.»

Sie verbringen den Vormittag in den gigantischen, weihnachtlich geschmückten Galeries Lafayette, in denen sich die Kunden auf der Suche nach Geschenken drängen. Liv versucht sich abzulenken, aber ihr fällt auf, wie teuer alles ist. Seit wann ist es normal, dass eine Jeans zweihundert Pfund kostet? Lässt eine Zweihundert-Pfund-Creme wirklich die Falten verschwinden? Sie hängt jedes Teil, das sie in die Hand genommen hat, direkt wieder weg.

«Steht es wirklich so schlimm?», fragt Mo.

«Der Barrister kostet fünfhundert Pfund pro Stunde.»

Mo wartet einen Moment auf die Pointe, aber es kommt keine. «Autsch. Ich hoffe, dieses Gemälde ist es wert.»

«Henry denkt anscheinend, wir hätten eine gute Verteidigungsstrategie. Er sagt, sie reden Tacheles.»

«Dann hör auf, dir Sorgen zu machen, Liv, echt. Komm – an diesem Wochenende sorgst du für die große Wende.»

Aber sie kann sich nicht amüsieren. Sie ist hier, um einen Mann auszufragen, der vielleicht mit ihr reden wird, vielleicht aber auch nicht. Das Gerichtsverfahren beginnt am Montag, und sie braucht dringend mehr Informationen für ihre Verteidigung.

«Mo.»

«Mm?» Mo hält ein schwarzes Seidenkleid hoch. Dabei sieht sie sich mit reichlich nervenzermürbendem Blick nach den Überwachungskameras um.

«Können wir woanders hingehen?»

«Klar. Wohin willst du? Zum Palais Royale? Ins Marais? Wir finden bestimmt einen Tresen, auf dem du tanzen kannst, falls du auf den Selbstfindungstrip kommst.»

Liv zieht die Landkarte aus der Handtasche und faltet sie auseinander. «Nein. Ich will nach St. Péronne.»

Sie mieten ein Auto und fahren in nördlicher Richtung aus Paris heraus. Mo hat keinen Führerschein, also setzt sich Liv hinters Steuer und zwingt sich, ständig das Rechtsfahrgebot im Kopf zu behalten. Sie ist schon seit Jahren nicht mehr selbst gefahren. Sie hat das Gefühl zu spüren, wie sie St. Péronne immer näher kommen, wie ein lauter werdender Trommelschlag. Die Vorstädte werden von Feldern abgelöst, riesigen Anbauflächen der industriellen Landwirtschaft. Und dann endlich, nach fast zwei Stunden, kommen die Ebenen des französischen Nordostens. Sie folgen der Beschilderung, verfahren sich, wenden, und dann, kurz vor vier Uhr, fahren sie langsam über die Hauptstraße der Stadt. Es ist kaum etwas los, ein paar Händler packen ihre Waren ein, und es sind nur wenige Menschen auf dem grau gepflasterten Marktplatz.

«Ist ja der Wahnsinn hier. Weißt du, wo die nächste Bar ist?»

Sie halten und schauen zu dem Hotel hinüber. Liv lässt das Fenster herunter und blickt auf die Backsteinfassade. «Das ist es.»

«Das ist was?»

«Das Le Coq Rouge. Das Hotel, in dem sie alle gewohnt haben.»

Sie steigt langsam aus, blinzelt zu dem Schild hinauf. Es sieht aus, als könnte es aus dem frühen zwanzigsten Jahrhundert stammen. Die Fensterrahmen sind hell lackiert, die Blumenkästen mit Alpenveilchen bepflanzt. Das Schild hängt an einer schmiedeeisernen Halterung. Eine Tordurchfahrt führt auf einen kiesbestreuten Hof, auf dem sie mehrere teure Autos stehen sieht. Sie fühlt ihre innere Anspannung, ob sie von Nervosität oder Erwartung kommt, kann sie nicht sagen.

«Es hat einen Michelin-Stern. Sehr gut.»

Liv sieht sie fragend an.

«Mensch, das weiß doch jeder. Michelinrestaurants haben die attraktivsten Kellner.»

«Und … Ranic?»

«Auslandsgesetzgebung. Jeder weiß, dass es nicht zählt, wenn du in einem anderen Land bist.»

Mo geht hinein und stellt sich an den Tresen. Ein junger, unfassbar gutaussehender Mann mit einer gestärkten Schürze begrüßt sie. Liv steht daneben, als Mo mit dem Mann auf Französisch plaudert.

Liv atmet den Geruch nach Essen ein, nach Bienenwachs, nach Duftrosen, die in einer Vase stehen, und lässt ihren Blick über die Wände schweifen. Hier war ihr Gemälde zu Hause.

Vor beinahe hundert Jahren. Hier war die *Jeune Femme* zu Hause, zusammen mit ihrem Vorbild. Irgendwie spürt Liv die seltsame Erwartung, dass das Gemälde gleich vor ihr auftaucht.

Sie dreht sich zu Mo um. «Frag ihn, ob das Hotel immer noch den Bessettes gehört.»

«Bessette? *Non.*»

«Nein. Es gehört anscheinend einem Letten. Er hat eine ganze Hotelkette.»

Liv ist enttäuscht. Sie stellt sich diese Bar vor, voller Deutscher, die junge Frau mit dem rötlichen Haar, die hinter dem Tresen zu tun hat und gelegentlich einen verächtlichen Blick in den Raum wirft.

«Weiß er etwas über die Geschichte dieses Hauses?» Sie zieht das fotokopierte Bild aus ihrer Handtasche, streicht es glatt. Mo übersetzt in schnellem Französisch. Der Barmann beugt sich vor, zuckt mit den Schultern. «Er arbeitet erst seit August hier. Er sagt, er weiß nichts darüber.»

Der Barmann sagt wieder etwas, und Mo fügt hinzu: «Er meint, sie ist ein hübsches Mädchen.» Sie verdreht die Augen.

«Und er sagt, du bist schon die Zweite, die etwas darüber wissen will.»

«Wie bitte?»

«Das hat er gesagt.»

«Frag ihn, wie der Mann ausgesehen hat.»

Er hätte ihn gar nicht erst beschreiben müssen. Ende dreißig, ungefähr eins achtzig groß, erstes Grau im kurzen Haar. «*Comme un gendarme.*» Er gibt Liv eine Visitenkarte: *Paul McCafferty, Director,* TARP.

Es ist, als würde sie innerlich explodieren. *Schon wieder?* Du bist mir sogar *hier* zuvorgekommen? Sie hat das Gefühl, als würde er sie verspotten. «Darf ich die behalten?», sagt sie.

«*Mais bien sûr.*» Der Kellner zuckt mit den Schultern. «Darf ich Ihnen einen Tisch suchen, *Mesdames?*»

Liv errötet. *Das können wir uns nicht leisten.*

Aber Mo nickt, liest die Menüvorschläge auf der Tafel. «Ja. Bald ist Weihnachten. Gönnen wir uns wenigstens einmal ein tolles Essen.»

«Aber …»

«Das geht auf meine Rechnung. Ich verbringe mein Leben damit, anderen Leuten das Essen zu servieren. Wenn ich schon mal überschnappe, dann hier, in einem Restaurant mit Michelin-Stern, umgeben von gutaussehenden Jean-Pierres. Ich habe es verdient. Jetzt komm schon, ich schulde dir schließlich was.»

Mo ist redselig, flirtet mit den Kellnern, schäumt bei jedem Gang vor Begeisterung über und nimmt an der hohen, weißen Kerze eine rituelle Einäscherung von Pauls Visitenkarte vor.

Liv bemüht sich mitzuhalten. Ja, das Essen ist köstlich. Die Kellner sind aufmerksam, sachkundig. Es ist das reinste Essens-Nirwana, sagt Mo immer wieder. Doch als Liv in dem gut besuchten Restaurant sitzt, geschieht etwas Seltsames. Sie kann diesen Ort nicht einfach als Speisesaal sehen. Sie sieht Sophie Lefèvre am Tresen, hört das Stiefelgepolter der deutschen Soldaten auf den alten Ulmendielen. Sie sieht die Holzscheite auf dem Kaminrost brennen, hört die marschierenden Truppen, den fernen Kanonendonner. Sie sieht das Kopfsteinpflaster draußen, eine Frau, die in einen Armeelaster gezerrt wird, eine weinende Schwester, den Kopf über genau diesen Tresen gesenkt, niedergeschmettert vor Kummer.

«Es geht nur um ein Gemälde», sagt Mo ein bisschen ungeduldig, als Liv das Schokoladenfondant ablehnt und ihr gesteht, woran sie denken muss.

«Ich weiß», sagt Liv.

Als sie spät in der Nacht in ihr Hotel zurückkommen, nimmt Liv ihre Unterlagen mit ins Bad, und während Mo schläft, liest sie bei dem grellen Neonlicht alles wieder und wieder durch auf der Suche nach irgendetwas, das ihr entgangen ist.

Am Sonntagvormittag, als sich Liv mit einer Ausnahme sämtliche Nägel abgekaut hat, ruft die Heimleiterin an. Sie gibt ihnen eine Adresse im Nordwesten der Stadt, und sie fahren mit dem kleinen Mietwagen los, kämpfen sich durch die unbekannten Straßen, über die verstopfte Périphérique. Mo, die am Abend zuvor beinahe zwei Flaschen Wein getrunken hat, ist still und gereizt. Auch Liv ist schweigsam, erschöpft vom Schlafmangel und den Fragen, die in ihrem Kopf kreisen.

Halb hat sie mit einem deprimierenden Anblick gerechnet, einem Siebziger-Jahre-Zweckbau aus Backstein mit Kunststofffenstern und einem streng geordneten Parkplatz. Aber das Gebäude, vor dem sie halten, ist ein vierstöckiger, efeubewachsener Bau mit eleganten Fensterläden. Er steht in einem gut gepflegten Garten, in den ein schmiedeeisernes Tor führt.

Liv klingelt am Tor, während Mo ihre Lippen nachzieht.

Sie stehen einen Moment lang am Empfang, bis sich jemand um sie kümmert. Durch eine Glastür zur Linken sind zittrige Stimmen hörbar, die ein Lied anstimmen, und man sieht eine junge, kurzhaarige Frau, die an einer Hammondorgel die Begleitung spielt. In einem kleinen Büro sind zwei grauhaarige Frauen mit einer Kartei beschäftigt.

Schließlich dreht sich eine von ihnen um. «*Bonjour.*»

«*Bonjour*», sagt Mo. «Wen wollen wir noch mal besuchen?»

«Monsieur Bessette.»

Mo sagt mit ihrem perfekten Französisch etwas zu der Frau. Sie nickt. «Engländer?»

«Ja.»

«Bitte. Tragen Sie sich hier ein. Reinigen Sie Ihre Hände. Dann kommen Sie bitte hier entlang.»

Sie schreiben ihre Namen in ein Buch, dann deutet die Frau auf einen Druckspender mit antibakterieller Flüssigkeit, und sie reiben sich mit der Lösung demonstrativ gründlich die Hände ab. «Schön hier», murmelt Mo mit Kennermiene. Dann folgen sie der Frau, die mit lebhaftem Schritt durch ein Labyrinth von Fluren geht, bis sie an einer halb offen stehenden Tür ankommen.

«*Monsieur? Vous avez des visiteurs.*»

Sie warten verlegen an der Tür, während die Frau in das Zimmer geht und anfängt, sich mit der Rückenlehne eines Sessels zu unterhalten. Dann kommt sie wieder heraus. «Sie können hineingehen», sagt sie. Und dann: «Ich hoffe, Sie haben ihm etwas mitgebracht.»

«Die Heimleiterin sagte, ich soll ihm Macarons mitbringen.»

Die Frau wirft einen Blick auf die luxuriöse Verpackung, die Liv aus ihrer Tasche zieht.

«*Ah oui*», sagt sie und lächelt. «Die mag er.»

«Die landen noch vor fünf Uhr im Aufenthaltsraum», murmelt Mo, als die Frau weggeht.

Philippe Bessette sitzt in einem Ohrensessel mit Blick auf einen kleinen Innenhof und einen Springbrunnen. Ein rollbares Sauerstoffgerät ist durch einen dünnen Schlauch mit seiner Nase verbunden. Sein Gesicht ist grau, faltig und eingefallen; seine Haut, die an manchen Stellen durchsichtig wirkt, zeigt das darunterliegende, zarte Adergeflecht. Er hat eine weiße Mähne, und sein Blick besitzt eine Schärfe, die seiner sonstigen Erscheinung widerspricht.

Sie umrunden den Sessel, bis sie vor ihm stehen, und Mo geht in die Hocke, um auf gleicher Höhe mit ihm zu sein. Sie fühlt sich hier wie zu Hause, denkt Liv. Als wäre das hier ihre Familie.

«*Bonjour*», sagt Mo und stellt sie beide vor. Sie geben sich die Hand, und Liv reicht ihm die Macarons. Er mustert sie einen Moment lang, dann klopft er auf die Schachtel. Liv öffnet sie und hält sie ihm hin. Er deutet auf sie, und als sie ablehnend den Kopf schüttelt, sucht er sich ein Stück aus und wartet ab.

«Vielleicht musst du es ihm in den Mund stecken», murmelt Mo.

Liv zögert, dann nimmt sie das Gebäckstück. Bessette öffnet den Mund wie ein Vogelküken, dann schließt er die Augen und genießt den Geschmack.

«Sag ihm, wir würden ihm gern ein paar Fragen über die Familie von Édouard Lefèvre stellen.»

Bessette seufzt hörbar. «Ich spreche Englisch», sagt er.

«Kannten Sie Édouard Lefèvre?»

«Ich habe ihn nie kennengelernt.» Er spricht langsam, als würde ihn jedes Wort anstrengen.

«Aber Ihr Vater, Aurélien, der kannte ihn?»

«Mein Vater ist ihm mehrmals begegnet.»

«Hat Ihr Vater in St. Péronne gewohnt?»

«Meine gesamte Familie hat in St. Péronne gewohnt, bis ich sieben Jahre alt war. Meine Tante Hélène wohnte im Hotel, mein Vater über dem Tabac.»

«Wir waren gestern Abend in dem Hotel», sagt Liv. Aber das scheint er nicht mitzubekommen. Sie zeigt ihm die Fotokopie. «Hat Ihr Vater je dieses Gemälde erwähnt?»

Er betrachtet die junge Frau.

«Sophie», sagt er schließlich.

«Ja», sagt Liv und nickt heftig. «Sophie.» Aufregung schießt in ihr hoch.

Sein Blick senkt sich auf das Bild. Seine Augen sind eingesunken und wässrig, undurchdringlich, als läge Freud und Leid eines ganzen Jahrhunderts in ihnen. Er blinzelt, schließt ganz langsam die faltigen Augenlider, und es ist, als hätten sie ein seltsames, prähistorisches Geschöpf vor sich. Endlich hebt er den Kopf. «Ich kann Ihnen nichts sagen. Es wurde nie über sie gesprochen.»

Liv wirft Mo einen Blick zu.

«Ich verstehe nicht.»

«Sophies Name ... wurde in unserem Haus nicht ausgesprochen.»

Liv blinzelt. «Aber ... aber sie war Ihre Tante, nicht wahr? Sie war mit einem großen Künstler verheiratet.»

«Mein Vater hat nie darüber gesprochen.»

«Das verstehe ich nicht.»

«Man kann nicht alles erklären, was in einer Familie geschieht.»

Schweigen senkt sich über den Raum. Mo wirkt unangenehm berührt. Liv startet einen neuen Versuch. «Also ... wissen Sie mehr über Monsieur Lefèvre?»

«Nein. Nachdem Sophie verschwunden war, hat ein Kunsthändler aus Paris mehrere Gemälde ins Hotel geschickt. Das war einige Zeit vor meiner Geburt. Weil Sophie ja nicht mehr da war, hat Hélène zwei der Bilder behalten und zwei meinem Vater gegeben. Er hat ihr erklärt, dass er sie nicht haben wollte, aber nach seinem Tod habe ich sie auf dem Dachboden gefunden. Mit dem Erlös aus ihrem Verkauf konnte ich meinen

Platz in diesem Heim bezahlen. Das hier ist ... ein schöner Ort. Also kann ich vermutlich sagen, dass ich eine gute Beziehung zu meiner Tante Sophie hatte, trotz allem.»

Er wirkt ein wenig milder gestimmt.

Liv beugt sich vor. «Trotz allem?»

Die Miene des alten Mannes ist nicht zu deuten. Sie fragt sich kurz, ob er eingenickt ist. Doch dann fängt er an zu sprechen. «Es gab Gerede ... Klatsch ... in St. Péronne, dass meine Tante eine Kollaborateurin war. Deshalb wollte mein Vater nicht, dass über sie gesprochen wurde. Er fand es einfacher, so zu tun, als hätte es sie nie gegeben. Weder meine Tante Hélène noch mein Vater haben je über sie gesprochen.»

«Eine Kollaborateurin? So etwas wie ein Spion?»

Er hält einen Moment inne, bevor er antwortet. «Nein. Es ging darum, dass ihre Beziehung zu den deutschen Besatzern nicht ... angemessen war.» Er hebt den Blick zu den beiden Frauen. «Das war sehr qualvoll für unsere Familie. Wenn man diese Zeiten nicht durchgemacht hat, wenn man nicht aus einer kleinen Stadt kommt, kann man sich nicht vorstellen, wie das für uns war. Keine Briefe, keine Bilder, keine Fotografien. Ab dem Moment, in dem sie abgeholt wurde, hat meine Tante Sophie für meinen Vater aufgehört zu existieren. Er war ...», er seufzt, «... ein unversöhnlicher Mann. Leider hat auch ihre übrige Familie beschlossen, sie aus ihrer Erinnerung zu löschen.»

«Sogar ihre Schwester?»

«Sogar Hélène.»

Liv ist fassungslos. So lange hat sie an Sophie immer als Überlebenskünstlerin gedacht, Sophie mit ihrem triumphierenden Lächeln, der die grenzenlose Liebe zu ihrem Mann aus dem Gesicht sprach. Wie soll sie ihre Sophie mit dem Bild dieser ungeliebten, verstoßenen Frau in Einklang bringen?

In den erschöpften Atemzügen des alten Mannes liegt eine ganze Welt des Leidens. Liv hat plötzlich Schuldgefühle, weil sie all das wieder in ihm wachgerufen hat. «Es tut mir sehr leid», sagt sie, weil ihr sonst nichts einfällt. Sie begreift, dass sie hier nichts erreichen können. Kein Wunder, dass Paul McCafferty darauf verzichtet hat, herzukommen.

Das Schweigen dehnt sich aus. Mo isst heimlich ein Macaron. Als Liv aufsieht, bemerkt sie, dass Philippe Bessette sie anschaut. «Danke, dass wir zu Ihnen kommen durften, Monsieur.» Sie legt ihm die Hand auf den Arm. «Es fällt mir schwer, die Sophie, die Sie beschreiben, mit der Frau zu vereinbaren, die ich vor mir sehe. Ich … ich habe das Porträt von ihr. Ich hänge sehr daran.»

Er hebt seinen Kopf etwas höher und hält ihren Blick fest.

«Ich dachte wirklich, dass sie aussieht wie ein Mensch, der sich geliebt fühlt. Ich dachte, sie hat so viel …», sie zuckt ratlos mit den Schultern, «… Esprit.»

Zwei Krankenschwestern tauchen an der Tür auf. Hinter ihnen steht eine ungeduldige Frau mit einem Servierwagen. Der Geruch von Essen weht herein.

Liv steht auf, um sich zu verabschieden. Doch Bessette hebt die Hand. «Warten Sie», sagt er und deutet auf ein Bücherregal. «Das mit dem roten Einband.»

Liv fährt mit dem Zeigefinger am Regal entlang, bis er nickt. Sie zieht einen abgegriffenen Hefter aus dem Regal.

«Das sind die Papiere meiner Tante Sophie, ihre Korrespondenz. Außerdem ein wenig zu ihrer Beziehung mit Édouard Lefèvre, Aufzeichnungen, die in ihrem Schlafzimmer im Hotel versteckt waren. Über Ihr Gemälde steht nichts darin, soweit ich mich erinnere. Aber vielleicht bekommen Sie ein vollständigeres Bild von ihr. Als ihr Name bei uns ausgelöscht wurde, haben mir diese Aufzeichnungen meine Tante als … Mensch gezeigt. Als wundervolles menschliches Wesen.»

Liv schlägt den Hefter vorsichtig auf. Postkarten, Briefe auf brüchigem Papier, kleine Zeichnungen. Sie sieht eine geschwungene Handschrift auf einem kleinen Zettel, die Unterschrift *Sophie*. Ihr stockt der Atem.

«Ich habe es unter den Sachen meines Vaters gefunden, nachdem er gestorben war. Er hat Hélène erzählt, er hätte alles verbrannt. Sie ist mit dem Glauben ins Grab gegangen, dass alles, was es von Sophie noch gegeben hatte, vernichtet worden war. So ein Mann war er.»

Sie kann kaum den Blick von den Papieren abwenden. «Ich mache mir Kopien und schicke Ihnen den Hefter umgehend wieder zurück», stammelt sie.

Er winkt ab. «Was soll ich noch damit anfangen? Ich kann nicht mehr lesen.»

«Monsieur – ich muss Sie noch etwas fragen. Eins verstehe ich nicht. Die Familie Lefèvre muss sich doch für diese Papiere interessiert haben.»

«Ja.»

Sie wechselt einen Blick mit Mo. «Warum haben Sie ihnen die Sachen dann nicht gegeben?»

Ein Schleier scheint sich über seinen Blick zu senken. «Als sie mich das erste Mal besuchten, hatten sie viele Fragen. Was ich über das Gemälde wüsste. Ob ich irgendetwas hätte, das ihnen helfen könnte. Fragen über Fragen …» Er schüttelt den Kopf, und seine Stimme hebt sich etwas. «Sie haben sich nie für Sophie interessiert. Warum sollten sie also jetzt auf ihre Kosten einen Vorteil haben? Édouards Familie kümmert sich nur um sich selbst. Es geht um Geld, Geld und wieder Geld. Es würde mich freuen, wenn sie den Prozess verlieren.»

Seine Miene ist verschlossen. Das Gespräch ist offenkundig beendet. Die Krankenschwester an der Tür tippt demonstrativ auf ihre Armbanduhr. Liv weiß, dass sie dabei sind, die Gastfreundschaft überzustrapazieren, aber sie muss noch eine letzte Frage stellen. Sie greift nach ihrem Mantel.

«Monsieur ... Wissen Sie irgendetwas darüber, was mit Sophie geschehen ist? Haben Sie das je herausgefunden?»

Er schaut auf Sophies fotokopiertes Bild und legt die Hand darauf. Aus den Tiefen seines Körpers kommt ein langes Seufzen.

«Sie ist von den Deutschen verhaftet und in ein Straflager gebracht worden. Bei uns war es genau wie in so vielen anderen Fällen. Meine Familie hat seit dem Tag, an dem sie abgeholt wurde, nie mehr etwas von ihr gehört oder gesehen.»

Kapitel 23

1917

Der Militärlaster holperte über die löchrige Straße und wich gelegentlich auf das grasbewachsene Bankett aus, wenn die Schlaglöcher zu tief waren. Nieselregen dämpfte die Geräusche und ließ die Reifen im Sand durchdrehen, sodass der Motor aufheulte und Erdklumpen hochgeschleudert wurden, weil die Reifen keinen Halt fanden.

Nach zwei Jahren innerhalb der engen Grenzen unserer abgeschotteten kleinen Stadt schockierte es mich zu sehen, wie es außerhalb aussah und welche Zerstörungen es gab. Nur wenige Kilometer von St. Péronne entfernt waren ganze Dörfer und Städte nicht mehr wiederzuerkennen, in die Vernichtung gebombt, Läden und Häuser nur noch graue Hügel aus Steinen und Schutt. Dazwischen befanden sich riesige Krater, in denen Wasser stand, und an den Grünalgen und anderen Pflanzen konnte man ablesen, wie lange es diese Krater schon gab. Die Einwohner sahen unserer Durchfahrt wortlos zu. Ich kam durch drei Städte, ohne zu erkennen, wo wir waren, und langsam begriff ich das Ausmaß dessen, was um uns herum geschehen war.

Ich starrte durch die Lücke der flatternden Plane, sah Kolonnen berittener Soldaten auf bis zum Skelett abgemagerten Pferden, Männer mit grauen Gesichtern, die Bahren trugen, die Uniformen dunkel vor Feuchtigkeit, ich sah schwankende Laster und auf ihren Ladeflächen Männer mit wachsamen Gesichtern und leeren, unergründlichen Blicken. Ab und zu hielt der Fahrer des Lasters, um ein paar Worte mit einem anderen Fahrer zu wechseln, und ich wünschte mir, ein bisschen Deutsch zu können, sodass ich vielleicht mitbekommen hätte, wohin ich gebracht wurde. Bei dem regnerischen Wetter fielen kaum Schatten, aber wir bewegten uns Richtung Südosten. Richtung Ardennen, sagte ich mir und versuchte, ganz ruhig zu bleiben. Ich konnte die Angst, die mir die Kehle zuschnürte, nur in Schach halten, wenn ich mich damit beruhigte, dass ich in Édouards Richtung fuhr.

In Wahrheit aber fühlte ich mich wie betäubt. In diesen ersten Stunden auf der Ladefläche des Lasters hätte ich keinen einzigen Satz herausgebracht. Ich saß da, die Schmähworte der Leute aus meiner Stadt im Ohr, die angewiderte Miene meines Bruders im Kopf und mit staubtrockenem Mund bei der Erkenntnis dessen, was gerade passiert war. Ich sah meine Schwester, ihr vor Kummer verzerrtes Gesicht, spürte den leidenschaftlichen Griff von Édiths Händen, als sie versucht hatte, sich an mich zu hängen. In diesen Momenten war meine Angst so groß, dass ich fürchtete, mich selbst zu beschmutzen. Die Angst kam in Wellen, ließ meine Beine zittern, meine Zähne aufeinanderschlagen. Dann wieder, wenn ich auf die Ruinen der Städte hinaussah, erkannte ich, dass für viele das Schlimmste schon eingetreten war, und ich redete mir gut zu:

Dies war nur eine notwendige Phase bei meiner Rückkehr zu Édouard. Genau darum hatte ich gebeten. Das musste ich einfach glauben.

Als die Angst wieder begann, mich zu belauern wie ein Raubtier, schloss ich die Augen, presste die Hände auf meiner Tasche zusammen und dachte an meinen Mann …

Édouard lachte in sich hinein.

«Was ist?» Ich schlang ihm die Arme um den Hals, spürte seinen Atem auf der Haut.

«Ich habe daran gedacht, wie du gestern Abend Monsieur Farage um seinen eigenen Tresen gejagt hast.»

Unsere Schulden hatten überhandgenommen. Ich hatte Édouard durch die Bars an der Place Pigalle geschleppt, das Geld von seinen Schuldnern gefordert und mich geweigert zu gehen, bevor ich es hatte. Farage hatte nicht bezahlen wollen und mich beleidigt, sodass ihm Édouard, der nicht leicht in Wut geriet, einen kräftigen Fausthieb versetzt hatte. Die ganze Bar geriet in Aufruhr, Tische wurden umgeworfen, Gläser flogen durch die Luft. Ich hatte es abgelehnt zu rennen, sondern meine Röcke gerafft und war ruhig hinausgegangen, wobei ich an der Kasse stehen blieb und genau die Summe herausnahm, die uns Farage schuldete.

«Du bist wirklich furchtlos, mein kleines Eheweib.»

Ich musste eingenickt sein und wachte auf, als der Laster holpernd anhielt und mein Kopf an eine Verstrebung schlug. Ich spähte hinaus, rieb mir den Kopf, streckte meine kalten, steifen Glieder. Wir waren in einer Stadt, aber die Bahnstation hatte einen neuen, deutschen Namen, der mir nichts sagte. Die Plane wurde gehoben, und das Gesicht eines deutschen Soldaten tauchte auf. Er wirkte überrascht, nur mich in dem Laster vorzufinden. Er rief etwas und bedeutete mir gestikulierend herauszukommen. Als ich mich nicht schnell genug bewegte, zerrte er mich am Arm, sodass ich stolperte und meine Tasche auf den nassen Boden fiel.

Seit Jahren hatte ich keine solche Menschenmenge mehr gesehen. Der Bahnhof, der zwei Gleise hatte, wimmelte von Menschen, zumeist Soldaten und Gefangene, soweit ich es erkennen konnte. Armbinden und gestreifte, schmutzige Kleidung machten die Häftlinge kenntlich. Ich musterte ihre Gesichter, als ich zwischen ihnen hindurchgeführt wurde, suchte nach Édouard, aber ich wurde zu schnell vorwärtsgestoßen, und ihre Mienen verschwammen vor meinen Augen.

«*Hier! Hier!*» Eine Schiebetür glitt zur Seite, und ich wurde in einen Güterwaggon mit Holzwänden geschoben. Im dämmrigen Inneren sah ich die Umrisse vieler Menschen. Ich hielt mit aller Kraft meine Tasche fest und hörte hinter mir die Schiebetür mit einem Knall zufahren, während sich meine Augen an das schwache Licht gewöhnten.

In dem Waggon liefen zwei schmale Bänke an den Längsseiten entlang, jeder Zentimeter war besetzt. Noch mehr Menschen saßen auf dem Boden. Manche hatten sich ausgestreckt, die Köpfe auf kleine Bündel gebettet, die wohl aus zusammengerollter Kleidung bestanden. Es war unbeschreiblich schmutzig. In der Luft hingen die üblen Gerüche von Menschen, die sich seit einiger Zeit nicht hatten waschen können oder Schlimmeres.

«*Français?*», sagte ich in das Schweigen. Ich erntete ein paar verständnislose Blicke und versuchte es erneut.

«*Ici*», sagte eine Stimme am hinteren Ende. Ich bahnte mir vorsichtig einen Weg durch den Waggon, versuchte die Schlafenden nicht zu wecken. Jemand sagte etwas in einer fremden Sprache, vielleicht war es Russisch. Ich trat jemandem auf die Haare und wurde verflucht. Am Ende des Waggons sah mir ein Mann mit rasiertem Schädel entgegen. Sein Gesicht war vernarbt, als hätte er vor kurzem die Pocken gehabt, und seine Wangenknochen traten so deutlich hervor, dass ich an einen Totenschädel denken musste.

«*Français?*», sagte er.

«Ja», gab ich zurück. «Was hat das zu bedeuten? Wohin fahren wir?»

«Wohin wir fahren?» Er sah mich erstaunt an, und dann, als er begriff, dass ich die Frage ernst gemeint hatte, lachte er freudlos.

«Tours, Amiens, Lille. Woher soll ich das wissen? Sie schicken uns endlos kreuz und quer durchs Land, damit keiner von uns weiß, wo wir sind.»

Ich saß stundenlang neben ihm, während wir fuhren, die Arme um die Knie geschlungen, wie betäubt vor Angst. Dann blieben wir ohne ersichtlichen Grund eine Weile stehen, einige von uns standen auf, und auch ich ging ein paar Schritte in dem Waggon, um meine Glieder zu strecken. Als ich wieder zu meinem Platz zurückwollte, entdeckte ich die Gestalt auf dem Boden. Und einen schwarzen Mantel, der mir so vertraut war, dass ich es im ersten Augenblick nicht wagte, genauer hinzusehen. Ich ging weiter, an dem Mann vorbei, und kniete mich hin. «Liliane?» Ich erkannte ihr Gesicht, das immer noch die Spuren der Schläge trug, unter dem, was von ihrem Haar noch übrig war. Sie öffnete ein Auge, als könne sie ihren Ohren nicht trauen. «Liliane! Ich bin's, Sophie.»

Sie sah mich an. «Sophie», flüsterte sie. Dann hob sie

die Hand und berührte meine. «Édith?» Selbst in ihrem geschwächten Zustand hörte ich die Angst in ihrer Stimme.

«Sie ist bei Hélène. Sie ist in Sicherheit.»

Das Auge schloss sich.

«Bist du krank?» Ich sah nun das getrocknete Blut um ihren Rock, ihre tödliche Blässe.

«Liegt sie schon lange so da?»

Der Mann neben ihr zuckte mit den Schultern, als hätte er zu viele Menschen wie Liliane gesehen, um noch Anteilnahme aufbringen zu können. Der Franzose rief: «Sie war schon hier, als wir hereingebracht wurden.»

Ihre Lippen waren aufgesprungen, ihre Augen lagen tief in den Höhlen. «Hat jemand Wasser?», rief ich. Ein paar Köpfe drehten sich zu mir um.

Der Franzose sagte mitleidig: «Glauben Sie, das hier ist ein Speisewagen?»

Ich versuchte es noch einmal, mit erhobener Stimme. «Hat jemand einen Schluck Wasser?» Ein paar Leute sahen sich an.

«Diese Frau hat ihr Leben aufs Spiel gesetzt, um unsere Stadt mit Nachrichten zu versorgen. Wenn jemand Wasser hat, bitte, nur ein paar Tropfen.» Ein Murmeln ging durch den Waggon. «Bitte! Um der Liebe Gottes willen!» Und wenig später wurde tatsächlich ein Emaille-Napf durchgereicht. Auf seinem Boden stand ungefähr ein halber Zentimeter Wasser, vielleicht Regenwasser. Ich rief meinen Dank, hob sanft Lilianes Kopf an und ließ ihr die wertvollen Tropfen in den Mund rinnen.

Der Franzose wurde für einen Moment etwas lebhafter. «Wir sollten Tassen, Näpfe, was auch immer aus dem Waggon halten, wenn es regnet. Wir wissen nie, wann wir wieder etwas zu essen oder zu trinken bekommen.»

Liliane schluckte mühsam. Ich setzte mich so auf den Boden, dass sie sich an mich lehnen konnte. Mit einem kreischenden Ton setzte sich der Zug wieder in Bewegung und fuhr weiter durchs Land.

Ich weiß nicht, wie lange wir in diesem Zug blieben. Er fuhr langsam, hielt oft und ohne ersichtlichen Grund an. Ich starrte durch die Spalten in der gesplitterten Holzverplankung, beobachtete, wie endlose Kolonnen von Soldaten, Gefangenen und Zivilisten durch mein geschlagenes Land zogen, und hielt Liliane in den Armen. Der Regen nahm zu, und mit befriedigtem Murmeln wurde gesammeltes Wasser herumgegeben. Ich fror, aber ich war dankbar für den Regen und die niedrigen Temperaturen. Unvorstellbar, wie höllisch es in diesem Waggon bei Hitze werden könnte, die noch dazu die Gerüche verschlimmern würde.

Die Stunden zogen sich hin, und ich unterhielt mich mit dem Franzosen. Ich fragte ihn nach dem Schild mit der Nummer, das er an der Mütze trug, nach dem roten Streifen auf seiner Jacke, und er erzählte mir, dass er im ZAB gewesen war – dem Zivilarbeiter-Bataillon –, in dem Gefangene unter laufendem alliierten Beschuss zu den gefährlichsten Arbeiten an der Front gezwungen wurden. Er erzählte mir von den Zügen, die er jede Woche gesehen hatte, Züge voller Jungen, Frauen und Mädchen, die quer durchs Land an die Somme, den Escaut oder in die Ardennen geschickt wurden, um für die Deutschen Sklavendienste zu verrichten. An den Abenden, sagte er, wurde bei zerstörten Militärquartieren, Fabriken oder evakuierten Dörfern zur Übernachtung angehalten. Ob wir in ein Gefangenenlager oder zu einem Arbeitsbataillon gebracht wurden, wusste er nicht.

«Sie halten uns durch Essensentzug schwach, damit wir keinen Fluchtversuch unternehmen. Die meisten hier sind inzwischen schon froh, wenn sie einfach nur überleben.» Er fragte, ob ich etwas zu essen in meiner Tasche hätte, und war enttäuscht, als ich verneinte. Ich gab ihm ein Taschentuch, das mir Hélène eingepackt hatte, weil ich mich verpflichtet fühlte, ihm etwas zu schenken. Er betrachtete das kleine, frisch gewaschene Baumwolltuch, als hielte er gesponnene Seide in den Händen. Dann gab er es mir zurück. «Behalten Sie es», sagte er, und seine Miene verschloss sich. «Nehmen Sie es für Ihre Freundin. Was hat sie getan?»

Als ich ihm von Lilianes Tapferkeit erzählte, sah er sie mit neuem Blick an, als hätte er nicht nur einen Körper, sondern einen Menschen vor sich. Ich sagte ihm, dass ich auf der Suche nach Informationen über meinen Mann war, den man in die Ardennen gebracht hatte. Sein Blick wurde ernst. «Ich war ein paar Wochen dort. Wissen Sie, dass es dort Typhus gegeben hat? Ich bete für Sie, dass Ihr Mann überlebt hat.» Ich musste schlucken.

«Wo sind die anderen aus Ihrem Bataillon?», fragte ich ihn, um das Thema zu wechseln. Der Zug wurde langsamer, und wir kamen an einer weiteren Kolonne Gefangener mit schleppendem Schritt vorbei. Kein einziger Mann sah zu unserem Zug auf. Ich musterte die Gesichter, fürchtete, Édouard könnte unter ihnen sein.

Es dauerte einen Moment, bis er antwortete. «Ich bin der Einzige, der übrig geblieben ist.»

Mehrere Stunden nach Einbruch der Dunkelheit fuhren wir auf ein Nebengleis. Die Türen wurden lärmend aufgezogen, und deutsche Stimmen brüllten, wir sollten aussteigen. Erschöpfte

Menschen standen vom Boden auf, hielten ihre Emaille-Näpfe umklammert, und wir wurden zu einem verlassenen Feldweg geschickt. Rechts und links standen deutsche Infanteristen, die uns mit ihren Gewehren vorwärtsschubsten. Es war, als wären wir Vieh, keine Menschen mehr. Ich dachte an den verzweifelten Fluchtversuch des jungen Gefangenen in St. Péronne, und mit einem Mal verstand ich, was ihn dazu getrieben hatte, obwohl er wusste, dass er scheitern würde.

Ich hielt Liliane eng bei mir, stützte sie. Sie ging langsam, zu langsam. Ein Deutscher kam mit einem großen Schritt hinter uns auf den Weg und versetzte ihr einen Tritt.

«Lassen Sie das!», protestierte ich, und er stieß seinen Gewehrkolben gegen meinen Kopf, sodass ich zu Boden taumelte. Hände griffen nach mir und zogen mich hoch, und dann ging ich wieder weiter, halb betäubt, mit verschwommenem Blick. Ich hob die Hand an die Schläfe, und als ich sie wieder senkte, war sie klebrig vor Blut.

Wir wurden in eine riesige, leerstehende Fabrik getrieben. Auf dem Boden knirschten Glasscherben, und ein kalter Nachtwind zog durch die Fenster. In der Ferne hörten wir das Dröhnen schwerer Geschütze, sahen sogar manchmal das Aufblitzen einer Explosion. Ich spähte hinaus, fragte mich, wo wir uns befanden, aber die Umgebung war in nächtliche Schwärze getaucht.

«Hier», sagte eine Stimme, und auf einmal war der Franzose bei Liliane und mir. Er führte uns in eine Ecke. «Sehen Sie, es gibt etwas zu essen.»

Suppe, ausgeteilt von anderen Gefangenen an einem langen Tisch, auf dem zwei riesige Kessel standen. Ich hatte seit dem frühen Morgen nichts gegessen. Die Suppe war wässrig, undefinierbare Formen schwammen darin herum, aber mein

Magen zog sich trotzdem vor Erwartung zusammen. Der Franzose ließ sich seinen Emaille-Napf füllen und eine Tasse, die mir Hélène eingepackt hatte. Damit setzten wir uns in die Ecke, aßen und gaben Liliane schlückchenweise von der Suppe zu trinken. Man hatte ihr die Finger einer Hand gebrochen, sodass sie nichts halten konnte.

«Es gibt nicht immer etwas zu essen. Vielleicht wendet sich ja das Blatt», sagte der Franzose, aber er klang nicht überzeugt. Dann verschwand er zu dem Tisch mit den Suppenkesseln, vor dem sich schon eine Menge in der Hoffnung auf mehr sammelte, und ich verfluchte mich, weil ich nicht schnell genug gewesen war. Ich wollte Liliane nicht allein lassen, nicht einmal für ein paar Augenblicke. Minuten später kam er zurück, die Schüssel gefüllt. Er stellte sich neben uns, dann gab er mir die Schüssel und deutete auf Liliane. «Hier», sagte er. «Sie braucht Kraft.»

Liliane hob den Kopf. Sie sah ihn an, als wüsste sie nicht mehr, wie es war, freundlich behandelt zu werden, und mir traten Tränen in die Augen. Er nickte uns zu, als wären wir in einer ganz anderen Welt, wünschte uns höflich eine gute Nacht und zog sich in den Bereich zurück, in dem die Männer schliefen. Ich rückte näher zu Liliane, gab ihr Schluck um Schluck zu trinken, wie einem Kind. Als sie die zweite Schale geleert hatte, stieß sie ein bebendes Seufzen aus, lehnte ihren Kopf an meine Schulter und schlief ein. Ich saß im Dunkeln, umgeben von leisen Geräuschen, von gelegentlichem Husten, Schluchzen und den Stimmen versprengter Russen, Engländer und Polen. Manchmal vibrierte der Boden, wenn irgendwo eine Granate eingeschlagen war. Ich lauschte auf das Murmeln der anderen Gefangenen, und als es kälter wurde, begann ich zu zittern. Ich stellte mir mein Zuhause vor, Hélène, die neben mir schlief, die kleine Édith, die ihre Hände in mein Haar geschlungen hatte. Und ich schluchzte leise in der Dunkelheit, bis auch ich, von Erschöpfung überwältigt, schließlich einschlief.

Als ich aufwachte, wusste ich im ersten Moment nicht, wo ich war. Édouards Arm lag um mich, ich spürte sein Gewicht an meinem Körper. Für den Bruchteil einer Sekunde tat sich eine Spalte in der Zeit auf, durch die Erleichterung flutete – *Er war hier!* –, bevor ich realisierte, dass es nicht mein Mann war, der sich an mich schmiegte. Eine Hand schob sich hastig und drängend unter meinen Rock, geschützt von der Dunkelheit, vielleicht glaubte der Mann auch, ich würde ihn vor lauter Angst und Erschöpfung gewähren lassen. Ich lag wie erstarrt, kalte Wut überkam mich, als mir klarwurde, was dieser Mann glaubte, sich bei mir holen zu können. Sollte ich schreien? Würde es irgendjemanden kümmern? Würden es die Deutschen zum Vorwand nehmen, um mich zu bestrafen? Als ich meine Hand, die halb unter meinem Körper lag, langsam wegzog, streifte sie eine Glasscherbe, kalt und scharf, die von einer zersplitterten Fensterscheibe stammte. Ich schloss meine Finger darum, und dann, beinahe ohne nachzudenken, hatte ich mich zur Seite gerollt und drückte dem unbekannten Angreifer die Scherbe an den Hals.

«Rühr mich noch einmal an, und ich schneide dir die Kehle durch», flüsterte ich. Ich roch seinen schalen Atem und spürte, wie er zusammenzuckte. Er hatte nicht damit gerechnet, dass ich mich wehrte. Ich wusste nicht einmal, ob er verstand, was ich sagte. Aber er verstand die Scherbe. Er hob die Hände, vielleicht war es eine Geste der Kapitulation, vielleicht war es eine Entschuldigung. Ich drückte ihm die Scherbe noch einen Moment länger an den Hals, um zu zeigen, wie ernst es mir war. In der beinahe vollständigen Dunkelheit begegneten sich kurz unsere Blicke, und ich sah, dass er Angst hatte. Auch er hatte sich in einer Welt ohne Regeln und Gesetze wiedergefunden. Einer Welt, in der er eine Unbekannte angreifen konnte, aber auch einer Welt, in der ihm diese Unbekannte die Kehle durchschneiden konnte. Sobald ich die Scherbe zurückzog, sprang er auf die Füße, und dann sah ich nur noch seinen Schatten, als er stolpernd zwischen den Schlafenden hindurch auf die andere Seite der Fabrikhalle flüchtete.

Ich steckte die Glasscherbe in meine Rocktasche, setzte mich auf, legte meine Arme um die schlafende Liliane und wartete.

Es kam mir vor, als hätte ich nur ein paar Minuten geschlafen, als wir geweckt wurden. Deutsche Wachsoldaten gingen, Befehle brüllend, mitten durch die Halle, schlugen mit den Gewehrkolben zu, um die Schlafenden zu wecken, versetzten ihnen Stiefeltritte. Ich rappelte mich auf. Schmerz schoss durch meinen Kopf, und ich unterdrückte einen Schrei. Mit verschwommenem Blick sah ich die Soldaten auf uns zukommen und zog Liliane hoch, damit sie auf den Füßen war, bevor sie uns schlugen.

Im kalten, bläulichen Licht der Morgendämmerung konnte ich unsere Umgebung in Augenschein nehmen. Die Fabrik war riesig und halb eingestürzt, mitten im Dach klaffte ein gezacktes Loch, Balken und Fensterglas übersäten den Boden. Am anderen Ende der Halle wurde an langen Tischen etwas ausgeschenkt, was Kaffee sein mochte, und dazu gab es eine dicke Scheibe Schwarzbrot. Ich zog Liliane mit. Ich musste sie durch die riesige Halle bringen, bevor es nichts mehr zu essen gab. «Wo sind wir?», fragte sie und schaute durch die Fensterhöhlen nach draußen. Ein Kanonenschlag in der Ferne verriet uns, dass wir nahe der Front sein mussten.

«Ich habe keine Ahnung», sagte ich und war erleichtert, dass es ihr gut genug ging, um sich ein bisschen mit mir zu unterhalten.

Wir ließen uns die Tasse und den Napf des Franzosen mit Kaffee füllen. Ich sah mich nach ihm um, fürchtete, ihn um seine Ration zu bringen, aber ein deutscher Offizier teilte die Männer gerade in Gruppen ein, und manche waren schon auf dem Weg aus der Fabrik. Liliane und ich wurden einer separaten Gruppe zugeteilt, die hauptsächlich aus Frauen bestand, und zu einem Gemeinschaftsklosett geführt. Nun, bei Tageslicht, sah ich, wie schmutzig die anderen Frauen waren, sah graue Läuse auf ihren Köpfen. Mich überfiel Juckreiz, und ich sah an meinem eigenen Rock hinunter. Ich klopfte sinnlos darauf herum. Ich würde den Läusen nicht entkommen. Es war unmöglich, mich vor ihnen zu schützen, wenn ich so lange eng gedrängt mit den anderen Gefangenen zusammen war.

Etwa dreihundert Frauen versuchten das Klosett zu benutzen und sich in einem Raum zu waschen, der für zwölf Menschen ausgelegt war. Als ich mit Liliane endlich in die Nähe der Toiletten kam, wurde uns von dem Anblick beinahe schlecht. Wir wuschen uns, so gut es ging, an einer Pumpe mit kaltem Wasser und folgten dabei dem Beispiel der anderen Frauen, die kaum ihre Kleidung hoben und wachsame Blicke über die Schultern warfen, als würden sie mit irgendeiner Hinterhältigkeit der Deutschen rechnen. «Manchmal platzen sie herein», sagte Liliane. «Es ist einfacher ... und sicherer ... angezogen zu bleiben.»

Während die Deutschen mit den Männern beschäftigt

waren, suchte ich draußen im Schutt nach Zweigen und abgerissenen Schnüren. Dann setzte ich mich mit Liliane in das fahle Sonnenlicht und band die Finger ihrer linken Hand an die Holzstücke. Sie war so tapfer, zuckte selbst dann kaum zusammen, wenn ich wusste, dass ich ihr weh tat. Sie blutete nicht mehr, ging aber immer noch sehr behutsam, als hätte sie Schmerzen. Ich wagte nicht zu fragen, was ihr zugestoßen war.

«Es tut so gut, dich zu sehen, Sophie», sagte sie und musterte ihre Hand.

Irgendwo in ihrem Inneren, dachte ich, lebte vielleicht noch ein Schatten der Frau, die ich in St. Péronne gekannt hatte. «Und ich war noch nie so glücklich darüber, einen Menschen wiederzusehen», sagte ich, während ich ihr mit meinem sauberen Taschentuch das Gesicht abwischte, und es war mir ernst.

Wir sahen die Männer in einer Reihe stehen, um Schaufeln und Spitzhacken in Empfang zu nehmen, dann wurden sie in Kolonnen eingeteilt, die sich in Richtung des infernalischen Lärms am Horizont bewegten. Ich betete im Stillen darum, dass unserem selbstlosen Franzosen nichts zustieß, und dann betete ich wie immer für Édouard. Die Frauen wurden unterdessen wieder zu einem Güterwaggon geführt. Beim Gedanken an die nächste lange, stinkende Fahrt sank mein Mut, aber dann wies ich mich selbst zurecht. Vielleicht bin ich nur noch ein paar Stunden von Édouard entfernt, dachte ich. Dies könnte der Zug sein, der mich zu ihm bringt.

Ich stieg, ohne zu murren, in den Waggon. Er war kleiner als der vom Tag davor, doch sie erwarteten trotzdem, dass alle dreihundert Frauen hineinpassten. Es gab ein paar böse Worte und gezischte Streitereien, als wir versuchten, uns hinzusetzen. Liliane und ich ergatterten ein Stückchen freie Bank, ich setzte mich zu ihren Füßen und schob meine Tasche unter die Bank. Ich hütete diese Tasche mit Argusaugen, wie ein Baby. Eine Frau schrie auf, als eine Granate so dicht neben uns einschlug, dass der Zug vibrierte.

«Erzähl mir von Édith», sagte Liliane, als der Zug losfuhr.

«Es geht ihr gut.» Ich versuchte so überzeugend wie möglich zu klingen. «Sie und Mimi sind inzwischen unzertrennlich. Sie liebt das Baby abgöttisch, und der Kleine liebt sie auch.» Während ich redete, Liliane das Leben ihrer Tochter in St. Péronne ausmalte, schloss sie die Augen. Ich wusste nicht, ob sie es aus Erleichterung oder Kummer tat.

«Ist sie glücklich?»

«Sie ist ein Kind», antwortete ich zurückhaltend. «Sie will ihre *Maman*. Aber sie weiß, dass sie im Le Coq Rouge in Sicherheit ist.» Mehr konnte ich nicht sagen, aber es schien ihr zu genügen. Ich erzählte ihr nichts von Édiths Albträumen, von den Nächten, in denen sie weinend nach ihrer Mutter gerufen hatte. Liliane war nicht dumm: Ich nahm an, dass sie diese Dinge im Grunde ihres Herzens längst wusste. Lange sah sie gedankenverloren vor sich hin.

«Sophie, wieso bist du hier gelandet?», fragte sie nach einer Weile.

Es gab vermutlich niemanden auf der Welt, der es besser verstehen würde als Liliane. Ich suchte ihren Blick, hatte trotzdem Angst, es ihr zu erzählen. Aber die Aussicht darauf, meine Last mit jemandem teilen zu können, war eine zu große Versuchung.

Ich erzählte es ihr. Ich erzählte ihr von dem Kommandanten, von der Nacht, in der ich zu seinem Quartier gegangen war, und von dem Handel, den ich ihm angeboten hatte. Sie sah mich lange an. Sie sagte nicht, dass ich eine Närrin war oder dass ich ihm nicht hätte glauben dürfen oder dass meine Unfähigkeit, die Wünsche des Kommandanten zu erfüllen, mein Tod hätte sein können, wenn nicht sogar der Tod meiner Liebsten.

Sie sagte überhaupt nichts.

«Ich glaube, er hält seinen Teil der Abmachung ein. Ich glaube, er bringt mich zu Édouard», sagte ich und klammerte mich an diese Überzeugung. Sie streckte ihre unverletzte Hand aus und drückte meine.

Gegen Abend wurde der Zug in einem kleinen Waldstück stotternd abgebremst und blieb stehen. Wir warteten darauf, dass er weiterfuhr, aber dieses Mal wurde am hinteren Ende des Waggons die Schiebetür aufgezogen. Ich war halb eingeschlafen, und dann hörte ich Lilianes Stimme dicht an meinem Ohr. «Sophie, wach auf. Wach auf.»

Ein Deutscher stand an der Tür. Ich brauchte einen Moment, um zu begreifen, dass er meinen Namen rief. Ich sprang auf, dachte noch daran, nach meiner Tasche zu greifen, und winkte Liliane hinter mir her.

«*Papiere*», befahl der Deutsche. Liliane und ich gaben ihm unsere Ausweise. Er überprüfte unsere Namen auf einer Liste und deutete auf einen Lastwagen. Wir hörten das enttäuschte Zischen der anderen Frauen, als die Schiebetür des Waggons hinter uns mit einem Knall geschlossen wurde.

Liliane und ich wurden zu dem Laster geschoben. Ich spürte, dass sie zögerte. «Was ist?», sagte ich. Ihr stand das Misstrauen ins Gesicht geschrieben.

«Das gefällt mir nicht», sagte sie und warf einen Blick über die Schulter, als sich der Zug wieder in Bewegung setzte.

«Das ist gut», beharrte ich. «Wir sind aus der Gruppe herausgenommen worden. Ich glaube, das hat der Kommandant veranlasst.»

«Und genau das gefällt mir nicht», sagte sie.

«Außerdem … hör doch … kein Kanonendonner mehr. Wir bewegen uns von der Front weg. Das ist doch bestimmt gut, oder?»

Wir hinkten zu der Ladefläche des Lasters, ich half ihr hinauf. Dann kratzte ich mich am Nacken. Es hatte angefangen zu jucken. «Hab Vertrauen», sagte ich und drückte ihren Arm. «Und zumindest haben wir jetzt genügend Platz, um unsere Beine auszustrecken.»

Ein junger Soldat stieg auf die Ladefläche und sah uns wütend an. Ich versuchte zu lächeln, ihm begreiflich zu machen, dass wir nicht vorhatten zu flüchten, aber er warf mir nur einen angewiderten Blick zu, setzte sich und stellte sein Gewehr wie eine Drohung zwischen seine Beine. Mir wurde klar, dass auch ich inzwischen ungewaschen riechen musste, dass es nach dem Gedränge im Waggon auf meinem Kopf von Läusen wimmeln musste, und ich suchte meine Kleidung ab, um zumindest die wenigen loszuwerden, die ich entdeckte.

Der Militärlaster fuhr los, und Liliane zuckte bei der holprigen Fahrt ständig zusammen. Doch nach ein paar Kilometern schlief sie vor Erschöpfung ein. Ich hatte rasende Kopfschmerzen und war dankbar, dass der Geschützlärm aufgehört hatte. *Wir müssen Vertrauen haben*, betete ich im Stillen.

Wir fuhren etwa eine Stunde auf der Landstraße, die Wintersonne senkte sich langsam hinter ferne Hügel, an den Straßenrändern glitzerte Reif, und einmal, als die Plane hochgeweht wurde, erhaschte ich einen Blick auf ein Verkehrsschild. Ich muss mich getäuscht haben, dachte ich und beugte mich vor, um die Klappe anzuheben, damit ich das nächste Schild nicht verpasste. Und da war es.

Mannheim.

Die Welt schien stehenzubleiben.

«Liliane?», flüsterte ich und rüttelte sie wach. «Liliane. Schau mal. Was siehst du?» Der Laster fuhr langsamer, um ein paar Bombenkratern auszuweichen.

«Wir sollten Richtung Süden fahren», sagte ich. «In die Ardennen.» Doch jetzt bemerkte ich, dass die Schatten von hinten kamen. Wir fuhren ostwärts, und zwar schon seit einiger Zeit. «Aber Édouard ist in den Ardennen.» Ich konnte die Panik in meiner Stimme nicht unterdrücken. «Ich habe eine Nachricht bekommen, dass er dort ist. Wir müssen nach Süden in die Ardennen fahren. Nach Süden.»

Liliane ließ die Klappe fallen. Sie sah mich nicht an. Aus ihrem Gesicht war die letzte Farbe gewichen. «Sophie, wir können die Geschütze nicht mehr hören, weil wir die Front überquert haben», sagte sie düster. «Wir fahren nach Deutschland.»

Kapitel 24

Der Zug kommt flott voran. Eine Gruppe Frauen am anderen Ende von Waggon vierzehn bricht immer wieder in schallendes Gelächter aus. Ein Paar mittleren Alters auf den Sitzen gegenüber, vielleicht auf der Rückfahrt von einem vorweihnachtlichen Wochenendtrip, hat sich mit Lametta behängt. Die Gepäckfächer sind mit Einkäufen vollgestopft, in der Luft hängen die Gerüche von reifem Käse, Wein, teurer Schokolade. Doch Mo und Liv sind gedämpfter Stimmung. Sie reden kaum ein Wort. Mos Kater hat sich den ganzen Tag gehalten und muss offenkundig mit weiteren kleinen, überteuerten Weinflaschen kuriert werden. Liv liest immer wieder ihre Notizen, übersetzt Wort für Wort mit Hilfe ihres kleinen Englisch-Französisch-Wörterbuchs, das vor ihr auf dem Tisch liegt.

Die Seiten sind bräunlich vom Alter, knisternd trocken und ziehen Feuchtigkeit von ihren Fingerspitzen. Es sind frühe Briefe Édouards an Sophie dabei, aus der Zeit, in der er in das Infanterieregiment eintrat und Sophie zu ihrer Schwester nach St. Péronne zurückgezogen ist. Édouard vermisst sie so sehr, schreibt er, dass er manchmal nachts nicht atmen kann. Er erzählt ihr, wie er sie in seiner Vorstellung heraufbeschwört, Bilder von ihr in die kalte Luft malt. In ihren Briefen beneidet Sophie diese Vorstellung ihrer selbst, betet für ihren Mann, mahnt ihn zur Vorsicht. Sie nennt ihn *poilu*. Das Bild von ihnen, das sie mit ihren Worten zeichnet, ist so stark, so innig, dass es Liv, obwohl sie mit der Übersetzung kämpft, den Atem nimmt. Sie lässt ihren Zeigefinger über die verblassten Zeilen gleiten, bewundert die junge Frau von dem Porträt für diese Sätze. Sophie Lefèvre ist nicht mehr nur ein verführerisches Bild in einem angestoßenen, vergoldeten Rahmen: Sie ist eine Persönlichkeit geworden, ein lebendes, atmendes, dreidimensionales Wesen. Eine Frau, die über Wäsche redet, über Lebensmittelknappheit, über den Schnitt der Uniform ihres Mannes, über ihre Ängste und Enttäuschungen. Erneut wird Liv klar, dass sie Sophies Porträt nicht weggeben kann.

Liv sieht sich zwei weitere Seiten an. Hier ist der Text dichter geschrieben, und dazwischen steckt ein sepiabraunes Porträtfoto von Édouard Lefèvre, der in eine unbestimmte Ferne blickt.

Oktober 1914

Die Gare du Nord war ein wogendes, ein kochendes Meer aus Soldaten und weinenden Frauen, eingehüllt in Rauch und Dampf und angsterfüllte Abschiedsworte. Du wolltest mich nicht weinen sehen, das wusste ich. Davon abgesehen, würde es nur eine kurze Trennung sein, das stand in allen Zeitungen.

«Mach viele Skizzen für mich», habe ich gesagt. «Und sieh zu, dass du ordentlich isst. Und mach vor allem keine Dummheiten,

zum Beispiel dich betrinken, dich prügeln und dich verhaften lassen. Ich will dich so schnell wie möglich wieder zu Hause haben.»

Und du hast mich versprechen lassen, dass Hélène und ich vorsichtig sein würden und wir, sobald es Nachrichten vom Näherrücken der gegnerischen Linie gab, augenblicklich nach Paris gehen würden.

Darauf muss ich geschwiegen haben, denn du sagtest: «Mach nicht dein Sphinxgesicht, Sophie. Versprich mir, dass du zuerst an dich selbst denken wirst. Ich kann nicht kämpfen, wenn ich fürchten muss, dass du in Gefahr bist.»

Ich habe dich beruhigt. Ich weiß noch, dass irgendwo der Pfiff einer Lok schrillte. Dampf und der Geruch nach verbranntem Öl stiegen um uns auf und verhüllten zeitweise die Menschenmenge auf dem Bahnsteig. Ich hob die Hand, um dein blaues Serge-Képi gerade zu rücken. Dann trat ich einen Schritt zurück, um dich anzuschauen. Was für ein Mann mein Ehegemahl ist! Die Schultern so breit in der Uniform und einen halben Kopf größer als alle anderen hier. Vermutlich habe ich nicht einmal in diesem Moment wirklich geglaubt, dass du tatsächlich weggehst.

Du hattest in der Woche davor eine kleine Gouache von mir gemalt, und nun klopftest du auf deine Brusttasche, in der sie steckte. «Ich habe dich immer bei mir.»

Ich legte mir die Hand aufs Herz. «Und ich habe dich immer bei mir.» Ich war heimlich neidisch, weil ich kein Bild von dir hatte.

Waggontüren wurden geöffnet und geschlossen. Arme streckten sich an uns vorbei, Finger umschlossen sich zum letzten Mal.

«Ich werde nicht zusehen, wie du wegfährst, Édouard», erklärte ich dir. «Ich mache die Augen zu und behalte dich so in Erinnerung, wie du vor mir stehst.»

Und dann hast du mich an dich gezogen und mich geküsst, hast deinen Mund auf meinen gelegt, und deine starken Arme haben mich fest umschlungen, ganz fest, und ich habe dich umarmt, die Augen geschlossen, und ich habe dich eingeatmet, deinen Geruch eingeatmet, als könnte ich diese Spur für die Zeit aufbewahren, in der du nicht da sein würdest. Es war, als hätte ich erst in diesem Augenblick begriffen, dass du tatsächlich gehst. Und dann, als ich es nicht mehr ertragen konnte, habe ich mich von dir gelöst, mit starrer, beherrschter Miene. Ich hielt die Augen geschlossen, griff nach deiner Hand, wollte den Ausdruck deiner Gefühle in deinem Gesicht nicht sehen, und dann drehte ich mich entschlossen um, mit durchgedrücktem Rücken, und bahnte mir einen Weg durch die Menge, fort von dir.

Ich weiß nicht, warum ich dich nicht in den Zug steigen sehen wollte, Édouard. Ich habe es seitdem jeden Tag bereut.

Erst zu Hause habe ich in meine Tasche gegriffen. Ich entdeckte ein Blatt Papier, das du mir hineingesteckt haben musst, während du mich umarmt hast. Es war eine kleine Karikatur von uns beiden: du als riesiger, grinsender Bär in Uniform, den Arm um mich – klein und mit winziger Taille – gelegt, meine Miene ernst und feierlich, das Haar ordentlich zurückgenommen. Ich lese immer wieder die Worte in deiner geschwungenen, geneigten Schrift, bis sie unauslöschlich in mich eingeschrieben sind: «Vor dir kannte ich kein wahres Glück.»

Liv blinzelt. Sie legt die Papiere sorgsam in den Hefter zurück. Dann streicht sie die Kopie von Sophie Lefèvres Bild vor sich glatt, dieses lächelnde, verschwörerische Gesicht. Wie könnte Monsieur Bessette recht haben? Wie könnte eine Frau ihren Mann, den sie so angebetet hat, betrügen, und nicht bloß mit einem anderen Mann, sondern mit dem Feind? Es ist unbegreiflich. Liv faltet die Kopie zusammen und steckt ihre Notizen in die Handtasche.

Mo zieht den Kopfhörer ab. «So. Noch eine halbe Stunde bis St. Pancras. Glaubst du, dass du gefunden hast, was du wolltest?»

Sie zuckt mit den Schultern. Ihre Kehle ist wie zugeschnürt, sie kann nicht sprechen.

Mos Haar ist in glänzenden schwarzen Strähnen nach hinten genommen, ihre Haut ist milchweiß. «Bist du nervös wegen morgen?»

Liv schluckt und bringt ein schwaches Lächeln zustande. Sie hat seit beinahe sechs Monaten an nichts anderes gedacht.

«Übrigens», sagt Mo, als hätte sie es sich eine Weile durch den Kopf gehen lassen, «ich glaube nicht, dass dir McCafferty eine Falle gestellt hat.»

«Wie bitte?»

«Ich kenne massenhaft beschissene, verlogene Kerle. Er ist keiner von denen.» Sie pult an einem Stückchen Nagelhaut herum. «Ich glaube, das Schicksal hat sich einen echt miesen Scherz erlaubt und euch zu Gegnern gemacht.»

«Aber er hätte nicht anfangen müssen, hinter meinem Bild herzujagen.»

Mo zieht eine Augenbraue hoch. «Wirklich nicht?»

Liv starrt sie an. Dann schaut sie aus dem Fenster, während der Zug auf London zufährt, und wieder ist ihre Kehle wie zugeschnürt.

Auf der anderen Seite des Tisches hat sich das lamettageschmückte Paar aneinandergeschmiegt. Die beiden sind händchenhaltend eingeschlafen.

Später weiß Liv nicht mehr recht, was sie dazu gebracht hat. Mo verkündet in St. Pancras, dass sie zu Ranic geht, und verabschiedet sich von Liv mit der Anweisung, nicht die ganze

Nacht im Internet nach undurchsichtigen Restitutionsfällen zu suchen und bitte den Camembert in den Kühlschrank zu legen, bevor er zerläuft und das ganze Haus mit seinem Geruch verpestet. Liv steht in der wimmelnden Menge, die Plastiktüte mit dem stinkenden Käse in der Hand, und schaut der kleinen, schwarz gekleideten Gestalt, die ihre Tasche lässig über die Schulter geworfen hat, auf dem Weg zur U-Bahn nach. Es ist sowohl etwas Übermütiges als auch eine neue Ernsthaftigkeit an der Art, auf die Mo über Ranic spricht.

Sie wartet, bis Mo in der Menge verschwunden ist. Die Ströme der Pendler fließen an Liv vorbei wie um einen Felsen in einem Fluss. Fast alle sind zu zweit unterwegs, haben sich untergehakt, plaudern, wechseln innige, funkelnde Blicke, und diejenigen, die allein sind, gehen mit entschlossenen Schritten nach Hause zu dem Menschen, den sie lieben.

Vor dir kannte ich kein wahres Glück.

Jedes Mal, wenn Jake wieder zu seiner Mutter gegangen ist, herrscht eine ganz besondere Stille in der Wohnung. Diese schwere, lastende Stille ist ganz anders als die Ruhe, zu der Paul zurückkehrt, wenn er für ein paar Stunden Freunde besucht hat. In dieser durchdringenden Stille, denkt er manchmal, schwingen Schuldgefühle mit, das Gefühl, versagt zu haben. Und sie wird noch zusätzlich von dem Wissen beschwert, dass sein Sohn in frühestens vier Tagen wiederkommt. Paul räumt die Küche auf (Jake hat Puffreis-Schoko-Kekse gebacken – überall liegen Puffreis-Körner), dann setzt er sich und schlägt die Sonntagszeitung auf, die er gewohnheitsmäßig kauft, obwohl er nie dazu kommt, sie zu lesen.

In der ersten Zeit, nachdem Leonie gegangen war, hat er die frühen Morgenstunden am meisten gefürchtet. Er hatte nicht gewusst, wie sehr er das unregelmäßige Tappen von Jakes bloßen Füßen geliebt hat und seinen Anblick, wenn er mit zerzaustem Haar und halbgeschlossenen Augen in ihrem Schlafzimmer aufgetaucht war und sich zwischen sie legen wollte. In seinen eisigen Füßen, dem warmen Jungengeruch seiner Haut, der instinktiven Wohligkeit, wenn sich sein Sohn in die Mitte ihres Bettes gewühlt hatte, lag das Gefühl, im Einklang mit der Welt zu sein. Doch dann, nachdem sie weg waren, vermittelte das einsame Aufwachen Paul nur noch das Gefühl, dass jeder Morgen einfach die Ankündigung des nächsten Tages war, den er im Leben seines Sohnes verpassen würde. Inzwischen kam er mit den Vormittagen besser zurecht, aber die ersten paar Stunden, nachdem Jake zu Leonie zurückgegangen war, konnten ihn immer noch aus dem Gleichgewicht bringen.

Er denkt daran, ein paar Hemden zu bügeln. Vielleicht ins Sportstudio zu gehen und danach etwas zu essen. Diese Dinge werden seinem Abend Struktur verleihen. Ein bisschen fernsehen, vielleicht noch einen Blick in die Unterlagen werfen, um sicher zu sein, dass für die Gerichtsverhandlung alles gut vorbereitet ist, und dann wird er schlafen gehen.

Er ist gerade mit den Hemden fertig, als das Telefon klingelt.

«Hey», sagt Janey.

«Wer ist da?», sagt er, obwohl er genau weiß, wer es ist.

«Ich bin's», sagt sie und versucht, nicht beleidigt zu klingen, «Janey. Ich dachte, ich melde mich noch mal, um zu besprechen, ob für morgen alles klar ist.»

«Alles in Ordnung», sagt er. «Sean hat sämtliche Unterlagen durchgesehen. Der Barrister ist instruiert. Mehr können wir nicht tun.»

«Haben wir noch etwas darüber erfahren, wie das Bild ursprünglich verschwunden ist?»

«Nicht viel. Aber wir haben genügend Aussagen von dritter Seite, um ein ziemlich großes Fragezeichen dahinter zu machen.»

Kurzes Schweigen auf der anderen Seite der Leitung.

«Brigg and Sawston's richten ihre eigene Ermittlungsagentur ein.»

«Wer?»

«Das Auktionshaus. Anscheinend wollen sie noch ein Eisen mehr im Feuer haben. Und sie haben reiche Geldgeber im Hintergrund.»

«Mist.» Paul schaut auf die Unterlagen, die sich auf seinem Schreibtisch stapeln.

«Sie haben schon erste Kontakte zu anderen Agenturen geknüpft. Offenbar wollen sie dort Mitarbeiter abgreifen, die früher beim Kunst-Dezernat waren.» Er hört die versteckte Frage. «Es geht ihnen um Leute, die früher bei der Polizei waren.»

«Tja, bei mir haben sie sich nicht gemeldet.»

Sie reagiert nicht sofort. Er fragt sich, ob sie ihm nicht glaubt.

«Wir müssen diesen Fall gewinnen, Paul. Wir müssen demonstrieren, dass wir die Besten sind. Dass man zu uns kommen muss, wenn man verlorene Schätze finden und zurückbekommen will.»

«Kapiert», sagt er.

«Ich will einfach … ich will einfach nur, dass du weißt, wie wichtig du bist. Für das Unternehmen, meine ich.»

«Wie gesagt, Janey, niemand ist auf mich zugekommen.»

Erneutes Schweigen.

«Okay.» Sie telefonieren noch eine Weile, sie erzählt von ihrem Wochenende, dem Besuch bei ihren Eltern, einer Hochzeit in Devon, zu der sie eingeladen ist. Sie hat schon so oft von dieser Hochzeit gesprochen, dass er sich fragt, ob sie gerade ihren Mut zusammennimmt, um ihn dazu einzuladen, und er wechselt eilig das Thema. Schließlich legen sie auf.

Er hat sich gerade unter der Dusche die Haare gewaschen, als er schwach die Türklingel hört. Er flucht, tastet nach einem Handtuch und trocknet sich das Gesicht ab. Er würde mit dem Handtuch um die Hüften zur Tür gehen, aber er hat das Gefühl, es ist Janey. Er will nicht, dass sie denkt, das wäre eine Einladung.

Auf dem Weg zur Treppe lässt er sich seine Ausreden durch den Kopf gehen. Das T-Shirt klebt an seiner feuchten Haut.

Aber es ist nicht Janey.

Liv Halston steht mit einer kleinen Reisetasche in der Hand vor ihm auf dem Bürgersteig. Über ihr funkeln die weihnachtlichen Lichterketten im Dunkel. Sie stellt ihre Reisetasche ab und schaut mit ihrem blassen, ernsten Gesicht zu ihm auf, als hätte sie kurz vergessen, was sie sagen wollte.

«Die Verhandlung fängt morgen an», sagt er, als sie immer noch schweigt. Er kann nicht aufhören, sie anzuschauen.

«Ich weiß.»

«Wir sollten nicht miteinander sprechen.»

«Nein.»

«Das könnte uns beide in eine Menge Schwierigkeiten bringen.»

Er steht da, wartet. Ihr angespanntes Gesicht wird von dem Kragen ihres dicken, schwarzen Mantels eingerahmt, ihr Blick schwankt, als würden in ihrem Kopf lauter Gespräche ablaufen, von denen er nichts mitbekommt. Er will gerade zu einer Entschuldigung ansetzen, als sie ihn unterbricht.

«Hör zu. Ich weiß, dass das vermutlich völlig daneben ist, aber könnten wir den Fall vergessen? Nur für einen Abend?» Sie klingt so verletzlich. «Könnten wir einfach wieder zwei Menschen sein?»

Es ist das leichte Stocken in ihrer Stimme, das ihn mürbe macht. Paul McCafferty setzt zum Sprechen an, doch dann bückt er sich einfach, nimmt ihre Reisetasche und stellt sie in den Hausflur. Bevor es sich einer von ihnen anders überlegen kann, zieht er sie in eine enge Umarmung, und so bleiben sie stehen, bis die Außenwelt versinkt.

«Hey, Schlafmütze.»

Sie schiebt sich hoch, registriert langsam, wo sie ist. Paul sitzt auf dem Bett, gießt Kaffee in einen Becher und reicht ihn ihr. Er wirkt erstaunlich wach. Der Wecker zeigt 6:32 an. «Ich habe dir auch einen Toast gemacht. Ich dachte, du willst vielleicht noch mal nach Hause, bevor ...»

Bevor ...

Der Gerichtstermin. Sie lässt den Gedanken wirken. Er wartet, während sie sich den Schlaf aus den Augen reibt, dann lehnt er sich zu ihr hinüber und küsst sie sanft. Sie wird kurz unsicher, weil er sich die Zähne geputzt hat und sie noch nicht.

«Ich wusste nicht, wie du deinen Toast isst. Ich hoffe, Marmelade ist okay.» Er nimmt das Marmeladenglas in die Hand. «Hat sich Jake ausgesucht. Mit ungefähr achtundneunzig Prozent Zucker.»

«Danke.» Sie betrachtet das Tablett auf ihrem Schoß. Sie kann sich nicht mehr daran erinnern, wann ihr das letzte Mal jemand das Frühstück ans Bett gebracht hat.

Sie schauen sich an. Oje, denkt sie, als ihr die vergangene Nacht in den Sinn kommt. Alle anderen Überlegungen verschwinden. Und als könnte er ihre Gedanken lesen, bilden sich Fältchen um Pauls Augenwinkel.

«Kommst du ... wieder ins Bett?», sagt sie.

Er legt sich neben sie und schiebt ein Bein zwischen ihren Beinen durch. Sie dreht sich so, dass er seinen Arm um ihre Schultern legen kann, dann schmiegt sie sich an ihn und schließt die Augen, genießt einfach nur das Gefühl. Sein Körper ist warm und riecht nach Schlaf. Sie will einfach nur ihren Kopf an seine Haut legen und sich nicht mehr rühren.

Sie hören den Müllwagen auf der Straße, das gedämpfte Klappern der Abfalltonnen und essen in einträchtiger Stille Toast.

«Du hast mir gefehlt, Liv», sagt er schließlich.

Er hält inne, dann sagt er: «Liv ... ich habe Angst, dass dich dieser Fall in den Ruin treibt.»

Sie starrt in ihren Kaffeebecher.

«Liv?»

«Ich will nicht über den Fall reden.»

«Ich auch nicht. Ich wollte dir nur sagen, dass ich mir Sorgen mache.»

Sie versucht zu lächeln. «Das solltest du aber nicht. Noch hast du nämlich nicht gewonnen.»

«Selbst wenn du gewinnst. Die Anwaltshonorare sind unheimlich hoch. Ich habe das schon ein paarmal erlebt, also kann ich mir gut vorstellen, was dich das alles kostet.» Er stellt seinen Becher weg und nimmt ihre Hand in seine. «Hör mal. Letzte Woche habe ich privat mit den Vertretern der Familie Lefèvre geredet. Die zweite Geschäftsführerin, Janey, weiß nicht mal was davon. Ich habe deine Situation ein bisschen erklärt, ihnen erzählt, wie sehr du das Gemälde liebst und dass du es nicht weggeben willst. Und sie haben zugestimmt, dir ein gutes Angebot zu machen. Ein ernstzunehmendes Angebot, einen hohen sechsstelligen Betrag. Damit könntest du die Anwaltshonorare decken und hättest noch etwas übrig.»

Liv starrt auf ihre Hände, ihre Hand, die er mit seiner umschließt. Ihr gutes Gefühl löst sich in Luft auf. «Versuchst … versuchst du, mich zu einem Rückzieher zu bewegen?»

«Aber nicht aus dem Grund, an den du denkst.»

«Was meinst du damit?»

Er schaut vor sich hin. «Ich habe Informationen gefunden. Du wirst es sehen, wenn du mit deinem Anwalt sprichst.»

Sie erstarrt. «In Frankreich?»

Er presst die Lippen aufeinander, als versuche er zu entscheiden, wie viel er ihr sagen soll. «Ich habe einen alten Zeitungsartikel von der amerikanischen Kriegsreporterin gefunden, die dein Gemälde gehabt hat. Sie schreibt darüber, wie sie es bekommen hat, während ihre Einheit auf einer Mission in Dachau war.»

«Und?»

«Und diese Kunstwerke waren alle gestohlen. Was unsere Argumentation stützen würde, dass das Gemälde illegal beschafft und in deutschen Besitz genommen wurde.»

«Das sind reine Vermutungen.»

«Es rückt jeden späteren Ankauf in ein schlechtes Licht.»

«Das sagst du.»

«Ich bin gut in meinem Job, Liv. Wir haben schon halb gewonnen. Und wenn es noch mehr Informationen gibt, weißt du, dass ich sie finden werde.»

Sie spürt, wie sich ihr Körper versteift. «Ich denke, das entscheidende Wort ist hier ‹wenn›.» Sie entzieht ihm ihre Hand.

Er setzt sich auf, sodass er sie direkt anschauen kann. «Okay. Jetzt sage ich dir, was ich nicht verstehe. Abgesehen von dem, was hier moralisch richtig oder falsch ist. Ich verstehe nicht, warum eine wirklich kluge Frau, die ein Gemälde besitzt, das sie beinahe nichts gekostet hat, und die jetzt von seiner zweifelhaften Vergangenheit erfährt, es nicht für sehr viel Geld zurückgeben will. Einen verdammten Haufen mehr Geld, als sie dafür bezahlt hat.»

«Es geht nicht um Geld.»

«Oh, komm schon, Liv. Ich versuche doch nur, dich auf das Offensichtliche hinzuweisen. Wenn du mit dem Fall weitermachst und ihn verlierst, dann verlierst du auch Hunderttausende Pfund. Vielleicht sogar dein Haus. Sämtliche Sicherheiten. Und all das für ein Gemälde? Ist das dein Ernst?»

«Sophie gehört nicht zu ihnen. Die Lefèvres haben sie ... nicht gern.»

«Sophie Lefèvre ist seit neunzig Jahren tot. Ich bin sicher, dass es für sie so oder so keinen Unterschied macht.»

Liv schiebt sich aus dem Bett, greift nach ihrer Hose. «Du verstehst es wirklich nicht, oder?» Sie zerrt die Hose hoch und zieht wütend den Reißverschluss zu. «Du bist nicht der Mann, für den ich dich gehalten habe.»

«Nein. Ich bin ein Mann, der dich seltsamerweise nicht dein Haus für nichts und wieder nichts verlieren sehen will.»

«O nein. Das hatte ich vergessen. Du bist der Mann, der mir diesen Schlamassel überhaupt erst ins Haus gebracht hat.»

«Glaubst du, kein anderer hätte diesen Auftrag angenommen? Das ist ein eindeutiger Fall, Liv. Es gibt haufenweise Unternehmen wie unseres, die ihn übernommen hätten.»

«Sind wir jetzt fertig?» Sie schließt ihren BH und zieht den Pullover über den Kopf.

«Ach verdammt. Hör doch mal. Ich will doch nur, dass du darüber nachdenkst. Ich … ich will einfach nicht, dass du alles verlierst.»

«Ach so. Du willst mich nur beschützen. Schon klar.»

Er reibt sich über die Stirn, als müsse er um seine Beherrschung kämpfen. Und dann schüttelt er den Kopf. «Weißt du, was? Ich glaube, es geht überhaupt nicht um das Gemälde. Ich glaube, es geht um deine Unfähigkeit, mit deinem Leben weiterzumachen. Das Gemälde aufzugeben, bedeutet, David in die Vergangenheit zu entlassen. Und das kannst du nicht.»

«Ich habe weitergemacht! Du weißt, dass ich weitergemacht habe! Worum zum Teufel ist es denn letzte Nacht sonst gegangen?»

Er starrt sie an. «Soll ich dir was sagen? Ich weiß es nicht. Ich weiß es wirklich nicht.»

Als sie sich an ihm vorbeidrängt, versucht er nicht, sie aufzuhalten.

Kapitel 25

Vor dem Gerichtsgebäude sind Menschen. Eine größere Gruppe hat sich vor der Haupttreppe versammelt. Im ersten Moment denkt sie, es müssten Touristen sein, doch als sie aus dem Taxi steigt, nimmt Henry sie am Arm. «Grundgütiger. Halten Sie den Kopf unten», sagt er.

«Wie bitte?»

Als sie den Bürgersteig betritt, geht ein Blitzlichtgewitter los. Einen Moment lang ist sie wie gelähmt. Dann schiebt Henry sie weiter vorwärts, vorbei an den Ellbogen der Männer, die sich um sie drängen und ihren Namen rufen. Jemand drückt ihr einen Zettel in die Hand, und sie hört die leichte Panik in Henrys Stimme, als sich die Menge um sie schließt. Jacketts und die dunklen, unergründlichen Spiegelungen riesiger Kameraobjektive kreisen sie ein. «Zurück, bitte. Bitte treten Sie zurück.» Sie erhascht einen Blick auf die Messingknöpfe einer Polizeiuniform, schließt die Augen und wird zur Seite geschoben. Henrys Griff um ihren Arm verstärkt sich.

Dann sind sie in dem stillen Gerichtsgebäude, passieren die Sicherheitskontrolle. Als Liv auf der anderen Seite ist, schaut sie Henry geschockt an.

«Was zum Teufel war das?», fragt sie keuchend.

Henry streicht sich das Haar glatt, dreht sich um und späht hinaus. «Ich fürchte, der Fall hat schrecklich viel Interesse auf sich gezogen.»

Sie streicht ihre Jacke glatt, dann wirft sie einen Blick über die Schulter, und in demselben Moment kommt Paul durch die Sicherheitskontrolle. Er trägt ein hellblaues Hemd und dunkle Hosen und wirkt kein bisschen gestresst. Niemand hat ihn belästigt. Als sich ihre Blicke begegnen, sieht sie ihn mit stummer Wut an. Sein Gang verlangsamt sich, wenn auch nur ein klein wenig, aber sein Gesichtsausdruck verändert sich nicht. Er schaut sich um, die Unterlagen unter den Arm geklemmt, dann geht er in Richtung Gerichtssaal II weiter.

Da fällt ihr der Zettel in ihrer Hand wieder ein. Sie faltet ihn auseinander.

Der Besitz deutschen Raubguts ist ein VERBRECHEN. Beenden Sie das Leiden der Juden. Geben Sie zurück, was rechtmäßig jüdisches Eigentum ist. Schaffen Sie Gerechtigkeit, BEVOR ES ZU SPÄT IST.

«Was ist das?» Henry späht über ihre Schulter.

«Warum haben sie mir das gegeben? Die Lefèvres sind nicht mal Juden!», ruft sie.

«Ich habe Sie ja darauf hingewiesen, dass Beutekunst ein ziemliches Reizthema ist. Ich fürchte, da hängen sich alle möglichen Interessengruppen dran, ob es sie nun direkt betrifft oder nicht.»

«Aber das ist lächerlich. Wir haben das Gemälde nicht gestohlen. Und es gehört uns seit Jahren!»

«Kommen Sie, Liv. Gehen wir in den Gerichtssaal. Ich sorge dafür, dass Ihnen jemand ein Glas Wasser bringt.»

Der Bereich für die Presse ist voll besetzt. Sie sieht die eng gedrängt sitzenden Journalisten, die sich vor der Ankunft des Richters leise unterhalten, herumwitzeln und die Tageszeitungen durchblättern. Eine Horde Raubtiere, entspannt, aber aufmerksam, die nach ihrer Beute Ausschau hält. Sie will aufstehen und die Leute anbrüllen: *Das ist bloß ein Spiel für euch, oder nicht? Damit ihr das Altpapier von morgen produzieren könnt.* Ihr Herz rast.

Vor beiden Parteien stapeln sich die Unterlagen auf dem Tisch. Ordner mit Dokumenten, Listen von Sachverständigen und Aussagen zu Unklarheiten in der französischen Rechtsprechung. Henry bemerkt scherzhaft, dass Liv inzwischen so viel über einschlägige Prozesse weiß, dass er ihr nach dem Verfahren eine Stelle anbieten könnte. «Das habe ich dann vielleicht auch nötig», sagt sie grimmig.

«Bitte erheben Sie sich.»

«Es geht los.» Henry berührt sie am Ellbogen und lächelt sie aufmunternd an.

Die Lefèvres sitzen schon mit Sean Flaherty auf der Klägerbank und beobachten schweigend, wie ihr Barrister Christopher Jenks den Fall darlegt. Liv mustert die Lefèvres, ihre mürrischen Gesichter, ihre vor der Brust verschränkten Arme, als wären sie von Natur aus unzufrieden. Maurice und André Lefèvre sind die Treuhänder der noch vorhandenen künstlerischen Arbeiten und des übrigen Nachlasses von Édouard Lefèvre, erklärt Jenks dem Gericht. Ihr Interesse bestehe darin, seine Werke zu sichern und für die Zukunft zu wahren.

«Und darin, sich die Taschen vollzustopfen», murmelt Liv. Henry schüttelt den Kopf.

Jenks geht im Gerichtssaal auf und ab, konsultiert nur gelegentlich seine Notizen, wendet sich mit seinen Kommentaren an den Richter. Nachdem Lefèvres Popularität in den vergangenen Jahren merklich gestiegen war, hatten seine Nachkommen eine Bestandsprüfung seiner Werke durchgeführt, bei der das Fehlen eines Porträts mit dem Titel *Jeune Femme* entdeckt wurde, das sich einst im Besitz der Künstlergattin, Sophie Lefèvre, befunden hatte.

Ein Foto und einige Tagebucheinträge hatten zu der Erkenntnis geführt, dass das Bild in aller Öffentlichkeit in dem Hotel Le Coq Rouge in St. Péronne hing, einer Stadt, die im Ersten Weltkrieg unter deutscher Besatzung stand.

Der zuständige Stadtkommandant, ein gewisser Friedrich Hencken, wurde bei mehreren Gelegenheiten als großer Bewunderer des Werks beschrieben. Der Le Coq Rouge war von den Deutschen requiriert worden. Sophie Lefèvre hatte sich lautstark gegen die Besatzung geäußert.

Sophie Lefèvre war Anfang des Jahres 1917 verhaftet und aus St. Péronne weggebracht worden. Etwa um diese Zeit verschwand das Gemälde.

Diese Tatsachen, behauptet Jenks, weisen schon für sich auf Nötigung, auf eine «unsaubere» Aneignung des innig geliebten Gemäldes hin. Aber, fügt er nachdrücklich hinzu, es ist nicht der einzige Hinweis darauf, dass das Bild illegalerweise den Besitzer wechselte.

Neu entdeckte Beweise belegen, dass es am Ende des Zweiten Weltkrieges in der deutschen Stadt Berchtesgaden auftauchte, und zwar in Zusammenhang mit einem Depot für gestohlene und erbeutete Kunstwerke. Er wiederholt die Worte «gestohlene und erbeutete Kunstwerke», um diesen Punkt zu betonen. Und dort, so Jenks, gelangte das Gemälde unter mysteriösen Umständen in den Besitz der amerikanischen Kriegsreporterin Louanne Baker, die einen Tag in dem Depot verbrachte und für eine amerikanische Zeitung darüber schrieb. In ihrem Artikel erwähnt sie, dass sie ein «Geschenk» oder ein «Andenken» an dieses Ereignis erhalten habe. Sie behielt das Gemälde in ihrem Haus, eine Tatsache, die von ihrer Familie bestätigt wird, bis es sieben Jahre zuvor an David Halston verkauft wurde, der es seinerseits als Hochzeitsgeschenk an seine Frau weitergab.

Liv hört die Geschichte ihres Gemäldes, laut bei Gericht vorgetragen, und es fällt ihr schwer, ihr Porträt, das kleine Gemälde, das ungerührt an ihrer Schlafzimmerwand hängt, mit diesen traumatischen, diesen Ereignissen von weltweiter Bedeutung in Verbindung zu bringen.

Sie wirft einen Blick auf die Pressebank. Die Journalisten hören mit gespannter Aufmerksamkeit zu, ebenso wie der Richter. Abwesend denkt sie, dass sie wohl selbst von dieser Geschichte in Bann geschlagen würde, wenn nicht ihre ganze Zukunft davon abhinge. Auf der Klägerbank lehnt sich Paul zurück, die Hände hinter dem Kopf verschränkt.

Liv lässt ihren Blick zu ihm wandern, und er sieht sie direkt an. Sie errötet leicht, wendet sich ab. Sie überlegt, ob er an jedem Verhandlungstag da sein wird. Sie überlegt, ob sie schon jemals so wütend auf jemanden war.

Christopher Jenks steht vor ihnen. «Euer Ehren, es ist äußerst bedauerlich, dass Mrs. Halston unwillentlich am Ende einer Verkettung historischen Unrechts steht, aber Unrecht bleibt es dennoch. Wir gehen davon aus, dass dieses Gemälde zwei Mal gestohlen wurde: zuerst aus dem Haus Sophie Lefèvres, und dann, am Ende des Zweiten Weltkrieges, indem es illegal als Geschenk aus dem Lager für Raubkunst entfernt wurde, und zwar in einer Phase, in der ein solches Chaos in Europa herrschte, dass dieses Vergehen nicht dokumentiert und bis jetzt nicht einmal entdeckt wurde.»

Jenks räuspert sich und fährt fort: «Doch das Gesetz, sowohl das Genfer Abkommen als auch das gegenwärtige Restitutionsrecht, bestimmt, dass dieses Unrecht wiedergutgemacht werden muss. Und das bedeutet in unserem Fall, dass dieses Gemälde an seine rechtmäßigen Besitzer, die Familie Lefèvre, restituiert werden muss. Danke, Euer Ehren.»

Henrys Gesicht neben ihr ist ausdruckslos.

Liv schaut in die Ecke des Saales, in der eine auf die Maße des Originals vergrößerte Abbildung der *Jeune Femme* auf einer kleinen Staffelei steht. Flaherty hat darum gebeten, das Gemälde sicher unterzubringen, während über seine Zukunft entschieden wird, aber Henry hat ihr erklärt, dass sie nicht verpflichtet ist, dieser Forderung zuzustimmen.

Trotzdem, es ist nervenzermürbend, die *Jeune Femme* hier zu sehen, sie ist hier fehl am Platz, scheint spöttisch auf die Verhandlung zu blicken, die vor ihr geführt wird. Zu Hause geht Liv manchmal nur ins Schlafzimmer, um sie anzuschauen, und zwar noch genauer, seit die Möglichkeit besteht, sie bald nie mehr anschauen zu können.

Der Nachmittag schleppt sich hin. Die Heizungsluft im Sitzungssaal wird drückend. Christopher Jenks zerpflückt ihren Versuch, Verjährung geltend zu machen, mit der Effizienz eines Gerichtsmediziners, der gelangweilt einen Frosch seziert. Gelegentlich sieht Liv auf, während Ausdrücke wie «Übertragung des Besitzrechts» oder «unvollständiger Provenienznachweis» fallen. Der Richter hüstelt und studiert seine Noti-

zen. Paul murmelt seiner Kollegin etwas zu. Jedes Mal, wenn er das tut, lächelt sie und zeigt dabei perfekte, weiße Zähne.
Nun beginnt Christopher Jenks vorzulesen.

15. Januar 1917

Heute haben sie Sophie Lefèvre abgeholt. So etwas hat es noch nie gegeben. Sie hat sich im Keller des Le Coq Rouge um irgendwelche Angelegenheiten gekümmert, als zwei Deutsche über den Platz kamen und sie weggeschleppt haben, als wäre sie eine Kriminelle. Ihre Schwester hat geweint und gebettelt, genau wie das Waisenkind von Liliane Béthune. Eine richtige Menschenmenge ist zusammengelaufen und hat dagegen protestiert, aber sie haben die Leute einfach zur Seite geschubst wie lästige Insekten. Zwei ältere Leute wurden sogar auf den Boden geworfen bei dem ganzen Tumult. Ich schwöre es, mon Dieu, wenn es im Jenseits eine Gerechtigkeit gibt, werden die Deutschen teuer bezahlen.

Sie haben Sophie in einem Militärlaster weggeschafft. Der Bürgermeister hat versucht, sie aufzuhalten, aber er ist nicht besonders tatkräftig dieser Tage. Der Tod seiner Tochter hat ihm zugesetzt, und er ist noch zu mitgenommen, um sich mit den Boches anzulegen. Sie nehmen ihn sowieso nicht ernst. Als der Wagen schließlich außer Sicht war, ging er in die Bar des Le Coq Rouge und verkündete großspurig, er werde diese Sache an höchster Stelle vorbringen. Keiner von uns hat ihm zugehört. Ihre arme Schwester, Hélène, hat sich schluchzend über den Tresen gebeugt, ihr Bruder Aurélien ist weggelaufen wie ein geprügelter Hund, und das Kind, das Sophie bei sich aufgenommen hat – die Tochter von Liliane Béthune –, stand in der Ecke wie ein kleiner Geist.

«Eh, Hélène wird sich um dich kümmern», habe ich zu der Kleinen gesagt. Dann habe ich ihr eine Münze in die Hand gedrückt, aber sie hat das Geld angeschaut, als wüsste sie nicht, was das ist. Als sie mich ansah, waren ihre Augen groß wie Untertassen. «Du musst keine Angst haben, Kind. Hélène ist eine gute Frau. Sie wird sich um dich kümmern.»

Ich weiß, dass es irgendeine Aufregung um Sophie Lefèvres Bruder gab, bevor sie weggebracht wurde, aber ich höre nicht gut, und in all dem Lärm und Durcheinander habe ich nicht mitbekommen, worum es ging. Allerdings fürchte ich, dass sie von den Deutschen schlecht behandelt worden ist. Ich wusste, dass sie seit dem Tag erledigt war, an dem die Deutschen beschlossen haben, den Le Coq Rouge zu übernehmen, aber sie wollte ja nie auf mich hören. Sie muss die Boches auf irgendeine Art verärgert haben; sie war schon immer so unüberlegt. Ich kann ihr keinen Vorwurf daraus machen; ich nehme an, wenn die Deutschen in meinem Haus wären, würde ich sie auch verärgern.

Ja, ich hatte meine Schwierigkeiten mit Sophie Lefèvre, aber heute wird mir das Herz schwer. Zu sehen, wie sie auf diesen Militärlaster geschoben wurde, als wäre sie schon eine Leiche, daran zu denken, was ihr bevorsteht … Es ist eine dunkle Zeit. Dass ich das noch erleben muss. An manchen Abenden muss man beinahe glauben, dass unser ganzes Städtchen eine Irrenanstalt geworden ist.

Mit leiser, sonorer Stimme liest Christopher Jenks den letzten Satz. Es ist ruhig im Gerichtssaal, nur die Tastaturgeräusche des Gerichtsschreibers sind in der Stille hörbar. Unter der Decke drehen sich träge die Ventilatoren, ohne die Luft spürbar zu bewegen.

«‹Ich wusste, dass sie seit dem Tag erledigt war, an dem die

Deutschen beschlossen haben, den Le Coq Rouge zu übernehmen.› Ladies and Gentlemen, ich denke, dieser Tagebucheintrag zeigt uns sehr deutlich, dass die Beziehung Sophie Lefèvres zu den Deutschen in St. Péronne nicht gerade gut war.»

Er schlendert durch den Gerichtssaal wie jemand, der am Strand entlangspaziert, und sieht beiläufig in die fotokopierten Seiten.

«Und das ist nicht der einzige Hinweis. Diese Einwohnerin St. Péronnes, Vivienne Louvier, hat sich als bemerkenswerte Alltagschronistin der kleinen Stadt erwiesen. In einem etwas älteren Eintrag schreibt sie:

Die Deutschen essen im Le Coq Rouge. Sie lassen die Schwestern Bessette so üppig kochen, dass der Geruch über den ganzen Marktplatz zieht und uns halb wahnsinnig macht vor Verlangen. Ich habe Sophie Bessette – oder Lefèvre, wie sie jetzt heißt – in der Boulangerie erklärt, dass ihr Vater das nicht geduldet hätte, aber sie sagt, sie hat keine andere Wahl.

Er hebt den Kopf. «‹Sie hat keine andere Wahl.› Die Deutschen sind in das Hotel der Künstlergattin eingefallen und haben sie gezwungen, für sie zu kochen. Sie hat den Gegner buchstäblich im Haus, und sie kann nicht das Geringste dagegen tun. Das spricht alles eine sehr eindeutige Sprache. Aber es gibt noch mehr Hinweise. Eine Suche im Archiv der Lefèvres hat einen Brief zutage gefördert, den Sophie an ihren Mann geschrieben hat. Dieser Brief hat ihn vermutlich nie erreicht, aber ich glaube, das ist unwesentlich.»

Er hält ein Blatt Papier hoch, als brauche er zum Lesen besseres Licht.

Der neue Kommandant ist nicht so dumm wie Becker, aber er geht mir trotzdem mehr auf die Nerven. Er schaut das Porträt an, das du von mir gemalt hast, und ich würde ihm am liebsten sagen, dass er dazu kein Recht hat. Dieses Bild gehört vor allen anderen nur dir und mir. Und weißt du, was das Seltsamste ist, Édouard? Er bewundert deine Arbeit. Er kennt die Académie Matisse, kennt Weber und Purrmann. Wie merkwürdig es für mich war, deine überragende Pinselführung vor einem deutschen Kommandanten zu vertreten!

Aber ich weigere mich, das Bild abzuhängen, ganz gleich, was Hélène sagt. Es erinnert mich an dich und an unsere glücklichen Zeiten. Es erinnert mich daran, dass der Mensch sowohl Liebe und Schönheit als auch Zerstörung schaffen kann.

Ich bete für deine Sicherheit und deine schnelle Rückkehr, mein Liebster.

Für immer dein, Sophie

«‹Dieses Bild gehört vor allen anderen nur dir und mir.›»

Jenks lässt die Worte in der Luft hängen. «Dieser Brief, der lange nach ihrem Tod entdeckt wurde, teilt uns mit, dass dieses Gemälde der Künstlergattin sehr viel bedeutet hat. Außerdem teilt er uns mit, dass ein deutscher Kommandant ein Auge darauf geworfen hat. Und nicht nur das, er hatte einen sehr guten Überblick über den Kunstmarkt. Er war, wenn Sie so wollen, ein *aficionado.*» Er lässt das Wort von der Zunge rollen, betont jede Silbe, als würde er es das erste Mal benutzen.

«Und nun erscheint dieser Fall von Raubkunst aus dem Ersten Weltkrieg wie ein Vorläufer des Kunstraubs im Zweiten Weltkrieg. Hier haben wir den gebildeten deutschen Offizier, der genau wusste, was er wollte, den Marktwert kannte, das Gemälde für sich vorgesehen hatte …»

«Einspruch.» Angela Silver, Livs Barrister, ist aufgestanden. «Es besteht ein gewaltiger Unterschied zwischen jemandem, der ein Gemälde bewundert und das Umfeld des Künstlers kennt, und jemandem, der das Bild tatsächlich stiehlt. Mein verehrter Kollege hat keinen einzigen Beweis dafür vorgebracht, dass der Kommandant das Gemälde an sich genommen hat, nur dafür, dass er es bewunderte und dass er in dem Haus aß, in dem Madame Lefèvre wohnte. All das ist nebensächlich.»

Der Richter murmelt: «Stattgegeben.»

Christopher Jenks fährt sich mit den Fingerspitzen über die Augenbraue. «Ich versuche, wenn Sie so wollen, nur ein Bild davon zu malen, wie es 1916 in St. Péronne zugegangen ist. Man kann unmöglich nachvollziehen, wie jemand ein Gemälde beschlagnahmen konnte, ohne die historischen Verhältnisse zu kennen und ohne zu wissen, dass die Deutschen bei der Beschlagnahme *carte blanche* hatten. Mit anderen Worten: Sie konnten sich nehmen, was sie wollten, und zwar aus jedem Haus.»

«Einspruch.» Angela Silver blättert in ihren Unterlagen. «Das gehört nicht hierher. Es gibt keinen Beweis dafür, dass dieses Gemälde überhaupt beschlagnahmt wurde.»

«Stattgegeben. Bleiben Sie bei der Sache, Mr. Jenks.»

«Noch einmal, Hohes Gericht, ich versuche nur ein Bild zu …»

«Überlassen Sie das Malen Édouard Lefèvre, wenn es genehm ist, Mr. Jenks.» Unterdrücktes Lachen im Saal.

«Ich will darstellen, dass viele Wertgegenstände von deutschen Truppen beschlagnahmt worden sind, ohne dass darüber Protokoll geführt wurde, und ebenso wenig wurden sie ‹bezahlt›, wie es die deutschen Führungskräfte versprachen. Ich erwähne diese allgemeine Haltung, die ein solches Verhalten begünstigte, weil die *Jeune Femme* nach unserer Überzeugung zu diesen Wertgegenständen gehörte. ‹Er schaut das Porträt an, das du von mir gemalt hast, und ich würde ihm am liebsten sagen, dass er dazu kein Recht hat.› Nun, Euer Ehren, in unserem Fall glaubte Kommandant Friedrich Hencken, dass er jedes Recht hatte. Und in unserem Fall ist das Gemälde in den folgenden dreißig Jahren in deutschem Besitz geblieben.»

Paul wirft Liv einen Blick zu. Sie dreht den Kopf weg.

Sie konzentriert sich auf das Bild von Sophie Lefèvre. *Holzköpfe*, scheint sie zu sagen und mit ihrem undurchdringlichen Blick sämtliche Anwesenden zu erfassen.

Ja, denkt Liv mit einem Seitenblick auf Paul. Ja, genau das sind wir.

Um halb vier wird die Verhandlung vertagt. Angela Silver isst in ihrer Kanzlei ein Sandwich. Ihre Perücke liegt auf dem Tisch neben ihr, und auf dem Schreibtisch vor ihr steht ein Becher mit Tee. Henry sitzt ihr gegenüber.

Sie erklären Liv, dass der erste Verhandlungstag erwartungsgemäß verlaufen ist. Trotzdem hängt Spannung in der Luft wie Salzpartikel noch Meilen hinter der Küste. Liv schiebt ihre fotokopierten Übersetzungen herum, als sich Henry an sie wendet.

«Liv, haben Sie nicht gesagt, Sophies Neffe hätte bei Ihrem Gespräch etwas davon erwähnt, dass sie Schande über sich gebracht hat? Ich überlege, ob es sich lohnt, diese Fährte weiterzuverfolgen.»

«Ich verstehe nicht ganz», sagt sie. Die beiden sehen sie erwartungsvoll an.

Silver schluckt den Bissen herunter, bevor sie anfängt zu sprechen. «Nun, wenn sie Schande über sich gebracht hat, könnte das doch darauf hindeuten, dass ihre Beziehung zu dem Kommandanten einvernehmlich war, oder? Und es ist so: Wenn wir nachweisen können, dass es so war, wenn wir darauf verweisen können, dass sie eine außereheliche Affäre mit einem deutschen Soldaten hatte, können wir auch geltend machen, dass sie ihm das Gemälde möglicherweise geschenkt hat. Es ist durchaus vorstellbar, dass jemand, der sich in eine Liebesaffäre verstrickt hat, dem Liebhaber ein Bild von sich schenkt.»

«Aber nicht Sophie», sagt Liv.

«Das wissen wir nicht», sagt Henry. «Sie haben mir erzählt, dass die Familie sie nach ihrem Verschwinden totgeschwiegen hat. Wenn sie sich nichts hat zuschulden kommen lassen, hätten sie sich bestimmt gern an sie erinnert. Stattdessen wurde sie anscheinend aus Scham in den Mantel des Schweigens gehüllt.»

«Ich kann mir nicht vorstellen, dass sie eine einvernehmliche Beziehung mit dem Kommandanten hatte. Schauen Sie sich diese Postkarte an.» Liv schlägt ihren Ordner auf. «‹Du bist mein Leitstern in dieser Welt des Irrsinns.› Das ist drei Monate, bevor sie zur ‹Kollaborateurin› geworden sein soll. Das klingt wohl kaum nach einem Ehepaar, das sich nicht liebt, oder?»

«Das klingt nach einem Ehemann, der seine Frau ganz bestimmt liebt, ja», sagt Henry. «Aber wir können nicht sagen, ob sie diese Liebe erwidert hat. Sie könnte sich in einen deutschen Soldaten verliebt haben. Sie könnte einsam oder leichtgläubig gewesen sein. Nur weil sie ihren Mann liebte, heißt das nicht, dass sie unfähig war, sich in jemand anderen zu verlieben, nachdem er weg war.»

Liv streicht sich eine Haarsträhne aus dem Gesicht. «Das klingt schrecklich», sagt sie, «als würde man ihr Andenken beschmutzen.»

«Ihr Andenken ist schon beschmutzt. Ihre Familie hat kein freundliches Wort für sie übrig.»

«Ich will nicht, dass das, was ihr Neffe gesagt hat, gegen sie verwendet wird», sagt Liv. «Er ist anscheinend der Einzige, dem sie etwas bedeutet. Ich bin ... ich bin einfach nicht überzeugt, dass wir damit schon die vollständige Geschichte kennen.»

«Die vollständige Geschichte ist unwichtig.» Angela Silver knüllt ihre Sandwichtüte zusammen und wirft sie in den Papierkorb. «Sehen Sie, Mrs. Halston, wenn Sie beweisen können, dass Sophie und der Kommandant eine Affäre hatten, wird das Ihre Chance erheblich steigern, das Gemälde zu behalten. Solange die Gegenseite nahelegen kann, dass es gestohlen wurde oder unter Zwang den Besitzer wechselte, schwächt das Ihre Position.» Sie wischt sich die Hände ab und setzt ihre Perücke wieder auf. «Damit legen wir harte Bandagen an. Aber Sie können darauf wetten, dass die Gegenseite genauso vorgeht. Unterm Strich geht es um folgende Frage: Wie wichtig ist es Ihnen, dieses Gemälde zu behalten?»

Liv sitzt am Tisch, und ihr eigenes Sandwich liegt unberührt vor ihr, als die beiden Anwälte aufstehen. Sie starrt die Unterlagen vor sich an. Sie kann Sophies Andenken nicht beschädigen. Aber sie kann auch das Gemälde nicht weggeben. Und sie kann Paul nicht gewinnen lassen. «Ich werde herausfinden, was mit ihr passiert ist», sagt sie.

Kapitel 26

Ich habe keine Angst, obwohl es eigenartig ist, dass sie hier sind und unter unserem Dach essen und reden. Die meisten sind höflich, sogar beflissen. Und ich glaube, der Kommandant würde kein Fehlverhalten auf Seiten seiner Männer dulden. So hat unser unbehaglicher Waffenstillstand begonnen …

Es ist sonderbar, aber der Kommandant ist ein kultivierter Mann. Er kennt das Werk von Matisse! Von Weber und Purrmann! Kannst du dir vorstellen, wie seltsam es ist, die Feinheiten deiner Pinselführung mit einem Deutschen zu diskutieren?

Wir haben heute gut gegessen. Der Kommandant kam in die Küche und hat uns befohlen, den übriggebliebenen Fisch zu essen. Der kleine Jean hat geweint, als es nichts mehr gab. Ich bete, dass du genügend zu essen hast, wo immer du jetzt auch bist …

Liv nimmt sich die Textfragmente immer wieder vor, versucht, zwischen den Zeilen zu lesen. Es ist schwierig, die Texte in eine zeitliche Reihenfolge zu bringen. Sophie hat auf einzelne Zettel und Restpapier geschrieben, an manchen Stellen ist die Tinte verblasst, aber es ist eindeutig, dass sich ihre Beziehung zu Friedrich Hencken verbessert. Sie erwähnt lange Gespräche, gelegentliche Nettigkeiten und dass er ihnen Lebensmittel gibt. Bestimmt hätte Sophie mit niemandem über Kunst diskutiert und von niemandem Lebensmittel angenommen, den sie für eine Bestie hielt.

Je mehr sie liest, desto näher fühlt sie sich der Verfasserin dieser Zeilen. Sie liest die Geschichte von dem Ferkel und übersetzt sie zwei Mal, um sicher zu sein, dass sie es richtig verstanden hat, und dann hätte sie Sophie am liebsten zugejubelt. Sie überfliegt noch einmal die Fotokopien, die sie bei Gericht bekommen hat, die schnippische Beschreibung Madame Louviers von Sophies Gehorsamsverweigerung, ihrem Mut, ihrer Gutherzigkeit. Ihr ganzes Wesen scheint aus diesen Seiten zu sprechen. Liv wünscht sich flüchtig, mit Paul über all das reden zu können.

Langsam klappt sie den Ordner zu. Und dann wirft sie einen schuldbewussten Blick auf die andere Seite ihres Schreibtischs, wo die Papiere liegen, die sie Henry nicht zeigt.

Der Blick des Kommandanten war durchdringend, klug und doch seltsam verhangen. Ich fürchtete, dass er meine bröckelnde Selbstbeherrschung wahrnehmen könnte …

Der Rest der Seite fehlt, ist abgerissen oder zerfallen.

«Ich werde mit Ihnen tanzen, Herr Kommandant», sagte ich zu ihm. «Aber nur in der Küche.»

Und dann ist da noch ein Zettel in einer anderen Handschrift. «Wenn du das tust», steht einfach darauf, «gibt es kein Zurück.» Eine schreckliche Beklommenheit steigt in Liv auf.

Sie liest die Worte immer wieder, stellt sich eine Frau in heimlicher Umarmung mit einem Mann vor, der ihr Gegner ist. Und dann klappt sie den Hefter zu und schiebt ihn sorgfältig unter einen Papierstapel.

«Wie viele sind es heute?»

«Vier», sagt sie und gibt ihm die Drohbriefe. Henry hat ihr gesagt, dass sie keine Briefe öffnen soll, die mit einer Handschrift adressiert sind, die sie nicht kennt. Das übernehmen seine Angestellten, und sie erstatten bei jedem Drohbrief Anzeige gegen Unbekannt. Sie versucht, trotz dieser neuen Entwicklung zuversichtlich zu bleiben, doch in Wahrheit zuckt sie inzwischen bei jedem Brief zusammen, den sie nicht gleich zuordnen kann. Allein der Gedanke an all diesen Hass dort draußen, der nur darauf wartet, sich ein Ziel zu suchen. Sie kann *Jeune Femme* und *Lefèvre* nicht mehr in eine Suchmaschine eingeben. Bis vor kurzem gab es nur zwei historische Hinweise, aber inzwischen stehen Online-Versionen von Zeitungsartikeln aus aller Welt im Internet, verlinkt von Interessengruppen, und in Chatrooms wird über ihren und Davids offenkundigen Egoismus diskutiert, ihre Gleichgültigkeit gegenüber der Gerechtigkeit. Die Worte treffen sie wie Ohrfeigen. *Raubkunst. Gestohlen. Kriegsbeute. Miststück.*

Zwei Mal hat ihr jemand Hundekot in den Briefkasten geschoben.

Das sind die expliziten Zeichen der Missbilligung. Aber der Prozess hat auch subtilere Auswirkungen. Die Nachbarn sagen ihr nicht mehr freundlich hallo, sondern beschränken sich mit gesenktem Blick auf ein kurzes Nicken. Sie hat keine Einladungen mehr bekommen, seit die Zeitungen von dem Fall berichten. Zu keinem Essen, keiner Vernissage, zu keinem der Ereignisse in der Architektenszene, zu denen sie normalerweise eingeladen wird, selbst wenn sie gewöhnlich absagt. Zuerst hat sie das alles für Zufall gehalten, inzwischen fängt sie an sich zu wundern.

In den Zeitungen wird jeden Tag ihr Outfit diskutiert. Sie wird als «düster» beschrieben, manchmal als «dezent» und immer als «blond». Die Gier der Journalisten nach jeder Einzelheit des Prozesses ist endlos. Sie weiß nicht, ob noch jemand angerufen hat, um sie zu einer Stellungnahme zu bewegen. Sie hat den Stecker ihres Telefons schon vor Tagen herausgezogen. Henry hat dafür gesorgt, dass sie in den angesehenen Zeitungen besser wegkommen, aber das scheint wenig Wirkung zu zeigen.

Sie sieht zu der Bank der Lefèvres hinüber. Ihre Mienen sind verschlossen wie am ersten Tag. Liv fragt sich, was sie wohl denken, wenn sie jetzt hören, wie Sophie von ihrer Familie ausgeschlossen wurde, allein und ungeliebt. Ändert das ihre Gefühle für sie? Oder nehmen sie nicht wahr, dass Sophie im Zentrum des Geschehens steht, und sehen nur die Dollarzeichen?

Paul sitzt jeden Tag am anderen Ende der Bank. Sie schaut nicht oft hinüber, aber sie spürt seine Anwesenheit wie einen elektrischen Impuls.

Christopher Jenks ergreift das Wort. Er wird, so erklärt er dem Gericht, den jüngsten Beweis dafür bringen, dass die *Jeune Femme* tatsächlich ein belastetes Kunstwerk ist.

«Die gegenwärtigen Besitzer, die Halstons, haben es aus dem Nachlass einer Louanne Baker gekauft. ‹Die furchtlose

Miss Baker›, wie sie als Kriegsreporterin 1945 genannt wurde, gehörte zu einer sehr kleinen, ausgewählten Gruppe Frauen. Es gibt Zeitungsausschnitte aus dem *New York Register*, in denen erwähnt wird, dass sie am Ende des Zweiten Weltkriegs in der Gegend um Dachau war. Und sie liefern eine lebhafte Beschreibung der chaotischen und schockierenden Umstände bei der Befreiung des Lagers durch die Alliierten.»

Liv sieht die männlichen Journalisten eifrig mitschreiben. «Zweiter Weltkrieg», hatte Henry gemurmelt, als sie sich setzten. «Die Presse liebt Nazis.»

«Besonders ein Artikel berichtet, wie Mrs. Baker etwa um die Zeit der Befreiung einen Tag in einem riesigen Lager mit Raubkunst verbrachte, das sich in einem ehemaligen Nazi-Verwaltungsgebäude südöstlich von München befand.» Jenks berichtet von einer anderen Reporterin, die damals zum Dank für ihre Unterstützung der Alliierten ein Gemälde erhalten hatte. Das Gemälde war seither Gegenstand mehrerer Rechtsstreitigkeiten gewesen und mittlerweile an seinen ursprünglichen Besitzer zurückgegangen.

Henry schüttelt ganz leicht den Kopf.

«Euer Ehren, ich werde jetzt Kopien dieses Zeitungsartikels herumgeben, der vom 6. November 1945 stammt und den Titel trägt: ‹Wie ich zum Befehlshaber von Berchtesgaden wurde›. Dieser Artikel zeigt nach unserer Überzeugung, wie die einfache Kriegsreporterin Louanne Baker durch extrem unorthodoxe Methoden an ein Meisterwerk der künstlerischen Moderne gelangt ist.»

Ruhe kehrt im Gerichtssaal ein. Die Journalisten lehnen sich mit gezückten Stiften über ihre Notizblöcke. Christopher Jenks beginnt vorzulesen.

> Kriegszeiten machen einen auf vieles gefasst. Aber nichts machte mich auf den Tag gefasst, an dem ich mich als Befehlshaber von Berchtesgaden und über Görings Beutekunst im Wert von mehreren Millionen Dollar wiederfand.

Die Stimme der jungen Reporterin schallt über die Jahre zu ihnen. Sie landet mit den Screaming Eagles auf dem Omaha Beach. Sie ist in der Nähe von München stationiert. Und dann sieht sie eines Morgens die Truppen ausrücken und hat plötzlich den Befehl über zwei Marinesoldaten und einen Löschzug. Sie erzählt von Görings Begeisterung für Kunst, von den Beweisen für jahrelangen, systematischen Kunstraub in dem Gebäude, von ihrer Erleichterung über die Rückkehr der amerikanischen Soldaten, nach der sie die Verantwortung für dic Beutekunst wieder abgeben konnte.

Und dann hält Christopher Jenks inne.

> Als ich ging, hat der Sergeant zu mir gesagt, ich könnte mir ein Andenken mitnehmen, als Dank für das, was er «patriotische Pflichterfüllung» nannte. Ich habe es getan, und ich habe es bis heute – eine kleine Erinnerung an den seltsamsten Tag meines Lebens.

Jenks steht da, zieht die Augenbrauen hoch. «Ein Andenken.»

Angela Silver springt auf. «Einspruch. In dem Artikel weist nicht das Geringste darauf hin, dass es sich bei diesem Erinnerungsstück um die *Jeune Femme* handelt.»

«Es ist aber ein auffälliger Zufall, dass sie erwähnt, sie hätte sich etwas mitnehmen dürfen.»

«Ein Zufall, aber keinerlei Beweis. Wie gesagt, in dem Artikel steht an keiner Stelle, dass dieser Gegenstand ein Gemälde war. Ganz zu schweigen von genau diesem Gemälde.»

«Stattgegeben.»

Angela Silver stellt sich vor den Richter. «Euer Ehren, wir haben die Unterlagen aus Berchtesgaden durchgesehen, und es gibt keinen Hinweis darauf, dass dieses Gemälde aus dem Depot stammt. Es taucht auf keiner Inventarliste aus dieser Zeit auf. Es ist eine fadenscheinige Verbindung, die mein Kollege hier herzustellen versucht.»

«Es ist im Verlauf der Verhandlung schon festgestellt worden, dass im Krieg niemals alles schriftlich erfasst wird. Wir kennen die Aussagen von Sachverständigen, die darauf hinweisen, dass es Kunstwerke gibt, die im Krieg nie als gestohlen gemeldet wurden, aber dennoch Raubkunst waren, wie sich später herausstellte.»

«Euer Ehren, wenn mein geschätzter Kollege hier vorbringen will, das Gemälde *Jeune Femme* hätte sich als Raubkunst in Berchtesgaden befunden, dann liegt die Beweislast weiterhin bei den Klägern. Und zunächst einmal müssten sie zweifelsfrei nachweisen, dass dieses Gemälde tatsächlich dort war. Es gibt keinerlei stichhaltigen Beweis dafür.»

Jenks schüttelt den Kopf. «David Halston sagt in seiner *eigenen Erklärung*, dass Louanne Bakers Tochter ihm beim Kauf erzählt hat, ihre Mutter hätte das Gemälde 1945 in Deutschland bekommen. Sie konnte keinen Herkunftsnachweis liefern, und er kannte sich auf dem Kunstmarkt nicht gut genug aus, um zu wissen, dass er diesen Nachweis hätte verlangen müssen. Es scheint doch recht auffällig, dass ein Gemälde, das in einer Phase deutscher Besatzung aus Frankreich verschwand und dem Vernehmen nach von einem deutschen Militärkommandanten bewundert wurde, später im Haus einer Frau wiederauftaucht, die gerade aus Deutschland zurückgekehrt war und von der die Aussage bekannt ist, sie habe ein wertvolles

Erinnerungsstück von dieser Reise mitgebracht und würde niemals mehr dorthin zurückkehren.»

Auf einer Zuschauerbank atmet eine dunkelhaarige Frau in Lindgrün hörbar aus, dann beugt sie sich vor, die großen, knorrigen Hände auf der Rücklehne der Bank vor ihr. Die Frau schüttelt heftig den Kopf. Es sind viele ältere Leute unter den Zuhörern. Wie viele von ihnen haben wohl noch persönliche Erinnerungen an diesen Krieg? Wie viele haben selbst wertvolle Gegenstände verloren?

Angela Silver wendet sich an den Richter. «Um es noch einmal zu sagen, Euer Ehren, all das ist nebensächlich. Es gibt keinen einzigen Hinweis darauf, dass es sich bei dem Gegenstand um ein Gemälde gehandelt hat. Ein Andenken, wie es hier angesprochen wird, hätte ebenso gut ein Militärabzeichen oder ein Kieselstein sein können. Dieses Gericht muss sein Urteil allein auf Grundlage historischer Belege fällen. Und in diesem Beleg wird nirgendwo explizit auf das in Frage stehende Gemälde hingewiesen.»

Angela Silver setzt sich.

«Können wir Marianne Andrews aufrufen?»

Die Frau in Lindgrün steht ruckartig auf, geht zum Zeugenstand und sieht sich, nachdem sie vereidigt wurde, leicht blinzelnd um. Sie hält den Griff ihrer Handtasche so fest, dass ihre Fingerknöchel weiß hervortreten. Liv zuckt zusammen, als ihr wieder einfällt, wo sie diese Frau schon einmal gesehen hat. Auf einer sonnendurchglühten Straße in Barcelona, vor sieben Jahren, als ihr Haar noch blond und nicht rabenschwarz war. *Marianne Johnson.*

«Mrs. Andrews. Sie sind die einzige Tochter Louanne Bakers.»

«Ja, das stimmt.» Liv erinnert sich wieder an ihren starken amerikanischen Akzent.

Angela Silver deutet auf das Bild. «Mrs. Andrews. Erkennen Sie dieses Gemälde wieder – die Kopie des Gemäldes –, das Sie vor sich haben?»

«Allerdings. Dieses Gemälde hat während meiner gesamten Kindheit in unserem Wohnzimmer gehangen. Es heißt *Jeune Femme* und ist von Édouard Lefèvre.» Sie spricht es «Le Fever» aus.

«Mrs. Andrews, hat Ihnen Ihre Mutter je von dem Andenken erzählt, das sie in ihrem Artikel erwähnt?»

«Nein, Ma'am.»

«Sie hat also nie gesagt, dass es ein Gemälde war?»

«Nein, Ma'am.»

«Hat sie jemals darüber gesprochen, woher sie dieses Gemälde hatte?»

«Nicht mit mir, nein. Aber eins möchte ich betonen: Mom hätte dieses Gemälde niemals genommen, wenn sie hätte denken müssen, dass es einem der Opfer aus diesen Lagern gehört hat. So war sie einfach nicht.»

Der Richter beugt sich vor. «Mrs. Andrews, wir müssen uns im Rahmen dessen bewegen, was wir wissen. Wir können Ihrer Mutter keine Motive für ihr Handeln zuschreiben.»

«Nun, genau das scheinen Sie aber alle zu tun.» Sie schnaubt ärgerlich. «Sie kannten sie nicht. Sie hat an Fairness geglaubt. Die Andenken, die sie gesammelt hat, waren Dinge wie Schrumpfköpfe oder alte Gewehre oder Nummernschilder. Dinge, die keinem wichtig waren.» Sie denkt kurz nach. «Na ja, okay, die Schrumpfköpfe haben wohl irgendwann einmal zu jemandem gehört, aber bei diesen Leuten kann man davon ausgehen, dass sie sie nicht zurückhaben wollen, darauf würde ich wetten.»

Im Saal brandet Gelächter auf.

«Sie war unglaublich betroffen von dem, was in Dachau passiert war. Sie konnte noch Jahre später kaum darüber sprechen. Ich weiß, dass sie nichts genommen hätte, wenn sie hätte annehmen müssen, dass sie damit diesen armen Seelen noch weiteres Leid zufügt.»

«Also glauben Sie nicht, dass Ihre Mutter dieses Gemälde aus Berchtesgaden mitgenommen hat.»

«Meine Mutter hat von niemandem irgendetwas angenommen. Sie hat ihren eigenen Lebensunterhalt bestritten. So war sie.»

Jenks steht auf. «Das ist alles schön und gut, Mrs. Andrews, aber wie Sie schon sagten: Sie haben keine Ahnung, wie Ihre Mutter an dieses Gemälde gekommen ist, oder?»

«Wie ich schon sagte: Ich weiß, dass sie keine Diebin war.»

Liv beobachtet den Richter, der sich Notizen macht. Dann betrachtet sie Marianne Andrews, die bei dem Angriff auf den guten Ruf ihrer Mutter wütend das Gesicht verzieht. Sie schaut zu Janey Dickinson, die den Brüdern Lefèvre ein triumphierendes Lächeln zuwirft. Sie sieht Paul an, der sich vorbeugt, die Hände über den Knien gefaltet, als würde er beten.

Liv wendet sich von der Kopie ihres Gemäldes ab und spürt, wie sich eine neue Last auf sie senkt, sich wie eine Decke über sie legt und das Licht aussperrt.

«Hey», ruft sie, als sie die Tür aufschließt. Es ist halb fünf, aber von Mo ist nichts zu sehen. Sie geht in die Küche und nimmt den Zettel, der auf dem Tisch liegt. «Bin zu Ranic. Komme morgen zurück. Mo.»

Liv lässt den Zettel fallen und seufzt leise. Sie hat sich daran gewöhnt, dass Mo im Haus herumwirtschaftet, an das Geräusch ihrer Schritte, entferntes Summen, Wasser, das in die Badewanne läuft, oder den Geruch von Essen, das im Herd aufgewärmt wird. Jetzt fühlt sich das Haus leer an. Bevor Mo zu ihr gekommen ist, hatte es sich nicht leer angefühlt.

Mo hat sich in den letzten Tagen ein bisschen distanziert verhalten. Liv fragt sich, ob sie erraten hat, was nach ihrer Rückkehr aus Paris passiert ist. Und schon sind ihre Gedanken wieder bei Paul.

Aber es hat keinen Sinn, über Paul nachzudenken.

Sie zieht ihren Mantel aus und macht sich einen Becher Tee. Dann legt sie Musik auf, um die lastende Stille zu vertreiben. Sie belädt die Waschmaschine. Und dann nimmt sie den Stapel mit Umschlägen und Papieren, den sie seit zwei Wochen ignoriert hat, zieht sich einen Stuhl heran und fängt mit dem Sortieren an.

Die Rechnungen legt sie in die Mitte; die letzten Mahnungen auf die rechte Seite. Links kommt alles hin, was nicht so dringend ist. Die Kontoauszüge schaut sie sich gar nicht erst an. Anwaltsschreiben kommen auf einen eigenen Stapel.

Auf einem großen Block trägt sie Zahlenkolonnen ein. Sie arbeitet sich systematisch durch, addiert und subtrahiert, verteilt Prioritäten und notiert am Rand der Seite Zwischensummen. Dann lehnt sie sich auf ihrem Stuhl zurück, umfangen vom dunklen Himmel, und starrt die Zahlen lange an.

Sie geht in ihr Schlafzimmer und betrachtet das Porträt Sophie Lefèvres. Wie immer begegnet Sophie ihr mit ihrem direkten Blick. Heute allerdings wirkt sie nicht gleichgültig und herrisch. Heute glaubt Liv ein neues Wissen hinter ihrer Miene zu entdecken.

Was ist dir zugestoßen, Sophie?

Sie hat seit Tagen gewusst, dass sie diese Entscheidung treffen muss. Vermutlich hat sie es von Anfang an gewusst. Und trotzdem fühlt es sich an wie Verrat.

Sie blättert durchs Telefonbuch, nimmt den Hörer und wählt. «Hallo? Bin ich mit dem Maklerbüro Berrington verbunden?»

Kapitel 27

Und wann genau ist Ihr Gemälde verschwunden?»

«1941. Vielleicht auch 1942. Das ist schwer zu sagen, weil alle Beteiligten ... nun ja ... tot sind.» Die blonde Frau lacht bitter auf.

«Ja, das sagten Sie schon. Und können Sie mir eine vollständige Beschreibung geben?»

Die Frau schiebt eine Mappe über den Tisch. «Das ist alles, was wir haben. Das meiste steht schon in dem Brief, den ich Ihnen im November geschrieben habe. Wie hoch schätzen Sie den Wert ein?»

Paul sieht von seinen Notizen auf. Sie ist schön, hat einen klaren Teint und ausgeprägte Gesichtszüge, die noch keine Alterszeichen tragen. Doch ihr Gesicht ist auch ausdruckslos, wie ihm jetzt auffällt, als hätte sie sich angewöhnt, ihre Gefühle zu verstecken. Oder vielleicht ist es Botox. Er wirft einen verstohlenen Blick auf ihr dichtes Haar, denkt, dass Liv erkennen würde, ob es mit Extensions aufgefüllt ist.

«Ein Kandinsky bringt ziemlich viel Geld ein, oder? Das sagt jedenfalls mein Mann.»

Paul wählt seine Worte mit Bedacht. «Nun, ja, wenn nachgewiesen werden kann, dass Sie die Eigner des Werks sind. Aber bis dahin ist es noch ein weiter Weg. Können wir direkt auf die Besitzerfrage zurückkommen? Haben Sie irgendeinen Nachweis dafür, wie das Gemälde in den Besitz der Familie kam?»

«Nun ja, mein Großvater war mit Kandinsky befreundet.»

«Gut.» Er trinkt einen Schluck Kaffee. «Haben Sie auch einen dokumentarischen Nachweis?»

Sie sieht ihn verständnislos an.

«Fotos? Briefe? Hinweise darauf, dass die beiden befreundet waren?»

«Oh. Nein. Aber meine Großmutter hat oft davon erzählt.»

«Ist sie noch am Leben?»

«Nein. Das habe ich auch in dem Brief geschrieben.»

«Verzeihung. Wie hieß Ihr Großvater?»

«Anton Perovsky.» Sie buchstabiert den Namen und deutet dabei auf die Unterlagen.

«Gibt es noch jemanden in Ihrer Familie, der etwas darüber wissen könnte?»

«Nein.»

«Wissen Sie, ob die Arbeit je ausgestellt wurde?»

«Nein.»

Er hatte gewusst, dass es ein Fehler war, mit Werbung anzufangen, dass sie damit nebulöse Fälle wie diesen anziehen würden. Aber Janey hat darauf bestanden. «Wir müssen proaktiv handeln», hat sie gesagt, als hätte sie gerade einen Manager-Lehrgang gemacht. «Wir müssen unseren Marktanteil sichern und unseren Ruf konsolidieren. Wir müssen den gesamten Markt abdecken wie ein zu groß geratener Anzug.» Sie hat eine Liste sämtlicher anderen Unternehmen angelegt, die sich um Suche und Rückgewinnung von Raubkunst kümmern, und vorgeschlagen, Miriam als vorgebliche Klientin zur Konkurrenz zu schicken, um sich über ihre Methoden zu informieren. Sie hatte keine Miene verzogen, als er sie für verrückt erklärte.

«Haben Sie sich schon über den historischen Hintergrund informiert? Im Internet oder über Bücher zur Kunstgeschichte?»

«Nein. Ich dachte, das ist es, wofür wir Sie bezahlen. Sie sind die Besten in diesem Geschäft, nicht wahr? Sie haben dieses Lefèvre-Gemälde gefunden.» Sie schlägt die Beine übereinander und wirft einen Blick auf ihre Uhr. «Wie lange ziehen sich solche Fälle hin?»

«Tja, wie lang ist ein Stück Schnur? ... Manche Fälle können wir recht schnell lösen, wenn wir Unterlagen zur Geschichte und zur Provenienz haben. Andere nehmen Jahre in Anspruch. Und Sie wissen sicher, dass das Gerichtsverfahren selbst recht teuer werden kann. Das sollten Sie nicht auf die leichte Schulter nehmen.»

«Und Sie arbeiten auf Provisionsbasis.»

«Das ist unterschiedlich, aber wir verlangen einen kleinen Prozentsatz der abschließenden Vergleichssumme, ja. Und wir haben eine firmeninterne Rechtsabteilung.» Er blättert durch die Mappe und versucht einzuschätzen, ob der Fall überhaupt Aussicht auf Erfolg hat.

«Ich war auch bei dem neuen Unternehmen, Brigg and Sawston's. Die verlangen ein Prozent weniger.»

Pauls Hand erstarrt über dem Papier. «Wie bitte?»

«Provision. Man hat mir gesagt, dass dort ein Prozent weniger als bei Ihnen verlangt wird, um das Gemälde zurückzuholen.»

Paul wartet einen Moment, bevor er etwas sagt. «Mrs. Harcourt, wir betreiben ein seriöses Unternehmen. Wenn Sie möchten, dass wir unsere jahrelange Erfahrung, unsere Kompetenz und unsere Kontakte einsetzen, um das geliebte Kunstwerk Ihrer Familie aufzuspüren und möglicherweise zurückzuholen, dann werde ich darüber ganz gewiss ernsthaft nachdenken und Ihnen offen mitteilen, für wie aussichtsreich ich die Sache halte. Aber ich werde nicht hier sitzen und mit Ihnen feilschen.»

«Nun, es geht um viel Geld. Wenn dieser Kandinsky Millionen wert ist, liegt es in unserem Interesse, die bestmöglichen Bedingungen herauszuholen.»

Paul spannt den Kiefer an. «Ich denke, angesichts der Tatsache, dass Sie vor achtzehn Monaten noch nicht einmal etwas von Ihrer Verbindung zu diesem Gemälde geahnt haben, werden Sie ... sofern wir es zurückholen können ... vermutlich wirklich ein sehr gutes Geschäft machen.»

«Ist das Ihre Art, mir zu sagen, dass Sie nicht über ein ... wettbewerbsfähigeres Honorar nachdenken werden?» Ihre Miene ist unbewegt, aber wieder schlägt sie elegant die Beine übereinander und lässt einen Slingpumps an der Fußspitze wippen. Sie ist eine Frau, die daran gewöhnt ist zu bekommen, was sie will, und die dabei nicht die Spur von Gefühl zeigt.

Paul legt seinen Kugelschreiber hin. Er klappt die Mappe zu und schiebt sie ihr über den Tisch. «Mrs. Harcourt. Schön, Ihre Bekanntschaft gemacht zu haben. Aber ich glaube, damit wären wir fertig.»

Es tritt eine Pause ein. Sie blinzelt. «Wie bitte?»

«Ich glaube nicht, dass wir noch etwas zu besprechen haben.»

Janey geht mit einer Schachtel Weihnachtsgebäck durch den Flur und bleibt stehen, als sie die Aufregung mitbekommt.

«Sie sind der ungehobeltste Mensch, dem ich je begegnet bin», ruft Mrs. Harcourt aus. Sie hat sich ihre teure Handtasche unter den linken Arm geklemmt und steckt ihre Mappe hinein, während er sie zur Tür begleitet.

«Das würde mich sehr wundern.»

«Wenn Sie glauben, auf diese Art ein Unternehmen führen zu können, sind Sie ein Narr.»

«In diesem Fall ist es umso besser, wenn Sie mich nicht mit der langwierigen Suche nach einem Gemälde betrauen, das Sie offenkundig so sehr lieben», sagt er ausdruckslos. Er öffnet ihr die Tür, Mrs. Harcourt rauscht in einer Parfümwolke hinaus und ruft noch etwas Unverständliches, als sie im Treppenhaus ist.

«Was zum Teufel war das?», sagt Janey, als er mit langen Schritten in sein Büro zurückgeht.

«Lass es. Lass es einfach, okay?», sagt er. Er knallt die Tür hinter sich zu und setzt sich an seinen Schreibtisch. Als er schließlich die Stirn von den Händen hebt, fällt sein Blick als Erstes auf die Abbildung der *Jeune Femme.*

Kapitel 28

Und hier hätten wir die Küche. Wie Sie sehen, bietet sie auf drei Seiten einen spektakulären Ausblick über den Fluss und die Stadt. Rechts die Tower Bridge, dort unten das London Eye, und bei gutem Wetter können Sie hier einen Schalter betätigen – das ist doch richtig, Mrs. Halston, oder? – und einfach das Dach öffnen.»

Liv sieht zu, wie das Paar den Blick nach oben richtet. Der Mann, ein Geschäftsmann in den Fünfzigern, trägt die Art Brille, mit der man seinen individuellen Designergeschmack zur Geltung bringt. Seit seiner Ankunft bewahrt er seine Pokermiene, weil er vermutlich denkt, dass ihm der geringste Anschein von Begeisterung Nachteile bringt, falls er sich zu einem Angebot entschließt.

Doch nicht einmal er kann seine Überraschung bei dem zurückgleitenden Glasdach verbergen. Mit kaum hörbarem Summen fährt das Dach auf, und sie schauen ins unendliche Blau hinauf. «Wir lassen es besser nicht zu lange offen, was?»

Der junge Immobilienmakler, der schon bei den drei anderen Besichtigungen nicht genug von diesem Mechanismus bekommen konnte, führt ein übertriebenes Zittern vor, dann begutachtet er mit kaum verhohlener Befriedigung, wie das Dach sauber zufährt. Die Frau, eine zarte Japanerin mit einem kunstvoll um den Hals gelegten Schal, stupst ihren Mann an und murmelt ihm etwas ins Ohr.

Liv, die schweigend neben dem Kühlschrank steht, ertappt sich dabei, von innen an ihren Wangen zu kauen. Sie hat gewusst, dass es nicht leicht werden würde, aber sie hat nicht damit gerechnet, dass sie bei den Leuten, die durch ihr Haus gehen und ihre Sachen mit kalten, habgierigen Blicken besichtigen, eine solche Übelkeit, solche Schuldgefühle überkommen würden. «Sämtliche Haushaltsgeräte sind von höchster Qualität und im Preis inbegriffen», sagt der Makler und öffnet die Kühlschranktür.

«Und der Herd ist praktisch unbenutzt», fügt eine Stimme von der Tür aus hinzu. Mo trägt violetten Glitzerlidschatten und einen Parka über ihrem Pflegerinnenkittel.

Der Makler wirkt leicht irritiert.

«Ich bin Mrs. Halstons persönliche Assistentin», sagt sie. «Sie müssen uns jetzt entschuldigen. Sie muss gleich ihre Medikamente nehmen.»

Der Makler lächelt unbehaglich und scheucht das Paar ins Atrium. Mo zieht Liv zur Seite. «Gehen wir einen Kaffee trinken», sagt sie.

«Ich muss hier bleiben.»

«Nein, musst du nicht. Das ist Masochismus. Jetzt komm, schnapp dir deinen Mantel.»

Sie hat Mo seit Tagen nicht gesehen. Liv fühlt sich durch ihre Anwesenheit unerwartet erleichtert. Sie realisiert, dass sie sich nach dem Anschein von Normalität gesehnt hat, der sich jetzt mit einer eins fünfzig großen Gruftifrau mit violettem Lidschatten und einem blitzsauberen Schwesternkittel einstellt. Ihr Leben ist seltsam verschoben, kreist um einen Gerichtssaal mit zwei Barristers, Vermutungen und Widerlegungen, Kriege und plündernde Kommandanten. Ihre alte Welt mit ihren Alltagsgewohnheiten ist durch eine Art Hausarrest abgelöst worden, im Zentrum der neuen Welt stehen der Wasserspender im zweiten Stock des Gerichtsgebäudes, die harten Sitzbänke, die eigenartige Angewohnheit des Richters, sich über die Nase zu streichen, bevor er etwas sagt. Die Abbildung ihres Porträts auf der Staffelei.

Paul. Eine Million Meilen entfernt auf der Klägerbank.

«Ist es wirklich okay für dich zu verkaufen?» Mo nickt aus dem Fenster des Cafés in Richtung des Hauses.

Liv öffnet den Mund, aber dann wird ihr klar, dass sie nie mehr aufhören wird zu reden, wenn sie jetzt von ihren Gefühlen anfängt. Sie würde ohne Punkt und Komma bis Weihnachten herumjammern. Jeden Tag steht etwas über den Fall in den Zeitungen, ihr Name wird so oft genannt, dass es schon nichts mehr bedeutet, ihn zu lesen. Überall steht *Diebstahl* und *Gerechtigkeit* und *Verbrechen.* Sie geht nicht mehr laufen. Ein Mann hat sie vor der Tür abgepasst, um sie anzuspucken. Der Arzt hat ihr Schlaftabletten gegeben, aber sie fürchtet sich davor, sie zu nehmen. Als sie ihm in der Praxis ihre Situation erklärt hat, ist es ihr so vorgekommen, als hätte auch in seiner Miene Missbilligung gestanden.

«Mir geht's gut», sagt sie.

Mo verengt die Augen.

«Wirklich. Es ist schließlich nur Stein und Mörtel. Na ja, Glas und Beton.»

«Ich hatte mal eine Wohnung», sagt Mo und rührt ihren Kaffee um. «An dem Tag, an dem ich sie verkauft habe, saß ich auf dem Boden und habe geheult wie ein Baby.»

Livs Becher erstarrt auf halbem Weg zu ihrem Mund.

«Ich war verheiratet. Es hat nicht funktioniert.» Mo zuckt mit den Schultern. Und fängt an, übers Wetter zu reden.

Irgendwie hat Mo sich verändert. Sie verhält sich nicht direkt ausweichend, aber es ist, als hätte sich zwischen ihnen eine unsichtbare Mauer aufgebaut. Vielleicht ist es meine Schuld, denkt Liv. Ich war so mit meinen Geldproblemen und dem Prozess beschäftigt, dass ich kaum gefragt habe, wie es ihr geht.

«Hör mal, ich habe über Weihnachten nachgedacht», fängt sie nach einer Pause an. «Ich habe überlegt, ob Ranic vielleicht bei uns übernachten will. Aus rein egoistischen Gründen, wirklich.» Sie lächelt. «Ich dachte, ihr beiden könnt mir mit dem Essen helfen. Ich habe eigentlich noch nie ein Weihnachtsessen gemacht, und Dad und Caroline kochen ziemlich gut, also will ich es nicht vermasseln.» Sie hört sich selbst plappern. In Wahrheit will sie sagen: *Ich brauche einfach etwas, auf das ich mich freuen kann. Ich will einfach lächeln können, ohne mir überlegen zu müssen, welche Muskeln ich dafür betätigen muss.*

Mo sieht auf ihre Hände hinunter. Auf ihrem linken Daumen ist mit blauem Kugelschreiber eine Telefonnummer notiert. «Ja, was das angeht …»

«Ich weiß noch, dass du gesagt hast, es würde bei ihm ziemlich eng zugehen. Wenn er also über Nacht bleiben will, ist das vollkommen okay. Es wäre sowieso ein Albtraum, sich an dem

Abend ein Taxi suchen zu müssen.» Sie zwingt sich zu einem fröhlichen Lächeln. «Ich glaube, es wird lustig. Ich glaube … ich glaube, wir könnten alle ein bisschen Spaß brauchen.»

«Liv, er wird nicht kommen.»

«Was meinst du damit?»

Als Mo anfängt zu reden, tut sie es langsam, als würde sie die Auswirkungen jedes Wortes abwägen. «Ranic ist Bosnier. Seine Eltern haben in den Balkankriegen alles verloren. Dein Gerichtsverfahren … dieser Scheiß ist für ihn ganz real. Er … würde nicht zu dir kommen und mit dir feiern wollen. Tut mir leid.»

Liv starrt sie an. Aber Mo weicht ihrem Blick aus. Und als Liv abwartet, fügt sie hinzu: «Okay, wenn wir schon dabei sind …» Sie atmet tief ein. «… ich sage nicht, dass ich mit Ranic einer Meinung bin, aber ich denke irgendwie auch, du solltest das Gemälde zurückgeben.»

«Was?»

«Hör mal, mir ist es völlig egal, wem es gehört, aber du wirst den Prozess verlieren, Liv. Das sieht jeder, bloß du nicht.»

Liv schaut sie fassungslos an.

«Ich lese Zeitung. Die Beweislage spricht gegen dich. Wenn du weitermachst, verlierst du alles. Und wofür? Für ein paar alte Ölkleckse auf Leinwand?»

«Ich kann sie nicht einfach hergeben.»

«Warum nicht, verdammt noch mal?»

«Diesen Leuten bedeutet Sophie nichts. Sie sehen nur das Geld.»

«Verflucht, Liv, es ist nur ein Gemälde!»

«Es ist nicht nur ein Gemälde! Sie ist von allen Menschen verraten worden. Am Ende hatte sie niemanden mehr! Und sie … sie ist alles, was ich noch habe.»

Mo schaut sie ruhig an. «Tatsächlich? Dann hätte ich sehr gern einen ordentlichen Haufen von deinem Nichts.»

Ihre Blicke treffen sich, gleiten voneinander weg. In Livs Nacken prickelt das Blut.

Mo atmet tief ein und beugt sich vor. «Mir ist klar, dass du wegen der Sache mit Paul gerade Probleme damit hast, jemandem zu vertrauen, aber du musst das Ganze mal mit Abstand betrachten. Und weißt du, was? Du hast sonst niemanden, der dir das ehrlich sagen würde.»

«Tja. Vielen Dank. Ich denke das nächste Mal daran, wenn ich morgens einen Stapel Hassbriefe aufmache oder fremde Leute durch mein Haus führe.»

Die beiden Frauen sehen sich sehr kühl an. Mo presst die Lippen aufeinander, hält eine Flut von Worten zurück.

«So», sagt sie schließlich. «Dann kann ich es dir auch gleich sagen, viel scheußlicher kann die Situation ja nicht werden. Ich ziehe aus.» Sie beugt sich unter den Tisch und macht sich an ihrem Schuh zu schaffen, sodass ihre Stimme etwas gedämpft heraufklingt. «Ich ziehe bei Ranic ein. Es liegt nicht an dem Gerichtsverfahren. Wie du ja selbst gesagt hast, war nie geplant, dass ich längerfristig bei dir wohne.»

«Wenn es das ist, was du willst.»

«Ich glaube, es ist das Beste.»

Mo trinkt einen letzten Schluck Kaffee und schiebt ihre Tasse weg. «Tja. Das wär's dann, schätze ich.»

«Genau.»

«Ich ziehe morgen aus, wenn das okay ist. Ich habe heute Spätschicht.»

«Gut.» Sie versucht ausgeglichen zu klingen. «Das war sehr … aufschlussreich.» Es klingt sarkastischer, als sie es gemeint hat.

Mo wartet noch einen Moment, dann steht sie auf, zieht ihre Jacke an und hängt sich ihren Rucksack über die Schulter.

«Nur noch eins, Liv. Und ich weiß, dass ich ihn nicht mal gekannt habe. Aber du hast so viel über ihn geredet. Also: Ich frage mich immer, was David wohl in deiner Situation getan hätte.»

Sein Name hallt durch die Stille wie eine kleine Explosion.

«Im Ernst. Wenn dein David noch leben würde und das alles hochgekocht wäre – die ganze Geschichte von dem Gemälde, woher es stammt oder was diese Sophie und ihre Familie durchgemacht haben –, was hätte er deiner Meinung nach wohl getan?»

Die Frage hängt noch im Raum, als sich Mo umdreht und das Café verlässt.

Sven ruft an, als Liv gerade auf die Straße tritt. Er klingt angespannt. «Kannst du im Büro vorbeikommen?»

«Das passt gerade nicht so gut, Sven.» Sie reibt sich über die Augen und schaut zum Glashaus hinauf. Ihre Hände zittern immer noch.

«Es ist wichtig.» Er legt auf, bevor sie noch etwas sagen kann.

Liv kehrt ihrem Haus den Rücken und geht in Richtung des Architekturbüros. Sie geht jetzt überall zu Fuß hin, mit gesenktem Kopf, eine Mütze tief ins Gesicht gezogen, und sie vermeidet es, irgendjemanden anzusehen. Unterwegs muss sie sich zweimal verstohlen die Tränen aus den Augenwinkeln wischen.

«Wie läuft der Prozess?»

«Nicht gut», sagt sie. Sie ärgert sich über die gefühllose Art, auf die er sie zu sich bestellt hat. Sie ist immer noch mit Mos letzter Bemerkung beschäftigt. *Was hätte David wohl getan?*

Und dann fällt ihr auf, wie aschfahl Sven ist, beinahe hohlwangig, und der etwas starre Blick, mit dem er den Notizblock fixiert, der vor ihm liegt. «Ist alles in Ordnung?», sagt sie. Kurz überkommt sie Panik. *Bitte sag, dass es Kristen gut geht, dass nichts mit den Kindern ist.*

«Liv, ich habe ein Problem.»

Sie sitzt vor seinem Schreibtisch, die Handtasche auf den Knien.

«Die Brüder Goldstein haben sich zurückgezogen. Sie haben sich aus dem Vertrag zurückgezogen. Wegen deiner Gerichtsverhandlung. Simon Goldstein hat mich heute Vormittag angerufen. Sie verfolgen den Fall in der Presse. Er sagt … er sagt, seine Familie hat unter den Nazis alles verloren und er und sein Bruder können nicht mit jemandem in Verbindung stehen, der das okay findet.»

Die Welt scheint stehenzubleiben. Liv schaut ihn an. «Aber … das kann er nicht machen. Ich gehöre … ich gehöre doch gar nicht zum Unternehmen.»

«Du bist immer noch Ehrenmitglied des Vorstands, Liv, und Davids Name spielt bei deiner Verteidigung eine wesentliche Rolle. Simon beruft sich auf eine Klausel im Kleingedruckten. Indem du diesen Prozess gegen jede Vernunft weiter durchziehst, schadest du anscheinend dem Ansehen der Firma. Ich habe ihm erklärt, das wäre grob unangemessen, und er meinte, wir könnten es ja anfechten, aber er hat massenhaft Geld. Ich zitiere: ‹Sie können gegen mich prozessieren, Sven, aber ich werde gewinnen.› Sie werden sich eine andere Mannschaft suchen, die das Projekt für sie abschließt.»

Liv ist sprachlos. Das Goldstein-Gebäude war der Höhepunkt von Davids Lebenswerk, das Projekt, das ihn in Erinnerung halten würde.

Sie schaut Svens Profil an, kein Muskel regt sich in seinem Gesicht. Er sieht aus, als wäre er aus Stein gemeißelt. «Er und sein Bruder … haben offenbar eine ganz entschiedene Meinung, wenn es um Restitutionsfälle geht.»

«Aber das ist nicht fair. Wir kennen ja noch nicht einmal die ganze Wahrheit über das Gemälde.»

«Darum geht es nicht.»

«Aber wir …»

«Liv, ich beschäftige mich seit heute Morgen mit nichts anderem. Sie sind nur bereit, weiter mit unserem Unternehmen zusammenzuarbeiten, wenn …», er holt tief Luft, «… wenn der Name Halston nicht mehr damit in Verbindung steht. Das bedeutet, dass wir deine Ehrenmitgliedschaft im Vorstand auflösen. Und dass der Firmenname geändert wird.»

Sie wiederholt seine Worte in Gedanken, versucht ihre Tragweite zu verstehen. «Du willst, dass Davids Name nicht mehr benutzt wird.»

«Ja.»

Sie senkt den Blick auf ihre Knie.

«Es tut mir leid. Mir ist klar, dass das ein Schock für dich sein muss. Aber für uns war es auch einer.»

Ein Gedanke schießt ihr durch den Kopf. «Und was ist mit meiner Arbeit mit den Kids?»

Er schüttelt den Kopf. «Sorry.»

Es ist, als würde ihr das Herz einfrieren. Ein langes Schweigen breitet sich im Raum aus, und als sie wieder etwas sagt, tut sie es langsam, und ihre Stimme klingt unnatürlich laut in dem ruhigen Büro. «Ihr habt also alle beschlossen, dass David und ich irgendwie unlauter sein müssen, weil ich nicht einfach ein Gemälde hergeben will, das David vor Jahren legal gekauft hat. Und deshalb willst du uns aus seiner Stiftung und seinem Unternehmen tilgen. Du willst Davids Namen von dem Gebäude tilgen, das er entworfen hat.»

«Das ist eine ziemlich melodramatische Sichtweise.» Zum ersten Mal wirkt Sven, als würde er sich unbehaglich fühlen. «Liv, das ist eine unglaublich schwierige Situation. Aber wenn ich mich mit dir und deinem Prozess solidarisiere, könnten sämtliche Angestellten in diesem Unternehmen ihren Job verlieren. Du weißt, wie viele unserer Mittel in dem Goldstein-Gebäude gebunden sind. Solberg Halston überlebt es nicht, wenn sie jetzt aussteigen.»

Er beugt sich über den Schreibtisch. «Milliardärskunden sind nicht gerade dicht gesät. Und ich muss an unsere Leute denken.»

«Und wenn ich es hergeben würde, dann würden sie Davids Namen für das Gebäude behalten?»

«Diese Möglichkeit haben wir nicht besprochen. Möglich.»

«Möglich.» Das muss Liv kurz verdauen. «Und wenn ich nein sage?»

Sven klopft mit seinem Kugelschreiber auf den Schreibtisch.

«Lösen wir die Firma auf und gründen eine neue.»

«Und mit der schließen die Goldsteins dann einen Vertrag ab.»

«Das ist möglich, ja.»

«Also kommt es überhaupt nicht darauf an, was ich sage. Das hier ist sozusagen ein Höflichkeitsbesuch.»

«Es tut mir leid, Liv. Das ist eine unmögliche Situation. Ich bin in einer unmöglichen Situation.»

Liv bleibt noch einen Moment sitzen. Dann, ohne ein weiteres Wort, steht sie auf und verlässt Svens Büro.

Es ist ein Uhr nachts. Liv starrt an die Decke, hört Mo im Gästezimmer umhergehen, den Reißverschluss einer Reisetasche, den lauten Plumps, mit dem sie neben die Tür gestellt wird. Sie hört die Toilettenspülung, leise Schritte, und dann folgt Stille, weil Mo schlafen gegangen ist. Liv hat darüber nachgedacht, Mo zum Bleiben zu überreden, aber es gelingt ihr nicht, sich die passenden Worte zurechtzulegen. Sie denkt an ein halbfertiges Glas-Gebäude in ein paar Meilen Entfernung und den Namen des Architekten, der so tief begraben sein wird wie die Fundamente.

Sie streckt die Hand aus und nimmt das Handy vom Nachttisch. Sie schaut in dem dämmrigen Licht auf das kleine Display.

Keine neuen Nachrichten.

Die Einsamkeit überfällt sie mit beinahe körperlicher Gewalt. Die Wände um sie scheinen substanzlos, bieten keinen Schutz gegen die feindliche Welt. Dieses Haus ist nicht transparent und rein, wie es sich David gewünscht hat: Seine leeren Räume sind kalt und gefühllos, seine klaren Linien sind mit der Vergangenheit verknotet, seine Glasoberflächen verdunkelt von verschlungenen Lebensläufen.

Sie versucht, die aufsteigende Panik zu bekämpfen. Sie denkt an Sophies Notizen, an eine Gefangene, die in einen Zug gepfercht wird. Wenn sie dem Gericht diese Notizen vorlegt, das weiß Liv, könnte sie das Gemälde möglicherweise für sich retten.

Und wenn ich es tue, denkt sie, wird Sophie für immer als eine Frau in Erinnerung bleiben, die mit einem Deutschen ins

Bett gegangen ist, die ihr Land genauso verraten hat wie ihren Mann. Und ich werde nicht besser sein als die Leute aus ihrer Heimatstadt, die sie im Stich gelassen haben.

Wenn du das tust, gibt es kein Zurück.

Kapitel 29

1917

Ich weinte nicht mehr vor Heimweh. Ich konnte nicht sagen, wie lange wir schon unterwegs waren, denn die Tage und Nächte vermischten sich in meiner Wahrnehmung, und der Schlaf war ein seltener Gast geworden. Einige Kilometer von Mannheim entfernt hatte ich Kopfschmerzen bekommen, schnell gefolgt von einem Fieber, das mich abwechselnd vor Kälte zittern ließ und den Drang auslöste, mir die Kleidung vom Leib zu reißen. Wir wurden schlecht versorgt; mit einem Becher Wasser und einem Brocken Schwarzbrot etwa, den man uns auf die Ladefläche warf, als würde man ein Schwein mit Abfällen füttern. Liliane saß an meiner Seite, wischte mir mit ihrem Rock die Stirn, half mir, mich aufzurichten, wenn wir anhielten. Ihre Miene war angespannt. «Bald geht es mir besser», versicherte ich ihr immer wieder und zwang mich zu glauben, dass ich nur eine Erkältung hatte, die unvermeidliche Folge der vergangenen Tage, der Kälte, des Schocks.

Und dann, als das Fieber anstieg, vergaß ich beinahe, dass

wir kaum etwas zu essen hatten. Meine Magenschmerzen wurden von anderen Schmerzen überlagert; in meinem Kopf, in meinen Gliedern, in meinem Nacken. Ich wollte nichts mehr essen, und Liliane musste mich dazu drängen, meiner wunden Kehle ein bisschen Wasser zu gönnen, musste mich ermahnen zu essen, solange es etwas gab, damit ich bei Kräften blieb. Alles, was sie sagte, hatte einen scharfen Beiklang. Ich hatte das Gefühl, sie wusste viel mehr über das, was uns erwartete, als sie sagen wollte. Bei jedem Halt weiteten sich ihre Augen vor Angst, und sogar als meine Wahrnehmung von dem Fieber getrübt wurde, blieb ihre Furcht ansteckend.

Wenn Liliane schlief, zuckte ihr Gesicht von Albträumen. Manchmal wachte sie auf, ruderte in der Luft und stieß undeutliche Angstgeräusche aus. Wenn ich konnte, streckte ich den Arm aus, um sie zu berühren, sie sanft in das Land der Wachen zurückzubegleiten. Manchmal, wenn ich auf die deutsche Landschaft hinausblickte, fragte ich mich, warum ich das tat.

Seit ich wusste, dass wir nicht in die Ardennen fuhren, schwand meine letzte Zuversicht. Der Kommandant und seine Abmachungen schienen mir nun unendlich weit weg; mein Leben im Hotel mit seinem polierten Mahagonitresen, meine Schwester und das Städtchen, in dem ich aufgewachsen war, hatten sich in einen Traum verwandelt, in eine ferne Phantasie. Unser echtes Leben waren Leiden, Kälte, Schmerzen, immerwährende Angst, die sich in mir festgesetzt hatte wie ein lästiges Summen im Ohr. Ich versuchte mich zu konzentrieren, mir Édouards Gesicht ins Gedächtnis zu rufen, seine Stimme, doch sogar er ließ mich im Stich. Ich konnte Einzelheiten heraufbeschwören; wie sich sein weiches, braunes Haar auf seinem Kragen wellte, seine kräftigen Hände, aber ich konnte sie nicht mehr zu einem tröstlichen Ganzen zusammensetzen. Ich war jetzt vertrauter mit Lilianes gebrochenen Fingern auf meiner Hand. Ich starrte sie an, die selbstgemachten Schienen aus Stöckchen an ihrer Hand, und versuchte mich daran zu erinnern, dass es einen Sinn hinter all dem gab. Dass es ein Wesensmerkmal des Vertrauens war, auf die Probe gestellt zu werden. Mit jedem Kilometer wurde es schwerer, daran zu glauben.

Der Regen zog ab. Wir hielten in einem Dorf, der junge Soldat streckte seine langen Glieder und stieg mit steifen Bewegungen aus. Der Motor wurde abgestellt, und wir hörten Deutsche reden. Ich fragte mich flüchtig, ob er sie vielleicht um etwas Wasser bat. Meine Lippen waren ausgetrocknet, und ich fühlte mich schwach.

Liliane saß mir sehr still gegenüber, wie ein Hase, der Gefahr wittert. Ich versuchte meinen dröhnenden Kopf zu vergessen und nahm nach und nach die Geräusche eines Marktes wahr: die freundlichen Rufe von Händlern, das leise Feilschen von Frauen und Standbetreibern. Für einen kurzen Moment schloss ich die Augen und versuchte mir vorzustellen, diese deutschen Laute wären Französisch und dies wären die Geräusche von St. Péronne. Ich konnte meine Schwester vor mir sehen, den Korb unter dem Arm, wie sie Tomaten und Auberginen aussucht, ihr Gewicht prüft und sie sanft wieder zurücklegt. Ich spürte beinahe die Sonne auf dem Gesicht, roch die *saucissons*, die *fromagerie*, sah mich langsam zwischen den Ständen hindurchgehen. Dann wurde die Plane angehoben, und das Gesicht einer Frau tauchte auf.

Ich erschrak so, dass es mir den Atem verschlug. Sie starrte mich an, und eine Sekunde lang glaubte ich, sie würde uns etwas zu essen geben. Doch sie drehte sich um, hielt mit der blassen Hand immer noch die Klappe hoch und rief etwas auf Deutsch. Liliane kroch über die Ladefläche zu mir und zog mich mit zurück. «Schütz deinen Kopf», flüsterte sie.

«Was?»

Bevor sie noch etwas sagen konnte, schoss ein Stein durch den Laderaum und traf mich, und ein heftiger Schmerz fuhr durch meinen Arm. Ich sah verwirrt auf meinen Arm, da traf mich der nächste Stein an der Schläfe. Ich schaute hinaus und sah drei, vier weitere Frauen, die Gesichter hassverzerrt, in den Händen Steine, faulige Kartoffeln, Holzstücke oder was sonst als Wurfgeschoss zur Hand war.

«*Huren!*»

Liliane und ich kauerten uns in die Ecke und versuchten unsere Köpfe zu schützen, als ihre Munition auf uns niederhagelte. Meine Hände brannten von den vielen Treffern. Ich wollte ihnen zurufen: *Warum tut ihr das? Was haben wir euch getan?* Doch der Hass in ihren Gesichtern und Stimmen hielt mich zurück. Diese Frauen verabscheuten uns zutiefst. Sie würden uns in Stücke reißen, wenn sie die Gelegenheit dazu bekamen. Mir stieg Angst wie Galle in der Kehle auf. Bis zu diesem Augenblick hatte ich Angst nie so körperlich empfunden, wie ein Wesen, das mich so sehr durchrütteln konnte, dass ich vergaß, wer ich war, dass sich mein Verstand verwirrte, dass ich vor Entsetzen meinen Darm nicht mehr beherrschen konnte. Ich betete … ich betete darum, dass sie gingen, dass es aufhörte. Und dann, als ich aufsah, erhaschte ich einen Blick auf den jungen Soldaten, der uns gegenübergesessen hatte. Er stand jetzt neben ihnen, zündete sich eine Zigarette an und ließ seinen Blick über den Marktplatz schweifen. Da wurde ich wütend.

Sie bewarfen uns vermutlich ein paar Minuten, aber es kam

mir vor wie Stunden. Dann, plötzlich, unvermittelt, hörte es auf. Meine Ohren hörten auf zu klingeln, und ein warmes Rinnsal lief in meinen Augenwinkel. Jemand unterhielt sich draußen. Dann wurde der Motor angelassen, der junge Soldat stieg lässig auf die Ladefläche, und der Wagen setzte sich holpernd in Bewegung.

Ich schluchzte vor Erleichterung. «Hurensohn», flüsterte ich. Liliane drückte meinen Arm mit ihrer unverletzten Hand. Zitternd und mit rasendem Herzschlag setzten wir uns auf unsere Bank. Als wir das Dorf hinter uns ließen, legte sich langsam meine Aufregung, und mich überkam tödliche Erschöpfung. Ich fürchtete mich davor einzuschlafen, ich hatte Angst vor dem, was als Nächstes kommen könnte, aber Liliane hielt angestrengt Ausschau durch den Spalt der Plane. Ein selbstsüchtiger Teil von mir wusste, dass sie für mich aufpassen würde, dass sie nicht einschlafen würde. Ich legte meinen Kopf auf die Bank, und als sich mein Herzschlag schließlich normalisiert hatte, schloss ich die Augen und erlaubte mir, mich ins Nichts sinken zu lassen.

Licht. Liliane sah mir in die Augen. Sie hatte mir die geschiente Hand über den Mund gelegt. Ich blinzelte und wollte sie instinktiv abschütteln, aber sie hob ihren Zeigefinger an die Lippen. Sie wartete, bis ich nickte, und als sie ihre Hand wegzog, wurde mir klar, dass der Lastwagen erneut angehalten hatte. Wir waren in einem Wald. Stellenweise lag Schnee, der die Geräusche dämpfte.

Sie deutete auf den Soldaten. Er schlief tief und fest, lag auf der Bank ausgestreckt, den Kopf auf seinem Tornister. Er schnarchte, war vollkommen wehrlos, die Uniformjacke war über dem Holster zurückgerutscht, über seinem Kragen waren mehrere Zentimeter seines nackten Halses zu sehen. Ich tastete unwillkürlich in meiner Tasche nach der Glasscherbe.

«Spring raus», flüsterte Liliane.

«Was?»

«Spring. Wenn wir uns in der Senke dort halten, wo kein Schnee liegt, hinterlassen wir keine Spuren. Wir können schon stundenlang weg sein, bis sie aufwachen.»

«Aber wir sind in Deutschland.»

«Ich spreche ein bisschen Deutsch. Wir schlagen uns schon durch.»

Sie war lebhaft, völlig überzeugt. Ich glaube, so hatte ich sie seit St. Péronne nicht gesehen. Ich sah zu dem schlafenden Soldaten hinüber, dann schaute ich zu Liliane, die vorsichtig die Klappe hob und in das bläuliche Licht hinausspähte.

«Aber sie werden uns erschießen, wenn sie uns fangen.»

«Sie werden uns auch erschießen, wenn wir bleiben. Und wenn sie uns nicht erschießen, tun sie uns noch etwas Schlimmeres an. Komm. Das ist unsere Chance.» Sie deutete auf meine Tasche.

Ich stand auf, spähte in den Wald hinaus. Und blieb stehen. «Ich kann das nicht.»

Sie drehte sich zu mir um. Sie hielt ihre verletzte Hand immer noch dicht an die Brust gedrückt, fürchtete, dass etwas dagegenstoßen könnte. Im Licht der Morgendämmerung sah ich die Kratzer und Prellungen in ihrem Gesicht, wo sie am Tag zuvor von den Geschossen getroffen worden war.

Ich schluckte. «Was ist, wenn sie mich zu Édouard bringen?»

Sie starrte mich an. «Bist du irrsinnig?», flüsterte sie. «Komm, Sophie. Komm. Das ist unsere Chance.»

Sie duckte sich wieder in den Lastwagen zurück, warf einen nervösen Blick auf den schlafenden Soldaten und packte mich mit der unverletzten Hand am Handgelenk. Ihre Miene war erbittert, und sie sprach, als hätte sie es mit einem begriffsstutzigen Kind zu tun. «Sophie. Sie bringen dich nicht zu Édouard.»

«Der Kommandant hat gesagt ...»

«Er ist ein Deutscher, Sophie! Du hast ihn gedemütigt. Du hast ihn in seiner Mannesehre beleidigt! Glaubst du wirklich, dafür bedankt er sich artig?»

«Es ist nur eine schwache Hoffnung. Ich weiß. Aber es ist ... alles, was mir geblieben ist.» Als sie mich anstarrte, zog ich meine Tasche zu mir. «Hör zu, du gehst. Nimm das. Nimm alles. Du kannst es schaffen.»

Liliane packte die Tasche und spähte hinaus. Sie machte sich bereit, als würde sie nur noch überlegen, welchen Weg sie nehmen sollte. Ängstlich beobachtete ich den Soldaten, fürchtete, dass er aufwachte.

«*Geh.*»

Ich verstand nicht, warum sie sich nicht rührte. Dann drehte sie sich gequält zu mir um. «Wenn ich flüchte, werden sie dich töten.»

«Was?»

«Weil du mir bei der Flucht geholfen hast. Sie werden dich töten.»

«Aber du kannst nicht bleiben. Dich haben sie erwischt, als du Material der Widerstandsbewegung weitergegeben hast. Ich bin in einer anderen Situation.»

«Sophie. Du warst die Einzige, die mich wie ein Mensch behandelt hat. Ich kann mir deinen Tod nicht aufs Gewissen laden.»

«Ich schaffe es schon. Ich schaffe es immer.»

Liliane Béthune sah meine verschmutzte Kleidung an, meinen mageren, fiebrigen Körper, der jetzt in der kühlen Morgenluft zitterte. So blieb sie eine ganze Weile stehen, dann setzte sie sich schwer auf die Bank und ließ die Tasche fallen, als würde es sie nicht mehr kümmern, wer es hörte. Ich schaute sie an, aber sie wich meinem Blick aus. Und dann zuckten wir alle beide zusammen, weil der Motor des Lastwagens angelassen wurde. Ich hörte einen Ruf. Langsam fuhren wir los, holperten über ein Schlagloch, sodass wir heftig zur Seite schwankten. Der Soldat stieß ein kehliges Schnarchen aus, aber er wachte nicht auf.

Ich griff nach ihrem Arm. «Liliane. Geh, solange du noch kannst. Sie werden dich nicht hören.»

Doch sie beachtete mich nicht. Sie schob mir mit dem Fuß die Tasche zu und setzte sich neben den schlafenden Soldaten. Dann lehnte sie sich zurück und blickte ins Nichts.

Der Lastwagen kam aus dem Wald heraus auf eine offene Landstraße, und die nächsten Kilometer blieben wir schweigsam. In der Ferne hörten wir Schüsse, sahen andere Militärfahrzeuge. Der Fahrer fuhr langsamer, als wir eine Kolonne Männer passierten, die in grauen, zerrissenen Kleidern dahinstapfte. Ihre Köpfe waren gesenkt. Sie wirkten wie Gespenster, nicht wie echte Menschen. Ich beobachtete Liliane dabei, wie sie diese Männer anschaute, und spürte ihre Gegenwart in dem Laster wie eine Bürde auf meiner Seele: Sie hätte es schaffen können, wenn ich nicht gewesen wäre.

«Liliane …»

Sie schüttelte den Kopf, als wollte sie nichts hören.

Wir fuhren weiter. Schneeregen setzte ein, und die eiskalten Tropfen, die hereingeweht wurden, brannten auf meiner

Haut. Ich zitterte immer unkontrollierbarer, und bei jedem Schlagloch schossen Schmerzen durch meinen Körper. Ich wollte ihr sagen, dass es mir leidtat. Ich wollte ihr sagen, dass ich wusste, wie grausam und selbstsüchtig ich mich verhalten hatte. Ich hätte ihr ihre Chance nicht nehmen dürfen. Sie hatte recht. Ich hatte mich selbst belogen, als ich mich an den Gedanken geklammert hatte, der Kommandant würde mir mein Verhalten mit einer Gegenleistung lohnen.

«Sophie?»

«Ja?» Ich sehnte mich so danach, dass sie wieder mit mir sprach. Ich muss jämmerlich eifrig geklungen haben.

Sie schluckte, hielt den Blick auf ihre Schuhe gerichtet. «Wenn ... wenn mir irgendetwas zustößt, glaubst du, dass sich Hélène dann um Édith kümmert? Ich meine, richtig kümmert? Ihr Liebe schenkt?»

«Ganz bestimmt. Hélène kann genauso wenig gegen ihre Liebe zu Kindern tun, wie sie ... ich weiß nicht ... zu den Boches überlaufen könnte.» Ich versuchte zu lächeln. Ich war entschlossen, weniger krank zu wirken, als ich es war, und ihr zu versichern, dass sich immer noch alles zum Guten wenden könnte. Ich rutschte auf meinem Platz herum, versuchte, mich ganz aufrecht hinzusetzen. Davon schmerzte mir jeder Knochen im Leib. «Aber an so etwas musst du nicht denken. Wir werden das hier überleben, Liliane, und dann gehst du wieder zu deiner Tochter nach Hause.»

Liliane hob die unverletzte Hand zum Gesicht und fuhr über eine rote Narbe, die von ihrer Augenbraue bis über ihre Wange verlief. Sie wirkte tief in Gedanken versunken, weit weg von mir. Ich betete darum, dass ich sie mit meinen selbstsicheren Worten ein wenig beruhigt hatte.

«Wir haben bis jetzt überlebt», fuhr ich fort. «Wir sind

nicht mehr in diesem höllischen Güterwaggon. Also muss das Schicksal auf unserer Seite sein.»

Auf einmal erinnerte sie mich an Hélène an ihren dunkelsten Tagen. Ich wollte den Arm ausstrecken, ihre Hand drücken, aber ich war zu schwach. Ich konnte mich so schon kaum auf der Holzbank aufrecht halten. «Wir müssen Vertrauen haben. Alles kann wieder besser werden. Ich weiß es.»

«Glaubst du denn wirklich, dass wir wieder nach Hause gehen können? Nach St. Péronne? Nach dem, was wir getan haben?»

Der Soldat richtete sich auf und rieb sich über die Augen. Er wirkte verärgert, als hätten wir ihn mit unserer Unterhaltung geweckt.

«Nun … möglicherweise nicht sofort», stammelte ich. «Aber wir können nach Frankreich zurück. Eines Tages. Alles wird …»

«Wir sind jetzt im Niemandsland, Sophie, du und ich. Wir haben keine Heimat mehr.»

Dann hob Liliane den Kopf. Ihre Augen waren riesig und dunkel. Sie war nicht mehr im Entferntesten mit der mondänen Erscheinung zu vergleichen, die ich über den Marktplatz hatte gehen sehen. Aber das lag nicht nur an den Narben und Prellungen, die ihr Aussehen verändert hatten: Sie war bis in die tiefste Seele getroffen.

«Denkst du wirklich, dass Sträflinge, die nach Deutschland gebracht werden, jemals wieder herauskommen?»

«Liliane, bitte sprich nicht so. Bitte. Du musst …» Meine Stimme versiegte.

«Liebste Sophie, mit deinem Vertrauen, deinem blinden Zutrauen in die menschliche Natur.» Sie lächelte mich schief an, es war ein grauenvoller, hoffnungsloser Anblick. «Du hast keine Ahnung, was sie uns antun werden.»

Und damit, bevor ich etwas erwidern konnte, riss sie dem Soldaten die Pistole aus dem Holster, richtete sie auf ihre Schläfe und drückte den Abzug.

Kapitel 30

Wir haben gedacht, wir gehen heute Nachmittag ins Kino. Und am Vormittag hilft mir Jake die Hunde ausführen.» Greg fährt schlecht, drückt unregelmäßig aufs Gaspedal, anscheinend im Takt der Musik, sodass Pauls Oberkörper während der ganzen Fahrt durch die Fleet Street immer wieder nach vorn ruckt.

«Kann ich meinen Nintendo mitbringen?», fragt Jake von der Rückbank.

«Nein, du kannst deinen Nintendo nicht mitbringen. Display-Junkie. Dann läufst du nämlich gegen einen Baum, genau wie letztes Mal.»

«Ich trainiere, an ihnen raufzulaufen, wie Super Mario.»

«Netter Versuch, Kleiner.»

«Um wie viel Uhr kommst du zurück, Dad?»

«Mm?»

Paul sieht auf dem Beifahrersitz die Zeitungen durch. Es gibt vier Artikel zum Prozessverlauf des Vortages. Die Überschriften deuten einen bevorstehenden Prozessgewinn für TARP und die Lefèvres an. Er weiß nicht mehr, wann ihn ein Urteil zu seinen Gunsten so wenig begeistert hat.

«Dad?»

«Mist. Die Nachrichten.» Er wirft einen Blick auf die Uhr, beugt sich vor und dreht am Radio herum.

Überlebende deutscher Konzentrationslager haben die Regierung aufgefordert, die Verfahren zur Restitution von Raubkunst zu beschleunigen ... Allein in diesem Jahr sind sieben Überlebende verstorben, während sie auf den Prozess zur Rückerstattung ihres Familienbesitzes warteten, was juristische Quellen als ‹Tragödie› bezeichnen. Gleichzeitig mit der Forderung wird am High Court der Fall eines mutmaßlich im Ersten Weltkrieg erbeuteten Gemäldes verhandelt ...

Wieder beugt sich Paul vor. «Wie stellt man das lauter?» *Wie sind sie an diese Informationen gekommen?*

«Du solltest mal Pac-Man ausprobieren. Das war echt ein tolles Computerspiel.»

«Was?»

«Dad? Um wie viel Uhr?»

«Warte mal, Jake. Ich muss mir das anhören.»

... Halston, die geltend macht, ihr Ehemann habe das Gemälde in gutem Glauben erworben. Der kontroverse Fall wirft ein Schlaglicht auf die Herausforderungen, vor denen die Rechtsprechung angesichts der wachsenden Zahl vielschichtiger Restitutionsfälle in den letzten zehn Jahren steht. Der Fall Lefèvre hat weltweit Aufmerksamkeit erregt, Unterstützergruppen ...

«Meine Güte. Die arme Miss Liv.» Greg schüttelt den Kopf. «Ich möchte nicht in ihrer Haut stecken.»

«Was meinst du damit?»

«Na ja, all diese Zeitungsartikel, die Radiobeiträge … das wird langsam ziemlich hardcore.»

«So läuft eben das Geschäft.»

Greg sieht ihn mit dem Blick an, den normalerweise Gäste ernten, die ein Glas Leitungswasser bestellen.

«Es ist kompliziert.»

«Ach ja? Ich dachte, du hättest gesagt, bei diesen Fällen wäre immer klar, welche Seite im Unrecht ist.»

«Kannst du mal aufhören, mich zu nerven, Greg? Oder soll ich später bei dir vorbeikommen und dir erklären, wie du deine Bar führen sollst? Mal sehen, wie das bei dir ankommt.»

Greg und Jake sehen sich über den Rückspiegel an und ziehen die Augenbrauen hoch. Das nervt noch mehr.

«Da vorne ist das Gericht. Soll ich dich hier absetzen?» Greg blinkt und zieht so ruckartig an den Straßenrand hinüber, dass alle nach vorn geschleudert werden. Ein Taxifahrer weicht ihnen wild hupend aus. «Ich glaube, hier sollte ich besser nicht anhalten. Wenn ich einen Strafzettel kriege, zahlst du, klar? Hey, das ist sie doch, oder?»

«Wer?» Jake lehnt sich vor.

Paul schaut zu der Menschenmenge vor dem Gerichtsgebäude auf der anderen Straßenseite. Vor der Freitreppe herrscht Gedränge. Die Menge ist während der letzten Tage stetig angewachsen, doch selbst bei dem nebligen Wetter erkennt er eine Veränderung: eine aggressive Atmosphäre, Gesichter, auf denen unverhüllte Abneigung steht.

«Oh oh», sagt Greg, und Paul folgt seinem Blick.

Auf der anderen Straßenseite nähert sich Liv dem Gerichtsgebäude, sie hat die Hände fest um ihre Handtasche geschlossen und hält den Blick nachdenklich gesenkt. Dann sieht sie auf, und als sie realisiert, worum es bei der Demonstration vor ihr geht, wird ihre Miene unruhig. Jemand ruft ihren Namen. *Halston.* Es dauert einen Moment, bis sich die Information in der Menge verbreitet hat, und sie beschleunigt ihren Schritt, versucht vorbeizukommen, aber ihr Name wird wiederholt, erst leise, dann lauter, bis er zur Anklage wird.

Henry, der eben aufgetaucht ist, eilt auf sie zu, als könnte er sich allzu gut vorstellen, was gleich passieren wird. Livs Schritt wird stockend, und er hastet voran, aber die Menge schwappt vor, teilt sich kurz und verschluckt sie wie ein riesenhafter Organismus.

«Meine Güte.»

«Was zum …»

Paul lässt seine Unterlagen fallen, springt aus dem Auto und rennt über die Straße. Er wirft sich in die Menschenmasse und drängt sich bis zur Mitte durch. Es ist ein Strudel aus Händen und Demoplakaten, und es herrscht ohrenbetäubender Lärm. Das Wort DIEBSTAHL taucht vor seinen Augen auf einem herunterfallenden Banner auf. Das Blitzlicht eines Fotoapparats zuckt, er erhascht einen Blick auf Livs Haar, greift nach ihrem Arm und hört sie vor Angst aufschreien. Die Menge drängt weiter vor und wirft ihn beinahe um. Er entdeckt Henry jenseits des Pulks, er schiebt sich in seine Richtung, flucht auf einen Mann, der sich an seine Jacke hängt. Uniformierte Polizisten in Neonwesten tauchen auf, ziehen die Demonstranten weg. «Schluss jetzt. ZURÜCK. ZURÜCK.» Er keucht, etwas trifft ihn heftig in die Nierengegend, und dann sind sie frei, hasten die Treppe hinauf, Liv wie eine Puppe zwischen sich haltend. Von dem Knacken und Pfeifen eines Funkgeräts begleitet, werden sie von einem stämmigen Polizisten in das Gebäude geschoben, durch die Sicherheitsschleuse und in die gedämpfte Stille und den Frieden auf der anderen Seite. Die Demonstranten protestieren lärmend vor dem Gebäude.

Liv ist weiß wie ein Laken. Stumm steht sie da, eine Hand vors Gesicht gehoben, auf der Wange hat sie einen Kratzer, und ihr Haar hat sich halb aus dem Pferdeschwanz gelöst.

«Verdammt noch mal. Wo waren Sie?», schreit Henry den Polizisten an und zieht sich das Jackett glatt. «Wo war der Sicherheitsdienst? Damit hätten Sie doch rechnen müssen!»

Der Polizist nickt ihm unaufmerksam zu, eine Hand gehoben, mit der anderen hält er sich das Funkgerät vor den Mund, um Anweisungen zu geben.

«Alles okay?» Paul lässt sie los. Sie nickt, geht einen Schritt von ihm weg, als hätte sie eben erst mitbekommen, dass er da ist. Ihre Hände zittern.

«Danke, Mr. McCafferty», sagt Henry und rückt sich den Kragen zurecht. «Danke, dass Sie eingeschritten sind. Das war …» Er beendet den Satz nicht.

«Können wir ihr etwas zu trinken besorgen? Und sie muss sich setzen.»

«Oh Gott», sagt Liv und schaut ihren Ärmel an. «Jemand hat mich angespuckt.»

«Zieh ihn aus. Zieh ihn einfach aus», sagt Paul leise und zieht ihr den Mantel von den Schultern. Plötzlich wirkt sie viel kleiner, und ihre Schultern sind gebeugt von all dem Hass dort draußen.

Henry nimmt ihm den Mantel ab. «Machen Sie sich keine Sorgen, Liv. Ich lasse ihn von einem meiner Mitarbeiter in die Reinigung bringen. Und wir sorgen dafür, dass Sie später durch den Hinterausgang gehen können.»

«Ja, Madam. Wir bringen Sie durch den Hinterausgang raus», sagt der Polizist.

«Wie eine Kriminelle», sagt sie düster.

«Ich werde nicht zulassen, dass so etwas noch einmal passiert», sagt Paul und geht einen Schritt auf sie zu. «Wirklich. Ich … es tut mir so leid.»

Sie sieht mit verengten Augen zu ihm auf und tritt einen Schritt zurück. «Und warum sollte ich das glauben?»

Bevor er etwas sagen kann, hat ihr Henry die Hand unter den Ellbogen gelegt, und sie ist weg, wird von ihrem Anwalt durch den Korridor zum Verhandlungssaal geführt, blind dafür, dass sich ihr Pferdeschwanz halb aufgelöst hat.

Paul geht langsam über die Straße zurück, strafft die Schultern unter dem Jackett. Greg steht neben seinem Auto, streckt ihm die durcheinandergeratenen Unterlagen und seine lederne Aktenmappe entgegen. Es hat angefangen zu regnen.

«Alles klar?»

Er nickt.

«Und mit ihr?»

«Mm …» Paul wirft einen Blick zurück auf das Gerichtsgebäude und fährt sich durchs Haar. «So einigermaßen. Hör mal. Ich muss reingehen. Ich sehe euch beide später.»

Greg betrachtet ihn, dann die Menge, die nun locker und zahm wirkt, Menschen, die herumlaufen und sich unterhalten, als hätten die letzten zehn Minuten nicht stattgefunden. Seine Miene ist ungewöhnlich verschlossen. «Und», sagt er, als er wieder ins Auto steigt, «wie klappt's mit dieser Wir-sind-die-Guten-Sache so für dich?»

Er sieht Paul nicht an, als er wegfährt. Jakes Gesicht, ein

blasses Oval hinter der Heckscheibe, blickt ihn ungerührt an, bis der Wagen außer Sichtweite ist.

Janey geht neben Paul die Treppe zum Verhandlungsraum hinauf. Ihr Haar ist ordentlich hochgesteckt, und sie trägt hellroten Lippenstift. «Rührend», sagt sie.

Er tut so, als hätte er es nicht gehört.

Sean Flaherty stapelt seine Ordner auf eine Bank und macht sich bereit, durch die Sicherheitskontrolle zu gehen. «Die Sache läuft langsam aus dem Ruder. So etwas habe ich noch nie erlebt.»

«Ja», sagt Paul und reibt sich das Kinn. «Man fühlt sich beinahe, als ... Ach, ich weiß auch nicht. Die ganze Hetze, mit der die Presse gefüttert wird, scheint Wirkung zu zeigen.» Er dreht sich zu Janey um.

«Soll heißen?», sagt Janey kühl.

«Soll heißen, wer auch immer der Presse die Informationen zuspielt oder Interessengruppen aufstachelt, scheißt darauf, wie hässlich das werden kann.»

«Wogegen du die vollendete Ritterlichkeit bist.» Janey hält seinem Blick stand.

«Janey? Hast du irgendetwas mit dieser Demo zu tun?»

Die Pause ist eine Nanosekunde zu lang.

«Mach dich nicht lächerlich.»

«Ich fasse es nicht.»

Seans Blick wechselt zwischen den beiden hin und her, als würde er jetzt erst mitbekommen, dass hier noch eine ganz andere, unterschwellige Diskussion läuft. Er entschuldigt sich, murmelt etwas davon, dass er den Barrister über etwas informieren muss. Und dann stehen Paul und Janey allein in dem langen Korridor.

Er fährt sich durchs Haar, wirft einen Blick Richtung Verhandlungssaal. «Das gefällt mir nicht. Das gefällt mir ganz und gar nicht.»

«So läuft das Geschäft. Und das hat dich bis jetzt nie gestört.» Sie sieht auf die Uhr, dann aus dem Fenster. Man hat von hier aus keinen Blick auf die Straße, aber die skandierenden Demonstranten sind trotzdem zu hören. Sie hat die Arme vor der Brust verschränkt. «Ich finde allerdings nicht, dass ausgerechnet du hier den Unschuldigen spielen kannst.»

«Was meinst du damit?»

«Erzählst du mir vielleicht, was da läuft? Zwischen dir und Mrs. Halston?»

«Da läuft nichts.»

«Du hältst mich wohl für beschränkt.»

«Okay. Nichts, was dich etwas angeht.»

«Wenn du eine Beziehung mit der Beschuldigten der Gegenpartei hast, geht mich das meiner Meinung nach sogar sehr viel an.»

«Ich habe keine Beziehung mit ihr.»

Janey tritt dichter vor ihn. «Verarsch mich nicht, Paul. Du hast hinter meinem Rücken mit den Lefèvres Kontakt aufgenommen und versucht, einen Vergleich auszuhandeln.»

«Ja. Davon wollte ich dir noch erzählen …»

«Ich habe diese kleine Vorstellung da draußen mitbekommen. Und dann versuchst du auch noch Tage vor der Urteilsverkündung, einen Deal für sie herauszuschlagen?»

«Okay.» Paul streift sein Jackett ab und lässt sich schwer auf einer Bank nieder. «Okay.»

Sie wartet.

«Ich hatte eine kurze Beziehung mit ihr, bevor ich wusste, wer sie ist. Sie war beendet, als wir festgestellt haben, dass wir in dieser rechtlichen Auseinandersetzung zu gegnerischen Parteien gehören würden. Das war's.»

Janey mustert etwas an der hohen, gewölbten Decke. Als sie wieder anfängt zu sprechen, klingt sie ganz lässig. «Und hast du vor, wieder mit ihr zusammenzukommen? Wenn das hier vorbei ist?»

«Das geht niemanden etwas an.»

«Von wegen. Ich muss sicher sein, dass du dich hundertprozentig für mich engagierst. Dass dieser Fall nicht gefährdet ist.»

Seine wütende Stimme hallt durch den weitläufigen Korridor. «Wir gewinnen, oder? Was willst du noch mehr?»

Die übrigen Vertreter des Anwaltsteams gehen in den Verhandlungssaal. Seans Gesicht taucht hinter der schweren Eichentür auf, und er bedeutet ihnen hereinzukommen.

Paul atmet tief ein. Mit versöhnlicher Stimme sagt er: «Hör mal. Lassen wir das Persönliche mal weg; ich glaube, es wäre richtig, einen Vergleich anzustreben. Wir wären immer noch …»

Janey greift nach ihren Unterlagen. «Wir schließen keinen Vergleich. Warum um alles in der Welt sollten wir das tun? Wir stehen kurz davor, den prestigeträchtigsten Prozess zu gewinnen, den dieses Unternehmen je geführt hat.»

«Wir zerstören ein Leben.»

«Sie hat ihr Leben selbst zerstört, als sie beschlossen hat, sich mit uns anzulegen.»

«Wir wollen ihr wegnehmen, was sie für ihr Eigentum hält. Natürlich legt sie sich mit uns an. Komm schon, Janey, hier geht es um Gerechtigkeit.»

«Es geht nicht um Gerechtigkeit. Es geht nie um Gerechtigkeit. Mach dich nicht lächerlich.» Sie putzt sich die Nase. Als sie sich zu ihm umdreht, glitzern ihre Augen verdächtig. «Es sind noch zwei Verhandlungstage angesetzt. Sofern nichts Unerwartetes eintritt, kehrt Sophie Lefèvre danach an ihren rechtmäßigen Platz zurück.»

«Und du bist absolut sicher zu wissen, wo der ist.»

«Ja, bin ich. Und du solltest es auch sein. Und jetzt schlage ich vor, dass wir reingehen, bevor sich die Lefèvres fragen, was zum Teufel wir hier draußen noch zu tun haben.»

Er geht mit dröhnendem Kopf in den Verhandlungsraum und ignoriert den tadelnden Blick des Saaldieners. Er setzt sich, atmet durch und versucht, seine Gedanken zu ordnen. Janey spricht unkonzentriert mit Sean. Als sich Pauls Herzschlag beruhigt hat, fällt ihm ein Polizist im Ruhestand ein, mit dem er sich zu Beginn seiner Londoner Zeit oft unterhalten hat. Ein Mann, dem seine sarkastische Weltsicht aus dem faltigen Gesicht sprach. «Alles, was zählt, ist die Wahrheit, McCafferty», hatte er oft gesagt, kurz bevor das Bier seine Aussprache undeutlich werden ließ. «Ohne die Wahrheit tun Sie im Grunde nichts anderes, als mit den bescheuerten Ideen von irgendwelchen Leuten herumzujonglieren.»

Er zieht seinen Notizblock aus dem Jackett und kritzelt ein paar Worte, dann faltet er das Blatt sorgfältig in der Mitte zusammen. Er sieht sich kurz um, dann tippt er dem Mann, der vor ihm sitzt, auf die Schulter. «Können Sie das zu dem Anwalt dort durchgeben, bitte?» Er beobachtet, wie das Stück Papier nach vorn durchgegeben wird, den Anwaltsassistenten erreicht, dann Henry, der einen Blick darauf wirft und es an Liv weitergibt.

Sie schaut es misstrauisch an, als wolle sie es nicht auffalten. Und dann sieht er, wie sie es tut und plötzlich erstarrt, als sie verdaut, was darauf steht.

Sie dreht sich um. Als sie ihn entdeckt, hebt sie leicht das Kinn. *Warum sollte ich dir vertrauen?*

Die Zeit scheint stillzustehen. Sie schaut weg.

«Richte Janey aus, dass ich wegmusste. Dringender Termin», sagt er zu Sean.

«Sie gehören zu Mr. Flahertys Leuten.» Marianne Andrews bückt sich ein wenig, als wäre sie zu groß für den Türrahmen.

«Es tut mir leid, dass ich Sie so überfalle. Ich wollte mit Ihnen reden. Über den Fall.»

Sie schaut ihn an, als wollte sie ihn wegschicken, und dann hebt sie ihre große Hand. «Oh, Sie können ebenso gut hereinkommen. Aber ich warne Sie, ich bin wütend wie eine Klapperschlange, weil Sie so über Mom geredet haben. Als wäre sie eine Verbrecherin. Die Presse ist auch nicht besser. Ich habe gerade mit meiner alten Highschool-Freundin Myra telefoniert und musste ihr erklären, dass Mom in sechs Monaten mehr Nützliches getan hat als *ihr* Ehemann in den dreißig Jahren, die er mit seinem dicken Hintern in der Bank of America sitzt.»

«Davon bin ich überzeugt.»

«Darauf wette ich, mein Lieber.» Sie winkt ihn hinein, geht mit steifem, schlurfendem Schritt durch die Wohnung. «Mom war Sozialreformerin. Sie hat über das Elend der Fabrikarbeiter geschrieben, über heimatvertriebene Kinder. Sie fand den Krieg entsetzlich. Sie hätte ebenso wenig gestohlen, wie sie Göring um ein Date gebeten hätte. Also, ich schätze, Sie wollen etwas trinken, oder?»

Paul lässt sich eine Cola light geben und setzt sich auf eines der niedrigen Sofas. Durch das Fenster dringen die Verkehrsgeräusche in den überheizten Raum. Eine große Katze, die er anfänglich für ein Kissen gehalten hat, rollt sich auseinander und springt auf seinen Schoß, um sich in stiller Ekstase auf seinen Oberschenkeln einzurichten.

Marianne Andrews lehnt sich zurück, zündet sich eine Zigarette an und zieht theatralisch daran. «Stammt dieser Akzent aus Brooklyn?»

«New Jersey.»

«Hm.» Sie fragt ihn, wo er damals gewohnt hat, nickt, als würde sie die Gegend kennen. «Sind Sie schon lange hier?»

«Sieben Jahre.»

«Bei mir sind es sechs. Bin mit meinem liebsten Ehemann hierhergekommen. Er ist letzten Juli gestorben.» Und dann, mit etwas sanfterer Stimme, sagt sie: «Tja, wie dem auch sei, was kann ich für Sie tun? Ich glaube nicht, dass ich noch mehr beisteuern kann als das, was ich vor Gericht gesagt habe.»

«Ich weiß auch nicht. Vermutlich frage ich mich einfach, ob es noch etwas gibt, irgendetwas, das wir übersehen haben.»

«Fehlanzeige. Wie ich schon zu Mr. Flaherty sagte, ich habe keine Ahnung, woher das Gemälde kam. Und ehrlich gesagt, wenn Mom in ihren Erinnerungen als Reporterin schwelgte, hat sie lieber die Anekdote erzählt, wie sie mit John F. Kennedy in einer Flugzeugtoilette eingesperrt war. Und wissen Sie, mein Vater und ich waren nicht besonders interessiert. Eins können Sie mir glauben: Wenn sie eine alte Reporterstory gehört haben, dann haben sie alle gehört.»

Paul sieht sich im Zimmer um. Als sein Blick wieder bei ihr angekommen ist, schaut sie ihn immer noch an. Sie mustert ihn, bläst einen Rauchring in die Luft. «Mr. McCafferty, werden mich Ihre Klienten auf Entschädigung verklagen, wenn das Gericht entscheidet, dass das Gemälde gestohlen wurde?»

«Nein. Sie wollen nur das Gemälde.»

Marianne Andrews schüttelt den Kopf. «Darauf wette ich.» Sie hat die Beine übereinandergeschlagen, stellt sie jetzt aber nebeneinander und zuckt ein bisschen zusammen, als hätte sie Schmerzen bei der Bewegung. «Ich glaube, dieser Fall stinkt. Mir gefällt es nicht, wie Mrs. Halstons Name durch den Dreck gezogen wird. Oder Mr. Halstons Name. Er hat dieses Gemälde geliebt.»

Paul sieht auf die Katze hinunter. «Es ist allerdings möglich, dass Mr. Halston sehr wohl wusste, was es tatsächlich wert ist.»

«Ich möchte Ihnen nicht zu nahe treten, Mr. McCafferty, aber Sie waren nicht dabei. Wenn Sie andeuten wollen, dass ich betrogen worden bin, sind Sie an die Falsche geraten.»

«Ist Ihnen denn der wahre Wert des Bildes wirklich gleichgültig?»

«Ich schätze, Sie und ich verstehen unter dem Wort ‹Wert› nicht dasselbe.» Marianne Andrews drückt ihre Zigarette aus. «Und mir wird richtig schlecht, wenn ich daran denke, wie es der armen Olivia Halston geht.»

Er zögert, und dann sagt er leise: «Ja, mir auch.»

Sie zieht eine Augenbraue hoch.

Er seufzt. «Dieser Fall ist … verzwickt.»

«Aber nicht zu verzwickt, um die arme Frau in den Ruin zu treiben, was?»

«Ich mache nur meine Arbeit, Mrs. Andrews.»

«Genau. Ich glaube, diesen Satz hat meine Mutter auch ein paarmal gehört.»

Sie hat es freundlich gesagt, aber es treibt ihm trotzdem die Röte in die Wangen.

Sie sieht ihn eine Weile an, dann stößt sie unvermittelt ein lautes *Ha!* aus, und die Katze springt erschrocken von seinem Schoß. «Oh, zum Teufel! Wollen Sie etwas Stärkeres? Ich könnte nämlich einen richtigen Drink vertragen. Ist bestimmt schon nach vier.» Sie steht auf und geht zur Hausbar. «Bourbon?»

«Ja, danke.»

Dann beginnt er, den Bourbon in der Hand, zu erzählen. Die Worte kommen zögerlich, als hätten sie nicht damit gerechnet, ausgesprochen zu werden. Seine Geschichte beginnt mit einer gestohlenen Handtasche und endet in einem abrupten Abschied vor einem Gerichtssaal. Unversehens kommen neue Aspekte hinzu. Sein unerwartetes Glücksgefühl in ihrer Nähe, seine Schuldgefühle und seine neuerdings permanente schlechte Laune, die ihn umgibt wie ein Panzer. Er weiß nicht, warum er vor dieser Frau sein Herz ausschüttet. Er weiß nicht, warum er ausgerechnet von ihr Verständnis erwartet.

Aber Marianne Andrews hört zu, ihr gutmütiges Gesicht mitfühlend verzogen. «Tja, in diesen Schlamassel haben Sie sich ganz alleine hineingeritten, Mr. McCafferty.»

«Ja. Das ist mir klar.»

Sie zündet sich noch eine Zigarette an und schimpft mit der Katze, die maunzend vor der Küchenzeile um Futter bettelt. «Da weiß ich auch keine Lösung, mein Lieber. Entweder brechen Sie ihr das Herz, indem Sie ihr das Gemälde wegnehmen, oder sie bricht Ihnen Ihres, weil Sie Ihren Job verlieren.»

«Oder wir vergessen die ganze Sache.»

«Damit wären dann zwei Herzen gebrochen.»

Deutlicher kann man es nicht ausdrücken. Sie sitzen schweigend da. Von draußen dringt der Lärm des zähflüssigen Verkehrs herein.

Paul nippt nachdenklich an seinem Bourbon. «Mrs. Andrews, hat Ihre Mutter ihre Notizbücher aufbewahrt? Die sie als Reporterin benutzt hat?»

Marianne Andrews sieht auf. «Ich habe sie aus Barcelona mitgenommen, aber ich musste viele davon wegwerfen. Die Termiten hatten sich darüber hergemacht. Auch über einen von den Schrumpfköpfen. Die Tücken einer kurzen Ehe in Florida. Allerdings ...» Sie steht auf, drückt sich dabei mit ihren langen Armen hoch. «Sie bringen mich da auf etwas. Ich könnte noch ein paar von ihren alten Journalen im Keller haben.»

«Journale?»

«Tagebücher. Was auch immer. Ich hatte die verrückte Idee, dass vielleicht irgendwann mal jemand ihre Biographie schreiben will. Sie hat so viele interessante Dinge getan. Vielleicht eines meiner Enkelkinder. Ich bin fast sicher, dass da irgendwo ein Karton mit ihren Zeitungsartikeln und ein paar von ihren Journalen sind. Ich hole den Schlüssel, dann gehen wir nachsehen.»

Paul folgt Mrs. Andrews ins Treppenhaus. Schwer atmend führt sie ihn zwei Stockwerke hinunter in einen Gang, der halb mit Fahrrädern zugestellt ist.

Sie kommen zu einer hohen, blauen Tür. Sie sucht murmelnd den richtigen Schlüssel an ihrem Schlüsselring. «Hier», sagt sie und drückt auf einen Schalter. In dem Raum fällt das Licht einer trüben Glühbirne auf einen langen, dunklen Schrank. Auf der anderen Seite stehen metallene Kellerregale, und auf dem Boden stapeln sich überall Pappkartons, Bücher, und dazwischen steht eine alte Lampe. Es riecht nach altem Zeitungspapier und Bohnerwachs.

«Ich sollte das wirklich alles mal aussortieren.» Marianne seufzt und verzieht die Nase. «Aber irgendwie gibt es immer etwas anderes zu tun.»

«Soll ich irgendwas herunterheben?»

Marianne schlingt die Arme um sich. «Wissen Sie, was, mein Lieber? Würde es Sie sehr stören, hier alleine herumzustöbern? Dieser ganze Staub ist nicht gut für mein Asthma. Es ist nichts Wertvolles dabei. Sie schließen einfach hinterher ab und melden sich, wenn Sie etwas Interessantes finden. Oh, und falls Sie eine blaugrüne Handtasche mit einer Goldschließe entdecken, bringen Sie die mit rauf. Ich wüsste zu gern, wo sie abgeblieben ist.»

Paul verbringt eine Stunde in dem vollgestellten Verschlag, zieht Kartons in den schlecht beleuchteten Gang, wenn er glaubt, darin etwas finden zu können, und stapelt alles an der Wand auf. Bald ist der Gang mit den Sachen aus dem Verschlag übersät. Koffer voll mit alten Landkarten, ein Globus, Hutschachteln, mottenzerfressene Pelzmäntel, ein ledriger Schrumpfkopf, der mit seinen vier übergroßen Zähnen eine Grimasse schneidet. Er findet ein paar Notizbücher, die praktischerweise auf der Vorderseite datiert sind. November 1968, 1969, 1971. Er arbeitet sich systematisch durch die Kartons, blättert jedes Buch auf, überfliegt den Inhalt jedes Ordners. Er öffnet jede Kiste, jede Schachtel, stapelt ihren Inhalt auf und räumt ihn ordentlich wieder ein. Eine alte Stereoanlage, zwei Kisten mit alten Büchern, eine Hutschachtel voller Andenken. Es wird elf, zwölf, halb eins. Er wirft einen Blick auf die Uhr und sieht ein, dass es hoffnungslos ist.

Wo immer die Wahrheit auch zu finden ist, in diesem überfüllten Verschlag kurz hinter der A40 jedenfalls nicht. Und dann, ganz hinten an der Wand, entdeckt er den ausgetrockneten, zerrissenen Riemen eines alten Lederranzens. Er sieht aus wie ein Stück Dörrfleisch.

Er greift unter das Regal und holt ihn hervor.

Er niest zwei Mal, wischt sich über die Augen, dann öffnet er die Klappe des Ranzens. Es sind sechs hartgebundene A4-Notizbücher darin. Er schlägt eines auf und hat eine gestochen schöne Handschrift vor sich. Sein Blick zuckt zu dem Datum. 1941. Er schlägt ein anderes auf. 1944. Er überfliegt den Text, lässt die Bücher fallen, so eilig hat er es, das richtige zu finden. Und da ist es – das vorletzte. 1945.

Er stolpert in den Gang, wo das Licht ein bisschen besser ist, und blättert unter der Leuchtstoffröhre durch die Seiten.

30. April 1945

Nun, der heutige Tag ist ganz und gar nicht so verlaufen, wie ich es erwartet hatte. Vor vier Tagen hatte Lt. Col. Danes zu mir gesagt, dass ich mit ihnen ins KZ Dachau kann …

Paul liest noch ein Stück weiter und flucht immer lauter vor sich hin. Er steht bewegungslos, die Bedeutung dessen, was er in der Hand hält, steigert sich mit jeder Sekunde. Er blättert durch die Seiten und flucht erneut.

Seine Gedanken rasen. Er könnte das Buch zurück in die dunkle Ecke des Verschlags stopfen, könnte zurück zu Marianne Andrews gehen und ihr sagen, er hätte nichts gefunden. Er könnte diesen Prozess gewinnen und seinen Bonus einstreichen. Er könnte Sophie Lefèvre ihren rechtmäßigen Besitzern zurückgeben.

Oder …

Er sieht Liv vor sich, mit gesenktem Kopf, getroffen von der negativen öffentlichen Meinung, den Beschimpfungen Fremder, den finanziellen Ruin vor Augen. Er sieht sie die Schultern straffen, den aufgelösten Pferdeschwanz, als sie in den Gerichtssaal geht.

Er sieht ihr zögerndes Lächeln nach ihrem ersten Kuss.

Wenn du das tust, gibt es kein Zurück.

Paul McCafferty legt das Buch und den Ranzen zur Seite und fängt an, die Kisten in den Verschlag zurückzuräumen.

Sie taucht an der Tür auf, als er die letzten Kisten zurückträgt, schwitzend und staubig nach der Anstrengung. Sie raucht eine Zigarette aus einer langen Zigarettenspitze, wie eine Zwanzigerjahre-Schönheit. «Meine Güte, ich habe mich schon gefragt, ob Ihnen etwas zugestoßen ist.»

Er richtet sich auf, wischt sich über die Stirn. «Ich habe das hier gefunden.» Er hebt die blaugrüne Handtasche hoch.

«Wirklich? Oh, Sie sind ein Schatz!» Sie nimmt ihm die Tasche ab und streicht zärtlich darüber. «Ich hatte solche Angst, dass ich sie irgendwo verloren haben könnte. Ich bin so ein Schussel. Danke. Danke vielmals. Gott weiß, wie Sie die Tasche in diesem Chaos gefunden haben.»

«Ich habe noch etwas anderes gefunden», sagt er und hebt die Notizbücher auf. «Darin steht …», er atmet ein und wieder aus, «… dass Ihre Mutter das Gemälde tatsächlich geschenkt bekommen hat.»

«Hab ich's nicht gesagt?», ruft Marianne Andrews aus. «Ich habe doch gesagt, dass meine Mutter keine Diebin war! Das habe ich von Anfang an gesagt.»

Darauf folgt ein langes Schweigen.

«Und Sie werden die Bücher Mrs. Halston geben», sagt sie langsam.

«Ich bin nicht sicher, ob das klug wäre. Durch dieses Notizbuch werden wir faktisch den Prozess verlieren.»

Ihre Miene verfinstert sich. «Was soll das heißen? Dass Sie ihr die Bücher nicht geben werden?»

«Genau das heißt es.»

Er zieht einen Kugelschreiber aus der Tasche. «Aber wenn ich sie hierlasse, kann Sie nichts daran hindern, ihr die Bücher selbst zu geben, nicht wahr?» Er schreibt eine Nummer auf und gibt sie ihr. «Das ist ihre Handynummer.»

Sie wechseln einen langen Blick. Marianne Andrews strahlt, als hätte sie die Bestätigung für irgendetwas erhalten. «Das werde ich tun, Mr. McCafferty.»

«Mrs. Andrews?»

«Marianne, zum Teufel.»

«Marianne. Wir behalten das besser für uns. Ich glaube nicht, dass es bei gewissen Leuten gut ankäme.»

Sie nickt nachdrücklich. «Sie waren nie hier, junger Mann.» Dann scheint ihr etwas einzufallen. «Sie wollen also auch nicht, dass ich Mrs. Halston sage, dass Sie es waren, der …»

Er schüttelt den Kopf, steckt den Kugelschreiber zurück in seine Tasche. «Ich glaube, dieser Zug ist abgefahren. Wenn Sie den Prozess gewinnt, genügt mir das.» Er beugt sich vor und küsst sie auf die Wange. «Das Buch, auf das es ankommt, ist das vom April 1945. Das mit dem Eselsohr.»

«April 1945.»

Er nimmt seine Jacke und hält ihr den Schlüsselbund hin. Marianne hält ihn kurz am Ellbogen zurück. «Wissen Sie, ich könnte Ihnen etwas darüber erzählen, wie es ist, fünf Mal verheiratet gewesen zu sein. Besser gesagt, fünf Mal verheiratet gewesen und immer noch mit meinen drei noch lebenden Exmännern befreundet zu sein. Das lehrt einen verdammt alles über die Liebe.»

Paul lächelt, aber sie ist noch nicht fertig. Ihr Griff an seinem Arm ist überraschend kräftig. «Und was es Sie lehrt, Mr. McCafferty, ist, dass es im Leben auf viel mehr ankommt als darauf, der Sieger zu sein.»

Kapitel 31

Liv trifft Henry am Hintereingang des Gerichtsgebäudes. Er spricht durch eine Wolke Pain-au-chocolat-Krümel. Er wirkt erhitzt und ist kaum zu verstehen. «Sie will es niemand anderem übergeben.»

«Wie bitte? Wer will was nicht?»

«Sie ist am Vordereingang. Kommen Sie.»

Bevor sie weiter fragen kann, schiebt sie Henry ins Gebäude und führt sie durch ein Labyrinth von Korridoren und Steintreppen bis zur Sicherheitsschleuse des Haupteingangs. Marianne Andrews wartet an der Schranke, angetan mit einem violetten Mantel und einem breiten Haarband im Schottenmuster. Bei Livs Anblick stößt sie einen theatralischen Seufzer aus. «Mein Gott, Sie sind aber wirklich schwer zu erreichen», schimpft sie und hält Liv einen muffig riechenden Ranzen entgegen. «Ich habe tausend Mal versucht, Sie anzurufen.»

«Tut mir leid», sagt Liv etwas verständnislos. «Ich gehe nicht mehr ans Telefon.»

«Es ist hier drin.» Marianne Andrews deutet auf das Notizbuch. «Alles, was Sie brauchen. April 1945.»

Liv starrt auf die alten Bücher. «Alles, was ich brauche?»

«Das Gemälde», sagt die ältere Frau entnervt. «Zum Teufel, Kindchen, es ist kein Rezept für Shrimps-Gumbo.»

Die Ereignisse überstürzen sich. Henry hastet zum Büro des Richters und beantragt eine kurze Aussetzung der Verhandlung. Die Tagebücher werden fotokopiert, wichtige Stellen markiert, und aufgrund der Offenlegungspflicht wird eine Kopie an die Anwälte der Lefèvres weitergegeben. Liv und Henry überfliegen die markierten Seiten, während Marianne Andrews stolz und unaufhörlich betont, sie habe schon immer gewusst, dass ihre Mutter keine Diebin war und der verdammte Mr. Jenks dorthin gehen könne, wo der Pfeffer wächst.

Ein Rechtsreferendar bringt Kaffee und Sandwiches. Liv ist zu angespannt, um etwas zu essen. Sie lässt die Sandwiches unberührt liegen. Sie betrachtet immer wieder das Tagebuch, unfähig zu glauben, dass dieses eselsohrige Buch die Lösung ihrer Probleme enthalten könnte.

«Was denken Sie?», fragt sie, als Angela Silver und Henry ihr Gespräch beendet haben.

«Ich denke, das könnte eine gute Neuigkeit sein.» Sein Lächeln straft seine vorsichtige Ausdrucksweise Lügen.

«Es wirkt sehr aufrichtig», sagt Angela. «Wenn wir beweisen können, dass die letzten beiden Besitzerwechsel legal waren und es keinen eindeutigen Beweis dafür gibt, dass sich der Kommandant das Gemälde durch Zwangsmaßnahmen angeeignet hat, sind wir wieder im Spiel.»

«Ich danke Ihnen», sagt Liv, die kaum an diese Wende der Ereignisse zu glauben wagt. «Ich danke Ihnen so sehr, Mrs. Andrews.»

«Oh, es war mir wirklich ein Vergnügen», sagt sie und wedelt mit ihrer Zigarette durch die Luft. Niemand hat sie mit dem Rauchverbot behelligt. Sie beugt sich vor und legt Liv eine knochige Hand aufs Knie. «Und er hat meine Lieblingshandtasche gefunden.»

«Wie bitte?»

Das Lächeln der Amerikanerin erlischt. Sie macht sich an ihrer Ansteckbrosche zu schaffen. «Oh, nichts. Beachten Sie mich am besten gar nicht weiter.»

Liv mustert sie noch, als die leichte Röte aus ihren Wangen weicht. «Möchten Sie diese Sandwiches nicht?», fragt Marianne Andrews eilig.

Das Telefon klingelt. «Gut», sagt Henry, als er aufgelegt hat. «Sind alle bereit? Mrs. Andrews ... könnten Sie ein paar der Einträge in der Verhandlung vorlesen?»

«Ich habe meine beste Lesebrille eingesteckt.»

«Gut.» Henry atmet tief ein. «Dann sollten wir jetzt reingehen.»

30. April 1945

Nun, der heutige Tag ist ganz und gar nicht so verlaufen, wie ich es erwartet hatte. Vor vier Tagen hatte Lt. Col. Danes zu mir gesagt, dass ich mit ihnen ins KZ Dachau kann. Danes ist kein schlechter Kerl. Am Anfang war er ein bisschen gereizt wegen der Reporter, wie es ja die meisten von ihnen sind, aber seit ich mit den Screaming Eagles am Omaha Beach gelandet bin und er mitbekommen hat, dass ich keine unbedarfte Hausfrau bin, die ihm Keksrezepte aus den Rippen leiern will, hat er sich ein bisschen abgeregt. Ich bin bei der 101st Airborne Division so was wie ein Ehrenmitglied, und wenn ich die Armbinde trage, bin ich einfach eine von ihnen. Also, abgemacht war, dass ich mit ihnen in das Lager gehe, meinen Artikel über die Leute dort schreibe, vielleicht ein paar der Gefangenen zu den Haftbedingungen interviewe und mich dann vom Acker mache. WRGS-Radio wollte auch einen kurzen Beitrag, also hatte ich ein neues Tonband eingelegt, um gleich loslegen zu können.

Tja, da stand ich nun um 6 Uhr morgens, Armbinde angelegt, beinahe fertig geschniegelt und gestriegelt und fluchte, als er hereinkam, ohne zu klopfen. «Also wirklich, Lieutenant», flachste ich, «Sie haben mir nie gesagt, dass Sie ein Auge auf mich geworfen haben.» Das ist so ein Witz zwischen uns. Er meint, er hätte ein paar Marschstiefel, die älter wären als ich.

«Planänderung, Schätzchen», sagte er. Er rauchte, das war selten bei ihm. «Ich kann Sie nicht mitnehmen.»

Meine Hände erstarrten auf meinem Kopf. «Sie nehmen mich auf den Arm, stimmt's?» Der Herausgeber des New York Registers stand schon in den Startlöchern für diesen Artikel. Sie hatten mir zwei Seiten freigehalten – ohne Werbeanzeigen.

«Louanne, es ist … es übersteigt jede Vorstellung, die wir uns davon gemacht haben. Ich habe Befehl, bis morgen niemanden reinzulassen.»

«Oh, jetzt kommen Sie schon.»

«Im Ernst.» Er senkte die Stimme. «Sie wissen, dass ich Sie mitnehmen würde, wenn es ginge. Aber … na ja, Sie würden nicht glauben, was wir dort gestern gesehen haben. … Ich habe die ganze Nacht nicht geschlafen. Und meine Jungs auch nicht. Da sind alte Damen, und Kinder laufen dort drin herum, also … ich meine, kleine Kinder …» Er schüttelte den Kopf und wandte den Blick von mir ab. Danes ist ein ausgewachsener Mann, aber ich schwöre, dass er kurz davor war, loszuweinen wie ein Baby. «Vor dem Lager hat ein Zug gestanden, und die Leichen waren

einfach … und es waren Tausende … Es ist unmenschlich. So viel steht fest.»

Er sah mich wieder an. «Louanne, heute haben nur Militärs und das Rote Kreuz Zutritt. Ich brauche jeden Mann zur Unterstützung.»

«Unterstützung bei was?»

«Bei der Verhaftung der Nazis. Bei der Hilfe für die Gefangenen. Dabei, unsere Männer daran zu hindern, diese SS-Schweine für das zu erschießen, was sie dort getan haben. Als der junge Maslowicz gesehen hat, was sie den Polen angetan haben, ist er durchgedreht, hat geweint, ist ausgerastet. Ich musste ihm von einem Unteroffizier die Waffe wegnehmen lassen. Also brauche ich eine absolut hundertprozentige Bewachung. Und …», er schluckte, «… wir müssen entscheiden, was wir mit den Leichen machen.»

«Leichen?»

Er schüttelte den Kopf. «Ja, Leichen. Tausende von Leichen. Sie haben die Toten verheizt. Verheizt! Es ist unvorstellbar …» Er blies die Wangen auf. «Wie dem auch sei, Schätzchen. Jedenfalls muss ich Sie um einen Gefallen bitten.»

«Sie müssen mich um einen Gefallen bitten?»

«Sie müssen die Verantwortung für das Depot übernehmen.»

Ich starrte ihn an.

«Bei Berchtesgaden gibt es eine Lagerhalle. Wir haben sie gestern Abend geöffnet und sie ist bis unters Dach mit Kunst vollgestopft. Die Nazis, Göring, haben Kunstgegenstände geraubt, das kann man sich nicht vorstellen. Der oberste Lamettahengst schätzt, dass die Sachen da drin hundert Millionen Dollar wert sind.»

«Und was hat das mit mir zu tun?»

«Ich brauche eine vertrauenswürdige Person, die darauf

aufpasst, nur für heute. Ich stelle Ihnen eine Löscheinheit zur Verfügung und zwei Marinesoldaten. In der Stadt herrscht Chaos, und ich muss sicher sein, dass keiner reingeht und keiner rausgeht. Das ist ein richtig großer Fang, Schätzchen. Ich kenne mich mit Kunst nicht so aus, aber es ist … ich weiß nicht … als wäre die Mona Lisa oder so dort drin.»

Das schmeckte nach einer echten Enttäuschung. Wie Eisenspäne in kaltem Kaffee. Diesen Geschmack hatte ich im Mund, als mich der alte Danes zu der Lagerhalle fuhr. Und das war noch, bevor ich herausfand, dass Marguerite Higgins am Tag davor mit Brigadegeneral Linden im KZ Dachau gewesen war.

Es war im Grunde keine Lagerhalle, sondern eher ein riesiges, graues öffentliches Gebäude, wie eine sehr große Schule oder ein Gemeindeamt. Danes stellte mich den beiden Marines vor, die salutierten, dann zeigte er mir das Büro in der Nähe des Haupteingangs, in das ich mich setzen sollte. Ich konnte seine Bitte nicht ablehnen, aber ich war ziemlich missmutig. Für mich stand fest, dass die richtig interessante Story woanders zu holen war. Die Soldaten, normalerweise fröhlich und lebhaft, standen rauchend und mit käseweisen Gesichtern zusammen. Ihre Vorgesetzten waren ernst, schienen unter Schock zu stehen und redeten leise. Ich wollte wissen, was sie dort entdeckt hatten, ganz gleich, wie grauenvoll es war. Ich musste dorthin, musste die Story schreiben. Und ich fürchtete, dass es für die hohen Tiere mit jedem Tag leichter werden würde, meine Anfrage abzulehnen. Jeder Tag, der verging, spielte meinen Konkurrenten in die Hände.

Ich saß zwei Stunden im Büro und sah aus dem Fenster. Vollbesetzte Militärfahrzeuge jaulten über die Hauptstraße. Deutsche Soldaten, die Hände auf dem Kopf, wurden in die entgegengesetzte Richtung geführt. Deutsche Frauen und Kinder standen in kleinen Gruppen stocksteif an den Straßenecken und fragten sich wohl, was nun aus ihnen werden würde. (Später hörte ich, dass die Bevölkerung von Dachau bei der Beerdigung der Toten helfen musste.)

«Kommen Sie mal, Krabowski», sagte ich schließlich. «Zeigen Sie mir den Laden hier.»

Zuerst sah es nach nichts Besonderem aus. Einfach Reihen um Reihen von Holzgestellen, deren Inhalt mit grauen Militärdecken verhängt war. Doch dann fing ich an, hier und da etwas herauszuziehen. Ikonen aus dem Mittelalter, impressionistische Gemälde, riesige Renaissanceleinwände mit fein gearbeiteten Rahmen, die zum Teil in speziell angefertigten Transportkisten standen. Ich ließ meinen Zeigefinger über einen Picasso gleiten, sprachlos, weil ich mit eigenen Händen Kunst berühren konnte, die ich bisher nur in Zeitschriften oder in Gemäldegalerien gesehen hatte.

«O mein Gott, Krabowski. Haben Sie das gesehen?»

Er schaute das Bild an. «Hm … ja, Ma'am.»

«Wissen Sie, was das ist? Das ist ein Picasso.»

Er war vollkommen unbeleckt.

«Ein Picasso! Der berühmte Künstler?»

«Ich kenne mich mit Kunst eigentlich nicht so aus, Ma'am.»

«Und Sie denken bestimmt, Ihre kleine Schwester hätte das besser malen können, was?»

Er warf mir ein erleichtertes Lächeln zu. «Ja, Ma'am.»

«Sieht es in den anderen Räumen genauso aus?»

«Oben gibt es noch zwei Räume mit Statuen und Skulpturen und anderem Zeug. Aber im Grunde ja. Es sind dreizehn Räume mit Gemälden, Ma'am. Das hier ist einer von den kleineren.»

«O Gott im Himmel.» Ich ließ meinen Blick über die staubigen Holzgestelle wandern, die in ordentlichen Reihen bis zum Ende des Raumes standen, und zog ein Mädchenporträt heraus. Auf

der Rückseite stand «Kira, 1922». Das kleine Mädchen erwiderte meinen Blick ernst und feierlich. Erst in diesem Moment wurde mir schlagartig bewusst, dass jedes dieser Gemälde einmal jemandem gehört hatte. Jedes hatte bei jemandem an der Wand gehangen, war von jemandem bewundert worden. Ein lebendiger Mensch hatte dafür Modell gesessen oder Geld dafür gespart oder es gemalt oder gehofft, es an seine Kinder vererben zu können. Dann dachte ich an das, was Danes über die Entsorgung der Leichen gesagt hatte. Ich dachte an die Erschütterung in seinem markanten Gesicht, und ein Schauer überlief mich.

Der Vormittag schleppte sich hin. Es wurde Mittag, dann Nachmittag. Es wurde wärmer, und um das Lagerhaus wurde es still. Ich schrieb einen Artikel über das Depot für den Register und interviewte Krabowski und Rogerson für einen kleinen Beitrag im Woman's Home Companion, der die Hoffnung junger Soldaten auf baldige Heimkehr zum Thema hatte. Dann ging ich hinaus, um mir die Beine zu vertreten und eine Zigarette zu rauchen. Anschließend setzte ich mich auf die Motorhaube des Militärjeeps und spürte die Wärme des Metalls durch meine Hosen. Die Straßen waren beinahe vollkommen still. Man hörte weder Vogelgezwitscher noch Stimmen. Und dann blickte ich auf, blinzelte gegen die grelle Sonne und sah eine Frau über die Straße auf mich zukommen.

Sie bewegte sich angestrengt, mit einem ausgeprägten Hinken, obwohl sie kaum älter als sechzig Jahre gewesen sein konnte. Sie trug ein Kopftuch, trotz der Wärme, und hatte ein Bündel unter dem Arm. Als sie mich sah, blieb sie stehen und warf einen Blick über die Schulter. Sie sah meine Armbinde. Ich hatte vergessen, sie abzunehmen, als meine Fahrt abgesagt worden war.

«Englisch?»

«American.» Ich rutschte von der Motorhaube auf die Füße.

Sie nickte, als fände sie das annehmbar. «Hier sind die Gemälde gelagert, ja?»

Ich sagte nichts. Sie wirkte nicht wie eine Spionin, aber ich wusste nicht genau, wie viel Information ich herausgeben sollte. Merkwürdige Zeiten und so weiter.

Sie zog das Bündel unter ihrem Arm heraus. «Bitte. Nehmen Sie das.»

Ich trat einen Schritt zurück.

Sie starrte mich einen Moment lang an, dann zog sie die Tücher auseinander. Darunter befand sich ein Gemälde, ein Frauenporträt, soweit ich auf den ersten Blick sah.

«Bitte. Nehmen Sie das. Bringen Sie es hinein.»

«Warum wollen Sie Ihr Gemälde dort hineinbringen?»

Sie warf erneut einen Blick über die Schulter, als wäre es ihr unangenehm, dort zu stehen.

«Bitte. Nehmen Sie es einfach. Ich will es nicht in meinem Haus haben.»

Ich nahm das Gemälde entgegen. Es zeigte eine junge Frau, etwa in meinem Alter, mit langem, rötlichem Haar. Sie war keine umwerfende Schönheit, aber sie hatte etwas an sich, dass man verflixt noch eins seinen Blick kaum mehr von ihr abwenden konnte.

«Gehört das Ihnen?»

«Es hat meinem Mann gehört.» Ich erkannte jetzt, dass sie eigentlich der Typ Bilderbuch-Großmutter war, voller Wärme und Gutmütigkeit, doch als sie das Gemälde ansah, wurde ihr Mund zu einem dünnen, unwilligen Strich, als wäre sie vollkommen verbittert.

«Aber das ist wunderschön. Warum wollen Sie so etwas Schönes wegschenken?»

«Mein Mann und ich waren einmal glücklich, aber sie hat

ihn zerstört. Und seitdem musste ich an jedem Tag meiner Ehe ertragen, dass mich dieses Gesicht verfolgt. Jetzt ist er tot, und ich muss mich nicht mehr von ihr anstarren lassen. Sie kann sich endlich dorthin scheren, wo sie hingehört.»

Als ich wieder das Bild anschaute, zischte sie: «Wenn Sie es nicht nehmen wollen, dann verbrennen Sie es.»

Ich nahm es. Was hätte ich auch sonst tun sollen?

Ich weiß nicht, warum ich Danes nichts von dem Gemälde erzählt habe. Ich hätte es vermutlich tun sollen, aber schließlich gehörte es nicht in das verflixte Lagerhaus. Der alten Deutschen war es so oder so egal, solange es sie bloß nicht mehr anstarrte.

Aber da war noch etwas anderes: Irgendwie gefiel mir die Vorstellung, ein Gemälde zu besitzen, das die Macht hatte, eine Ehe zu erschüttern. Und ich kann nicht aufhören, sie anzusehen. Angesichts all dessen, was hier vorgeht, ist es sehr angenehm, etwas Schönes zum Anschauen zu haben.

Im Gerichtssaal herrscht vollkommene Stille, als Marianne Andrews das Notizbuch zuklappt. Liv hat sich so sehr konzentriert, dass sie beinahe in Ohnmacht fällt. Sie wirft einen verstohlenen Seitenblick auf die andere Bank und sieht Paul, die Ellbogen auf die Knie gestützt, den Kopf vorgebeugt. Neben ihm macht sich Janey Dickinson wie wild Notizen.

Eine Handtasche.

Angela Silver ist aufgestanden. «Damit wir das richtig verstehen, Mrs. Andrews. Das Gemälde, das Sie als *Jeune Femme* kennen, war nicht und war niemals in dem Lagerhaus, als Ihre Mutter es bekommen hat.»

«Nein, war es nicht.»

«Und nur noch einmal zur Wiederholung: Während das Lagerhaus voller Beutekunst war, gestohlener Kunstwerke, bekam Ihre Mutter dieses spezielle Gemälde nicht einmal auf dem Gelände des Lagerhauses.»

«Ja. Von einer Deutschen. Wie es in ihren Aufzeichnungen steht.»

«Euer Ehren, diese Aufzeichnungen von Louanne Bakers eigener Hand beweisen zweifelsfrei, dass sich dieses Gemälde niemals in der Sammelstelle befunden hat. Das Gemälde wurde einfach von einer Frau verschenkt, die es nie hat haben wollen. *Verschenkt.* Aus welchen Gründen auch immer … eine bizarre Eifersucht, ein alter Streit, wir werden es niemals erfahren. Der springende Punkt ist hier jedoch, dass dieses Gemälde, das, wie wir gehört haben, beinahe zerstört worden wäre, ein *Geschenk* war.»

Nach kurzem Innehalten fährt sie fort. «Euer Ehren, es ist in den letzten beiden Wochen sehr deutlich geworden, dass der Provenienznachweis dieses Gemäldes unvollständig ist, wie es auch auf sehr viele andere Gemälde aus diesem bewegten Jahrhundert zutrifft. Dennoch können wir zweifelsfrei feststellen, dass die beiden letzten Besitzerwechsel des Gemäldes unverdächtig sind. David Halston hat es im Jahr 1999 erworben, der Kaufbeleg liegt vor. Louanne Baker, die Vorbesitzerin, bekam es 1945 geschenkt, dafür steht als Beweis ihr schriftliches Wort, das Wort einer Frau, die für ihre Ehrlichkeit und ihre Genauigkeit bekannt war. Aus diesen Gründen fordern wir, dass die *Jeune Femme* bei ihrer derzeitigen Besitzerin verbleibt.»

Angela Silver setzt sich hin. Paul schaut zu Liv hinüber. In dem winzigen Moment, in dem sie seinen Blick auffängt, ist sie sicher, ein unmerkliches Lächeln um seinen Mund spielen zu sehen.

Nach der Mittagspause erhebt sich Christopher Jenks, um die Zeugin zu befragen. «Mrs. Andrews. Eine einfache Frage: Hat Ihre Mutter diese erstaunlich großzügige Frau nach ihrem Namen gefragt?»

Marianne Andrews blinzelt überrascht. «Ich habe keine Ahnung.»

Liv muss immer wieder zu Paul hinsehen. *Das hast du für mich getan?*, fragt sie ihn in Gedanken. Merkwürdigerweise schaut er sie nicht mehr an. Er sitzt neben Janey Dickinson, scheint sich unbehaglich zu fühlen, sieht immer wieder auf die Uhr und wirft verstohlene Blicke zur Tür. Liv weiß nicht, was sie später zu ihm sagen soll.

«Für ein Geschenk, das man einfach so annimmt, ohne zu wissen, von wem es kommt, ist es doch reichlich ungewöhnlich.»

«Nun, aberwitzige Zeiten, aberwitzige Geschenke. Ich schätze, das muss man selbst erlebt haben.»

Leises Lachen im Gerichtssaal. Marianne Andrews sonnt sich ein bisschen darin. Liv vermutet unerfüllte Schauspielerambitionen in ihr.

«In der Tat. Haben Sie alle Tagebücher Ihrer Mutter gelesen?»

«Oh, gütiger Gott, nein», sagt sie. «Da stehen Sachen aus dreißig Jahren drin. Wir ... ich ... habe sie erst gestern Abend gefunden.» Ihr Blick zuckt kurz zur Klägerbank. «Aber ich habe die wichtigste Stelle gefunden. Die Stelle, in der Mom beschreibt, wie sie das Gemälde geschenkt bekam. Das habe ich hier vorgelesen.» Sie betont das Wort *geschenkt* und wirft dabei nickend einen Blick auf Liv.

«Also haben Sie das Tagebuch von 1948 nicht gelesen?»

Kurzes Schweigen. Liv bekommt mit, wie Henry nach seinen Unterlagen greift.

Jenks streckt die Hand aus, und der Anwalt reicht ihm ein Blatt Papier. «Euer Ehren, darf ich Sie darum bitten, Ihre Aufmerksamkeit auf den Eintrag vom 11. Mai 1948 zu richten? Er ist mit *Umzüge* betitelt.»

«Was soll das?» Liv richtet ihre Aufmerksamkeit wieder auf die Verhandlung. Sie beugt sich zu Henry hinüber, der die Seiten überfliegt.

«Ich suche gerade», flüstert er.

«Darin schreibt Louanne Baker über ihren Umzug von Newark, Essex County, nach Saddle River.»

«Das ist richtig», sagt Marianne Andrews. «Saddle River. Dort bin ich aufgewachsen.»

«Ja ... Sie erzählt recht ausführlich von dem Umzug. Sie beschreibt, wie sie nach ihren Kochtöpfen gesucht hat und den Albtraum, zwischen lauter Kartons zu sitzen. Ich glaube, das können wir alle nachvollziehen. Aber, und das ist sehr sachdienlich, sie beschreibt auch, wie sie in dem neuen Haus umhergeht, um ...», er hält inne, um sicher zu sein, dass er korrekt zitiert, «... ‹um nach der perfekten Stelle zu suchen, an der ich Liesls Gemälde aufhängen konnte›.»

Liesl.

Liv sieht die Journalisten durch ihre Notizen blättern. Aber ihr wird mit leichter Übelkeit bewusst, dass sie den Familiennamen schon weiß.

«Mist», sagt Henry.

Jenks kennt den Familiennamen ebenfalls. Sean Flahertys Partei hat enormen Vorsprung. Sie müssen während der Mittagspause ein ganzes Team an die Lektüre der Tagebücher gesetzt haben.

«Und nun möchte ich die Aufmerksamkeit Euer Ehren auf die Akten der deutschen Militärverwaltung während des

Ersten Weltkriegs lenken. Der Kommandant, der seit 1916 in St. Péronne stationiert war und seine Leute in den Le Coq Rouge gebracht hat, hieß Friedrich Hencken.»

Er legt eine Pause ein, um diese Information wirken zu lassen. «Die Akten bezeugen, dass der Kommandant, der zu dieser Zeit dort stationiert war, der Kommandant, der das Porträt von Édouard Lefèvres Frau so bewunderte, ein gewisser Friedrich Hencken war. Und nun möchte ich dem Gericht einen Eintrag aus dem Melderegister der Region Berchtesgaden von 1945 vorlegen. Der frühere Kommandant Friedrich Hencken war mit seiner Frau Liesl nach seiner Pensionierung dorthin gezogen. Sie wohnten nur wenige Straßen von dem Lagerhaus entfernt. Zudem liegt ein schriftliches Zeugnis darüber vor, dass sie stark hinkte, weil sie an Kinderlähmung litt.»

Angela Silver ist aufgesprungen. «Einspruch, das gehört nicht zur Sache.»

«Mr. und Mrs. Friedrich Hencken. Euer Ehren, nach unserer Überzeugung hat Kommandant Friedrich Hencken das Gemälde 1917 aus dem Le Coq Rouge mitgenommen. Er hat es nach Hause gebracht, offenkundig gegen den Willen seiner Gattin, die vielleicht verständlicherweise etwas gegen ein so … wirkungsvolles Porträt einer anderen Frau hatte. Dort blieb das Gemälde bis zu seinem Tod, nach dem Mrs. Hencken so eifrig darauf bedacht war, es loszuwerden, dass sie es ein paar Straßen weiter zu dem Ort brachte, an dem, wie sie wusste, ungezählte Kunstwerke gelagert wurden, ein Ort, an dem das Gemälde in der Masse untergehen würde.»

Angela Silver setzt sich hin.

Jenks fährt mit neuer Energie fort. «Mrs. Andrews. Widmen wir uns wieder den Erinnerungen Ihrer Mutter aus dieser Zeit. Würden Sie uns bitte die folgenden Abschnitte vorlesen?

Ich gebe zu Protokoll, dass der Text aus demselben Tagebucheintrag wie vorhin stammt. Louanne Baker beschreibt, wie sie offenbar die perfekte Stelle für die *Jeune Femme* findet.»

Sobald ich sie ins vordere Wohnzimmer gebracht hatte, schien sie sich wohlzufühlen. Sie ist keinem direkten Sonnenlicht ausgesetzt, aber das warme Licht, das durch das Südfenster hereinfällt, bringt ihre Farben zum Strahlen. Sie wirkt jedenfalls recht zufrieden!

Marianne Andrews liest jetzt langsamer, weil sie diese Worte ihrer Mutter nicht kennt. Sie wirft Liv einen entschuldigenden Blick zu, als wüsste sie schon, wohin das alles führt.

Ich habe den Nagel selbst in die Wand geschlagen – Howard klopft dabei immer ein faustgroßes Stück Putz heraus –, doch als ich das Gemälde aufhängen wollte, habe ich es aus irgendeinem Grund umgedreht und mir die Rückseite angesehen. Dabei musste ich an diese arme Frau denken, mit ihrem traurigen verbitterten Gesicht. Und an etwas anderes, das ich bis dahin vergessen hatte. Ich hatte immer geglaubt, es hätte nichts zu bedeuten. Aber als mir Liesl das Gemälde übergab, zog sie es noch einmal zurück, als hätte sie es sich anders überlegt. Dann rieb sie an etwas auf seiner Rückseite herum, wie um etwas zu verwischen. Sie rieb und rieb wie eine Verrückte. Sie rieb so heftig, dass ich dachte, sie verletzt sich die Finger.

Im Gerichtssaal herrscht gespannte Stille.

Nun, jetzt sah ich mir die Rückseite an, ebenso wie damals. Und das war der einzige Moment, in dem ich mich fragte, ob diese arme Frau ein bisschen konfus war, als sie mir das Bild gab. Denn egal, wie lange man die Rückseite des Gemäldes absucht, da ist – abgesehen von dem Titel – überhaupt nichts, nur eine Kreidespur.

Ist es falsch, etwas von jemandem zu nehmen, der konfus ist? Ich weiß es immer noch nicht. Wirklich, die ganze Welt schien damals verrückt geworden zu sein – das, was in den Lagern passiert war, erwachsene Männer, die in Tränen ausbrachen, und ich inmitten von Objekten im Wert von einer Milliarde Dollar, die anderen Leuten gehörten … Die alte Liesl, die sich an etwas die Knöchel blutig rieb, das gar nicht vorhanden war, wirkte da noch ziemlich normal.

«Euer Ehren, wir sehen dies – und die Tatsache, dass Liesl ihren Familiennamen nicht genannt hat – als klaren Beweis dafür an, dass sie versuchte, jeden Hinweis auf die Herkunft des Bildes zu vertuschen oder zu zerstören. Nun, das ist ihr vollauf gelungen.»

Als er innehält, durchquert ein Mitglied seines Teams den Verhandlungssaal und reicht ihm ein Blatt Papier. Er liest es und atmet tief ein. Sein Blick schweift durch den Saal.

«Wir haben heute den endgültigen Nachweis für den Tod Madame Lefèvres erhalten. Offenbar war in den deutschen Akten ihr Name falsch geschrieben worden, was unsere Suche nach Hinweisen erheblich verzögert hat. Dies hier aber beweist, dass sich Sophie Lefèvre kurz nach ihrem Eintreffen im Kriegsgefangenenlager Ströhen mit der Spanischen Grippe angesteckt hat. Sie ist dort wenig später gestorben.»

Liv hört seine Worte durch ein Rauschen in ihren Ohren. Sie vibrieren in ihrem Körper, wie die Erschütterung eines Schlags.

«Euer Ehren, wie wir in dieser Verhandlung gehört haben, wurde Sophie Lefèvre großes Unrecht angetan. Und großes Unrecht wurde auch ihren Nachfahren angetan. Ihr wurden der Ehemann, ihre Würde, ihre Freiheit und schließlich ihr Leben genommen. Geraubt. Was von ihr blieb – ihr Porträt –, wurde ihrer Familie allen Hinweisen zufolge von demselben Mann gestohlen, der ihr größtes Unrecht zugefügt hat. Es gibt nur eine einzige Möglichkeit, dieses Unrecht wiedergutzumachen, so verspätet dies auch sein mag, und zwar, indem das Gemälde an die Familie Lefèvre zurückgegeben wird.»

Liv registriert die folgenden Worte kaum noch. Paul sitzt mit der Stirn in den Händen da. Sie schaut zu Janey Dickinson hinüber, und als sie ihrem Blick begegnet, stellt sie mit leisem Erschrecken fest, dass es auch für andere Beteiligte an diesem Prozess nicht nur um ein Gemälde geht.

Selbst Henry ist bedrückt, als sie den Verhandlungssaal verlassen. Liv fühlt sich wie gerädert.

Sophie ist in dem Gefangenenlager gestorben. Hat ihren Mann nie wiedergesehen.

Liv schaut zu den lächelnden Lefèvres hinüber, sucht nach einem versöhnlichen Gefühl. Sucht nach dem Gefühl, dass ein großes Unrecht wiedergutgemacht werden wird. Aber sie erinnert sich zu gut an die Worte von Philippe Bessette, die Tatsache, dass selbst Sophies Name aus der Familie verbannt wurde. Und im Grunde hat sie das Gefühl, dass Sophie zum zweiten Mal an den Gegner ausgeliefert werden soll. Sie fühlt sich eigenartig beraubt.

«Nun, wer weiß, wie der Richter entscheiden wird», sagt Henry, während er sie zur Sicherheitsschleuse am Hinterausgang begleitet. «Versuchen Sie, nicht das ganze Wochenende darüber nachzugrübeln. Wir können jetzt nichts mehr tun.»

Sie ringt sich ein Lächeln ab. «Danke, Henry», sagt sie. «Ich ... ich rufe Sie an.»

Sie fühlt sich merkwürdig in der fahlen Wintersonne, als wären sie viel länger als nur einen Nachmittag in dem Gerichtsgebäude gewesen. Sie fühlt sich, als käme sie direkt aus dem Jahr 1945. Henry hält ein Taxi für sie an, dann verabschiedet er sich mit einem Nicken. Und in diesem Moment sieht sie ihn. Es wirkt, als hätte er auf sie gewartet, und sie geht direkt zu ihm.

«Es tut mir leid», sagt er düster.

«Paul, es ist nicht ...»

«Ich dachte wirklich ... es tut mir leid ... alles.»

Er sieht sie noch einmal an, dann dreht er sich um und geht, blind für die Gäste, die aus dem Seven Stars Pub kommen, und für die Rechtsreferendare mit ihren Rollkoffern voller Aktenordner. Sie sieht seine herabhängenden Schultern, den untypisch gesenkten Kopf, und das ist es, zusammen mit allem anderen, was an diesem Tag passiert ist, durch das sich schließlich etwas für sie klärt.

«Paul!» Sie muss zwei Mal rufen, bevor er sie über den Verkehrslärm hört. «Paul!»

Er dreht sich um. Sie kann die schwarzen Pupillen in seinen blauen Augen sogar von dieser Entfernung aus erkennen.

«Ich weiß es», sagt sie. Er steht einen Moment lang ganz unbeweglich da, ein großer, bedrückter Mann in einem guten Anzug. «Ich weiß es. Danke ... für den Versuch.»

Manchmal besteht das Leben nur aus Hindernissen, aus der Anstrengung, einen Schritt nach dem anderen zu machen. Aber manchmal, das wird Liv unvermittelt klar, geht es im

Leben einfach nur um blindes Vertrauen. «Willst du … willst du irgendwann mal was mit mir trinken gehen?» Sie schluckt. «Oder jetzt gleich?»

Er schaut auf seine Schuhe hinunter, dann hebt er den Blick wieder zu ihr. «Gibst du mir noch eine Minute?»

Er geht zurück zum Gerichtsgebäude. Davor unterhält sich Janey Dickinson angeregt mit ihrem Anwalt. Paul legt ihr die Hand auf den Arm, und es folgt ein kurzer Wortwechsel. Liv wird unruhig. Eine kleine Stimme in ihrem Kopf tönt: *Was erzählt er ihr jetzt?* Und sie wendet sich ab, steigt in das Taxi, versucht, ihre Anspannung zu unterdrücken. Als sie durchs Fenster sieht, kommt er gerade mit langen Schritten heran, wickelt sich im Gehen einen Schal um den Hals. Janey Dickinson starrt auf das Taxi, die Aktenordner in ihrem Arm sind leicht verrutscht.

Er öffnet die Wagentür, steigt ein und knallt die Tür zu. «Ich habe gekündigt», sagt er. Er atmet heftig aus, greift nach ihrer Hand. «Also. Wohin gehen wir?»

Kapitel 32

Gregs Miene verrät nichts, als er an die Tür kommt. «Hallo, Miss Liv», sagt er, als würde es ihn kein bisschen überraschen, dass sie bei ihm auftaucht. Er tritt in den Flur zurück, während ihr Paul den Mantel abnimmt, und verscheucht die Hunde, die zu ihrer Begrüßung anflitzen. «Ich habe den Risotto ruiniert, aber Jake sagt, das macht nichts, weil er sowieso keine Pilze mag. Also haben wir an Pizza gedacht.»

«Pizza klingt super. Und ich zahle», sagt Paul. «Könnte für längere Zeit das letzte Mal sein.»

Von den Ereignissen überwältigt, hatten sie sich auf dem Weg durch die Fleet Street schweigend an der Hand gehalten. «Ich habe dich gerade deinen Job gekostet», hatte sie schließlich gesagt. «Und deine Riesenprovision. Und die Gelegenheit, eine größere Wohnung zu kaufen, in der dein Sohn mehr Platz hat.»

Er hatte weiter geradeaus geschaut. «Du hast mich gar nichts davon gekostet. Es war meine Entscheidung.» Greg hebt eine Augenbraue. «In der Küche wurde um ungefähr halb fünf eine Flasche Rotwein geöffnet. Und das hat überhaupt nichts damit zu tun, dass ich mich heute um meinen Neffen kümmere. Oder, Jake?»

«Greg sagt, in diesem Haushalt ist immer Weinzeit», kommt eine Jungenstimme aus einem Zimmer.

«Tratschtante», ruft Greg zurück. Und dann sagt er zu Liv: «O nein. Ich kann dich ja nichts trinken lassen. Man muss nur daran denken, was das letzte Mal passiert ist, als du dich in unserer Gesellschaft betrunken hast. Du hast meinen vernünftigen älteren Bruder in einen kläglichen, liebeskranken Jüngling verwandelt.»

Paul steuert Liv in die Küche. «Du solltest dich erst mal ein bisschen akklimatisieren. Gregs Vorstellung von Inneneinrichtung besteht in Zu-viel-ist-nicht-Genug. Minimalismus ist nichts für ihn.»

«Ich drücke eben meiner Bude meinen Stempel auf, also ist nichts mit *tabula rasa*.»

«Es ist wundervoll», sagt sie, angesichts der farbigen Wände, der großen Druckgraphiken und kleinen Fotos. Sie fühlt sich seltsam wohl in diesem kleinen Eisenbahnerhaus mit der lauten Musik und den unzähligen lieb gewordenen Kleinigkeiten auf jedem Regal und jedem freien Plätzchen, und dem Jungen, der auf einem Teppich vor dem Fernseher liegt.

«Hey», sagt Paul und geht ins Wohnzimmer, wo sich der Junge auf den Rücken rollt wie ein Welpe.

«Dad.» Er wirft ihr einen Blick zu, und sie unterdrückt den Impuls, Pauls Hand loszulassen, als sie bemerkt, dass der Junge gesehen hat, wie sie Händchen halten. «Bist du die Frau, die wir vor dem Gericht gesehen haben?», sagt er nach kurzem Schweigen.

«Ich denke schon. Es sei denn, da war noch eine andere.»

«Das glaube ich nicht», sagt Jake. «Ich dachte, die zerquetschen dich.»

«Ja, so was in der Art dachte ich auch.»

Er mustert sie. «Mein Dad hat letzte Woche Parfüm benutzt, als er zu dir gegangen ist.»

«Aftershave», sagt Paul und beugt sich zu ihm hinunter, um ihn auf die Wange zu küssen. «Tratschtante.»

Das ist also Minipaul, denkt sie, und die Vorstellung gefällt ihr.

«Das ist Liv. Liv, das ist Jake.»

Sie hebt die Hand. «Ich kenne kaum jemanden in deinem Alter, also sage ich vermutlich grausam uncoole Sachen, aber es ist sehr schön, dich kennenzulernen.»

«Das ist okay. Daran bin ich gewöhnt.»

Greg taucht auf und reicht ihr ein Glas Rotwein. Sein Blick wandert zwischen Liv und Paul hin und her. «Also. Was hat das zu bedeuten? Haben die kriegführenden Parteien eine *Entente cordiale* geschlossen? Oder seid ihr beide heimlich … Kollaborateure geworden?»

Liv blinzelt bei seiner Wortwahl. Sie dreht sich zu Paul um.

Der Job ist mir egal, hatte er im Taxi leise gesagt und ihre Hand fester umschlossen. *Aber das habe ich erst bemerkt, nachdem ich alles und jeden mit meiner schlechten Laune tyrannisiert habe, wenn ich nicht mit dir zusammen war.*

«Nein», sagt sie und muss grinsen. «Er hat nur festgestellt, dass er die ganze Zeit auf der falschen Seite war.»

Als auch noch Andy, Gregs Freund, dazustößt, sitzen sie zu fünft in dem kleinen Haus in der Elwin Street, aber eng erscheint es trotzdem nicht. Liv, vor einem Turm Pizzastücke, denkt an das abweisende Glashaus auf dem Dach des Speichergebäudes, und es scheint plötzlich so eng mit dem Gerichtsverfahren verknüpft zu sein, mit ihrem eigenen Unglück, dass sie nicht nach Hause gehen will.

Sie will Sophies Gesicht nicht sehen, jetzt, wo sie weiß, was passieren wird. Sie sitzt zwischen diesen beinahe fremden Menschen, spielt Brettspiele oder lacht über ihre Scherze und genießt dieses ungewohnte Gefühl der Behaglichkeit.

Und da ist Paul. Paul, der von den Ereignissen dieses Tages geradezu körperlich mitgenommen zu sein scheint, als wäre er es, der alles verloren hat, nicht sie. Jedes Mal, wenn er sie anschaut, scheint sich etwas in ihr neu auszurichten, als müsste ihr Körper sich auf die Möglichkeit einstellen, wieder glücklich zu sein.

Alles okay?, fragt sein Blick.

Ja, sagt ihrer, und es ist ihr Ernst.

«Also, was passiert am Montag?», sagt Greg, als sie am Tisch sitzen. Er hat ihnen Farbmuster für eine Umgestaltung der Bar gezeigt. Auf dem mit Krümeln übersäten Tisch stehen halb leere Weingläser. «Musst du das Gemälde abgeben? Wirst du definitiv den Prozess verlieren?»

Liv sieht Paul an. «Ich schätze schon», sagt sie. «Ich muss mich an den Gedanken gewöhnen … sie gehen zu lassen.» Auf einmal schnürt es ihr die Kehle zu, und sie lächelt, um das Gefühl zu vertreiben.

Greg legt ihr die Hand auf den Arm. «Oh, Liebes, es tut mir leid. Ich wollte dich nicht traurig machen.»

Sie zuckt mit den Schultern. «Es geht schon. Wirklich. Sie gehört mir nicht mehr. Das hätte ich schon vor Ewigkeiten begreifen müssen. Vermutlich … vermutlich habe ich die Augen vor dem verschlossen, was ich direkt vor der Nase hatte.»

«Wenigstens hast du noch dein Haus», sagt Greg. «Paul hat mir erzählt, wie toll es ist.» Er fängt Pauls warnenden Blick auf. «Was ist denn? Soll sie nicht wissen, dass du über sie geredet hast? Sind wir Fünftklässler, oder was?»

Paul sieht sie verlegen an.

«Tja», sagt sie. «Eigentlich habe ich es nicht mehr. Also … nicht nur eigentlich.»

«Wie bitte?»

«Es steht zum Verkauf. Ich muss es verkaufen, um die Anwälte zu bezahlen.»

«Aber danach hast du genug übrig, um dir etwas anderes zu kaufen, oder?»

«Das weiß ich noch nicht.»

«Aber dieses Haus …»

«… war schon bis zum Gehtnichtmehr mit Hypotheken belastet. Und anscheinend muss etwas daran gemacht werden. Ich habe mich seit Davids Tod um nichts gekümmert. Wie es aussieht, hält dieses tolle Importglas mit den thermischen Qualitäten auch nicht ewig, obwohl David das geglaubt hat.»

Paul spannt den Kiefer an. Abrupt schiebt er seinen Stuhl zurück und verlässt den Tisch.

Liv schaut Greg an, dann Andy, dann die Tür.

«Garten, schätzungsweise», sagt Greg und hebt eine Augenbraue. «Ist ungefähr so groß wie ein Handtuch. Du wirst ihn also nicht lange suchen müssen.» Und dann, als sie aufsteht, murmelt er: «Es ist sagenhaft, wie du meinen großen Bruder fertigmachst. Ich wünschte, ich hätte deine Fähigkeiten gehabt, als ich vierzehn war.»

Er steht auf der kleinen Terrasse, auf der sich Terrakottatöpfe mit Kletterpflanzen drängen, die durch den Frost trocken und strohig geworden sind. Er hat die Fäuste in die Taschen gerammt und wirkt vollkommen niedergeschlagen.

«Du hast alles verloren. Meinetwegen.»

«Wie du schon gesagt hast, wenn du es nicht gewesen wärst, wäre ein anderer gekommen.»

«Was habe ich mir nur dabei gedacht? Was zum Teufel habe ich mir bloß dabei gedacht?»

«Du hast einfach deine Arbeit gemacht.»

Er hebt die Hand ans Kinn. «Du musst mich nicht aufheitern.»

«Aber mir geht es gut, wirklich.»

«Das ist doch unmöglich. Mir ginge es jedenfalls nicht gut. Ich würde ausflippen wie ein … ach, *verdammt*.» Er schreit das Wort vor lauter Frustration.

Sie wartet ab, dann nimmt sie seine Hand und zieht ihn zu dem kleinen Tisch. Sie setzen sich. Das Schmiedeeisen ist eisig kalt, sie spürt es durch ihre Kleidung. Sie zieht ihren Stuhl weiter vor, schiebt ihre Knie zwischen seine und wartet erneut ab, bis sie sicher ist, dass er ihr zuhört.

«Paul.»

Seine Miene ist starr.

«Paul, sieh mich an. Du musst das jetzt verstehen: Das Schlimmste, was mir hat passieren können, ist mir schon passiert.»

Er sieht auf.

Sie schluckt, weiß, dass ihr diese Worte in der Kehle stecken bleiben könnten, sich einfach weigern könnten, ausgesprochen zu werden. «Vor vier Jahren sind David und ich an einem ganz normalen Abend schlafen gegangen, wir haben uns die Zähne geputzt, im Bett gelesen, ein bisschen über das Restaurant geredet, in das wir am nächsten Abend gehen wollten … und als ich am nächsten Morgen wieder aufgewacht bin, lag er neben mir. Kalt. Blau. Ich hatte … nicht gespürt, dass er ging. Ich konnte ihm nicht einmal sagen, wie …»

Sie hält einen Moment inne.

«Kannst du dir vorstellen, wie es ist, mit dem Wissen zu leben, dass du durchgeschlafen hast, während neben dir der Mensch stirbt, den du am meisten liebst? Mit dem Wissen, dass du vielleicht etwas hättest tun können, um ihm zu helfen? Um ihn zu retten? Und mit der Vorstellung, dass er dich vielleicht angesehen hat, dich in Gedanken angefleht hat …» Ihr versagt die Stimme, sie atmet bebend ein, und eine vertraute Woge der Gefühle droht sie unter sich zu begraben. Er greift langsam nach ihren Händen, umschließt sie mit seinen, bis sie wieder sprechen kann.

«Ich dachte, die Welt geht unter. Ich dachte, in meinem Leben kann nie mehr etwas Gutes passieren. Ich dachte, sobald ich nicht aufpasse, gibt es die nächste Katastrophe. Ich aß nichts mehr. Ich ging nicht mehr aus. Ich wollte niemanden mehr sehen. Aber ich habe überlebt, Paul. Auch wenn es mich selbst überrascht; ich habe es durchgestanden. Und das Leben … das Leben ist nach und nach wieder lebenswert geworden.»

Sie beugt sich näher zu ihm. «Also das Gemälde, das Haus … Das ist mir klargeworden, als ich gehört habe, was Sophie zugestoßen ist … das sind einfach nur *Gegenstände*. Sie können alles nehmen, ehrlich. Das Einzige, was zählt, sind die Menschen.» Sie schaut auf seine Hände hinunter, und ihre Stimme bricht. «Das Einzige, was wirklich zählt, sind die Menschen, die man liebt.»

Er sagt nichts, aber er senkt seinen Kopf, bis er ihren berührt. Sie sitzen in dem winterlichen Garten, atmen die kühle

Luft, hören das gedämpfte Lachen seines Sohnes aus dem Haus. Weiter die Straße hinunter erklingen die Geräusche des frühen Abends, das Töpfegeklapper in einer Küche, ein Fernseher, eine Autotür, die zugeschlagen wird, ein Hund, der eine unbekannte Bedrohung anbellt. Das Leben in seiner ganzen, dissonanten Bandbreite.

«Ich mache es wieder gut», sagt er leise.

«Das hast du schon.»

«Nein. Ich tue es noch.»

Sie hat Tränen auf den Wangen. Sie hat keine Ahnung, wie sie dorthin gekommen sind. Der Blick aus seinen blauen Augen ist auf einmal ganz ruhig. Er nimmt ihr Gesicht zwischen seine Hände und küsst sie, küsst ihr die Tränen weg, seine Lippen sind weich auf ihrer Haut, versprechen eine Zukunft. Er küsst sie, bis sie beide lächeln und sie vor Kälte keinerlei Gefühl mehr in den Füßen hat.

«Ich sollte nach Hause gehen. Morgen kommen die Käufer», sagt sie und löst sich widerstrebend von ihm.

Auf der anderen Seite der Stadt steht das Glashaus leer. Der Gedanke, dorthin zurückzugehen, wirkt immer noch nicht verlockend. Sie rechnet halb mit seinem Widerspruch. «Willst du … willst du mit zu mir kommen?», sagt sie dann. «Jake könnte im Gästezimmer schlafen. Ich könnte das Dach für ihn auf- und zufahren lassen. Könnte mir ein paar Punkte einbringen.»

Er wendet den Blick ab. «Ich kann nicht», sagt er unverblümt. Und dann: «Ich meine, ich würde unheimlich gern. Aber es ist …»

«Sehen wir uns am Wochenende?»

«Ich habe Jake, aber … klar. Wir machen irgendetwas aus.»

Er wirkt merkwürdig unaufmerksam. Sie sieht den Zweifel

auf seinem Gesicht. Werden wir es wirklich schaffen, uns zu verzeihen, was wir uns gegenseitig gekostet haben?, denkt sie flüchtig, und ein Schauer überläuft sie, der nichts mit der Kälte zu tun hat.

«Ich fahre dich nach Hause», sagt er, und der Moment geht vorüber.

Es ist still im Haus. Sie schließt die Tür ab, legt die Schlüssel weg und geht in die Küche. Ihre Schritte hallen auf den Kalksteinfliesen. Es erscheint ihr kaum glaubhaft, dass sie erst an diesem Morgen von hier aufgebrochen ist. Es fühlt sich an, als wäre inzwischen ein ganzes Leben vergangen.

Vage hört Liv einen Bass wummern aus der Wohnung unter ihr, eine zuschlagende Tür und Gelächter. Die üblichen Begleitgeräusche eines Ausgehfreitags. Sie sind eine Erinnerung daran, dass sich die Welt trotz allem weiterdreht.

Der Abend schleppt sich hin. Sie duscht und wäscht sich die Haare. Sie legt die Kleidung für den nächsten Tag bereit, isst ein paar Cracker und ein bisschen Käse.

Aber es gelingt ihr nicht, ruhiger zu werden. Ihre Gefühle schwanken wie eine Reihe leerer Kleiderbügel auf der Stange. Sie ist müde, und doch läuft sie im Haus herum, ist unfähig, still zu sitzen. Sie schmeckt immer noch Paul auf den Lippen, hat seine Worte in den Ohren. Sie überlegt, ob sie ihn anrufen soll, doch ihre Finger erstarren über den Tasten. Was sollte sie ihm auch sagen? *Ich wollte einfach nur deine Stimme hören.*

Sie geht ins Gästezimmer. Es ist makellos aufgeräumt, als hätte niemals jemand hier geschlafen. Sie dreht eine Runde durch das Zimmer, gleitet mit der Hand über die Rückenlehne des Stuhls, die Kommode. Die Stille und die Leere trösten sie nicht mehr. Sie stellt sich Mo vor, wie sie sich mit Ranic zum

Schlafen in einem überfüllten, lauten Haus einrollt, wie dem, aus dem sie selbst gerade gekommen ist.

Schließlich macht sie sich eine Tasse Tee und geht in ihr Schlafzimmer. Sie setzt sich aufs Bett, lehnt sich an die Kissen und mustert Sophie in ihrem vergoldeten Rahmen.

Aber da war noch etwas anderes: Irgendwie gefiel mir die Vorstellung, ein Gemälde zu besitzen, das die Macht hatte, eine Ehe zu erschüttern.

Tja, Sophie, denkt Liv, du hast noch viel mehr erschüttert. Sie schaut das Gemälde an, das sie nun so liebt, und erlaubt sich, an den Tag zu denken, an dem sie und David es kauften, wie er es in den spanischen Sonnenschein hielt, damit seine Farben in dem weißen Licht strahlten, wie eine Vorausdeutung auf ihre gemeinsame Zukunft, an die sie glaubten. Sie denkt daran, wie sie das Bild beim Nachhausekommen aufgehängt haben. Wie sie die *Jeune Femme* angeschaut und sich dabei gefragt hat, was David von ihr selbst in diesem Bild gespiegelt sah, und wie sie sich irgendwie schöner gefühlt hat, weil er das in ihr sah.

Du siehst aus wie sie, wenn du …

Sie erinnert sich an den Tag wenige Wochen nach seinem Tod, an dem sie ihren Kopf dumpf von dem tränenfeuchten Kopfkissen gehoben und den Eindruck gehabt hatte, Sophie würde sie direkt anschauen. Selbst das kannst du überstehen, hatte in ihrer Miene gestanden. Auch wenn du es jetzt noch nicht weißt. Du wirst es überleben.

Nur Sophie selbst hatte es nicht überlebt.

Liv kämpft gegen die Tränen, die ihr auf einmal in die Augen steigen. «Es tut mir so leid, was dir passiert ist», sagt sie in den stillen Raum hinein. «Ich wünschte, es wäre anders gekommen.»

Plötzlich von Traurigkeit überwältigt, steht sie auf, geht

zu dem Gemälde hinüber und dreht es um, sodass sie es nicht länger anschauen muss. Vielleicht ist es gut, aus diesem Haus wegzugehen. Diese Stelle an der Wand hätte sie für immer an ihr Scheitern erinnert. Schon jetzt erscheint sie ihr wie ein Symbol dafür, dass Sophie aus der Erinnerung der Familie getilgt wurde.

Und in demselben Moment, in dem sie sich davon lösen will, verharrt sie plötzlich.

Auf dem Schreibtisch hat sich in den letzten Wochen ein immer größeres Chaos ausgebreitet. Liv macht sich mit einem neuen Ziel daran, Ordnung zu schaffen. Legt die Papiere in säuberliche Stapel, heftet manche ab, andere fasst sie mit Gummis zusammen. Sie weiß nicht, was sie mit den Unterlagen machen wird, wenn dieser Prozess abgeschlossen ist. Schließlich hat sie den roten Hefter in der Hand, den sie von Philippe Bessette bekommen hat. Sie blättert durch die brüchigen Seiten, bis sie die beiden Papiere gefunden hat, die sie sucht.

Sie liest sie noch einmal durch, dann geht sie damit in die Küche. Sie zündet eine Kerze an und hält die Papiere eines nach dem anderen über die flackernde Flamme, bis sie zu Asche geworden sind.

«So, Sophie», sagt sie, «wenn schon auf sonst nichts, kannst du darauf einen für mich trinken.»

Und jetzt, denkt sie, muss ich auch etwas für David tun.

Kapitel 33

Ich dachte, du wärst um diese Zeit schon weg. Jake ist vor der *Pannenshow* eingeschlafen.» Greg kommt barfüßig und gähnend in die Küche. «Soll ich das Gästebett aufstellen? Ist vermutlich ein bisschen spät, um ihn nach Hause zu schleppen.»

«Das wäre toll.» Paul sieht kaum von seinen Aktenordnern auf. Vor ihm steht sein aufgeklappter Laptop.

«Was machst du denn jetzt noch? Die Urteilsverkündung ist Montag, oder? Und ... mmh ... hast du nicht gerade deinen Job gekündigt?»

«Ich habe irgendetwas übersehen. Das weiß ich einfach.» Paul fährt mit dem Zeigefinger die Seite hinunter und blättert ungeduldig zur nächsten. «Ich muss die Hinweise noch mal überprüfen.»

«Paul.» Greg zieht sich einen Stuhl heran. «Paul», sagt er etwas lauter. «Es ist vorbei, Bruderherz. Und es ist okay. Sie hat dir verziehen. Du hast dein großes Zeichen gesetzt. Ich finde, du solltest es jetzt dabei belassen.»

Paul lehnt sich zurück und wischt sich über die Augen. «Findest du, ja?»

«Mal im Ernst. Du wirkst ein bisschen manisch auf mich.»

Paul trinkt einen Schluck Kaffee. Er ist kalt. «Liv liebt dieses Gemälde, Greg. Die Tatsache, dass ich dafür verantwortlich bin, dass sie es verliert, wird an ihr nagen. Vielleicht nicht jetzt, vielleicht nicht einmal in einem Jahr oder zwei. Aber es wird passieren.»

«Dasselbe könnte sie von deinem Job sagen.»

«Ich habe keine Probleme, was den Job angeht. Es war sowieso Zeit, dort wegzugehen.»

«Und Liv hat gesagt, sie hätte keine Probleme, was das Gemälde angeht.»

«Ja. Aber sie steht ja auch mit dem Rücken zur Wand.» Während Greg frustriert den Kopf schüttelt, beugt sich Paul wieder über seine Ordner. «Ich weiß, wie sich die Dinge ändern können, Greg. Wie das, was einen zu Beginn nicht stört, irgendwann anfangen kann, das Gute in einer Beziehung aufzufressen.»

«Aber …»

«Und ich weiß, wie sehr es einen Menschen verfolgen kann, wenn er das verliert, was er liebt. Ich will nicht, dass mich Liv eines Tages ansieht und den Gedanken unterdrücken muss: *Du bist der Typ, der mein Leben zerstört hat.*»

Greg geht durch die Küche und macht drei Becher Kaffee. Einen davon gibt er Paul. Dann legt er seinem Bruder die Hand auf die Schulter, bevor er mit den beiden anderen ins Wohnzimmer geht. «Ich weiß, dass du immer alles in Ordnung bringen willst, großer Bruder. Aber weißt du, was? In diesem Fall musst du einfach darauf hoffen, dass es gutgehen wird.»

Paul hört ihm nicht zu. «Liste der Eigentümer», murmelt er vor sich hin. «Aktuelle Liste der Eigentümer von Arbeiten Édouard Lefèvres.»

Als Greg acht Stunden später aufwacht, schwebt ein Jungsgesicht über ihm. «Ich habe Hunger», sagt die Erscheinung und reibt sich kräftig die Nase. «Du hast gesagt, es gibt Schokopops, aber ich finde sie nicht.»

«Unterschrank», sagt er schlaftrunken. Durch den Vorhangspalt ist kein Licht zu sehen, registriert er vage.

«Und Milch hast du auch nicht.»

«Wie viel Uhr ist es?»

«Viertel vor sieben.»

«Ugh.» Greg zieht sich die Decke über den Kopf. «Nicht mal die Hunde stehen so früh auf. Sag deinem Vater, er soll sich darum kümmern.»

«Er ist nicht da.»

Greg taucht widerwillig unter der Decke heraus. Er schlägt die Augen auf und schaut zu den Vorhängen. «Was soll das heißen, er ist nicht da?»

«Er ist weggegangen. Der Schlafsack ist noch zusammengerollt, also hat er wahrscheinlich gar nicht auf dem Sofa geschlafen. Können wir aus dem Laden unten an der Straße Croissants holen? Die mit Schokolade?»

«Ich stehe auf. Ich stehe auf. Ich bin schon da.» Er setzt sich auf, reibt sich über die Stirn.

Paul ist tatsächlich nicht da, aber er hat eine Nachricht auf dem Küchentisch hinterlassen. Sie ist auf die Rückseite einer Liste mit Indizienbeweisen gekritzelt und liegt auf einem unordentlichen Stapel Papiere.

Musste weg. Kannst du dich bitte um Jake kümmern? Ich rufe an.

Greg schnappt sich sein Handy und tippt eine SMS.

Falls du zu ihr bist und sie grade flachlegst, schuldest du mir einen richtig GROSSEN GEFALLEN.

Er wartet kurz, aber es kommt keine Antwort, und er steckt das Handy in seine Hosentasche.

Am Samstag hat Liv glücklicherweise viel zu tun. Sie wartet auf die Käufer, dann auf deren Architekten, der die anscheinend endlosen Arbeiten notiert, die gemacht werden müssen. Sie bewegt sich um diese Fremden in ihrem Zuhause, versucht, zuvorkommende Freundlichkeit und nicht ihre wahren Gefühle zu zeigen, die sie dazu antreiben, SCHERT EUCH WEG zu rufen und sie mit kindischen Gesten zu verscheuchen. Sie lenkt sich ab, indem sie einpackt und putzt, hält sich an kleinen Aufgaben im Haushalt aufrecht. Sie sortiert zwei Müllsäcke mit alter Kleidung aus. Sie ruft mehrere Makler an, doch als sie ihnen die Summe nennt, die sie ausgeben kann, folgt ein langanhaltendes, höhnisches Schweigen.

Paul ruft nicht an.

Sie geht zu ihrem Vater. «Caroline hat sich ein sagenhaftes Essen für Weihnachten bei dir einfallen lassen», verkündet er. «Du wirst hin und weg sein.»

«O Gott», sagt sie.

Sie essen Salat und etwas Mexikanisches zu Mittag. Caroline summt während des Essens vor sich hin. Livs Vater kommentiert eine Anzeige für Autoversicherungen. «Anscheinend muss man so tun, als wäre man ein Hosenscheißer. Ein Hosenscheißer mit einem Schadenfreiheitsrabatt.»

Sie versucht, sich auf das zu konzentrieren, was er sagt, aber sie denkt ständig an Paul, lässt sich den vorigen Tag durch den Kopf gehen. Es überrascht sie, dass er nicht angerufen hat. *Oh nein, ich werde zu einer von diesen Kletten-Freundinnen. Und wir sind noch nicht mal vierundzwanzig Stunden offiziell zusammen.* Bei dem Wort *offiziell* muss sie grinsen.

Weil sie keine Lust hat, ins Glashaus zurückzugehen, bleibt sie viel länger als üblich bei ihrem Vater. Er scheint entzückt, trinkt zu viel und holt die Schwarz-Weiß-Fotos von ihr, die er beim Aufräumen gefunden hat. Es gibt ihr ein seltsames Gefühl der Erdung, diese Bilder anzuschauen, denn sie erinnern sie daran, dass es ein Leben vor diesem Prozess gegeben hat, vor der armen, todgeweihten Sophie Lefèvre, vor einem Haus, das sie sich nicht leisten kann, und vor dem grauenvollen letzten Prozesstag, der ihr noch bevorsteht.

«Du warst so ein schönes Kind.»

Das offene, lächelnde Gesicht auf dem Foto bringt sie beinahe zum Weinen. Ihr Vater legt ihr den Arm um die Schultern. «Sei nicht zu traurig am Montag. Ich weiß, dass es hart war. Aber wir sind schrecklich stolz auf dich.»

«Und warum?», sagt sie und putzt sich die Nase. «Ich habe verloren. Und die meisten Leute finden, ich hätte es gar nicht erst versuchen sollen.»

Ihr Vater zieht sie an sich. Er riecht nach Rotwein und einer Zeit ihres Lebens, die unendlich lange vergangen zu sein scheint. «Einfach fürs Durchhalten. Manchmal, mein Mädchen, ist das allein schon eine Heldentat.»

Es ist beinahe halb fünf, als sie ihn anruft. Immerhin ist fast ein ganzer Tag vergangen, sagt sie sich. Und bestimmt gelten die üblichen Regeln für Verabredungen nicht, wenn jemand gerade sein halbes Leben für einen aufgegeben hat. Als sie wählt, beginnt ihr Herz schneller zu schlagen. Sie stellt sich schon den Klang seiner Stimme vor, und sie malt sich aus, wie sie später am Abend zusammen auf dem Sofa in seiner vollgestopften, kleinen Wohnung liegen oder mit Jake auf dem Teppich Karten spielen. Doch nach dreimaligem Läuten schaltet sich der Anrufbeantworter ein. Liv legt hastig auf, sie wird merkwürdig unsicher.

Das ist lächerlich, sagt sie sich. Er wird schon anrufen.

Er tut es nicht.

Um halb neun weiß sie, dass sie es nicht aushält, den Abend allein zu Hause zu verbringen. Sie steht auf, zieht ihren Mantel an und nimmt ihre Schlüssel.

Es ist nur ein kurzer Fußweg bis zu Gregs Bar und noch kürzer, wenn man ihn halb rennend in Turnschuhen zurücklegt. Sie drückt die Tür auf, und eine Wand aus Lärm schlägt ihr entgegen. Links auf der kleinen Bühne singt ein Mann in Frauenkleidung mit rauer Stimme einen Discohit und wird von dem Johlen der begeisterten Zuschauer begleitet. Die Tische auf der anderen Seite sind vollbesetzt, und auch dazwischen drängen sich durchtrainierte Gäste in hautengen Sachen.

Es dauert eine Weile, bis sie ihn entdeckt. Er bewegt sich rasch hinter dem Tresen, ein Geschirrhandtuch über die Schulter gehängt. Sie drängt sich durch, wird halb unter der Achsel von jemandem eingeklemmt und ruft seinen Namen.

Sie muss mehrere Versuche machen, bis er sie hört. Dann dreht er sich um. Sein Lächeln erstarrt, er scheint über ihren Anblick nicht gerade erfreut.

«Tja, das ist ja wirklich der ideale Moment, um hier aufzutauchen.»

Sie blinzelt ihn verständnislos an. «Wie bitte?»

«Es ist beinahe neun Uhr! Wollt ihr mich auf den Arm nehmen?»

«Ich weiß nicht, wovon du redest.»

«Ich musste mich den ganzen Tag um ihn kümmern. Und Andy hatte heute Abend was vor. Stattdessen musste er absagen, um zu Hause den Babysitter zu spielen. Ich kann dir sagen, dass er überhaupt nicht begeistert ist.»

Liv muss sich anstrengen, um ihn über den Lärm hinweg zu verstehen. «Ich suche Paul», sagt sie.

«Ist er denn nicht bei dir?»

«Nein. Und er geht nicht ans Telefon.»

«Ich weiß, dass er nicht ans Telefon geht. Ich dachte, das ist, weil er … Oh, das ist doch verrückt. Komm hinter den Tresen.» Er hebt die Klappe hoch, sodass sie sich zu ihm durchzwängen kann, und hebt die Hand, als die wartenden Gäste anfangen zu protestieren. «Zwei Minuten, Jungs. Nur zwei Minuten.»

In dem winzigen Flur zur Küche hört man immer noch die Bässe stampfen, und Livs Füße vibrieren. «Wohin ist er denn gegangen?», fragt sie.

«Ich weiß nicht.» Gregs Ärger hat sich aufgelöst. «Wir haben heute Morgen nur einen Zettel gefunden, auf dem stand, dass er wegmuss. Mehr nicht. Er war gestern Abend ziemlich komisch, nachdem du gegangen bist.»

«Was meinst du mit ‹komisch›?»

Er weicht ihrem Blick aus, als hätte er schon zu viel gesagt. «Nicht er selbst. Er nimmt diesen Kram wahnsinnig ernst.» Er beißt sich auf die Unterlippe.

«Welchen Kram?»

Greg wird verlegen. «Na ja, er … er meinte, dieses Gemälde

würde jede Aussicht darauf verderben, dass ihr eine Beziehung führen könnt.»

Liv starrt ihn an. *Werden wir es wirklich schaffen, uns zu verzeihen, was wir uns gegenseitig gekostet haben?*

«Ich bin sicher, dass er damit nicht sagen wollte …»

Liv versucht zu lächeln. Ihre Lippen formen ein vages *Danke*, aber es kommt kein Geräusch. Sie dreht sich um und drängt sich aus der Bar.

Der Sonntag zieht sich unendlich lange hin, ohne dass irgendetwas passiert. Liv sitzt in ihrem stillen Haus, das Telefon schweigt, ihre Gedanken drehen sich im Kreis, und sie wartet auf den Weltuntergang.

Sie wählt noch einmal seine Handynummer und unterbricht die Verbindung sofort, als sich die Mailbox anschaltet.

Er hat sich zurückgezogen.

Nein, hat er nicht.

Er hatte Zeit, über all das nachzudenken, was er verliert, wenn er sich auf meine Seite stellt.

Du musst ihm vertrauen. *Ich mache es wieder gut*, hat er gesagt.

Sie wünschte, Mo wäre da. Sie denkt daran, was Mo über Männer gesagt hat, die vor bedürftigen Frauen weglaufen. Sie wünschte trotzdem, Mo wäre da.

Die Nacht zieht sich hin, der Himmel ist wolkenverhangen, die Stadt in dichten Nebel gehüllt. Sie kann sich nicht aufs Fernsehprogramm konzentrieren, schläft in unregelmäßigen Abständen kurz ein, und als sie um vier Uhr morgens aufwacht, hat sie das Gefühl, ihre Gedanken hätten sich zu einem unentwirrbaren Knoten verfilzt. Um halb sechs gibt sie es auf, legt sich eine Zeitlang in die Badewanne und starrt durch die

Glasdecke ins Dunkle. Sie föhnt ihr Haar sorgfältig und zieht die graue Bluse und den Nadelstreifenrock an, den David so gern an ihr gesehen hat. Sie sähe darin aus wie eine Sekretärin, hat er gesagt, als wäre das etwas Positives. Sie legt eine Perlenkette an und schiebt sich den Ehering über den Finger. Sie schminkt sich und ist dankbar für die Mittelchen, mit denen sie die Ringe unter ihren Augen und ihre fahle Haut abdecken kann.

Er wird kommen, sagt sie sich immer wieder. *Du musst einfach darauf vertrauen.*

Sie nimmt ein altes Laken aus dem Wäscheschrank und wickelt es sorgsam um die *Jeune Femme*. Sie faltet das Laken um die Ecken, als würde sie ein Geschenk einpacken, und hält das Gemälde dabei so, dass sie Sophies Gesicht nicht sehen muss.

Fran sieht auf, als Liv mit zwei Bechern aus der Tür tritt, dann blickt sie zum Himmel hinauf. Die Wolken hängen niedrig, das Plätschern dicker Regentropfen hüllt sie ein, und die Sicht reicht gerade eben bis zum Fluss.

«Gehen Sie nicht laufen?»

«Nein.»

«Das passt aber nicht zu Ihnen.»

«Gerade passt so ziemlich gar nichts.»

Liv reicht ihr einen Kaffee, Fran nippt daran, seufzt vor Behagen und richtet ihren Blick dann wieder auf Liv. «Stehen Sie nicht herum wie bestellt und nicht abgeholt. Setzen Sie sich.»

Liv sieht sich um, dann bemerkt sie, dass Fran auf eine kleine Getränkekiste deutet. Sie zieht sie herüber und setzt sich. Eine Taube stolziert über das Straßenpflaster auf sie zu. Fran greift in eine zerknitterte Papiertüte und wirft der Taube Brotkrümel zu. Es ist merkwürdig friedlich hier draußen. Man hört die Themse leise an die Ufermauer schwappen und gedämpfte Verkehrsgeräusche. Liv überlegt mit schiefem Lächeln, was wohl die Journalisten schreiben würden, wenn sie die Frühstücksgenossin der Society-Witwe sehen könnten. Ein Schiff taucht aus dem Nebel auf und gleitet lautlos vorbei. Kurz darauf sind seine Lichter wieder verschwunden.

«Also ist Ihre Freundin wieder weg.»

«Woher wissen Sie das?»

«Ich sitze schon lange genug hier, um alles zu wissen. Ich höre zu, verstehen Sie?» Sie tippt sich an die Schläfe. «Kein Mensch hört mehr zu. Jeder weiß, was er hören will, aber es hört niemand mehr zu.»

Sie schweigt einen Moment, als würden ihr Erinnerungen durch den Kopf gehen. «Ich habe Sie in der Zeitung gesehen.»

Liv pustet in ihren Becher. «Ich glaube, ganz London hat mich in der Zeitung gesehen.»

«Ich habe sie aufgehoben. Sie deutet auf ihren Pappverschlag. «Ist es das?», fragt sie mit einem Blick auf das Bündel, das Liv unter dem Arm hat.

«Ja.» Sie trinkt einen Schluck. «Ja, das ist es.» Sie wartet darauf, dass Fran ihre Meinung zu Livs Verbrechen kundtut, die Gründe aufzählt, aus denen sie niemals hätte versuchen dürfen, das Gemälde zu behalten, aber es kommt nichts. Stattdessen schnieft sie und schaut auf den Fluss.

«Deswegen möchte ich nicht zu viele Sachen haben. Als ich im Obdachlosenheim war, wurde mir ständig was geklaut. War egal, wo man es hatte … unter dem Bett, im Schrank … sie warten, bis man aus dem Haus ist, dann nehmen sie es sich einfach. Am Ende will man gar nicht mehr rausgehen vor lauter Angst, dass man seine Sachen verliert. Stellen Sie sich das mal vor.»

«Was?»

«Was einem entgeht. Einfach nur, weil man sein Herz an ein paar Sachen gehängt hat.»

Liv betrachtet Frans zerfurchtes, wettergegerbtes Gesicht, das auf einmal voller Freude ist bei dem Gedanken an das Leben, das sie nun nicht mehr versäumt.

Liv starrt über den grauen Fluss, und ihr steigen Tränen in die Augen.

Kapitel 34

Henry erwartet sie am Hintereingang des Gerichts. Heute, am letzten Prozesstag, stehen vor dem Haupteingang sowohl Fernsehteams als auch Demonstranten. Er hatte sie vorgewarnt. Sie steigt aus dem Taxi, und als er wahrnimmt, was sie bei sich hat, verwandelt sich sein Lächeln in eine Grimasse. «Ist es das, was ich ... Das hätten Sie nicht tun müssen! Wenn es gegen uns ausgeht, hätten wir verlangen können, dass sie einen Sicherheitstransporter schicken. Meine Güte, Liv! Sie können doch ein millionenschweres Kunstwerk nicht herumtragen wie einen Laib Brot.»

Livs Griff um das Paket verstärkt sich. «Ist Paul hier?»

«Paul?» Er scheucht sie hastig zum Gebäude, wie ein Arzt, der ein krankes Kind ins Hospital bringt.

«McCafferty.»

«McCafferty? Keine Ahnung.» Er wirft einen Blick auf das Bündel. «Verdammt, Liv. Sie hätten mich wenigstens vorwarnen können.»

Sie folgt ihm durch die Sicherheitskontrolle und in den Korridor. Er ruft den Wachmann zu sich und deutet auf das Gemälde. Der Wachmann wirft einen erschrockenen Blick auf sie, nickt und sagt etwas in sein Funkgerät. Ein zusätzlicher Wachmann ist auf dem Weg. Erst als sie den Verhandlungssaal betreten, entspannt sich Henry. Er setzt sich hin, atmet langsam aus und reibt sich mit beiden Handflächen übers Gesicht. Dann dreht er sich zu Liv herum. «Es ist noch nicht vorbei», sagt er und schaut mit einem kläglichen Lächeln zu dem Gemälde. «Das Urteil steht noch nicht fest.»

Sie sagt nichts. Sie schaut sich im Saal um, der sich nach und nach füllt. Die Zuschauer auf der Galerie beobachten sie, nachdenklich und ungerührt, als stünde Liv selbst vor Gericht. Sie versucht, jeden direkten Blickkontakt zu vermeiden. Sie entdeckt Marianne Andrews in Orangerot, mit farblich passenden Plastikohrringen, und die ältere Frau hebt grüßend die Hand und richtet den Daumen nach oben; ein freundliches Gesicht in der Menge der bohrenden Blicke. Sie sieht Janey Dickinson, die auf der Klägerbank Platz nimmt und ein paar Worte mit Flaherty wechselt. Der Raum füllt sich mit den Geräuschen von Schritten, höflicher Konversation und über den Boden scharrenden Stühlen. Liv versucht, ihre aufsteigende Panik zu unterdrücken. Es ist neun Uhr vierzig. Immer wieder schaut sie zur Tür, hält Ausschau nach Paul. *Hab Vertrauen*, denkt sie. *Er wird kommen.*

Dasselbe sagt sie sich um neun Uhr fünfzig und um neun Uhr zweiundfünfzig. Und dann wieder um neun Uhr achtundfünfzig. Die Versammlung erhebt sich. Panik droht Liv zu überwältigen. Er kommt nicht. *Nach allem, was passiert ist, kommt er nicht. O Gott, ich halte das nicht durch, wenn er nicht da ist.* Sie zwingt sich zu tiefen Atemzügen und schließt die Augen, um sich zu beruhigen.

Henry blättert durch seine Unterlagen. «Alles in Ordnung mit Ihnen?»

Ihr Mund ist auf einmal vollkommen ausgetrocknet. «Henry», flüstert sie. «Kann ich etwas sagen?»

«Wie bitte?»

«Kann ich etwas sagen? Vor der Gerichtsversammlung? Es ist wichtig.»

«Jetzt? Der Richter steht kurz vor der Urteilsverkündung.»

«Es ist wichtig.»

«Was möchten Sie sagen?»

«Fragen Sie ihn einfach. Bitte.»

Er sieht sie ungläubig an, aber irgendetwas an ihrem Gesichtsausdruck überzeugt ihn. Er beugt sich vor und murmelt Angela Silver etwas zu. Sie wirft stirnrunzelnd einen Blick über die Schulter auf Liv, und nach einem kurzen Wortwechsel steht sie auf und bittet um eine Unterredung mit dem Richter. Christopher Jenks wird dazugebeten.

Während sich die Barristers und der Richter leise unterhalten, werden Livs Handflächen schweißnass. Ihre Haut prickelt. Sie lässt ihren Blick durch den überfüllten Gerichtssaal wandern. Die stumme Feindseligkeit ist beinahe mit Händen zu greifen. Ihre Finger schließen sich fester um das Gemälde. *Stell dir vor, du wärst Sophie*, sagt sie sich. *Sie hätte es auch gemacht.*

Schließlich äußert sich der Richter.

«Offensichtlich möchte sich Mrs. Olivia Halston an das Gericht wenden.» Er sieht sie über den Rand seiner Lesebrille an. «Sprechen Sie, Mrs. Halston.»

Sie steht auf, geht vor den Richterstuhl, hält immer noch das Gemälde in der Hand. Sie hört jeden ihrer Schritte auf den

Holzdielen, ist sich äußerst bewusst, dass alle Blicke auf sie gerichtet sind. Henry steht nur wenige Schritte von ihr entfernt, vielleicht aus Angst um das Gemälde.

Sie atmet tief ein. «Ich möchte ein paar Worte über die *Jeune Femme* sagen.» Sie hält kurz inne, registriert die Überraschung auf den Gesichtern und fährt fort, mit dünner, leicht schwankender Stimme. Ihre Stimme scheint einem anderen Menschen zu gehören.

«Sophie Lefèvre war eine tapfere, rechtschaffene Frau. Ich glaube ... ich hoffe, das ist in diesem Prozess klargeworden.» Flüchtig nimmt sie Janey Dickinson wahr, die sich Notizen macht, und die gelangweilten Mienen der Barristers. Sie schließt ihre Finger um den Bilderrahmen und zwingt sich zum Weitersprechen.

«Auch mein verstorbener Mann, David Halston, war ein guter Mensch. Ein wirklich guter Mensch. Ich glaube jetzt, dass er ... wenn er die Geschichte von Sophies Porträt ... von dem Gemälde, das er so geliebt hat ... gekannt hätte, dann hätte er es schon vor langer Zeit zurückgegeben. Dass ich diesen Prozess geführt habe, hatte zur Folge, dass sein guter Name von dem Gebäude entfernt wurde, das sein Leben und sein Traum war, und das bedaure ich zutiefst, denn dieses Gebäude – das Goldstein-Gebäude – hätte sein Denkmal sein sollen.»

Sie sieht die Journalisten aufblicken, das neue Interesse, das in ihren Reihen aufflammt. Mehrere von ihnen wechseln ein paar Worte, machen sich Notizen.

«Dieses Verfahren ... dieses Gemälde ... hat sein Andenken so gut wie zerstört, genauso wie es Sophie Lefèvres Andenken zerstört hat. Und so ist ihnen beiden Unrecht geschehen.» Ihre Stimme bricht. Sie sieht sich um. «Und aus diesem Grund möchte ich zu Protokoll geben, dass es allein meine Entscheidung war, diesen Prozess zu führen. Ich habe einen Fehler gemacht. Das tut mir leid. Es tut mir unendlich leid. Das ist alles. Vielen Dank.»

Sie tritt unsicher zur Seite. Sie sieht die Journalisten fieberhaft mitschreiben. Einer scheint zu überprüfen, wie man «Goldstein» schreibt. Zwei der Juristen auf der Bank flüstern aufgeregt. «Guter Schachzug», flüstert ihr Henry ins Ohr. «Sie hätten eine gute Anwältin abgegeben.»

Ich habe es getan, sagt sie sich in Gedanken. David ist jetzt öffentlich mit dem Goldstein-Gebäude in Verbindung gebracht worden, ganz gleich, was die Goldsteins tun werden.

Der Richter bittet um Ruhe. «Mrs. Halston. Sind Sie mit Ihrer Vorrede zu meiner Urteilsverkündung fertig?», fragt er matt.

Liv nickt. Ihre Kehle ist ausgetrocknet. Janey flüstert ihrem Anwalt etwas zu.

«Und dies hier ist das fragliche Gemälde, nicht wahr?»

«Ja.» Sie hält es immer noch fest in den Armen, wie einen Schild.

Er wendet sich an den Gerichtsdiener. «Kann jemand für die sichere Aufbewahrung des Gemäldes sorgen? Ich bin nicht sicher, ob es hier so herumgetragen werden sollte. Mrs. Halston?»

Liv hält dem Gerichtsdiener das Gemälde hin. Für einen kurzen Moment scheinen sich ihre Finger zu weigern, es loszulassen, als würde ihr eine innere Stimme befehlen, die Anweisung zu ignorieren. Als sie es schließlich loslässt, steht der Gerichtsdiener einen Augenblick wie erstarrt vor ihr, als hätte sie ihm eine Bombe übergeben.

Es tut mir leid, Sophie, denkt sie, und dann rutscht das Laken weg, und die junge Frau starrt sie an.

Sie geht unsicher zurück zu ihrem Platz, das Laken unter dem Arm, nimmt die aufkommende Unruhe im Gerichtssaal kaum wahr. Der Richter spricht mit beiden Barristers. Mehrere Leute gehen zur Tür, vermutlich Journalisten von den Abendzeitungen, und über ihnen auf der Galerie sind lebhafte Unterhaltungen im Gange. Henry legt ihr die Hand auf den Arm, murmelt etwas davon, dass sie es gut gemacht hat.

Sie setzt sich, senkt den Blick auf ihren Schoß, dreht den Ehering an ihrem Finger und eine unfassbare Leere breitet sich in ihr aus.

Und dann hört sie es.

«Entschuldigen Sie.»

Die Worte werden zwei Mal wiederholt, bevor sie bei all der Unruhe gehört werden. Sie sieht auf, folgt dem Blick der Leute um sie herum, und dort an der Tür steht Paul McCafferty.

Er trägt ein blaues Hemd, auf seinem Kinn stehen graue Bartstoppeln. Sein Gesichtsausdruck ist nicht zu deuten. Er zieht die Tür weit auf, und langsam fährt ein Rollstuhl in den Gerichtssaal. Er sieht sich um, sucht nach ihr, und auf einmal gibt es nur noch sie beide. *Alles okay mit dir?*, scheint sein Blick zu fragen, und sie nickt, und erst beim Ausatmen wird ihr bewusst, wie lange sie die Luft angehalten hat.

Er ruft erneut, kaum hörbar über den Lärm. «Entschuldigen Sie. Euer Ehren!»

Der Hammer fährt nieder. Es klingt wie ein Pistolenschuss. Es wird still im Saal. Janey Dickinson steht auf, um festzustellen, was vorgeht. Paul schiebt eine alte Dame in einem Rollstuhl durch den Mittelgang des Gerichtssaals. Die Frau ist wirklich sehr betagt, sitzt vorgebeugt, und ihre Hände liegen auf einer kleinen Handtasche.

Eine weitere Frau in gepflegtem Marineblau hastet hinter Paul her und flüstert ihm etwas ins Ohr. Er deutet auf den Richter.

«Meine Großmutter hat eine wichtige Information zu diesem Verfahren», sagt die Frau. Sie spricht mit starkem französischem Akzent, und als sie den Mittelgang hinuntergeht, wirft sie unbehagliche Blicke auf die Leute zu beiden Seiten.

Der Richter hebt ergeben die Hände. «Warum nicht?», murmelt er hörbar. «Anscheinend hat hier jeder etwas beizusteuern. Nachher können wir ja auch noch die Putzfrau fragen, ob sie etwas zu sagen hat.»

Die Frau wartet ab, und er sagt entnervt: «Oh, Madame. Nun kommen Sie schon näher.»

Sie wechseln ein paar Worte. Der Richter ruft die beiden Barristers zu sich, und die Unterhaltung zieht sich in die Länge.

«Was soll das?», fragt Henry neben Liv. «Was zum Teufel geht da vor?»

Ruhe senkt sich über den Saal.

«Ich denke, wir sollten uns anhören, was diese Frau zu sagen hat», verkündet der Richter. Er nimmt seinen Stift und blättert durch seine Aufzeichnungen. «Ich frage mich, ob hier überhaupt irgendjemand an etwas so Alltäglichem wie einem Richterspruch interessiert ist.»

Der Rollstuhl der alten Frau wird vor den Richterstuhl gefahren. Jemand bringt ein Mikrophon. Die jüngere Frau spricht langsam und zögernd, als wäre ihr Englisch eingerostet.

«Bevor über das Schicksal dieses Gemäldes entschieden wird, müssen Sie noch etwas wissen. Dieser Prozess fußt auf einer falschen Grundannahme.» Sie hält inne, neigt sich herunter, um die Worte der alten Frau anzuhören, dann richtet sie sich wieder auf. «Die *Jeune Femme* wurde nie gestohlen.»

Der Richter beugt sich leicht vor. «Und woher wissen Sie das, Madame?»

Liv hebt die Augen, um Paul anzusehen. Er erwidert ihren Blick direkt und merkwürdig triumphierend.

Die alte Frau hebt eine Hand, um ihre Enkelin zu bremsen. Dann räuspert sie sich und fängt mit langsamer, deutlicher Stimme selbst an, auf Englisch zu sprechen. «Weil ich diejenige bin, die es Kommandant Hencken gegeben hat. Mein Name ist Édith Béthune.»

Kapitel 35

1917

Kurz nach dem Morgengrauen wurde ich aus dem Lastwagen geholt. Ich weiß nicht, wie lange wir unterwegs gewesen waren. Das Fieber hatte mich so im Griff, dass sich Wachen und Träumen vermischten, und ich wusste nicht mehr, ob ich tatsächlich noch lebte oder ob ich wie ein Geist immer wieder in eine andere Wirklichkeit glitt. Wenn ich die Augen schloss, sah ich meine Schwester die Fensterläden der Bar öffnen und sich lächelnd zu mir umdrehen, während ihr Haar in der Sonne glänzte. Ich sah Mimi lachen. Ich sah Édouard, sein Gesicht, seine Hände, hatte seine sanfte, vertraute Stimme im Ohr. Ich streckte die Hand aus, um ihn zu berühren, aber er verschwand jedes Mal, und ich wachte auf der Ladefläche des Lasters auf, mein Blick auf Soldatenstiefel gerichtet, und bei jeder holprigen Stelle fuhren mir Schmerzen durch den Kopf.

Ich sah Liliane.

Ihre Leiche lag irgendwo da draußen, an der Straße nach Hannover, wo sie die Soldaten fluchend hinausgeworfen hatten, als wäre sie ein Sandsack. Ich war mit ihrem Blut und Schlimmerem verschmiert. Es hatte meine Kleidung verfärbt. Ich schmeckte es auf meinen Lippen. Ich lag steif auf dem Boden und hatte keine Kraft mehr, mich aufzurichten. Ich spürte die Läusebisse nicht mehr. Ich war wie betäubt. Ich fühlte mich nicht lebendiger als Lilianes Leiche.

Ich wusste, dass ich sterben würde, und es kümmerte mich nicht mehr.

Mein ganzer Körper brannte vor Schmerz; meine Haut prickelte vor Fieber, meine Gelenke taten weh, mein Kopf dröhnte. Die Klappe war hochgeschlagen worden. Ein Soldat gab mir den Befehl, aus dem Laster zu steigen. Ich war kaum imstande, mich zu bewegen, aber er zog mich an den Armen wie ein widerspenstiges Kind. Ich war so abgemagert, dass ich beinahe über die Ladefläche flog.

Der Morgen war nebelverhangen. Ich erkannte einen Stacheldrahtzaun, ein riesiges Tor. Darüber stand STRÖHEN. Ich wusste, was ich vor mir hatte.

Ein anderer Soldat bedeutete mir zu bleiben, wo ich war, und ging zu einem Wachhäuschen hinüber. Ich hörte einen Wortwechsel, dann beugte sich ein Soldat heraus, um einen Blick auf mich zu werfen. Hinter dem Tor sah ich Reihe um Reihe langgezogener Baracken. Es war ein trostloser, anonymer Ort, der Elend und Hoffnungslosigkeit ausstrahlte. An jeder Ecke stand ein Wachturm mit Ausguck, um Fluchtversuche zu verhindern. Darüber hätten sie sich keine Sorgen zu machen brauchen.

Dieses Gefühl, wenn man sich in sein Schicksal ergibt. Man heißt es beinahe willkommen. Keine Schmerzen mehr, keine Angst, keine Sehnsucht. Und die größte Erleichterung ist es, wenn die Hoffnung stirbt. Bald würde ich Édouard an mich drücken können. Wir wären im Jenseits vereint, denn ich war sicher, wenn es einen Gott gab, würde er uns diesen Trost nicht verweigern.

Vage nahm ich wahr, dass in dem Wachhäuschen eine heftige Diskussion entbrannt war. Ein Mann kam heraus und verlangte meine Papiere. Ich war so schwach, dass ich sie erst beim dritten Versuch aus der Tasche ziehen konnte. Er bedeutete mir, meinen Ausweis hochzuhalten. Nachdem ich von Läusen wimmelte, wollte er mich nicht berühren.

Er hakte etwas auf einer Liste ab und bellte dem Soldaten etwas zu. Sie unterhielten sich kurz. Immer wieder verschwamm meine Wahrnehmung, und ich wusste nicht, ob sie ihre Stimmen gesenkt hatten oder ob mir meine Sinne einen Streich spielten. Ich war nun sanft und gehorsam wie ein Lamm. Ich wollte nicht mehr nachdenken. Ich wollte mir nicht mehr vorstellen, welches Grauen mich noch erwartete. Ich hörte Lilianes Stimme, und mir war unklar bewusst, dass ich mich fürchten musste, solange ich noch am Leben war. *Du hast keine Ahnung, was sie uns antun werden.* Aber irgendwie konnte ich nicht mehr genug Energie aufbringen, um mich zu fürchten. Wenn die Wache nicht neben mir gestanden und meinen Arm festgehalten hätte, wäre ich vermutlich auf dem Boden zusammengebrochen.

Das Tor wurde geöffnet, ein Wagen fuhr aus dem Gefangenenlager, dann wurde es wieder zugezogen. Ich verlor jedes Zeitgefühl. Meine Augen schlossen sich, und kurz sah ich mich in einem Café in Paris sitzen, den Kopf zurückgelegt, die Sonne warm auf meinem Gesicht. Mein Mann saß an meiner Seite, sein lautes Lachen hallte in meinen Ohren, seine riesige Hand legte sich auf dem Tisch über meine.

O Édouard, jammerte ich in Gedanken, während ich in der

kühlen Morgenluft zitterte. Hoffentlich musstest du nicht solche Schmerzen erleiden. Ich bete, dass du es leicht hattest.

Ich wurde wieder vorwärtsgezogen. Jemand schrie mich an. Ich verhedderte mich in meinen Röcken, klammerte mich irgendwie immer noch an meine Tasche. Das Tor wurde erneut geöffnet, und ich wurde grob in das Lager gestoßen. Als ich den zweiten Wachposten erreichte, musste ich wieder stehen bleiben.

Führt mich einfach in eine Baracke. Erlaubt mir einfach nur, mich hinzulegen.

Ich war so müde. Ich sah Lilianes Hand, die präzise, wohlüberlegte Bewegung, mit der sie die Pistole an ihre Schläfe gehoben hatte. Ihr Blick, der sich in den letzten Sekunden ihres Lebens in meinen versenkt hatte. Ihre Augen waren wie bodenlose schwarze Löcher, wie Fenster in einen Abgrund. *Sie spürt nun nichts mehr*, sagte ich mir, und irgendein Teil meines Verstandes, der noch funktionsfähig war, begriff, dass ich sie beneidete.

Als ich meinen Ausweis in die Tasche zurücksteckte, fuhr meine Hand an der gezackten Glasscherbe entlang, und mich durchfuhr eine Erkenntnis. Ich konnte diese Spitze zu meiner Kehle führen. Ich wusste, wo die Schlagader verlief und wie viel Druck ich ausüben müsste. Ich dachte daran, wie das Schwein in St. Péronne gebuckelt hatte; ein entschlossen geführter Schnitt mit dem Messer hatte ausgereicht, und seine Augen hatten sich in einem Ausdruck geschlossen, der wie schweigende Ekstase wirkte. Ich stand da und ließ die Vorstellung in meinem Kopf Gestalt annehmen. Ich konnte es tun, bevor sie noch mitbekamen, was ich machte. Ich konnte mich befreien.

Du hast keine Ahnung, was sie uns antun werden.

Meine Finger schlossen sich um die Scherbe.

Sophie.

Und da wusste ich, dass die Erlösung kam. Ich ließ die Glasscherbe los. Das Ende war da, die süße Stimme meines Mannes würde mich in die Ewigkeit führen. Ich musste beinahe lächeln, so groß war meine Erleichterung. Ich schwankte ein wenig, als ich die Erkenntnis in mich eindringen ließ.

Sophie.

Eine deutsche Hand riss mich grob herum und führte mich zu dem Tor zurück. Und dann sah ich den Soldaten durch den Nebel kommen. Vor ihm ging ein großer, gebeugter Mann, der ein Bündel an sich drückte. Ich verengte die Augen, um besser zu sehen, machte etwas Vertrautes an der Erscheinung aus. Aber er hatte das Licht hinter sich, und ich konnte ihn nicht erkennen.

Sophie.

Ich versuchte, genauer hinzusehen, und plötzlich blieb die Welt stehen, und jedes Geräusch erstarb. Die Deutschen waren still, die Motoren hielten an, selbst das Laub der Bäume raschelte nicht mehr im Wind. Und ich sah, dass der Gefangene auf mich zuhinkte. Seine Silhouette schien mir fremd, seine Schultern waren knochig, doch sein Schritt war entschlossen, als wäre ich ein Magnet, der ihn anzog. Und ich begann, krampfhaft zu zittern, als hätte es mein Körper vor meinem Verstand begriffen. «Édouard.» Meine Stimme war ein Krächzen. Ich konnte es nicht glauben. Ich wagte nicht, es zu glauben.

Und er hastete nun hinkend auf mich zu, der Soldat hinter ihm beschleunigte seinen Schritt. Und ich stand da wie erstarrt, immer noch fürchtend, dies könnte eine schreckliche Sinnestäuschung sein, und ich würde auf der Ladefläche des

Lastwagens aufwachen, einen Stiefel neben dem Kopf. *Bitte Gott. So grausam kannst du nicht sein.*

Und er blieb stehen, ein paar Schritte vor mir. So mager, mit ausgemergeltem Gesicht, sein wunderschönes Haar abrasiert, Narben auf den Wangen. Aber, o Gott, sein Gesicht. *Sein Gesicht. Mein Édouard.* Es war zu viel. Mein Kopf kippte himmelwärts, die Tasche glitt mir aus der Hand, und ich sank zu Boden. Und während ich fiel, spürte ich, wie sich seine Arme um mich schlossen.

«Sophie. Meine Sophie. Was haben sie dir angetan?»

Édith Béthune lehnt sich in ihrem Rollstuhl zurück. Im Gerichtssaal herrscht Stille. Ein Gerichtsdiener bringt ihr ein Glas Wasser, und sie bedankt sich mit einem Nicken. Sogar die Journalisten haben aufgehört zu schreiben. Sie sitzen da, die Stifte in der Hand, die Münder halb offen.

«Wir wussten nicht, was mit ihr passiert war. Ich dachte, sie ist tot. Ein paar Monate nach der Verhaftung meiner Mutter war ein neues Informationsnetzwerk aufgebaut worden, und wir hörten, dass sie zu mehreren Häftlingen gehört hatte, die im Lager gestorben waren. Danach war Hélène wochenlang in Tränen aufgelöst.

Und dann, als ich eines Morgens sehr früh nach unten kam, um die ersten Vorbereitungen für den Tag zu treffen … ich half Hélène in der Küche … sah ich einen Brief, der unter der Tür des Le Coq Rouge hindurchgeschoben worden war. Ich wollte ihn gerade aufheben, als Hélène hinter mir auftauchte und ihn an sich riss.

‹Den hast du nicht gesehen›, sagte sie, und ich war erschrocken, weil sie noch nie so schroff mit mir geredet hatte. Ihr Gesicht war so weiß wie die Wand geworden. ‹Hast du verstanden? Du hast das nicht gesehen, Édith. Du darfst niemandem davon erzählen. Nicht einmal Aurélien. Ganz besonders nicht Aurélien.›

Ich nickte, rührte mich aber nicht vom Fleck. Ich wollte wissen, was das für ein Brief war. Hélènes Hände zitterten, als sie ihn öffnete. Sie lehnte sich an den Tresen, die Morgensonne schien ihr ins Gesicht, und ihre Hände zitterten so sehr, dass ich nicht wusste, wie sie den Brief lesen wollte. Und dann ließ sie ihn sinken, die Hand vor den Mund geschlagen, und sie begann, leise zu schluchzen. ‹Oh, Gott sei Dank. Oh, Gott sei Dank.›

Sie waren in der Schweiz. Sie hatten falsche Papiere bekommen, standen angeblich ‹in deutschen Diensten› und wurden zu einem Waldgebiet an der Schweizer Grenze gebracht. Sophie war inzwischen so krank, dass Édouard sie die letzten zehn Kilometer bis zum Kontrollpunkt tragen musste. Von dem Soldaten, der sie in den Wald gefahren hatte, wurde ihnen eingeschärft, dass sie mit niemandem in Frankreich Kontakt aufnehmen durften, weil sie damit diejenigen gefährden würden, die ihnen geholfen hatten. Der Brief war mit ‹Marie Leville› unterschrieben.»

Sie lässt ihren Blick durch den Saal schweifen. Liv hat angefangen zu weinen, stumme Schluchzer steigen aus ihrer Kehle auf. *Am Leben*, denkt sie. *Sie hat überlebt. Und sie haben sich wiedergefunden.*

«Sie sind in der Schweiz geblieben. Wir wussten, dass Sophie nie mehr nach St. Péronne gehen konnte, derartig aufgeheizt war die Stimmung nach der deutschen Okkupation. Wenn sie zurückgekehrt wäre, hätten die Leute Fragen gestellt. Und natürlich hatte ich bis dahin begriffen, wer ihnen bei ihrer gemeinsamen Flucht geholfen hatte.»

«Und wer war das, Madame?»

Sie presst die Lippen zusammen, als würde es sie selbst nach all den Jahren noch Überwindung kosten, es auszusprechen. «Kommandant Friedrich Hencken.»

«Verzeihen Sie», sagt der Richter. «Das ist eine sehr außergewöhnliche Geschichte. Aber ich verstehe nicht, wie sie mit dem Verlust des Gemäldes in Verbindung steht.»

Édith Béthune sammelt sich. «Hélène hat mir den Brief nicht gezeigt, aber ich wusste, dass er sie beschäftigte. Sie war unruhig, wenn Aurélien in der Nähe war, auch wenn er selten in den Le Coq Rouge kam, nachdem Sophie nicht mehr da war. Es war, als könnte er es nicht ertragen, dort zu sein. Doch dann, zwei Tage später, als er wieder gegangen war und die Kleinen schliefen, rief mich Hélène in ihr Schlafzimmer. ‹Édith, du musst etwas für mich tun.›

Sie saß auf dem Boden, Sophies Porträt mit einer Hand vor sich haltend. Sie sah den Brief in ihrer anderen Hand an, als müsste sie etwas nachsehen, schüttelte leicht den Kopf, und dann schrieb sie mit Kreide einige Worte auf die Rückseite des Gemäldes. Anschließend lehnte sie sich in der Hocke zurück, um zu überprüfen, dass sie alles richtig geschrieben hatte. Danach schlug sie das Gemälde in ein Laken ein und hielt es mir hin. ‹Der Kommandant geht heute Nachmittag zur Jagd in den Wald. Du musst ihm das hier bringen.›

‹Niemals.› Ich hasste diesen Mann mit aller Leidenschaft. Er war dafür verantwortlich, dass ich meine Mutter verloren hatte.

‹Tu, was ich sage. Du musst das für mich zum Kommandanten bringen.›

‹Nein.› Ich hatte keine Angst vor ihm. Er hatte mir schon das Schlimmste angetan, was man sich vorstellen konnte.

Aber ich würde keinen Augenblick in seiner Gesellschaft zubringen.

Hélène starrte mich an, und ich glaube, sie erkannte, wie ernst es mir war. Sie zog mich an sich, und ich hatte sie noch nie so entschlossen gesehen. ‹Édith, der Kommandant muss dieses Gemälde bekommen. Du und ich wünschen ihm vielleicht den Tod, aber wir müssen …›, sie zögerte, ‹… Sophies Wünsche respektieren.›

‹Dann bring du es ihm.›

‹Ich kann nicht. Wenn ich es mache, gibt es Gerede in der Stadt, und wir können nicht riskieren, dass mein Ruf genauso zerstört wird wie der meiner Schwester. Davon abgesehen wird Aurélien ahnen, dass irgendetwas vorgeht. Und er darf die Wahrheit nicht erfahren. Niemand darf sie erfahren, um ihrer und unserer Sicherheit willen. Wirst du es tun?›

Ich hatte keine Wahl. An diesem Nachmittag, nachdem mir Hélène das verabredete Zeichen gegeben hatte, nahm ich das Gemälde unter den Arm und ging durch die Allee und das Brachland zum Wald. Das Bild war schwer, und der Rahmen schnitt mir in die Achselhöhle. Er war mit einem anderen Offizier dort. Der Anblick der beiden mit ihren Gewehren in der Hand ließ mich zittern vor Angst. Als er mich sah, befahl er den anderen Mann weg. Ich ging langsam zwischen den Bäumen hindurch, meine Füße waren eiskalt auf dem gefrorenen Waldboden. Der Kommandant wirkte aufgewühlt, als ich näher kam, und ich weiß noch, dass ich dachte: *Sehr gut, ich hoffe, du findest nie wieder Ruhe.*

‹Möchtest du mir etwas sagen?›, sprach er mich an.

Ich wollte ihm das Bild nicht geben. Er sollte nicht das Geringste haben. Er hatte mir schon die beiden wichtigsten Menschen in meinem Leben genommen. Ich hasste diesen Mann.

Und ich glaube, in diesem Moment hatte ich den Einfall. ‹Tante Hélène hat gesagt, ich soll Ihnen das hier geben.›

Er nahm das Gemälde und wickelte es aus. Er sah es an, unsicher, und dann drehte er es um. Als er sah, was auf der Rückseite stand, geschah etwas Seltsames. Sein Gesichtsausdruck wurde weich, nur einen kurzen Moment lang, und seine hellblauen Augen wurden feucht, als würde er gleich anfangen, vor Freude zu weinen.

Er dankte mir. Er drehte das Gemälde um und betrachtete Sophie. Dann las er noch einmal, was auf der Rückseite stand. ‹Danke›, sagte er leise, ob zu ihr oder zu mir, wusste ich nicht.

Ich konnte es nicht ertragen, ihn so glücklich zu sehen, seine große Erleichterung, wo er mir doch jede Möglichkeit genommen hatte, glücklich zu sein. Ich hasste diesen Mann mehr als irgendjemand anderen. Er hatte alles zerstört. Und ich hörte meine Stimme, so klar wie eine Glocke in dem stillen Wald. ‹Sophie ist tot›, sagte ich. ‹Sie ist gestorben. Sie ist im Lager an der Spanischen Grippe gestorben.›

Er zuckte richtig zusammen vor Schreck. ‹Was?›

Ich weiß nicht, woher es kam. Die Worte gingen mir flüssig über die Lippen, es war mir gleich, welche Folgen sie haben würden. ‹Sie ist gestorben. Weil sie weggebracht wurde. Kurz nachdem sie uns beauftragt hat, Ihnen das Bild zu geben.›

Er fragte mich, ob ich sicher sei. Sagte, es seien eine Menge falscher Informationen im Umlauf.

‹Ziemlich sicher. Ich hätte es Ihnen vermutlich nicht sagen sollen. Es ist ein Geheimnis.›

Ich stand da, und mein Herz war zu Stein geworden. Ich beobachtete, wie ihm die Farbe aus den Wangen wich.

‹Ich hoffe, das Bild gefällt Ihnen›, sagte ich. Und dann ging ich nach Hause. Ich glaube, danach habe ich nie mehr vor irgendetwas Angst gehabt.

Der Kommandant war noch Monate in unserer Stadt. Aber er ist nie mehr in den Le Coq Rouge gekommen. Für mich war das wie ein Sieg.»

Es ist totenstill im Saal. Die Journalisten sehen Édith Béthune an. Es ist, als wäre mit ihr plötzlich die Vergangenheit lebendig geworden, hier, in diesem Gerichtssaal. Als der Richter wieder das Wort ergreift, ist seine Stimme sanft.

«Madame. Können Sie uns sagen, was auf der Rückseite des Gemäldes stand? Das scheint ein wesentlicher Aspekt in diesem Verfahren zu sein. Können Sie sich noch daran erinnern?»

Édith Béthune wirft einen Blick auf die vollbesetzten Bänke. «O ja. Ich erinnere mich ganz genau daran. Ich erinnere mich daran, weil ich nicht begriffen habe, was es bedeuten soll. Auf der Rückseite stand mit Kreide: *Pour Herr Kommandant, qui comprendra – pas pris, mais donné.*» Sie hält inne. «Für Herrn Kommandant, der dies verstehen wird – nicht genommen, sondern geschenkt.»

Kapitel 36

Liv hört den Lärm aufsteigen wie einen Vogelschwarm. Sie sieht, wie sich die Journalisten um die alte Dame drängen und mit den Kugelschreibern gestikulieren, sieht den Richter eindringlich mit den Anwälten sprechen und vergeblich mit dem Hammer klopfen. Sie sieht zur Galerie hinauf, in die erregten Mienen, und hört leisen Applaus, der vielleicht der alten Dame gilt, vielleicht aber auch der Wahrheit; sie weiß es nicht recht.

Paul drängt sich durch die Menge. Als er bei ihr ist, zieht er sie an sich, neigt den Kopf und flüstert ihr ins Ohr: «Sie gehört dir, Liv.» Seine Stimme klingt gepresst vor Erleichterung. «Sie gehört dir.»

«Sie hat überlebt», sagt Liv, gleichzeitig lachend und weinend. «Sie haben sich wiedergefunden.» Aus seiner Umarmung schaut sie in das Durcheinander und fürchtet all diese Menschen nicht mehr. Die Leute lächeln, als wäre das ein guter Ausgang, als wäre sie nicht mehr der Feind. Sie sieht die Brüder Lefèvre mit düsteren Mienen aufstehen, um hinauszugehen, und ist unendlich froh, dass Sophie nicht mit ihnen nach Frankreich zurückkehren wird. Sie sieht Janey Dickinson, die langsam ihre Unterlagen zusammenpackt, mit erstarrtem Gesicht, als könnte sie nicht glauben, was gerade passiert ist.

«Was sagt man dazu?» Henry legt ihr strahlend eine Hand auf die Schulter. «Was sagt man dazu? Und dem armen alten Berger hört kein Mensch mehr zu.» Irgendwo hinter dem Aufruhr löst der Richter die Versammlung auf.

«Komm», sagt Paul und legt ihr beschützend den Arm um die Schultern. «Verschwinden wir.»

Der Gerichtsdiener taucht auf, drängt sich durch die Menge. Dann steht er vor Liv, versperrt ihr den Weg, schwer atmend nach der kurzen Anstrengung. «Hier, Madam», sagt er und übergibt ihr das Gemälde. «Ich glaube, das gehört Ihnen.»

Livs Finger schließen sich um den vergoldeten Rahmen. Sie schaut auf Sophie, auf ihr Haar, das im schwachen Licht des Verhandlungssaals schimmert, auf ihr Lächeln, das so unergründlich wirkt wie immer. «Ich glaube, es wäre am besten, wenn Sie wieder den Hinterausgang nehmen», fügt der Gerichtsdiener hinzu, und neben ihm tauchen Männer vom Wachschutz auf, bahnen ihnen einen Weg zur Tür, während sie schon in ihre Funkgeräte sprechen.

Paul macht eine Bewegung, um ihnen zu folgen, aber sie legt ihm die Hand auf den Arm. «Nein», sagt Liv. Sie atmet tief ein und strafft ihre Schultern, sodass sie ein bisschen größer wirkt. «Dieses Mal nicht. Wir gehen vorne raus.»

Epilog

Zwischen 1917 und 1926 wohnten Anton und Marie Leville in einem kleinen Haus am Ufer des Genfer Sees im schweizerischen Montreux. Sie lebten zurückgezogen, hatten wenig fürs Ausgehen übrig und schienen in ihrer gegenseitigen Gesellschaft am glücklichsten. Madame Leville arbeitete als Bedienung in einem Restaurant. Sie galt als tüchtig und freundlich, aber auch als jemand, der nicht besonders auf Gespräche aus war. («Eine seltene Eigenschaft bei Frauen», pflegte der Restaurantbesitzer mit einem Seitenblick auf seine Frau anzumerken.)

Jeden Abend um Viertel nach neun sah man Anton Leville, einen großen, dunkelhaarigen Mann mit einem seltsam unregelmäßigen Gang, die fünfzehn Minuten Fußweg zu dem Restaurant zurücklegen, wo er den Geschäftsführer durch die offene Tür grüßte, indem er sich an die Hutkrempe tippte, und dann draußen wartete, bis seine Frau herauskam. Er hielt ihr den Arm hin, sie hakte sich ein, und dann gingen sie gemeinsam zurück, verlangsamten manchmal ihren Schritt, um den Sonnenuntergang über dem See oder ein besonders schön dekoriertes Schaufenster zu bewundern. So hielten sie es ihren Nachbarn zufolge an den Arbeitstagen und wichen nur sehr selten von dieser Gewohnheit ab. Gelegentlich verschickte Madame Leville Päckchen, kleine Geschenke, an eine Adresse in Nordfrankreich, aber davon abgesehen schienen sie wenig Interesse an der Außenwelt zu haben.

An den Wochenenden blieb das Paar meist zu Hause, besuchte ab und zu ein Café in der Nähe, wo die beiden, wenn das Wetter es zuließ, ein paar Stunden Karten spielten oder in einträchtigem Schweigen beieinandersaßen, seine große Hand über ihre gelegt.

«Mein Vater meinte einmal spaßeshalber zu Monsieur Leville, dass Madame schon nicht vom Wind weggeweht würde, wenn er sie einmal kurz loslässt», sagte Anna Bärtschi, die im Nachbarhaus aufgewachsen war. «Mein Vater hat immer zu meiner Mutter gesagt, dass er es ein bisschen anstößig findet, sich in aller Öffentlichkeit so an seine Frau zu klammern.»

Von Monsieur Leville wusste man wenig, abgesehen davon, dass er an schwacher Gesundheit zu leiden schien. Es wurde vermutet, dass er irgendeine Art Privatier war. Einmal bot er an, zwei der Nachbarskinder zu porträtieren, aber angesichts seiner merkwürdigen Farbauswahl und unkonventionellen Pinselführung kamen die Bilder nicht besonders gut an.

Die meisten Stadtbewohner waren sich insgeheim darüber einig, dass sie den sauberen Pinselstrich und die lebensechteren Bilder von Monsieur Blum unten beim Uhrmacher bevorzugten.

Die E-Mail kommt an Heiligabend.

Okay. Ich bin eine Niete, was Prophezeiungen angeht. Und vermutlich auch, was Freundschaften angeht. Aber ich würde dich wirklich gern wiedersehen, falls du nicht dein von mir erworbenes Wissen eingesetzt und eine Voodoo-Puppe von mir gemacht hast. (Was durchaus möglich wäre. Ich hatte nämlich kürzlich rasende Kopfschmerzen. Wenn du das warst, muss ich dir vermutlich gratulieren.)
Die Sache mit Ranic funktioniert nicht so richtig. Wie sich herausstellt, ist es nämlich nicht der Bringer, eine Dreizimmerwohnung mit fünfzehn männlichen, osteuropäischen Hotelangestellten zu teilen. Wer hätte das gedacht? Ich habe übers Internet eine neue Bleibe bei einem Steuerberater gefunden, der es mit Vampiren hat und denkt, mit jemandem wie mir zusammenzuwohnen, würde seine Glaubwürdigkeit erhöhen. Vermutlich ist er ein bisschen enttäuscht, dass ich in seinem Kühlschrank keinen Vorrat an totgefahrenen Tieren angelegt und ihm nicht angeboten habe, ihm ein Tattoo zu stechen. Aber es ist okay. Er hat Satellitenfernsehen, und es ist nur zwei Minuten zu Fuß von dem Pflegeheim, also habe ich keine Entschuldigung mehr, um Mrs. Vincents Windelwechsel zu verpassen (frag nicht).

Egal. Ich bin wirklich froh, dass du dein Bild behalten kannst. Ehrlich. Und es tut mir leid, dass ich keine Diplomatie-Taste habe. Du fehlst mir.
Mo

«Lade sie ein», sagt Paul, der über ihre Schulter mitliest. «Das Leben ist zu kurz, stimmt's?»

Sie wählt die Nummer, ohne lange nachzudenken.

«Was machst du morgen?», sagt sie, noch bevor Mo den Mund aufmachen kann.

«Ist das eine Fangfrage?»

«Willst du zu mir kommen?»

«Und das alljährliche Meckerfest bei meinen Eltern mit einer kaputten Fernbedienung und der Weihnachtssondersendung der *Radio Times* verpassen? Soll das ein Witz sein?»

«Du musst um zehn da sein. Ich habe anscheinend hier die Speisung der fünftausend vor mir. Ich brauche Kartoffel-Basishilfe.»

«Ich komme.» Mo kann ihre Freude nicht verbergen. «Vielleicht bringe ich dir sogar ein Geschenk mit. Ein richtig gekauftes. Oh. Aber ich muss so um sechs mal weg, um für die Oldies ein bisschen zu singen und so.»

«Du hast also doch ein Herz.»

«Ja. Dein letzter Zahnstocher muss sein Ziel verfehlt haben.»

Der kleine Jean Montpellier starb in den letzten Kriegswochen an der Grippe. Hélène Montpellier verfiel in eine Art Schockstarre. Sie weinte weder, als der Bestattungsunternehmer kam, um seinen kleinen Körper abzuholen, noch, als er beerdigt wurde. Sie gab sich den Anschein von Normalität, öffnete die Bar des Le Coq Rouge zu den erlaubten Zeiten und lehnte sämtliche Unterstützungsangebote ab, aber sie war, wie der Bürgermeister in seinen Tagebüchern aus dieser Zeit vermerkte, «wie eingefroren».

Édith Béthune, die unmerklich viele Aufgaben Hélènes übernommen hatte, beschreibt einen Nachmittag mehrere Monate danach, als ein magerer, erschöpfter Mann in Uniform vor der Tür stand, der den linken Arm in der Schlinge trug. Édith trocknete gerade Gläser ab und wartete darauf, dass er eintrat, aber er stand einfach nur auf der Schwelle und sah mit seltsamem Gesichtsausdruck herein. Sie bot ihm ein Glas Wasser an, und dann, als er immer noch nicht hereinkam, sagte sie: «Soll ich Madame Montpellier rufen?»

«Ja, Kind», hatte er gesagt und den Kopf geneigt. Seine Stimme war leicht gekippt, als er sprach. «Ja. Bitte.»

Sie erzählt, wie Hélènes Schritt stockte, als sie in die Bar kam, von ihrem ungläubigen Gesicht und wie sie den Besen fallen ließ, ihre Röcke raffte, mit einem Satz auf ihn zuflog und dabei so laute Schreie ausstieß, dass man sie die ganze Straße hinunter hören konnte, sodass sogar die Nachbarn, die von den eigenen Verlusten verbittert waren, von ihrer Beschäftigung aufsahen und sich die Augen abtupften.

Sie erinnert sich, einmal auf der Treppe vor dem Schlafzimmer der beiden gesessen und gehört zu haben, wie sie um ihren Sohn weinten. Sie stellt ohne Selbstmitleid fest, dass ihre Augen trocken blieben, obwohl sie Jean sehr geliebt hatte. Nach dem Tod ihrer Mutter, sagt sie, hat sie nie wieder geweint.

Es heißt, dass in all den Jahren, in denen die Familie Montpellier den Le Coq Rouge führte, nur ein einziges Mal geschlossen wurde, und zwar für einen Zeitraum von drei Wochen im Jahr 1925. Ein paar Leute wissen noch, dass Hélène, Jean-Michel, Mimi und Édith niemandem etwas erzählten, sondern einfach die Fensterläden zumachten, die Türen abschlossen und verschwanden, nachdem sie ein Schild mit der Aufschrift *En vacances* aufgehängt hatten. Das hatte zu einer gewissen Fassungslosigkeit in dem Städtchen geführt, zu zwei Beschwerdebriefen an die Lokalzeitung und zu einer Menge zusätzlicher Kundschaft in der Bar Blanc. Als die Familie wieder zurück war und Hélène gefragt wurde, wo sie gewesen waren, hatte sie gesagt, sie hätten eine Reise in die Schweiz gemacht.

«Wir glauben, dass die Luft dort besonders gut für Hélènes Gesundheit ist», sagte Monsieur Montpellier.

«Oh, ganz bestimmt ist sie das», hatte Hélène mit einem kleinen Lächeln hinzugefügt. «Äußerst … kräftigend.»

Von Madame Louvier wird berichtet, sie habe in ihrem Tagebuch vermerkt, es sei für Hoteliers eine Sache, aus einer Laune heraus in fremde Länder zu verschwinden, ohne sich auch nur zu verabschieden, aber eine ganz andere, beim Zurückkommen derartig selbstzufrieden darüber zu sein, es getan zu haben.

Ich habe nie erfahren, was aus Sophie und Édouard geworden ist. Ich weiß, dass sie bis wenigstens 1926 in Montreux waren, aber Hélène war die Einzige, die regelmäßig Kontakt hielt, und sie starb 1934 überraschend. Danach kamen meine Briefe mit dem Vermerk «Empfänger unbekannt» zurück.

Édith Béthune und Liv haben sich ein paar Mal geschrieben, lange verheimlichte Informationen ausgetauscht und die Lücken gefüllt. Liv hat angefangen, ein Buch über Sophie zu schreiben, nachdem sie von zwei Verlegern darauf angesprochen worden war. Das Projekt macht ihr Angst, aber Paul meint, niemand wäre besser dafür qualifiziert als sie.

Die Handschrift der alten Dame ist sehr sicher für jemanden in so fortgeschrittenem Alter, gestochen scharf, gleichmäßig und leicht nach rechts geneigt. Liv hält den Brief näher an die Nachttischlampe, um weiterzulesen.

Ich habe dann einer Nachbarin von ihr geschrieben, die sagte, sie hätte gehört, Édouard wäre krank geworden, aber Genaueres wusste sie nicht. Über die Jahre machte ich noch mehrere solche Versuche, etwas zu erfahren, und begann, vom Schlimmsten auszugehen. Ein paar Nachbarn erinnerten sich, dass er krank geworden war. Andere, dass es Sophies Gesundheit gewesen wäre, die sich verschlechterte. Ein paar sagten, die beiden wären einfach verschwunden. Mimi glaubte sich zu erinnern, dass ihre Mutter einmal gesagt hatte, die beiden wären irgendwohin gegangen, wo es wärmer war. Ich selbst war inzwischen so oft umgezogen, dass mich Sophie selbst dann nicht hätte erreichen können, wenn sie es gewollt hätte.

Ich weiß, was der gesunde Menschenverstand einem über zwei geschwächte Menschen sagt, deren Körper von Hunger und Gefangenschaft angegriffen waren. Aber ich habe mir trotzdem lieber vorgestellt, dass sie sich sieben, acht Jahre nach dem Krieg und ohne Verantwortung für andere vielleicht endlich sicher genug gefühlt haben, um weiterzuziehen, und dann einfach ihre Sachen packten und es taten. Ich stelle mir lieber vor, dass sie irgendwo unterwegs waren, vielleicht in wärmeren Gefilden, und so glücklich wie bei unserem Ferienaufenthalt, bei dem wir gesehen hatten, wie zufrieden sie in ihrer Zweisamkeit waren.

Ihr Schlafzimmer ist sogar noch leerer als gewöhnlich. Alles ist für ihren Umzug in der kommenden Woche vorbereitet. Sie wird zu Paul ziehen, in seine kleine Wohnung. Vielleicht sucht sie sich noch etwas Eigenes, aber offenbar haben sie es beide nicht eilig mit dieser Entscheidung.

Sie betrachtet ihn, wie er neben ihr schläft, immer noch hingerissen davon, wie gut er aussieht, von seiner Gestalt, von der schieren Freude darüber, ihn bei sich zu haben. Sie denkt an etwas, das ihr Vater gesagt hat, als er Weihnachten da war. Er hatte sie in der Küche aufgespürt und Teller abgetrocknet, während sie spülte. Die anderen spielten im Wohnzimmer lautstark Brettspiele. Sie hatte aufgesehen, weil ihr seine ungewöhnliche Schweigsamkeit aufgefallen war.

«Weißt du, ich glaube, er hätte David sehr gefallen.» Er sah sie nicht an bei diesen Worten, sondern trocknete einfach weiter ab.

Sie wischt sich über die Augen, wie sie es oft tut, wenn sie daran denkt (sie ist ziemlich gefühlsselig zurzeit), und wendet sich wieder dem Brief zu.

Ich bin inzwischen eine alte Frau, also geschieht es vielleicht nicht mehr zu meinen Lebzeiten, aber ich glaube, dass eines Tages ganze Serien von Gemälden mit unklarer Herkunft auftauchen werden, schön und fremdartig, mit überraschenden, satten Farben. Sie werden eine rothaarige Frau im Schatten einer Palme zeigen oder vielleicht in eine gelbe Sonne sehend, mit einem etwas älteren Gesicht, vielleicht mit ein paar grauen Strähnen im Haar, aber mit breitem Lächeln und liebevollen Augen.

Liv schaut zu dem Porträt, das ihrem Bett gegenüber an der Wand hängt, und die junge Sophie erwidert ihren Blick, überglänzt vom blassgoldenen Licht der Lampe. Sie liest den Brief ein zweites Mal, konzentriert sich auf die Worte, die Zwischentöne. Sie denkt an Édith Béthunes Blick: fest und wissend. Und dann liest sie den Brief noch einmal.

«Hey.» Paul dreht sich schläfrig zu ihr herum. Er streckt einen Arm aus und zieht sie an sich. Seine Haut ist warm, sein Atem süß. «Was machst du da?»

«Nachdenken.»

«Klingt gefährlich.»

Liv legt den Brief weg und wühlt sich unter die Decke, bis sie sein Gesicht vor ihrem hat.

«Paul.»

«Liv.»

Sie lächelt. Sie lächelt jedes Mal, wenn sie ihn anschaut. Dann holt sie ein wenig Luft. «Du weißt doch, wie gut du darin bist, Sachen zu finden …»

Dank

Dieser Roman hat Helen McPhails großartigem Buch *The Long Silence: Civilian Life under the German Occupation of Northern France 1914–1918* sehr viel zu verdanken, in dem sie über ein weitgehend unbekanntes Kapitel des Ersten Weltkriegs schreibt.

Ich möchte auch Jeremy Scott danken, der Anwaltspartner bei Lipman Karas ist und mich mit seinem Expertenwissen zum Thema Restitution großzügig unterstützt und meine vielen Fragen geduldig beantwortet hat. Ich musste einige rechtliche Bestimmungen und Verfahrensweisen zugunsten der Romanhandlung verändern, und sämtliche Irrtümer oder Abweichungen von der Rechtspraxis sind selbstverständlich mir zuzuschreiben.

Bei meinem Verlag Penguin danke ich besonders Louise Moore, Mari Evans, Clare Bowron, Katya Shipster, Elizabeth Smith, Celine Kelly, Viviane Basset, Raewyn Davies, Rob Leyland und Hazel Orme. Und Dank an Guy Sanders dafür, dass er mich weit über seine Pflicht hinausgehend bei der Recherche unterstützt hat.

Ich danke allen bei Curtis Brown, vor allem meiner Agentin Sheila Crowley, aber auch Jonny Geller, Katie McGowan, Tally Garner, Sam Greenwood, Sven Van Damme, Alice Lutyens, Sophie Harris und Rebecca Ritchie.

Darüber hinaus möchte ich ohne besondere Reihenfolge Steve Doherty danken, Drew Hazell, Damian Barr, Chris Luckley, meiner schreibenden «Familie» beim Writersblock und meinen Unterstützern via Twitter. Es sind zu viele, um sie hier zu nennen.

Mein größter Dank geht wie immer an Jim Moyes, an Lizzie und Brian Sanders und an meine Familie, Saskia, Harry und Lockie – und an Charles Arthur, Korrekturleser, Plot-Doktor und leidgeprüftes Schriftstellerohr. Jetzt weißt du, wie es ist …

Jojo Moyes bei
Rowohlt Polaris und rororo

DIe Tage in Paris

Ein Bild von dir

Ein ganzes halbes Jahr

Eine Handvoll Worte

Weit weg und ganz nah

Die berührende Vorgeschichte zu «Ein Bild von dir».

Flitterwochen in Paris – der Traum aller Frischverheirateten. Sophie und Liv leben ihn: Im Paris der Belle Époque verbringt Sophie die ersten Tage an der Seite ihres Mannes, des Malers Édouard Lefèvre. Die Welt, die er ihr, dem Mädchen aus der Provinz, zeigt, ist aufregend und neu. Doch das Leben als Frau des Malers ist nicht immer leicht.
Über hundert Jahre später begibt sich eine andere Braut auf Hochzeitsreise in die Stadt der Liebe. Hals über Kopf haben Liv und David geheiratet. Doch die Tage in Paris sind nicht ganz so unbeschwert und romantisch, wie Liv sich das erhofft hat. Hat sie gerade den Fehler ihres Lebens begangen? Erst ein Gemälde bringt die Liebenden einander wieder näher.
Geschenkbuch mit farbigen Innenillustrationen

rororo 26790